Lebendiges Wort

Lebendiges Wort

Biblisches Lese- und Arbeitsbuch

St. Benno Buch- und
Zeitschriftenverlagsgesellschaft mbH
Verlag Katholisches Bibelwerk

Herausgegeben von der
Katechetischen Arbeitsgemeinschaft

Erarbeitet von Dorothea Dubiel
Martin Fritz
Maria Geburek
Ulrich Werbs

Die Deutsche Bibliothek – CIP-Einheitsaufnahme

Lebendiges Wort : biblisches Lese- und Arbeitsbuch /
[hrsg. von der Katechetischen Arbeitsgemeinschaft.
Erarb. von Dorothea Dubiel ...]. – 1. Aufl. –
Leipzig : St.-Benno-Buch-und-Zeitschr.-Verl.-Ges. ;
Stuttgart : Verl. Kath. Bibelwerk, 1996
ISBN 3-7462-1137-9 (St.-Benno-Buch-und-Zeitschr.-Verl.-Ges.)
ISBN 3-460-33111-9 (Verl. Kath. Bibelwerk)
NE: Dubiel, Dorothea

ISBN 3-7462-1137-9 St. Benno Buch- und Zeitschriftenverlags-
gesellschaft mbH
ISBN 3-460-33111-9 Verlag Katholisches Bibelwerk GmbH

1. Auflage 1996

Gestaltung des Bucheinbandes: Neil McBeath, Kornwestheim
unter Verwendung einer Grafik von Solomon Wija, Leipzig
Satz: Kontext – Satz & Layout, Lemsel
Herstellung: Brönner u. Daentler, Eichstätt

Zur Einführung

„Bibel" ist das griechische Wort für „Buch". Bei genauerer Betrachtung handelt es sich bei der Bibel jedoch nicht um ein Buch, sondern um eine Vielzahl von mehr oder weniger umfangreichen Büchern. Ihnen allen ist gemeinsam, daß sie die Geschichte Gottes mit den Menschen erzählen und zugleich Zeugnisse des Glaubens der Menschen an Gott sind. Die Bücher der Bibel sind über einen langen Zeitraum hinweg entstanden: aus mündlichen Traditionen wurden nach und nach schriftliche Traditionen, es wurde gesammelt, bearbeitet und neu bearbeitet. Später wurden diese einzelnen Bücher zu einem großen Buch – der Bibel – zusammengefaßt.

So entstanden zwischen 1300 und 50 v. Chr. in Israel die Schriften, die wir heute das Alte oder besser das Erste Testament nennen. Es ist in etwa die Heilige Schrift der Juden bis heute. Auch Jesus, der ja Jude war, kannte diese „Bibel". Er lebte in ihrer Welt. Er verstand sich und seinen Auftrag auf dem Hintergrund dieser Traditionen. Auch später konnte niemand über Jesus erzählen oder schreiben, ohne sich auch auf die Heilige Schrift Jesu zu beziehen.

Als darum in den ersten Christengenerationen neue Schriften entstanden, die vom Leben Jesu, von seinen Reden und Taten, erzählten, war es klar, daß dieser Teil der heutigen Bibel der Christen nicht ohne das Erste Testament zu verstehen war. Das Neue Testament als Teil der ganzen Bibel der Christen ist etwa zwischen 40 und 100 n. Chr. entstanden. Es ist nicht „neu", weil es besser oder wichtiger als das „alte" ist. Es ist „neu", weil es – wie die Christen glauben – in der Person Jesu die Geschichte Gottes mit den Menschen vorläufig zum Ziel gekommen sieht.

Aufgrund des hohen Alters der Texte der Bibel und der veränderten Denk- und Lebensweise der Menschen heute kann manches, was damals einsichtig war, zunächst schwer verständlich erscheinen. Die bildhafte und lebendige Sprache mag jedoch auch ein Anreiz zum Lesen sein.

In der Bibel gibt es wie in jeder Literatur unterschiedliche Gattungen: Geschichtserzählungen, Gesetzessammlungen, Lieder, Gedichte, Gebete, Evangelien, Gleichnisse, Briefe u. a.
„Lebendiges Wort" bietet eine Auswahl der wichtigsten Texte der Bibel. Ein großer Teil dieser Texte wird auch im Sonntagsgottesdienst verlesen. Sie sind aber auch für den Bibelunterricht in der Gemeinde und in der Schule gedacht. Nicht nur Christen sollten sie kennen, denn die Bibel gehört bis heute zur Weltliteratur überhaupt.
Die Texte sind nach inhaltlichen Gesichtspunkten geordnet. Das Inhaltsverzeichnis nennt jeweils die Quellen. Ein ausführliches Schriftstellenverzeichnis mit Kapitel- und Versangaben findet sich auf den Seiten 390–395.
Eine „Kleine Geschichte des Gottevolkes" am Schluß des Buches gibt einen Überblick über die Ereignisse im Leben des Volkes Israel und der ersten christlichen Gemeinden (Seite 396–415).
Wer eine kurze Auskunft über biblische Personen und Begriffe sucht, findet sie auf den Seiten 416–426.

Namen und Abkürzungen der biblischen Bücher

Altes Testament

Gen	Das Buch Genesis
Ex	Das Buch Exodus
Lev	Das Buch Levitikus
Num	Das Buch Numeri
Dtn	Das Buch Deuteronomium
Jos	Das Buch Josua
Ri	Das Buch der Richter
Rut	Das Buch Rut
1 Sam	Das erste Buch Samuel
2 Sam	Das zweite Buch Samuel
1 Kön	Das erste Buch der Könige
2 Kön	Das zweite Buch der Könige
1 Chr	Das erste Buch der Chronik
2 Chr	Das zweite Buch der Chronik
Esra	Das Buch Esra
Neh	Das Buch Nehemia
Tob	Das Buch Tobit
Jdt	Das Buch Judit
Est	Das Buch Ester
1 Makk	Das erste Buch der Makkabäer
2 Makk	Das zweite Buch der Makkabäer
Ijob	Das Buch Ijob
Ps	Die Psalmen
Spr	Das Buch der Sprichwörter
Koh	Das Buch Kohelet
Hld	Das Hohelied
Weish	Das Buch der Weisheit
Sir	Das Buch Jesus Sirach
Jes	Das Buch Jesaja
Jer	Das Buch Jeremia
Klgl	Die Klagelieder
Bar	Das Buch Baruch
Ez	Das Buch Ezechiel
Dan	Das Buch Daniel
Hos	Das Buch Hosea
Joel	Das Buch Joel
Am	Das Buch Amos
Obd	Das Buch Obadja
Jona	Das Buch Jona
Mi	Das Buch Micha
Nah	Das Buch Nahum
Hab	Das Buch Habakuk
Zef	Das Buch Zefanja
Hag	Das Buch Haggai
Sach	Das Buch Sacharja
Mal	Das Buch Maleachi

Neues Testament

Mt	Das Evangelium nach Matthäus
Mk	Das Evangelium nach Markus
Lk	Das Evangelium nach Lukas
Joh	Das Evangelium nach Johannes
Apg	Die Apostelgeschichte
Röm	Der Brief an die Römer
1 Kor	Der erste Brief an die Korinther
2 Kor	Der zweite Brief an die Korinther
Gal	Der Brief an die Galater
Eph	Der Brief an die Epheser
Phil	Der Brief an die Philipper
Kol	Der Brief an die Kolosser
1 Thess	Der erste Brief an die Thessalonicher
2 Thess	Der zweite Brief an die Thessalonicher
1 Tim	Der erste Brief an Timotheus
2 Tim	Der zweite Brief an Timotheus
Tit	Der Brief an Titus
Phlm	Der Brief an Philemon
Hebr	Der Brief an die Hebräer
Jak	Der Brief des Jakobus
1 Petr	Der erste Brief des Petrus
2 Petr	Der zweite Brief des Petrus
1 Joh	Der erste Brief des Johannes
2 Joh	Der zweite Brief des Johannes
3 Joh	Der dritte Brief des Johannes
Jud	Der Brief des Judas
Offb	Die Offenbarung des Johannes

Inhaltsverzeichnis

Geschichten vom Auszug und vom Bund

Gott erwählt Mose

Gottes Rettungstat an Israel

Der Bundesschluß am Sinai

Der Weg zum Gelobten Land

Glaubenstexte Israels

Israel im Land Kanaan

Die Landnahme

Gideon

Samuel

Saul, David und Salomo – Die ersten Könige Israels

König Saul

König David

Jesus verkündet Gott als guten Vater

Bilder und Gleichnisse von der Gottesherrschaft

Zeichen der Gottesherrschaft

Leben im Zeichen der Gottesherrschaft

Jesus lehrt eine neue Art zu leben

Mission in Kleinasien: Paulus und Barnabas

Mission in Europa: Paulus und Silas

Von Jerusalem nach Rom

Die Briefe der Apostel

Aus den Paulusbriefen

Aus dem Alten Testament

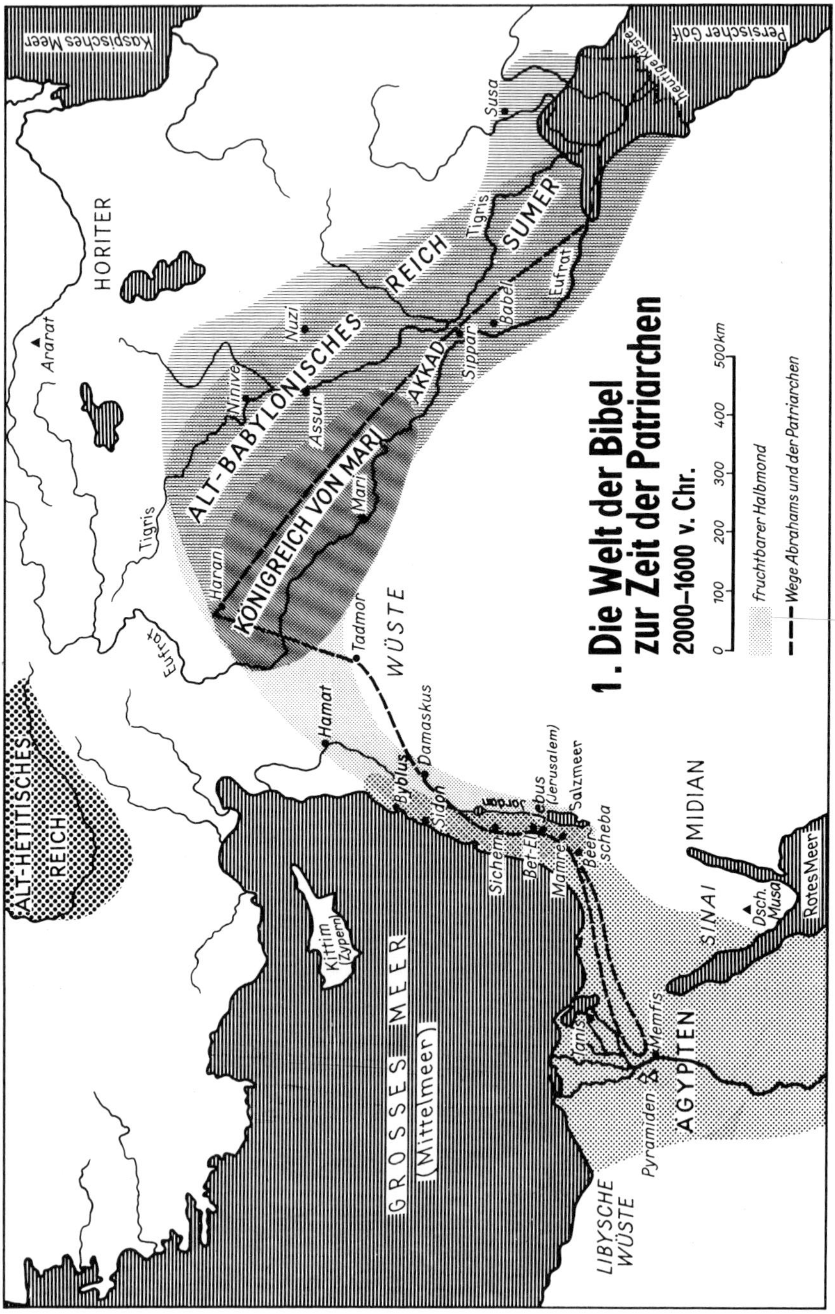

1. Die Welt der Bibel
zur Zeit der Patriarchen
2000–1600 v. Chr.
0 100 200 300 400 500km
fruchtbarer Halbmond
Wege Abrahams und der Patriarchen
Kaspisches Meer
Persischer Golf
heutige Küste
HORITER
Ararat
Tigris
Eufrat
ALT-BABYLONISCHES REICH
KÖNIGREICH VON MARI
AKKAD
SUMER
Susa
Nuzi
Ninive
Assur
Haran
Mari
Sippar
Babel
Tadmor
WÜSTE
ALT-HETITISCHES REICH
Hamat
Damaskus
Byblus
Sidon
Jordan
Jebus (Jerusalem)
Salzmeer
Sichem
Bet-El
Mamre
Beer-scheba
MIDIAN
SINAI
Dsch. Musa
Rotes Meer
Kittim (Zypern)
GROSSES MEER (Mittelmeer)
Tanis
Memfis
Pyramiden
ÄGYPTEN
LIBYSCHE WÜSTE

Vätererzählungen

Abraham, Isaak und Jakob sind die Patriarchen des Volkes Israel. Patriarchen ist das griechische Wort für „Stammväter". Jeder im Volk Israel konnte seine Abstammung auf die Patriarchen zurückführen.
Abraham lebte vor etwa 3500 Jahren im Zweistromland, das zwischen den Flüssen Eufrat und Tigris liegt. Er zog als Wanderhirte mit seiner Großfamilie, mit seinen Schaf- und Ziegenherden von Weideplatz zu Weideplatz. Beim Weidewechsel lud er seine Zelte zusammen mit dem Hausrat und all seiner Habe seinen Eseln oder Kamelen auf. Die Nomaden, wie Wanderhirten mit einem griechischen Wort auch genannt werden, richteten sich in vielen Dingen nach den Lebensgewohnheiten ihrer Tiere, denn von ihnen konnten sie sich ernähren und kleiden. Alles andere für den Lebensbedarf, wie zum Beispiel Getreide, Werkzeuge oder Gegenstände für den Hausrat, tauschten die Nomaden bei den Bewohnern der festen Siedlungen gegen Tiere oder Tierprodukte ein.
Leben ist nur möglich, wo Wasser ist. Viele Menschen siedelten sich an Wasserstellen an und gründeten dort befestigte Städte. Auch die Nomaden mußten ihre Zelte immer in Wassernähe aufschlagen, weil sonst Mensch und Tier verdurstet und verhungert wären. Denn nur dort, wo lebensnotwendiges Wasser vorkam, gab es auch Weideflächen für die Herden.
Konnten die umherziehenden Viehzüchter das Wasser nicht direkt aus einem Fluß nutzen, mußten sie es mit Tonkrügen aus gegrabenen Brunnen schöpfen. Aus tieferen Brunnen oder Wasserlöchern wurde das kostbare Naß mit Lederbeuteln heraufgezogen, die an Seilen befestigt waren.
Die Bewohner der Städte verehrten verschiedene Götter. Sie bauten diesen Göttern große Tempel und erwarteten von ihnen Schutz und Hilfe. Sie feierten Tempelfeste und baten ihre Götter dabei um eine gute Ernte, um Gesundheit und auch um Fruchtbarkeit bei Mensch und Tier. Viele Menschen beteten damals die unerreichbaren Sterne am Himmel an. Manche Götterbildnisse aus dieser Zeit stellen auch starke, gefährliche Tiere oder menschenähnliche Wesen dar. Der Tempel galt als Wohnsitz des verehrten Gottes.
Für die Nomaden dagegen war es selbstverständlich, daß ihr Gott mit ihnen zog. Auf ihren Rastplätzen schichteten sie Steine zu einem Altar und brachten darauf der Gottheit Dank- und Bittopfer dar.
Mit der Geschichte des Wanderhirten Abraham beginnt die Geschichte des Volkes Israel.

Abraham

Abrahams Berufung und Wanderung nach Kanaan

Der Herr sprach zu Abram: „Zieh weg aus deinem Land, von deiner Verwandtschaft und aus deinem Vaterhaus in das Land, das ich dir zeigen werde! Ich werde dich zu einem großen Volk machen, dich segnen und deinen Namen groß machen. Ein Segen sollst du sein. Ich will segnen, die dich segnen; wer dich verwünscht, den will ich verfluchen. Durch dich sollen alle Völker der Erde Segen erlangen."
Da zog Abram weg, wie der Herr ihm gesagt hatte. Abram war fünfundsiebzig Jahre alt, als er aus Haran wegzog. Abram nahm seine Frau Sarai mit, seinen Neffen Lot und alle ihre Habe, die sie erworben hatten, und die Knechte und Mägde, die sie in Haran gewonnen hatten. Sie wanderten nach Kanaan aus und kamen dort an.
Abram zog durch das Land bis zur Stätte von Sichem, bis zur Orakeleiche. Die Kanaaniter waren damals im Land. Der Herr erschien Abram und sprach: „Deinen Nachkommen gebe ich dieses Land." Dort baute er dem Herrn, der ihm erschienen war, einen Altar. Von da brach er auf zum Bergland östlich von Bet-El und schlug sein Zelt so auf, daß er Bet-El im Westen und Ai im Osten hatte. Dort baute er dem Herrn einen Altar und rief den Namen des Herrn an. Dann zog Abram immer weiter dem Negeb zu.
(Gen 12)

Abraham und Lot

Von Ägypten zog Abram in den Negeb hinauf, er und seine Frau mit allem, was ihm gehörte, und mit ihm auch Lot. Abram hatte einen sehr ansehnlichen Besitz an Vieh, Silber und Gold. Er wanderte von einem Lagerplatz zum andern weiter, vom Negeb bis nach Bet-El, bis zu dem Ort, an dem anfangs sein Zelt gestanden hatte, zwischen Bet-El und Ai, dem Ort, wo er früher den Altar erbaut hatte. Dort rief Abram den Namen des Herrn an.
Auch Lot, der mit Abram gezogen war, besaß Schafe und Ziegen, Rinder und Zelte. Das Land war aber zu klein, als daß sich beide nebenein-

ander hätten ansiedeln können. Denn ihr Besitz war zu groß und so konnten sie sich nicht miteinander niederlassen. Zwischen den Hirten Abrams und den Hirten Lots kam es zum Streit, auch siedelten damals noch die Kanaaniter und die Perisiter im Land. Da sagte Abram zu Lot: „Zwischen mir und dir, zwischen meinen und deinen Hirten soll es keinen Streit geben; wir sind doch Brüder. Liegt nicht das ganze Land vor dir? Trenne dich also von mir! Wenn du nach links willst, geh' ich nach rechts; wenn du nach rechts willst, geh' ich nach links."

Lot blickte auf und sah, daß die ganze Jordangegend bewässert war, wie der Garten des Herrn, wie das Land Ägypten. Da wählte sich Lot die ganze Jordangegend aus. Lot brach nach Osten auf, und sie trennten sich voneinander. Abram ließ sich in Kanaan nieder, während Lot sich in den Städten jener Gegend niederließ und seine Zelte bis Sodom hin aufschlug. Nachdem sich Lot von Abram getrennt hatte, sprach der Herr zu Abram: „Blick auf und schau von der Stelle, an der du stehst, nach Norden und Süden, nach Osten und Westen! Das ganze Land, das du siehst, will ich dir und deinen Nachkommen für immer geben. Ich mache deine Nachkommen zahlreich wie den Staub auf der Erde. Nur wer den Staub auf der Erde zählen kann, wird auch deine Nachkommen zählen können. Mach dich auf, durchzieh das Land in seiner Länge und Breite, denn dir werde ich es geben!"

Da zog Abram mit seinen Zelten weiter und ließ sich bei den Eichen von Mamre in Hebron nieder. Dort baute er dem Herrn einen Altar.

(Gen 13)

Gottes Bund mit Abraham

Nach diesen Ereignissen erging das Wort des Herrn in einer Vision an Abram: „Fürchte dich nicht, Abram, ich bin dein Schild, dein Lohn wird sehr groß sein!" Abram antwortete: „Herr, mein Herr, was willst du mir schon geben? Du hast mir ja keine Nachkommen gegeben; also wird mich mein Haussklave beerben."

Da erging das Wort des Herrn an ihn: „Nicht er wird dich beerben, sondern dein leiblicher Sohn wird Erbe sein." Er führte ihn hinaus und sprach: „Sieh doch zum Himmel hinauf und zähl die Sterne, wenn du sie zählen kannst!" Und er sprach zu ihm: „So zahlreich werden deine Nachkommen sein."

Nomadenzelt in der Wüste

Abram glaubte dem Herrn, und der Herr rechnete es ihm als Gerechtigkeit an.
Und Gott sprach: „Ich will einen Bund stiften zwischen mir und dir. Du wirst Stammvater einer Menge von Völkern. Man wird dich nicht mehr Abram nennen. Abraham (Vater der Menge) wirst du heißen. Das soll geschehen als Zeichen des Bundes: Alle männlichen Kinder bei euch müssen, sobald sie acht Tage alt sind, beschnitten werden."
Weiter sprach Gott zu Abraham: „Deine Frau Sarai sollst du nicht mehr Sarai nennen, sondern Sara (Herrin) soll sie heißen. Ich will sie segnen und dir von ihr einen Sohn geben."
(Gen 15; 17)

Gott zu Gast bei Abraham

Der Herr erschien dem Abraham bei den Eichen von Mamre. Abraham saß zur Zeit der Mittagshitze am Zelteingang. Er blickte auf und sah vor sich drei Männer stehen. Als er sie sah, lief er ihnen vom Zelteingang aus entgegen. Er warf sich zur Erde nieder und sagte: „Mein Herr, wenn ich dein Wohlwollen gefunden habe, geh doch nicht vorbei! Man wird etwas Wasser holen. Dann könnt ihr euch die Füße waschen und euch unter dem Baum ausruhen.
Ich will einen Bissen Brot holen, und ihr könnt dann nach einer kleinen Stärkung weitergehen." Da lief Abraham eiligst ins Zelt zu Sara und rief: „Schnell drei Sea feines Mehl! Rühr es an und backe Brotfladen!" Er lief weiter zum Vieh, nahm ein zartes, prächtiges Kalb und übergab es dem Jungknecht, der es schnell zubereitete. Dann nahm Abraham Butter, Milch und das Kalb, das er hatte zubereiten lassen, und setzte es ihnen vor. Er wartete ihnen unter dem Baum auf, während sie aßen.
Sie fragten ihn: „Wo ist deine Frau Sara?" „Dort im Zelt", sagte er. Da sprach der Herr: „In einem Jahr komme ich wieder zu dir, dann wird deine Frau Sara einen Sohn haben."
Sara hörte am Zelteingang hinter seinem Rücken zu. Abraham und Sara waren schon alt. Sara lachte daher still in sich hinein.
Da sprach der Herr zu Abraham: „Warum lacht Sara und sagt: Soll ich wirklich noch Kinder bekommen, obwohl ich so alt bin? Ist beim Herrn etwas unmöglich? Nächstes Jahr um diese Zeit werde ich wieder zu dir kommen; dann wird Sara einen Sohn haben."

Sara leugnete: „Ich habe nicht gelacht." Sie hatte nämlich Angst. Er aber sagte: „Doch, du hast gelacht."
(Gen 18)

Isaak

Isaaks Geburt und Abrahams Opfer

Der Herr tat Sara so, wie er versprochen hatte. Sara wurde schwanger und gebar dem Abraham noch in seinem Alter einen Sohn zu der Zeit, die Gott angegeben hatte. Abraham nannte den Sohn, den ihm Sara gebar, Isaak.
Nach einigen Jahren stellte Gott Abraham auf die Probe. Er sprach zu ihm: „Abraham!" Er antwortete: „Hier bin ich!" Gott sprach: „Nimm deinen Sohn, deinen einzigen, den du liebst, Isaak, und geh in das Land Morija. Bring ihn dort auf einem der Berge, den ich dir nenne, als Brandopfer dar!"
Frühmorgens stand Abraham auf und sattelte seinen Esel. Er holte seine beiden Jungknechte und seinen Sohn Isaak, spaltete Holz zum Opfer und machte sich auf den Weg zu dem Ort, den ihm Gott genannt hatte. Als Abraham am dritten Tag aufblickte, sah er den Ort von weitem. Da sagte Abraham zu seinen Jungknechten: „Bleibt mit dem Esel hier! Ich will mit dem Knaben hingehen und anbeten; dann kommen wir zu euch zurück."
Abraham nahm das Holz für das Brandopfer und lud es seinem Sohn Isaak auf. Er selbst nahm das Feuer und das Messer in die Hand. So gingen beide miteinander.
Nach einer Weile sagte Isaak zu seinem Vater Abraham: „Vater!" Er antwortete: „Ja, mein Sohn!" Dann sagte Isaak: „Hier ist Feuer und Holz. Wo aber ist das Lamm für das Brandopfer?" Abraham entgegnete: „Gott wird sich das Opferlamm aussuchen, mein Sohn." Und beide gingen miteinander weiter.
Als sie an den Ort kamen, den ihm Gott genannt hatte, baute Abraham den Altar, schichtete das Holz auf, fesselte seinen Sohn Isaak und legte ihn auf den Altar, oben auf das Holz. Schon streckte Abraham seine Hand aus und nahm das Messer, um seinen Sohn zu schlachten.

Da rief ihm der Engel des Herrn vom Himmel her zu: „Abraham, Abraham!" Er antwortete: „Hier bin ich!" Jener sprach: „Streck deine Hand nicht gegen den Knaben aus und tu ihm nichts zuleide! Denn jetzt weiß ich, daß du Gott fürchtest; du hast mir deinen einzigen Sohn nicht vorenthalten."
Als Abraham aufschaute, sah er: Ein Widder hatte sich hinter ihm mit seinen Hörnern im Gestrüpp verfangen. Er ging hin, nahm den Widder und brachte ihn statt seines Sohnes als Brandopfer dar.
Der Engel des Herrn rief Abraham vom Himmel her zum zweitenmal und sprach: „Ich habe bei mir geschworen – Spruch des Herrn: Weil du das getan hast und deinen einzigen Sohn mir nicht vorenthalten hast, will ich dir Segen schenken in Fülle und deine Nachkommen zahlreich machen wie die Sterne am Himmel und den Sand am Meeresstrand. Segnen sollen sich mit deinen Nachkommen alle Völker der Erde, weil du auf meine Stimme gehört hast." Darauf kehrte Abraham zu seinen Jungknechten zurück. Sie machten sich auf und gingen miteinander nach Beerscheba. Abraham blieb in Beerscheba wohnen.
(Gen 21; 22)

Isaak und Rebekka

Abraham war alt und hochbetagt; der Herr hatte ihn mit allem gesegnet. Eines Tages sagte er zum Großknecht seines Hauses, der seinen ganzen Besitz verwaltete: „Ich will dir einen Eid beim Herrn, dem Gott des Himmels und der Erde, abnehmen, daß du meinem Sohn keine Frau von den Töchtern der Kanaaniter nimmst, unter denen ich wohne. Du sollst vielmehr in meine Heimat zu meiner Verwandtschaft reisen und eine Frau für meinen Sohn Isaak holen."
Der Knecht entgegnete ihm: „Vielleicht will aber die Frau mir gar nicht in dieses Land hier folgen. Soll ich dann deinen Sohn in das Land zurückbringen, aus dem du ausgewandert bist?"
„Hüte dich", antwortete ihm Abraham, „meinen Sohn dorthin zurückzubringen! Der Herr wird seinen Engel vor dir hersenden, und so wirst du von dort eine Frau für meinen Sohn mitbringen. Wenn dir aber die Frau nicht folgen will, dann bist du von dem Eid, den du mir geleistet hast, entbunden. Meinen Sohn darfst du auf keinen Fall dorthin zurückbringen."

Da leistete der Knecht ihm in dieser Sache den Eid. Er nahm zehn von den Kamelen seines Herrn und machte sich mit allerlei kostbaren Sachen aus dem Besitz seines Herrn auf die Reise. Er brach auf und zog nach Mesopotamien in die Stadt Nahors. Die Kamele ließ er vor der Stadt am Brunnen lagern. Es war gegen Abend, um die Zeit, da die Frauen herauskommen, um Wasser zu schöpfen.
Er sagte: „Herr, Gott meines Herrn Abraham, laß mich heute Glück haben und zeig meinem Herrn Abraham deine Huld! Da stehe ich an der Quelle, und die Töchter der Stadtleute werden herauskommen, um Wasser zu schöpfen. Das Mädchen, zu dem ich dann sage: Reich mir doch deinen Krug zum Trinken! und das antwortet: Trink nur, auch deine Kamele will ich tränken, sie soll es sein, die du für deinen Knecht Isaak bestimmt hast. Daran will ich erkennen, daß du meinem Herrn Huld erweist."
Kaum hatte er aufgehört zu sprechen, da kam auch schon aus der Stadt Rebekka mit dem Krug auf der Schulter. Sie war die Enkelin von Abrahams Bruder Nahor. Das Mädchen war sehr schön, und sie war ledig. Sie stieg zur Quelle hinab, füllte ihren Krug und kam wieder herauf. Da ging der Knecht schnell auf sie zu und sagte: „Laß mich ein wenig Wasser aus deinem Krug trinken!" „Trink nur, mein Herr!", antwortete sie, ließ geschwind den Krug auf ihre Hand herab und gab ihm zu trinken.

Nachdem sie ihm zu trinken gegeben hatte, sagte sie: „Auch für deine Kamele will ich schöpfen, bis sie sich satt getrunken haben." Flink leerte sie ihren Krug an der Tränke und lief noch einmal an den Brunnen zum Schöpfen. So schöpfte sie für alle Kamele. Der Knecht Abrahams schaute ihr schweigend zu. Er wollte sehen, ob der Herr seine Reise gelingen ließe oder nicht.
Als die Kamele mit dem Trinken fertig waren, nahm er einen goldenen Nasenreif und zwei goldene Spangen für ihre Arme und fragte: „Wessen Tochter bist du? Sag mir doch, ob im Haus deines Vaters für uns Platz zum Übernachten ist!"
Sie antwortete ihm: „Ich bin die Tochter Betuels, die Enkelin des Nahor." Weiter sagte sie zu ihm: „Stroh und Futter haben wir reichlich, auch Platz zum Übernachten."
Da verneigte sich der Mann, warf sich vor dem Herrn nieder und sagte: „Gepriesen sei der Herr, der Gott meines Herrn Abraham, der es mei-

nem Herrn nicht an Huld und Treue fehlen ließ. Der Herr hat mich geradewegs zum Haus des Bruders meines Herrn geführt."

Das Mädchen lief weg und erzählte im Haus seiner Mutter alles, was vorgefallen war. Rebekka hatte einen Bruder namens Laban. Laban eilte zu dem Mann hinaus an die Quelle. Er hatte den Nasenreif und an den Händen seiner Schwester die Spangen gesehen und hatte gehört, wie seine Schwester Rebekka berichtete: „So und so hat der Mann zu mir gesagt." Er kam zu dem Mann, der bei den Kamelen an der Quelle stand.

Laban sagte: „Komm, du Gesegneter des Herrn! Warum stehst du hier draußen? Ich habe das Haus aufgeräumt und für die Kamele Platz gemacht." Da ging der Mann mit ins Haus. Man schirrte die Kamele ab und gab ihnen Stroh und Futter. Für ihn und die Männer in seiner Begleitung brachte man Wasser zum Füßewaschen.

Als man ihm zu essen vorsetzte, sagte der Knecht Abrahams: „Ich esse nicht, bevor ich nicht mein Anliegen vorgebracht habe." Sie antworteten: „Rede!"

Da berichtete er: „Ein Knecht Abrahams bin ich. Der Herr hat meinen Herrn reichlich gesegnet, so daß er zu großem Vermögen gekommen ist. Er hat ihm Schafe und Rinder, Silber und Gold, Knechte und Mägde, Kamele und Esel gegeben. Sara, die Frau meines Herrn, hat meinem Herrn noch in ihrem Alter einen Sohn geboren. Ihm vermacht er alles, was ihm gehört.

Mein Herr hat mir den Eid abgenommen: Du darfst für meinen Sohn keine Frau von den Töchtern der Kanaaniter nehmen, in deren Land ich wohne. Reise vielmehr zum Haus meines Vaters und zu meiner Verwandtschaft und hol eine Frau für meinen Sohn! Ich entgegnete meinem Herrn: Vielleicht will aber die Frau nicht mitkommen. Darauf antwortete er mir: Der Herr, vor dem ich meinen Weg gegangen bin, wird dir seinen Engel mitschicken und deine Reise gelingen lassen. Du wirst eine Frau für meinen Sohn mitbringen aus meiner Verwandtschaft, aus dem Haus meines Vaters. Von dem Eid, den du mir geleistet hast, sollst du dann entbunden sein, wenn du zu meinen Verwandten kommst und sie dir keine Frau geben. In diesem Fall bist du von dem Eid, den du mir geleistet hast, entbunden!

So kam ich heute an die Quelle und sagte: Herr, Gott meines Herrn Abraham, laß doch meine Reise gelingen! Da stehe ich nun an der Quelle. Kommt ein Mädchen aus der Stadt heraus, um Wasser zu schöpfen, dann will ich sagen: Gib mir doch aus deinem Krug ein wenig Wasser

zu trinken! Sagt es zu mir: Trink nur! Auch für deine Kamele will ich schöpfen, so soll es die Frau sein, die der Herr für den Sohn meines Herrn bestimmt hat.
Kaum hatte ich so zu mir gesagt, kam auch schon Rebekka mit dem Krug auf der Schulter heraus, stieg zur Quelle hinunter und schöpfte. Ich redete sie an: Gib mir doch zu trinken! Da setzte sie geschwind ihren Krug ab und sagte: Trink nur! Auch deine Kamele will ich tränken. Ich trank, und sie gab auch den Kamelen zu trinken.
Als ich sie fragte: Wessen Tochter bist du? antwortete sie: Die Tochter Betuels, die Enkelin Nahors. Da legte ich ihr den Reif an die Nase und die Spangen um die Arme. Ich verneigte mich, warf mich vor dem Herrn nieder und pries den Herrn, den Gott meines Herrn Abraham, der mich geradewegs hierher geführt hat, um die Tochter des Bruders meines Herrn für dessen Sohn zu holen.
Jetzt aber sagt mir, ob ihr geneigt seid, meinem Herrn Wohlwollen und Vertrauen zu schenken! Wenn nicht, so gebt mir ebenfalls Bescheid, damit ich mich dann anderswohin wende!"
Daraufhin antworteten Laban und Betuel: „Die Sache ist vom Herrn ausgegangen. Wir können dir weder ja noch nein sagen. Da, Rebekka steht vor dir. Nimm sie und geh! Sie soll die Frau des Sohnes deines Herrn werden, wie der Herr es gefügt hat." Als der Knecht Abrahams ihre Antwort hörte, warf er sich vor dem Herrn zur Erde nieder. Dann holte der Knecht silbernen und goldenen Schmuck und Kleider hervor und schenkte sie Rebekka. Auch ihrem Bruder und ihrer Mutter überreichte er kostbare Geschenke. Er und die Männer seiner Begleitung aßen und tranken und gingen dann schlafen.
Als sie am Morgen aufstanden, sagte der Knecht: „Entlaßt mich jetzt zu meinem Herrn!" Der Bruder Rebekkas und ihre Mutter antworteten: „Das Mädchen soll noch eine Zeitlang bei uns bleiben, etwa zehn Tage, dann mag sie sich auf die Reise begeben." „Haltet mich nicht auf", erwiderte er. „Der Herr hat meine Reise gelingen lassen. Laßt mich also zu meinem Herrn zurückkehren!" Sie entgegneten: „Wir wollen das Mädchen rufen und es selbst fragen." Sie riefen Rebekka und fragten sie: „Willst du mit diesem Mann reisen?" „Ja", antwortete sie.
Da ließen sie ihre Schwester Rebekka mit dem Knecht Abrahams und seinen Leuten ziehen.
Isaak wohnte im Negeb. Eines Tages ging Isaak gegen Abend hinaus, um sich auf dem Feld zu beschäftigen. Als er aufblickte, sah er: Kamele

kamen daher. Auch Rebekka blickte auf und sah Isaak. Sie ließ sich vom Kamel herunter und fragte den Knecht: „Wer ist der Mann dort, der uns auf dem Feld entgegenkommt?" Der Knecht erwiderte: „Das ist mein Herr." Da nahm sie den Schleier und verhüllte sich.
Der Knecht erzählte Isaak alles, was er ausgerichtet hatte. Isaak führte Rebekka in das Zelt seiner Mutter Sara. Er nahm sie zu sich. Sie wurde seine Frau, und er gewann sie lieb.
(Gen 24)

Jakob – Israel

Geburt Esaus und Jakobs

Isaak betete zum Herrn für seine Frau, denn sie war kinderlos geblieben, und der Herr ließ sich von ihm erbitten. Als seine Frau Rebekka schwanger war, stießen die Söhne einander im Mutterleib. Da sagte sie: „Wenn das so ist, was soll dann aus mir werden?" Sie ging, um den Herrn zu befragen. Der Herr gab diese Antwort: „Zwei Völker sind in deinem Leib, zwei Stämme trennen sich schon in deinem Schoß. Ein Stamm ist dem anderen überlegen, der ältere muß dem jüngeren dienen."

Als die Zeit ihrer Niederkunft gekommen war, zeigte es sich, daß sie Zwillinge in ihrem Leib trug. Der erste, der kam, war rötlich, über und über mit Haaren bedeckt wie mit einem Fell. Man nannte ihn Esau.
Darauf kam sein Bruder; seine Hand hielt die Ferse Esaus fest. Man nannte ihn Jakob – Fersenhalter. Isaak war sechzig Jahre alt, als sie geboren wurden.
(Gen 25)

Verkauf des Erstgeburtsrechts an Jakob

Die Knaben wuchsen heran. Esau war ein Mann geworden, der sich auf die Jagd verstand, ein Mann des freien Feldes. Jakob dagegen war ein untadeliger Mann und blieb bei den Zelten. Isaak hatte Esau lieber, denn er aß gern Wildbret; Rebekka aber hatte Jakob lieber.

Einst hatte Jakob ein Gericht zubereitet, als Esau erschöpft vom Feld kam. Da sagte Esau zu Jakob: „Gib mir doch etwas zu essen von dem Roten da, ich bin ganz erschöpft."

Jakob gab zur Antwort: „Dann verkauf mir jetzt sofort dein Erstgeburtsrecht!" „Schau, ich sterbe vor Hunger", sagte Esau, „was soll mir da das Erstgeburtsrecht?" Jakob erwiderte: „Schwör mir jetzt sofort!" Da schwor er ihm und verkaufte sein Erstgeburtsrecht an Jakob. Darauf gab Jakob dem Esau Brot und Linsengemüse; er aß und trank, stand auf und ging seines Weges. Vom Erstgeburtsrecht aber hielt Esau nichts.
(Gen 25)

Der Erstgeburtssegen

Als Isaak alt geworden und seine Augen erloschen waren, so daß er nicht mehr sehen konnte, rief er seinen älteren Sohn Esau und sagte zu ihm: „Mein Sohn!" Er antwortete: „Hier bin ich." Da sagte Isaak: „Du

Wüste südlich von Jericho

siehst, ich bin alt geworden. Ich weiß nicht, wann ich sterbe. Nimm jetzt dein Jagdgerät, deinen Köcher und deinen Bogen, geh aufs Feld und jag mir ein Wild! Bereite mir dann ein leckeres Mahl, wie ich es gern mag, und bring es mir zum Essen, damit ich dich segne, bevor ich sterbe."
Rebekka hatte das Gespräch zwischen Isaak und seinem Sohn Esau mit angehört. Als Esau zur Jagd aufs Feld gegangen war, um ein Wild herbeizuschaffen, sagte Rebekka zu ihrem Sohn Jakob: „Ich habe gehört, wie dein Vater zu deinem Bruder Esau gesagt hat: Hol mir ein Wild, und bereite mir ein leckeres Mahl zum Essen; dann will ich dich vor dem Herrn segnen, bevor ich sterbe.
Nun hör genau zu, mein Sohn, was ich dir auftrage: Geh zur Herde, und bring mir von dort zwei schöne Ziegenböckchen! Ich will damit ein leckeres Mahl für deinen Vater zubereiten, wie er es gern mag. Du bringst es dann deinem Vater zum Essen, damit er dich vor seinem Tod segnet." Jakob antwortete seiner Mutter Rebekka: „Mein Bruder Esau ist aber behaart und ich habe eine glatte Haut. Vielleicht betastet mich mein Vater; dann könnte er meinen, ich hielte ihn zum besten, und ich brächte Fluch über mich statt Segen." Seine Mutter entgegnete: „Dein Fluch komme auf mich, mein Sohn. Hör auf mich, geh und hol mir die Böckchen!" Da ging er hin, holte sie und brachte sie seiner Mutter. Sie bereitete ein leckeres Mahl zu, wie es sein Vater gern mochte. Dann holte Rebekka die Feiertagskleider ihres älteren Sohnes Esau, die sie bei sich im Haus hatte, und zog sie ihrem jüngeren Sohn Jakob an.
Die Felle der Ziegenböckchen legte sie um seine Hände und um seinen glatten Hals. Dann übergab sie das leckere Essen und das Brot, das sie zubereitet hatte, ihrem Sohn Jakob.
Er ging zu seinem Vater hinein und sagte: „Mein Vater!" „Ja", antwortete er, „wer bist du, mein Sohn?" Jakob entgegnete seinem Vater: „Ich bin Esau, dein Erstgeborener. Ich habe getan, wie du mir gesagt hast. Setz dich auf, iß von meinem Wildbret, und dann segne mich!" Da sagte Isaak zu seinem Sohn: „Wie hast du nur so schnell etwas finden können, mein Sohn?" Er antwortete: „Der Herr, dein Gott, hat es mir entgegenlaufen lassen." Da sagte Isaak zu Jakob: „Komm näher heran! Ich will dich betasten, mein Sohn, ob du wirklich mein Sohn Esau bist oder nicht."
Jakob trat zu seinem Vater Isaak hin. Isaak betastete ihn und sagte: „Die Stimme ist zwar Jakobs Stimme, die Hände aber sind Esaus Hände." Er erkannte ihn nicht, denn Jakobs Hände waren behaart wie die seines Bruders Esau, und so segnete er ihn. Er fragte: „Bist du es, mein Sohn

Esau?“ „Ja“, entgegnete er. Da sagte Isaak: „Bring es mir! Ich will von dem Wildbret meines Sohnes essen und dich dann segnen.“ Jakob brachte es ihm, und Isaak aß. Dann reichte er ihm auch Wein, und Isaak trank. Nun sagte sein Vater Isaak zu ihm: „Komm näher, und küß mich, mein Sohn!“ Er trat näher und küßte ihn. Isaak roch den Duft seiner Kleider, er segnete ihn und sagte:
„Ja, mein Sohn duftet wie das Feld, das der Herr gesegnet hat.
Gott gebe dir vom Tau des Himmels, vom Fett der Erde, viel Korn und Most.
Dienen sollen dir die Völker, Stämme sich vor dir niederwerfen, Herr sollst du über deine Brüder sein. Die Söhne deiner Mutter sollen dir huldigen. Verflucht, wer dich verflucht. Gesegnet, wer dich segnet.“ Kaum hatte Isaak Jakob gesegnet und war Jakob von seinem Vater Isaak weggegangen, da kam sein Bruder Esau von der Jagd. Auch er bereitete ein leckeres Mahl, brachte es seinem Vater und sagte zu ihm: „Mein Vater richte sich auf und esse von dem Wildbret seines Sohnes, damit du mich dann segnest.“ Da fragte ihn sein Vater Isaak: „Wer bist du?“ Er antwortete: „Ich bin dein Sohn Esau, dein Erstgeborener.“ Da überkam Isaak ein heftiges Zittern, und er fragte: „Wer war es denn, der das Wildbret gejagt und es mir gebracht hat? Ich habe von allem gegessen, bevor du gekommen bist, und ich habe ihn gesegnet; gesegnet wird er auch bleiben.“ Als Esau die Worte seines Vaters hörte, schrie er heftig auf, aufs äußerste verbittert, und sagte zu seinem Vater: „Segne auch mich, Vater!“ Er entgegnete: „Dein Bruder ist mit List gekommen und hat dir den Segen weggenommen.“ Da sagte Esau: „Hat man ihn nicht Jakob (Betrüger) genannt? Er hat mich jetzt schon zweimal betrogen: Mein Erstgeburtsrecht hat er mir genommen, jetzt nimmt er mir auch noch den Segen.“ Dann sagte er: „Hast du mir keinen Segen aufgehoben?“ Isaak antwortete und sagte zu Esau: „Ich habe ihn zum Herrn über dich gemacht, und alle seine Brüder habe ich ihm als Knechte gegeben. Auch mit Korn und Most habe ich ihn versorgt. Was kann ich da noch für dich tun, mein Sohn?“ Da sagte Esau zu seinem Vater: „Hattest du denn nur einen einzigen Segen, Vater? Segne auch mich, Vater!“ Und Esau begann laut zu weinen. Sein Vater Isaak antwortete ihm und sprach:
„Fern vom Fett der Erde mußt du wohnen, fern vom Tau des Himmels droben. Von deinem Schwert wirst du leben. Deinem Bruder wirst du dienen. Doch hältst du durch, so streifst du ab sein Joch von deinem Nacken.“

Esau war dem Jakob feind wegen des Segens, mit dem ihn sein Vater gesegnet hatte.
(Gen 27)

Jakob mußte in die Heimat seines Großvaters Abraham fliehen. Dort arbeitete er lange Jahre bei einem Verwandten mit Namen Laban als dessen Knecht. Laban hatte zwei Töchter, die Lea und Rahel hießen. Jakob heiratete beide und kehrte dann von Mesopotamien mit seiner Familie und all seiner Habe in das Land Kanaan zurück. Dieses Land hatte Gott schon Abraham und Isaak versprochen. Gott, der Herr, erschien ihm auf dem Weg. Die Bibel erzählt, daß Jakob die Nacht hindurch mit Gott kämpfte, ihn aber nicht bezwingen konnte. Jakob bekam vom Herrn den Namen Israel, das bedeutet: Mit Gott hast du gestritten.
Jakob-Israel wurde jetzt von seinem Bruder Esau in Kanaan freundlich aufgenommen. Aus den zwölf Söhnen Jakobs gingen die zwölf Stämme Israels hervor. Ihre Namen lauten: Ruben, Simeon, Levi, Juda, Dan, Nafti, Gad, Ascher, Issachar, Sebulon, Josef und Benjamin.

Josef

Josef und seine Brüder

Israel liebte Josef unter allen seinen Söhnen am meisten, weil er ihm noch in hohem Alter geboren worden war. Er ließ ihm einen Ärmelrock machen. Als seine Brüder sahen, daß ihr Vater ihn mehr liebte als alle seine Brüder, haßten sie ihn und konnten mit ihm kein gutes Wort mehr reden.
Einst hatte Josef einen Traum. Als er ihn seinen Brüdern erzählte, haßten sie ihn noch mehr. Er sagte zu ihnen: „Hört, was ich geträumt habe! Wir banden Garben mitten auf dem Feld. Meine Garbe richtete sich auf und blieb auch stehen. Eure Garben umringten sie und neigten sich tief vor meiner Garbe."
Da sagten seine Brüder zu ihm: „Willst du etwa König über uns werden oder dich als Herr über uns aufspielen?" Und sie haßten ihn noch mehr wegen seiner Träume und seiner Worte.
Er hatte noch einen anderen Traum. Er erzählte ihn seinen Brüdern und sagte: „Ich träumte noch einmal: Die Sonne, der Mond und elf Sterne verneigten sich tief vor mir." Als er davon seinem Vater und seinen Brü-

dern erzählte, schalt ihn sein Vater und sagte zu ihm: „Was soll das, was du da geträumt hast? Sollen wir vielleicht, ich, deine Mutter und deine Brüder, kommen und uns vor dir zur Erde niederwerfen?" Seine Brüder waren eifersüchtig auf ihn, sein Vater aber vergaß die Sache nicht.
Als seine Brüder fortgezogen waren, um das Vieh des Vaters bei Sichem zu weiden, sagte Israel zu Josef: „Deine Brüder weiden bei Sichem das Vieh. Geh, ich will dich zu ihnen schicken." Er antwortete: „Ich bin bereit." Da sagte der Vater zu ihm: „Geh doch hin und sieh, wie es deinen Brüdern und dem Vieh geht, und berichte mir!" So schickte er ihn fort, und Josef kam nach Sichem.
Sie sahen ihn von weitem. Bevor er jedoch nahe an sie herangekommen war, faßten sie den Plan, ihn umzubringen. Sie sagten zueinander: „Dort kommt ja dieser Träumer. Jetzt aber auf, erschlagen wir ihn und werfen wir ihn in eine der Zisternen! Sagen wir, ein wildes Tier habe ihn gefressen. Dann werden wir ja sehen, was aus seinen Träumen wird."
Ruben hörte das und wollte ihn aus ihrer Hand retten. Er sagte: „Begehen wir doch keinen Mord!" Und Ruben sagte zu ihnen: „Vergießt kein Blut! Werft ihn in die Zisterne da in der Steppe, aber legt nicht Hand an ihn!" Er wollte ihn nämlich aus ihrer Hand retten und zu seinem Vater zurückbringen.

Zisterne

Als Josef bei seinen Brüdern angekommen war, zogen sie ihm sein Gewand aus, den Ärmelrock, den er anhatte, packten ihn und warfen ihn in die Zisterne. Die Zisterne war leer; es war kein Wasser darin.
Als sie dann beim Essen saßen und aufblickten, sahen sie, daß gerade eine Karawane kam. Sie war unterwegs nach Ägypten. Da schlug Juda

seinen Brüdern vor: „Was haben wir davon, wenn wir unseren Bruder erschlagen? Kommt, verkaufen wir ihn! Wir wollen aber nicht Hand an ihn legen, denn er ist doch unser Bruder!" Seine Brüder waren einverstanden.
Da zogen sie Josef aus der Zisterne heraus und verkauften ihn für zwanzig Silberstücke. So kam Josef nach Ägypten.
Als Ruben zur Zisterne zurückkam, war Josef nicht mehr dort. Er zerriß seine Kleider, wandte sich an seine Brüder und sagte: „Der Kleine ist ja nicht mehr da! Und ich, was soll ich jetzt anfangen?" Da nahmen sie Josefs Gewand, schlachteten einen Ziegenbock und tauchten das Gewand in das Blut. Dann schickten sie den Ärmelrock zu ihrem Vater und ließen ihm sagen: „Das haben wir gefunden. Sieh doch, ob das der Rock deines Sohnes ist oder nicht!"
Als er ihn angesehen hatte, sagte er: „Der Rock meines Sohnes! Ein wildes Tier hat ihn gefressen. Zerrissen ist Josef." Jakob zerriß seine Kleider, legte Trauerkleider an und trauerte um seinen Sohn viele Tage und ließ sich nicht trösten.
(Gen 37)

Josef in Ägypten

Josef hatte man nach Ägypten gebracht. Ein Hofbeamter des Pharao, ein Ägypter namens Potifar, der Oberste der Leibwache, hatte ihn gekauft. Der Herr aber war mit Josef, und so glückte ihm alles.
Nach einiger Zeit wollte Potifars Frau Josef zum Ehebruch verführen. Josef weigerte sich und hörte nicht auf sie. Als Potifar nach Hause kam, erzählte sie ihm: „Der hebräische Sklave, den du uns gebracht hast, ist zu mir gekommen, um mit mir seinen Mutwillen zu treiben." Als Potifar das hörte, packte ihn der Zorn. Er ließ Josef ergreifen und ins Gefängnis bringen. Aber der Herr war mit Josef.
(Gen 39)

Der Traum des Pharao und seine Deutung

Zwei Jahre später hatte der Pharao einen Traum. Am Morgen fühlte er sich beunruhigt. Er ließ alle Wahrsager und Weisen Ägyptens rufen. Er

erzählte ihnen seine Träume, doch keiner war da, der sie ihm hätte deuten können.
Ein Diener erzählte ihm von Josef. Da schickte der Pharao hin und ließ Josef rufen. Er sagte zu Josef: „Ich hatte einen Traum, doch keiner kann ihn deuten. Von dir habe ich gehört, du brauchst einen Traum nur zu hören, dann kannst du ihn deuten."
Josef antwortete dem Pharao: „Nicht ich, sondern Gott wird zum Wohl des Pharao eine Antwort geben."
Da sagte der Pharao zu Josef: „In meinem Traum stand ich am Nilufer. Aus dem Nil stiegen sieben wohlgenährte, stattliche Kühe und weideten im Gras. Nach ihnen stiegen sieben andere Kühe herauf, elend, sehr häßlich und mager. Nie habe ich in ganz Ägypten so häßliche Kühe gesehen. Die mageren und häßlichen Kühe fraßen die sieben ersten, fetten, auf. Sie verschwanden in ihrem Bauch, aber man merkte nicht, daß sie darin waren. Sie sahen genauso elend aus wie vorher. Dann wachte ich auf.
Weiter sah ich in meinem Traum: Auf einem einzigen Halm gingen sieben volle, schöne Ähren auf. Nach ihnen wuchsen sieben taube, kümmerliche, vom Ostwind ausgedörrte Ähren. Die kümmerlichen Ähren verschlangen die sieben schönen Ähren. Ich habe das den Wahrsagern erzählt, aber keiner konnte mir die Deutung sagen."
Darauf sagte Josef zum Pharao: „Der Traum des Pharao ist ein und derselbe. Gott sagt dem Pharao an, was er vorhat. Die sieben schönen Kühe sind sieben Jahre, und die sieben schönen Ähren sind sieben Jahre. Die sieben mageren und häßlichen Kühe, die nachher heraufkamen, sind sieben Jahre, und die sieben leeren, vom Ostwind ausgedörrten Ähren sind sieben Jahre Hungersnot. Sieben Jahre kommen, da wird großer Überfluß in ganz Ägypten sein. Nach ihnen aber werden sieben Jahre Hungersnot heraufziehen. Da wird der ganze Überfluß in Ägypten vergessen sein und Hunger wird das Land auszehren. Nun sehe sich der Pharao nach einem klugen, weisen Mann um und setze ihn über Ägypten. Die Bevollmächtigten sollen alles Brotgetreide der kommenden guten Jahre sammeln und aufspeichern."
(Gen 41)

Josefs Macht über Ägypten

Die Rede gefiel dem Pharao und allen seinen Hofleuten. Der Pharao sagte zu ihnen: „Finden wir einen Mann wie diesen hier, einen, in dem der Geist Gottes wohnt?" Dann sagte der Pharao zu Josef: „Nachdem dich Gott all das hat wissen lassen, gibt es niemanden, der so klug und weise wäre wie du. Du sollst über meinem Hause stehen. Hiermit stelle ich dich über ganz Ägypten." So wurde Josef Herr über Ägypten.
Josef ließ während der sieben Jahre, in denen es Überfluß gab, alles Brotgetreide in Ägypten sammeln und in die Städte schaffen. Dann begannen die sieben Jahre der Hungersnot, wie es Josef vorausgesagt hatte. Das Volk schrie zum Pharao nach Brot. Der Pharao aber sagte zu den Ägyptern: „Geht zu Josef! Tut, was er euch sagt!" Josef öffnete alle Speicher und verkaufte Getreide an die Ägypter. Auch alle Welt kam nach Ägypten, um bei Josef Getreide zu kaufen, denn der Hunger wurde immer drückender auf der ganzen Erde.
(Gen 41)

Die erste Reise der Brüder Josefs nach Ägypten

Jakob sagte zu seinen Söhnen: „Ich habe gehört, daß es in Ägypten Getreide zu kaufen gibt. Zieht hin und kauft dort für uns Getreide, damit wir am Leben bleiben und nicht sterben müssen!" Die zehn Brüder Josefs zogen also nach Ägypten. Benjamin ließ Jakob nicht mit seinen Brüdern ziehen, denn er dachte: Es könnte ihm ein Unglück zustoßen.
Josef verwaltete das Land. Er war es, der allen Leuten im Land Getreide verkaufte. Als er seine Brüder sah, erkannte er sie. Aber er gab sich ihnen nicht zu erkennen, sondern fuhr sie barsch an: „Spione seid ihr! Um nachzusehen, wo das Land eine schwache Stelle hat, seid ihr gekommen!"
Sie antworteten ihm: „Nein, Herr. Um Brotgetreide zu kaufen, sind deine Knechte gekommen. Wir waren zwölf Brüder. Der Jüngste ist bei unserem Vater geblieben und einer ist nicht mehr."
Josef aber sagte zu ihnen: „Es bleibt dabei: Spione seid ihr!" Er ließ aus ihrer Mitte Simeon festnehmen und vor ihren Augen fesseln. Dann befahl er, ihre Behälter mit Getreide zu füllen. Sie luden das Getreide auf ihre Esel und zogen fort. Sie kamen zu ihrem Vater Jakob nach Kanaan

und berichteten ihm alles, was ihnen zugestoßen war: „Jener Mann, der Herr des Landes, sagte zu uns: Daran will ich erkennen, ob ihr ehrliche Leute seid: Laßt einen von euch Brüdern bei mir zurück. Nehmt das Getreide, das den Hunger eurer Familie stillen soll. Geht und schafft mir euren jüngsten Bruder herbei! So werde ich erfahren, ob ihr keine Spione, sondern ehrliche Leute seid. Ich gebe euch dann euren Bruder Simeon heraus und ihr dürft euch frei im Land bewegen!"

Ägypten, Land am Nil

Ihr Vater Jakob sagte zu ihnen: „Ihr bringt mich um meine Kinder. Josef ist nicht mehr, Simeon ist nicht mehr und Benjamin wollt ihr mir auch noch nehmen. Nichts bleibt mir erspart."
(Gen 42)

Die zweite Reise

Der Hunger aber lastete weiterhin schwer auf dem Land. Das Getreide, das sie aus Ägypten gebracht hatten, war aufgezehrt. Da sagte Jakob zu seinen Söhnen: „Geht noch einmal hin und kauft uns etwas Brotgetreide." Juda schlug seinem Vater vor: „Laß den Knaben mit mir ziehen! Ich verbürge mich für ihn."

Da sagte ihr Vater Israel zu ihnen: „So nehmt denn euren Bruder mit. Gott, der Allmächtige, lasse euch Erbarmen bei dem Mann finden, so daß er euch den anderen Bruder und Benjamin freigibt. Ich aber, ich verliere noch alle Kinder."
Sie machten sich auf, zogen nach Ägypten hinab und traten vor Josef hin. Josef erkundigte sich, wie es ihnen gehe, und fragte: „Geht es eurem alten Vater gut? Ist er noch am Leben?"
Sie erwiderten: „Unserem Vater geht es gut, er lebt noch." Dann verneigten sie sich und warfen sich nieder.
Als er hinsah und seinen Bruder Benjamin erblickte, fragte er: „Ist das euer jüngster Bruder?" Und weiter sagte er: „Gottes Gnade sei mit dir, mein Sohn!" Dann ging Josef schnell weg, denn er konnte sich vor Rührung über seinen Bruder nicht mehr halten; er war dem Weinen nahe.
Dann befahl Josef seinem Hausverwalter: „Fülle die Getreidesäcke der Männer mit soviel Brotgetreide, wie sie tragen können und leg das Geld eines jeden oben in den Sack! Meinen Silberbecher leg oben in den Sack des Jüngsten!" Er tat, wie Josef es angeordnet hatte.
Als es am Morgen hell wurde, ließ man die Männer mit ihren Eseln abreisen. Sie hatten sich noch nicht weit von der Stadt entfernt, da sagte Josef zu seinem Hausverwalter: „Auf, jag hinter den Männern her! Wenn du sie eingeholt hast, sag ihnen: Warum habt ihr Gutes mit Bösem vergolten und mir den Silberbecher gestohlen?"
Der Hausverwalter holte sie ein und sagte zu ihnen, was ihm aufgetragen war.
Sie antworteten: „Wie kann mein Herr so etwas sagen?"
Aber der Hausverwalter durchsuchte alles, beim Ältesten begann er, und beim Jüngsten hörte er auf. Der Becher fand sich im Sack Benjamins.
Sie kehrten in die Stadt zurück in das Haus Josefs. Sie fielen vor ihm zur Erde nieder. Josef sprach zu ihnen: „Was habt ihr getan?"
Juda erwiderte: „Was sollen wir unserem Herrn sagen, womit uns rechtfertigen? Gott hat die Schuld deiner Knechte ans Licht gebracht. So sind wir also Sklaven unseres Herrn."
Josef sagte: „Nur Benjamin soll mein Sklave sein. Ihr anderen aber zieht in Frieden zu eurem Vater."
Da sagte Juda: „Ich habe mich bei meinem Vater für den Knaben verbürgt. Laß mich deshalb für ihn dein Knecht sein. Ich könnte das Unglück nicht mitansehen, das meinen Vater trifft, wenn der Jüngste nicht zurückkommt."

Da begann Josef laut zu weinen. Er sagte zu seinen Brüdern: „Ich bin Josef, euer Bruder, den ihr nach Ägypten verkauft habt. Aber grämt euch jetzt nicht. Gott hat mich vor euch hierher geschickt und zum Gebieter über ganz Ägypten gemacht. Zieht eiligst zu meinem Vater hinauf und sagt ihm: Komm herunter zu mir, laß dich nicht aufhalten! Ich werde für dich sorgen."
Dann fiel Josef seinem Bruder Benjamin um den Hals. Er küßte alle seine Brüder. Darauf unterhielten sich seine Brüder mit ihm. Dann zogen sie von Ägypten hinauf und kamen nach Kanaan zu ihrem Vater Jakob.
(Gen 43-45)

Jakobs Familie in Ägypten

Die Brüder berichteten ihrem Vater: „Josef ist noch am Leben. Er ist sogar Herr über ganz Ägypten."
Jakobs Herz aber blieb unbewegt; denn er glaubte ihnen nicht. Als er aber die Wagen sah, die Josef geschickt hatte, um ihn zu holen, lebte er wieder auf, und Israel sagte: „Genug! Mein Sohn Josef lebt noch. Ich will hingehen und ihn sehen, bevor ich sterbe." Und er brach mit allem auf, was ihm gehörte.
Josef siedelte seinen Vater und seine Brüder im besten Teil des Landes an. Jakob lebte noch siebzehn Jahre in Ägypten. Als die Zeit kam, da er sterben sollte, rief er seine Söhne zu sich und segnete sie. Dann starb er. Als Josefs Brüder sahen, daß ihr Vater tot war, sagten sie: „Wenn sich

Josef nur nicht feindselig gegen uns stellt und uns alles Böse vergilt, das wir ihm getan haben!" Sie gingen zu ihm hin, fielen vor ihm nieder und sagten: „Hier sind wir als deine Sklaven!"
Josef antwortete ihnen: „Fürchtet euch nicht! Stehe ich denn an Gottes Stelle? Ihr habt Böses gegen mich im Sinn gehabt, Gott aber hatte dabei Gutes im Sinn. Nun also fürchtet euch nicht! Ich will für euch und eure Kinder sorgen." So tröstete er sie und redete ihnen freundlich zu.
(Gen 45-50)

Wandmalerei in einem ägyptischen Grab, 19. Jh. v. Chr.
Eine Gruppe semitischer Nomaden erscheint vor einem ägyptischen Beamten und bittet um die Erlaubnis, nach Ägypten ziehen zu dürfen.

Geschichten vom Auszug und vom Bund

Die Nachkommen Josefs und seiner Brüder lebten etwa 250 Jahre in Ägypten. Über diese Zeit wird uns in der Heiligen Schrift nichts erzählt. Der Bericht setzt erst wieder mit der Person des Mose ein, der ungefähr um 1250 v. Chr. gelebt hat. Das Buch, das von ihm, dem Befreier aus ägyptischer Knechtschaft, erzählt, trägt den Namen Exodus, d. h. Auszug. Mit dem Auszug aus Ägypten und den damit verbundenen Ereignissen beginnt Israel zu einem Volk zu werden.

Gott erwählt Mose

Die Israeliten als Sklaven in Ägypten

Josef, alle seine Brüder und seine Zeitgenossen waren gestorben. Aber die Söhne Israels vermehrten sich und wurden überaus stark; sie bevölkerten das Land.
In Ägypten kam ein neuer König an die Macht, der Josef nicht gekannt hatte. Er sagte zu seinem Volk: „Seht nur, das Volk der Israeliten ist größer und stärker als wir. Gebt acht: Wir müssen überlegen, was wir gegen sie tun können, damit sie sich nicht weiter vermehren. Wenn ein Krieg ausbricht, könnten sie sich unseren Feinden anschließen, gegen uns kämpfen und sich des Landes bemächtigen." Da setzte man Fronvögte über sie ein, um sie durch schwere Arbeit unter Druck zu setzen. Sie machten ihnen das Leben schwer durch harte Arbeit mit Lehm und Ziegeln und durch alle möglichen Arbeiten auf den Feldern. Für den Pharao mußten sie die Städte Pitom und Ramses als Vorratslager bauen. Je mehr man sie aber unter Druck hielt, um so stärker breiteten sie sich aus, so daß die Ägypter vor ihnen das Grauen packte. Daher gab der

Cheopspyramide mit Sphinx

Pharao seinem ganzen Volk den Befehl: „Alle Knaben, die den Hebräern geboren werden, werft in den Nil. Die Mädchen dürft ihr alle am Leben lassen."
(Ex 1)

Die Kindheit des Mose

Ein Mann aus einer levitischen Familie ging hin und nahm eine Frau aus dem gleichen Stamm. Sie wurde schwanger und gebar einen Sohn. Weil sie sah, daß es ein schönes Kind war, verbarg sie es drei Monate lang. Als sie es nicht mehr verborgen halten konnte, nahm sie ein Binsenkästchen, dichtete es mit Pech und Teer ab, legte den Knaben hinein und setzte ihn am Nilufer im Schilf aus. Seine Schwester blieb in der Nähe, um zu sehen, was mit ihm geschehen würde.
Die Tochter des Pharao kam herab, um im Nil zu baden. Ihre Dienerinnen gingen unterdessen am Nilufer auf und ab. Auf einmal sah sie im Schilf das Kästchen und ließ es durch ihre Magd holen. Als sie es öffnete und hineinsah, lag ein weinendes Kind darin. Sie bekam Mitleid mit ihm, und sie sagte: „Das ist ein Hebräerkind."
Da sagte seine Schwester zur Tochter des Pharao: „Soll ich zu den Hebräerinnen gehen und dir eine Amme rufen, damit sie dir das Kind stillt?"
Die Tochter des Pharao antwortete ihr: „Ja, geh!" Das Mädchen ging und rief die Mutter des Knaben herbei. Die Tochter des Pharao sagte zu ihr: „Nimm das Kind mit und still es mir! Ich werde dich dafür entlohnen." Die Frau nahm das Kind zu sich und stillte es. Als der Knabe größer geworden warf, brachte sie ihn der Tochter des Pharao. Diese nahm ihn als Sohn an, nannte ihn Mose und sagte: „Ich habe ihn aus dem Wasser gezogen."
(Ex 2)

Mose in Midian

Die Jahre vergingen, und Mose wuchs heran. Eines Tages ging er zu seinen Brüdern hinaus und schaute ihnen bei der Fronarbeit zu. Da sah er, wie ein Ägypter einen Hebräer schlug, einen seiner Stammesbrüder.

Mose sah sich nach allen Seiten um, und als er sah, daß sonst niemand da war, erschlug er den Ägypter und verscharrte ihn im Sand.
Als er am nächsten Tag wieder hinausging, sah er zwei Hebräer miteinander streiten. Er sagte zu dem, der im Unrecht war: „Warum schlägst du deinen Stammesgenossen?"
Der Mann erwiderte: „Wer hat dich zum Aufseher und Schiedsrichter über uns bestellt? Meinst du, du könntest mich umbringen, wie du den Ägypter umgebracht hast?" Da bekam Mose Angst und sagte: „Die Sache ist also bekannt geworden."
Der Pharao hörte von diesem Vorfall und wollte Mose töten; Mose aber entkam ihm. In Midian wollte er bleiben und setzte sich an einen Brunnen. Der Priester von Midian hatte sieben Töchter. Sie kamen zum Wasserschöpfen und wollten die Tröge füllen, um die Schafe und Ziegen ihres Vaters zu tränken. Doch die Hirten kamen und wollten sie verdrängen. Da stand Mose auf, kam ihnen zu Hilfe und tränkte ihre Schafe und Ziegen.
Als sie zu ihrem Vater Jitro zurückkehrten, fragte er: „Warum seid ihr heute so schnell wieder da?" „Ein Ägypter hat uns gegen die Hirten verteidigt; er hat uns sogar Wasser geschöpft und das Vieh getränkt."
Jitro fragte seine Töchter: „Wo ist er? Warum habt ihr ihn dort gelassen? Holt ihn und ladet ihn zum Essen ein!"
Mose entschloß sich, bei dem Mann zu bleiben, und dieser gab ihm seine Tochter Zippora zur Frau.
(Ex 2)

Die Berufung des Mose

Mose weidete die Schafe und Ziegen seines Schwiegervaters Jitro, des Priesters von Midian. Eines Tages trieb er das Vieh über die Steppe hinaus und kam zum Gottesberg Horeb. Er schaute hin: Da brannte ein Dornbusch und verbrannte doch nicht. Mose sagte: „Ich will dorthin gehen und mir die außergewöhnliche Erscheinung ansehen. Warum verbrennt denn der Dornbusch nicht?"
Als der Herr sah, daß Mose näher kam, um sich das anzusehen, rief er ihm zu: „Mose, Mose!" Er antwortete: „Hier bin ich." Der Herr sagte: „Komm nicht näher heran! Leg deine Schuhe ab, denn der Ort, wo du stehst, ist heiliger Boden."

Der Herr sprach: „Ich habe das Elend meines Volkes in Ägypten gesehen, und ihre laute Klage über ihre Antreiber habe ich gehört. Ich kenne ihr Leid. Ich bin herabgestiegen, um sie der Hand der Ägypter zu entreißen und aus jenem Land hinaufzuführen in ein schönes, weites Land. Geh, versammle die Ältesten Israels und sag ihnen: Der Gott eurer Väter, der Gott Abrahams, Isaaks und Jakobs, ist mir erschienen und hat mir gesagt: Ich habe sorgsam auf euch geachtet und habe gesehen, was man euch in Ägypten antut. Darum habe ich beschlossen, euch aus dem Elend Ägyptens hinaufzuführen in das Land der Kanaaniter, wo Milch und Honig fließen."
Da sagte Mose zu Gott: „Gut, ich werde also zu den Israeliten kommen und ihnen sagen: Der Gott eurer Väter hat mich zu euch gesandt. Da werden sie mich fragen: Wie heißt er? Was soll ich ihnen dann sagen?"
Da antwortete Gott dem Mose: „Ich bin der Ich-bin-da." Und er fuhr fort: „So sollst du zu den Israeliten sagen: Der Ich-bin-da hat mich zu euch gesandt."
Doch Mose sagte zum Herrn: „Aber bitte, Herr, ich bin keiner, der gut reden kann, weder gestern noch vorgestern, noch seitdem du mit deinem Knecht sprichst. Mein Mund und meine Zunge sind nämlich schwerfällig."
Der Herr entgegnete ihm: „Wer hat dem Menschen den Mund gegeben, und wer macht taub oder stumm, sehend oder blind? Doch wohl ich, der Herr! Geh also! Ich bin mit deinem Mund und weise dich an, was du reden sollst."
Doch Mose antwortete: „Aber bitte, Herr, schick doch einen andern!" Da entbrannte der Zorn des Herrn über Mose, und er sprach: „Hast du nicht noch einen Bruder, den Leviten Aaron? Ich weiß, er kann reden. Außerdem bricht er gerade auf und wird dir begegnen. Wenn er dich sieht, wird er sich von Herzen freuen. Sprich mit ihm und leg ihm die Worte in den Mund. Ich aber werde euch anweisen, was ihr tun sollt. Er wird für dich zum Volk reden."
Darauf kehrte Mose zu seinem Schwiegervater Jitro zurück. Er sagte zu ihm: „Ich will zu meinen Brüdern nach Ägypten zurückkehren. Ich will sehen, ob sie noch am Leben sind." Jitro antwortete Mose: „Geh in Frieden!" Da holte Mose seine Frau und seine Söhne, setzte sie auf einen Esel und trat den Rückweg nach Ägypten an.
(Ex 3)

Kolossalstatue in Memphis. Pharao Ramses II. (1301 – 1234 v. Chr.)

Die erfolglosen Verhandlungen mit dem Pharao

Mose und Aaron gingen zum Pharao und sagten: „So spricht Jahwe, der Gott Israels: Laß mein Volk ziehen, damit sie mir in der Wüste ein Fest feiern können."
Der Pharao erwiderte: „Wer ist Jahwe, daß ich auf ihn hören und Israel ziehen lassen sollte? Ich kenne Jahwe nicht und denke auch nicht daran, Israel ziehen zu lassen. Warum, Mose und Aaron, wollt ihr die Leute zum Nichtstun verleiten? Fort mit euch, tut euren Frondienst!"
Am selben Tag noch gab der Pharao den Antreibern der Leute und den Listenführern die Anweisung: „Gebt den Leuten nicht mehr, wie bisher, Stroh zum Ziegelmachen! Sie sollen selber gehen und sich Stroh besorgen. Legt ihnen aber das gleiche Soll an Ziegeln auf, das sie bisher erfüllen mußten! Laßt ihnen davon nichts nach! Denn sie sind faul, und deshalb schreien sie: Wir wollen gehen und unserem Gott Schlachtopfer darbringen. Erschwert man den Leuten die Arbeit, dann sind sie beschäftigt und kümmern sich nicht um leeres Geschwätz."
Da gingen die Antreiber der Leute und die Listenführer zu den Leuten und sagten: „So spricht der Pharao: Ich gebe euch kein Stroh mehr. Geht selbst und besorgt euch Stroh, wo ihr es findet! Von eurem Arbeitssoll aber wird euch nichts erlassen."
Die Leute verteilten sich also über ganz Ägypten, um sich Stroh zu besorgen. Die Antreiber drängten und sagten: „Ihr müßt euer tägliches Soll erfüllen wie bisher, als euch noch Stroh geliefert wurde." Die Antreiber des Pharao schlugen die israelitischen Listenführer, die sie eingesetzt hatten, und sagten: „Warum habt ihr heute nicht wie neulich noch das festgesetzte Soll an Ziegeln erfüllt?"
Da gingen die israelitischen Listenführer zum Pharao und erhoben vor ihm Klage: „Warum tust du deinen Sklaven das an? Man gibt deinen

Sklaven kein Stroh, aber man sagt uns: Macht Ziegel! Schau, man hat deine Sklaven geschlagen; die Schuld aber liegt bei deinen Leuten."
Er entgegnete: „Faul seid ihr, faul. Nur deshalb sagt ihr: Wir wollen gehen und Jahwe Schlachtopfer darbringen. Jetzt fort mit euch und tut eure Arbeit! Stroh bekommt ihr nicht, aber euer Soll an Ziegeln müßt ihr erfüllen." Da sahen sich die israelitischen Listenführer in einer üblen Lage. Als sie vom Pharao kamen, stießen sie auf Mose und Aaron, die ihnen entgegenkamen. Die Listenführer sagten zu ihnen: „Der Herr soll euch erscheinen und euch richten, denn ihr habt uns beim Pharao und seinen Dienern in Verruf gebracht und ihnen ein Schwert in die Hand gegeben, mit dem sie uns umbringen können."
Da wandte sich Mose an den Herrn und sagte: „Mein Herr, warum behandelst du dieses Volk so schlecht? Wozu hast du mich denn gesandt? Seit ich zum Pharao gegangen bin, um in deinem Namen zu reden, behandelt er dieses Volk noch schlechter, aber du hast dein Volk nicht gerettet."
Der Herr antwortete Mose: „Jetzt wirst du sehen, was ich dem Pharao antue. Denn von starker Hand gezwungen, wird er sie ziehen lassen, ja, er wird sie sogar aus seinem Land ausweisen."
(Ex 5; 6)

Fronarbeit in Ägypten
Die Abbildung, eine Wandmalerei aus dem Grab eines Wesirs des Pharao Thutmosis III. (um 1460 v. Chr.), gibt uns eine lebendige Vorstellung von der Fronarbeit der Israeliten in Ägypten. Sie sind als hellhäutige Semiten von den anderen Fronarbeitern deutlich zu unterscheiden Zwei Männer schöpfen das Wasser aus einem mit Bäumen umpflanzten Teich, das zum Kneten des Lehmes verwendet wird. Der weiche Lehm wird in hölzernen Formen zu Ziegeln gepreßt, die dann an der Luft getrocknet werden. Das Bauwerk ist schon teilweise mit Steinplatten verkleidet. Aufseher mit Stock und Peitsche treiben die Menschen zur Fronarbeit an.

Gottes Rettungstat an Israel

Das Herz des Pharao aber blieb hart. Er wollte das Volk Israel nicht in die Freiheit ziehen lassen. Die Israeliten erzählten sich später, daß auch furchtbare Plagen und Katastrophen den ägyptischen König nicht umstimmen konnten.
Immer wenn Mose und Aaron von Gott, dem Herrn, das Ende einer Plage erbeten hatten, weil der Pharao die Israeliten freilassen wollte, weigerte er sich, die Israeliten fortziehen zu lassen. Von neuen, immer grausameren Plagen erzählen die Texte in der Bibel.

Alles Wasser, der Nil und alle Flüsse wurden wie Blut. Die Fische starben, und es stank entsetzlich. Die Menschen mußten tief nach Trinkwasser graben. Dann überfielen zahllose Frösche das Land, auf den Feldern, in den Ortschaften und in allen Häusern waren sie und verendeten. Als dritte Plage zogen ungeheure Schwärme von Stechmücken durch das Land, setzten sich auf Mensch und Vieh. Danach kam Ungeziefer in Massen über den Pharao, seine Diener und ganz Ägypten. Nur die Israeliten blieben verschont. Als nächste Katastrophe raffte eine Seuche sämtliches Vieh der Ägypter dahin. Dann bildeten sich an Mensch und Tier Geschwüre, die aufplatzten. Danach zerstörte gewaltiger Hagel die Ernte; Heuschreckenschwärme fraßen Bäume, Sträucher und Halme kahl. Schließlich bedeckte eine Finsternis das ganze Land Ägypten drei Tage lang. Aber das Herz des Pharao blieb hart. Er wollte die Männer, Frauen und Kinder Israels samt ihren Herden nicht ziehen lassen.

Das Pascha

Der Herr sprach zu Mose: „Noch eine Plage schicke ich dem Pharao und seinem Land. Danach wird er euch von hier wegziehen lassen und euch sogar fortjagen."
Mose sagte also zum Pharao: „So spricht Jahwe: Um Mitternacht will ich mitten durch Ägypten gehen. Dann wird jeder Erstgeborene in Ägypten sterben, vom Erstgeborenen des Pharao, der auf dem Thron sitzt, bis zum Erstgeborenen der Magd an der Handmühle und bis zu den Erstlingen unter dem Vieh. Geschrei wird sich in ganz Ägypten erheben, so groß, wie es noch keines gegeben hat oder geben wird. Doch gegen keinen der Israeliten wird auch nur ein Hund die Zähne fletschen, weder gegen Mensch noch Vieh. Denn ihr sollt wissen, daß Jahwe zwischen Ägypten und Israel einen Unterschied macht! Dann werden alle deine

Diener hier zu mir herabsteigen, sich vor mir niederwerfen und sagen: Zieh doch fort, du und das ganze Volk, das du anführst! Danach werde ich fortziehen." Er verließ den Pharao, rot vor Zorn.
Da rief Mose alle Ältesten Israels zusammen und sagte zu ihnen: „Holt Schafe oder Ziegen für eure Sippenverbände herbei und schlachtet das Paschalamm! Dann nehmt einen Ysopzweig, taucht ihn in die Schüssel mit Blut und streicht etwas von dem Blut in der Schüssel auf den Türsturz und auf die beiden Türpfosten! Bis zum Morgen darf niemand von euch das Haus verlassen. Der Herr geht umher, um die Ägypter mit Unheil zu schlagen. Wenn er das Blut am Türsturz und an den beiden Türpfosten sieht, wird er an der Tür vorübergehen und dem Vernichter nicht erlauben, in eure Häuser einzudringen und euch zu schlagen.
Haltet euch an diese Anordnung! Sie gelte dir und deinen Nachkommen als feste Regel.
Wenn ihr in das Land kommt, das euch der Herr gibt, wie er gesagt hat, so begeht diese Feier. Und wenn euch eure Söhne fragen: Was bedeutet diese Feier?, dann sagt: Es ist das Pascha-Opfer zur Ehre des Herrn, der in Ägypten an den Häusern der Israeliten vorüberging, als er die Ägypter mit Unheil schlug, unsere Häuser aber verschonte."
Das Volk verneigte sich und warf sich nieder.
Es war Mitternacht, als der Herr alle Erstgeborenen in Ägypten erschlug, vom Erstgeborenen des Pharao, der auf dem Thron saß, bis zum Erstgeborenen des Gefangenen im Kerker, und jede Erstgeburt beim Vieh. Da standen der Pharao, alle seine Diener und alle Ägypter noch in der Nacht auf und großes Wehgeschrei erhob sich bei den Ägyptern, denn es gab kein Haus, in dem nicht ein Toter war. Der Pharao ließ Mose und Aaron noch in der Nacht rufen und sagte: „Auf, verlaßt mein Volk, ihr beide und die Israeliten! Geht und verehrt Jahwe, wie ihr gesagt habt! Auch eure Schafe, Ziegen und Rinder nehmt mit, wie ihr gesagt habt! Geht und betet auch für mich!" Die Ägypter drängten das Volk, eiligst das Land zu verlassen, denn sie sagten: „Sonst kommen wir noch alle um."
Das Volk nahm den Brotteig ungesäuert mit; sie wickelten ihre Backschüsseln in Kleider ein und luden sie sich auf die Schultern. Auch ein großer Haufen anderer Leute zog mit, dazu Schafe, Ziegen und Rinder, eine sehr große Menge Vieh. Aus dem Teig, den sie aus Ägypten mitgebracht hatten, buken sie ungesäuerte Brotfladen; denn der Teig war nicht durchsäuert, weil sie aus Ägypten verjagt worden waren und nicht einmal Zeit hatten, für Reiseverpflegung zu sorgen.

Sie schlugen ihr Lager am Rand der Wüste auf. Der Herr ging vor ihnen her, bei Tag in einer Wolkensäule, um ihnen den Weg zu zeigen, bei Nacht in einer Feuersäule, um ihnen zu leuchten. So konnten sie Tag und Nacht unterwegs sein. Die Wolkensäule wich bei Tag nicht von der Spitze des Volkes und die Feuersäule nicht bei Nacht.
(Ex 11-13)

Die Rettung am Schilfmeer

Im biblischen Zeugnis über die Rettung am Schilfmeer Ex 14,5-31 läßt sich nachweisen, wie eine Erzählung „gewachsen" ist. Sie wurde von Generation zu Generation weitererzählt. Noch wunderbarer, noch größer wurde alles ausgemalt. Oder man erzählte sich die wunderbare Rettung mit einer bestimmten Absicht in einer bestimmten geschichtlichen Situation. Im vorliegenden Bibeltext wurde eine ältere und eine jüngere Quelle (hier kursiv gedruckt) miteinander verbunden. Dadurch erklären sich Doppelungen und Wiederholungen. Die Absicht, die hinter den Texten steht, läßt sich erkennen. Die beiden Quellen lassen sich sogar als eigenständige Texte lesen.

Als man dem König von Ägypten meldete, das Volk sei geflohen, änderten der Pharao und seine Diener ihre Meinung über das Volk und sagten: „Wie konnten wir nur Israel aus unserem Dienst entlassen!" Er ließ seinen Streitwagen anspannen und nahm seine Leute mit. Sechshundert auserlesene Streitwagen nahm er mit und alle anderen Streitwagen der Ägypter und drei Mann auf jedem Wagen.
Der Herr verhärtete das Herz des Pharao, des Königs von Ägypten, so daß er den Israeliten nachjagte, während sie voll Zuversicht weiterzogen. Die Ägypter jagten mit allen Pferden und Streitwagen des Pharao, mit seiner Reiterei und seiner Streitmacht hinter ihnen her und holten sie ein, als sie gerade am Meer lagerten. Es war bei Pi-Hahirot vor Baal-Zefon.
Als der Pharao sich näherte, blickten die Israeliten auf und sie sahen plötzlich die Ägypter von hinten heranrücken. Da erschraken die Israeliten sehr *und schrien zum Herrn.*
Zu Mose sagten sie: „Gab es denn keine Gräber in Ägypten, daß du uns zum Sterben in die Wüste holst? Was hast du uns da angetan? Warum hast du uns aus Ägypten herausgeführt? Haben wir dir in Ägypten nicht gleich gesagt: Laß uns in Ruhe! Wir wollen Sklaven der Ägypter bleiben; denn es ist für uns immer noch besser, Sklaven der Ägypter zu sein, als in der Wüste zu sterben."

Mose aber sagte zum Volk: „Fürchtet euch nicht! Bleibt stehen und schaut zu, wie der Herr euch heute rettet. Wie ihr die Ägypter heute seht, so seht ihr sie niemals wieder. Der Herr kämpft für euch, ihr aber könnt ruhig abwarten."
Der Herr sprach zu Mose: „Was schreist du zu mir? Sag den Israeliten, sie sollen aufbrechen. Und du heb deinen Stab hoch, streck deine Hand über das Meer und spalte es, damit die Israeliten auf trockenem Boden in das Meer hineinziehen können. Ich aber will das Herz der Ägypter verhärten, damit sie hinter ihnen hineinziehen. So will ich am Pharao und an seiner ganzen Streitmacht, an seinen Streitwagen und Reitern meine Herrlichkeit erweisen. Die Ägypter sollen erkennen, daß ich der Herr bin, wenn ich am Pharao, an seinen Streitwagen und Reitern meine Herrlichkeit erweise."
Der Engel Gottes, der den Zug der Israeliten anführte, erhob sich und ging an das Ende des Zuges, und die Wolkensäule vor ihnen erhob sich und trat an das Ende. Sie kam zwischen das Lager der Ägypter und das Lager der Israeliten. Die Wolke war da und Finsternis, und Blitze erhellten die Nacht. So kamen sie die ganze Nacht einander nicht näher.
Mose streckte seine Hand über das Meer aus, und der Herr trieb die ganze Nacht das Meer durch einen starken Ostwind fort. Er ließ das Meer austrocknen, *und das Wasser spaltete sich. Die Israeliten zogen auf trockenem Boden ins Meer hinein, während rechts und links von ihnen das Wasser wie eine Mauer stand. Die Ägypter setzten ihnen nach, alle Pferde des Pharao, seine Streitwagen und Reiter zogen hinter ihnen ins Meer hinein.* Um die Zeit der Morgenwache blickte der Herr aus der Feuer- und Wolkensäule auf das Lager der Ägypter und brachte es in Verwirrung. Er hemmte die Räder an ihren Wagen und ließ sie nur schwer vorankommen. Da sagte der Ägypter: „Ich muß vor Israel fliehen; denn Jahwe kämpft auf ihrer Seite gegen Ägypten."
Darauf sprach der Herr zu Mose: „Streck deine Hand über das Meer, damit das Wasser zurückflutet und den Ägypter, seine Wagen und Reiter zudeckt." Mose streckte seine Hand über das Meer, und gegen Morgen flutete das Meer an seinen alten Platz zurück, während die Ägypter auf der Flucht ihm entgegenliefen. So trieb der Herr die Ägypter mitten ins Meer. *Das Wasser kehrte zurück und bedeckte Wagen und Reiter, die ganze Streitmacht des Pharao, die den Israeliten ins Meer nachgezogen war. Nicht ein einziger von ihnen blieb übrig. Die Israeliten aber waren auf trockenem Boden mitten durch das Meer gezogen, während rechts und links von ihnen das Wasser wie eine Mauer stand. So rettete der Herr an jenem Tag Israel aus der Hand der Ägypter. Isra-*

el sah die Ägypter tot am Strand liegen. Als Israel sah, daß der Herr mit mächtiger Hand an den Ägyptern gehandelt hatte, fürchtete das Volk den Herrn. Sie glaubten an den Herrn und an Mose, seinen Knecht.
(Ex 15)

Das Mirjam-Lied

Die Prophetin Mirjam, die Schwester Aarons, nahm die Pauke in die Hand. Alle Frauen zogen mit Paukenschlag und Tanz hinter ihr her. Mirjam sang ihnen vor:
„Singt dem Herrn ein Lied,
denn er ist hoch und erhaben!
Rosse und Wagen warf er ins Meer."
(Ex 15)

Der Bundesschluß am Sinai

Auf dem Weg zum Sinai

Die Israeliten kamen nach Elim. Dort gab es zwölf Quellen und siebzig Palmen. Dort am Wasser schlugen sie ihr Lager auf. Die ganze Gemeinde der Israeliten brach von Elim auf und kam in die Wüste Sin, die zwischen Elim und dem Sinai liegt. Es war der 15. Tag des zweiten Monats (sechs Wochen) nach ihrem Auszug aus Ägypten. Dort in der Wüste murrte die ganze Gemeinde der Israeliten gegen Mose und Aaron. Sie sagten zu ihnen: „Wären wir doch in Ägypten durch die Hand des Herrn gestorben, als wir an den Fleischtöpfen saßen und genug Brot zu essen hatten! Ihr habt uns nur deshalb in die Wüste geführt, um alle, die hier versammelt sind, an Hunger sterben zu lassen." Der Herr sprach zu Mose: „Ich habe das Murren der Israeliten gehört. Sag ihnen: Am Abend werdet ihr Fleisch zu essen haben, am Morgen werdet ihr von Brot satt sein, und ihr werdet erkennen, daß ich der Herr, euer Gott, bin."
Am Abend kamen Wachteln und bedeckten das Lager. Am Morgen lag eine Schicht von Tau rings um das Lager. Als sich die Tauschicht gehoben hatte, lag auf dem Wüstenboden etwas Feines, Knuspriges, fein wie

Im Sinai

Reif. Als das die Israeliten sahen, sagten sie zueinander: „Was ist das?“ Denn sie wußten nicht, was es war. Da sagte Mose zu ihnen: „Das ist das Brot, das der Herr euch zu essen gibt. Das ordnet der Herr an: Sammelt davon soviel, wie jeder zum Essen braucht, einen Krug pro Kopf! Jeder darf so viele Krüge holen, wie Personen im Zelt sind.“
Die Israeliten taten es und sammelten ein, der eine viel, der andere wenig. Als sie die Krüge zählten, hatte keiner, der viel gesammelt hatte, zuviel, und keiner, der wenig gesammelt hatte, zuwenig. Jeder hatte soviel gesammelt, wie er zum Essen brauchte.
Mose sagte zu ihnen: „Davon darf bis zum Morgen niemand etwas übriglassen.“ Doch sie hörten nicht auf Mose, sondern einige ließen etwas bis zum Morgen übrig. Da wurde es wurmig und stank, und Mose geriet über sie in Zorn.
Sie sammelten es Morgen für Morgen, jeder soviel, wie er zum Essen brauchte. Das Haus Israel nannte das Brot Manna. Es war weiß wie Koriandersamen und schmeckte wie Honigkuchen.
(Ex 15; 16)

Wasser aus dem Felsen

Die ganze Gemeinde der Israeliten zog von der Wüste Sin weiter, von einem Rastplatz zum andern, wie es der Herr jeweils bestimmte. In Refidim schlugen sie ihr Lager auf. Weil das Volk kein Wasser zu trinken hatte, geriet es mit Mose in Streit und sagte: „Gebt uns Wasser zu trinken!“ Mose aber antwortete: „Was streitet ihr mit mir? Warum stellt ihr den Herrn auf die Probe?“
Das Volk dürstete dort nach Wasser und murrte gegen Mose. Sie sagten: „Warum hast du uns überhaupt aus Ägypten hierher geführt? Um uns, unsere Söhne und unser Vieh verdursten zu lassen?“ Mose schrie zum Herrn: „Was soll ich mit diesem Volk anfangen? Es fehlt nur wenig, und sie steinigen mich.“ Der Herr antwortete Mose: „Geh am Volk vorbei, und nimm einige von den Ältesten Israels mit; nimm auch den Stab in die Hand, mit dem du auf den Nil geschlagen hast, und geh! Dort drüben auf dem Felsen am Horeb werde ich vor dir stehen. Dann schlag an den Felsen! Es wird Wasser herauskommen, und das Volk kann trinken.“ Das tat Mose vor den Augen der Ältesten Israels.
Den Ort nannte er Massa und Meriba (Probe und Streit), weil die Israeli-

ten Streit begonnen und den Herrn auf die Probe gestellt hatten, indem sie sagten: Ist der Herr in unserer Mitte oder nicht?
(Ex 17)

Gottes Angebot – der Bund mit Israel

Im dritten Monat nach dem Auszug aus Ägypten kamen die Israeliten in der Wüste Sinai an. Dort lagerten sie gegenüber dem Berg.
Der Herr sprach zu Mose: „Geh zum Volk! Ordne an, daß sie sich heute und morgen heilighalten und ihre Kleider waschen! Sie sollen sich für den dritten Tag bereithalten. Am dritten Tag wird der Herr vor den Augen des ganzen Volkes auf den Berg Sinai herabsteigen. Zieh dem Volk eine Grenze und sag: Hütet euch, auf den Berg zu steigen oder auch nur seinen Fuß zu berühren! Wer es aber tut, soll gesteinigt oder mit Pfeilen erschossen werden. Ob Tiere oder Mensch, niemand darf am Leben bleiben. Erst wenn das Horn ertönt, dürfen sie auf den Berg steigen."
Mose stieg vom Berg zum Volk hinunter und ordnete an, das Volk solle sich heilighalten und seine Kleider waschen. Er sagte zum Volk: „Haltet euch für den dritten Tag bereit!" Am dritten Tag, im Morgengrauen, begann es zu donnern und zu blitzen. Schwere Wolken lagen über dem Berg. Der ganze Sinai war in Rauch gehüllt.
Der Herr war auf den Sinai, auf den Gipfel des Berges, herabgestiegen. Er hatte Mose zu sich auf den Gipfel des Berges gerufen, und Mose war hinaufgestiegen.
(Ex 19)

Die Zehn Gebote

Dann sprach Gott alle diese Worte:
„Ich bin Jahwe, dein Gott, der dich aus Ägypten geführt hat, aus dem Sklavenhaus. Du sollst neben mir keine anderen Götter haben. Du sollst dir kein Gottesbild machen und keine Darstellung von irgend etwas am Himmel droben, auf der Erde unten, im Wasser unter der Erde.
Du sollst dich nicht vor anderen Göttern niederwerfen und dich nicht verpflichten, ihnen zu dienen. Denn ich, der Herr, dein Gott, bin ein eifersüchtiger Gott: Bei denen, die mir feind sind, verfolge ich die

Schuld der Väter an den Söhnen, an der dritten und vierten Generation; bei denen, die mich lieben und auf meine Gebote achten, erweise ich Tausenden meine Huld.
Du sollst den Namen des Herrn, deines Gottes, nicht mißbrauchen, denn der Herr spricht den nicht frei, der seinen Namen mißbraucht.
Gedenke des Sabbats: Halte ihn heilig! Sechs Tage darfst du schaffen und jede Arbeit tun; der siebte Tag ist ein Ruhetag. Er ist dem Herrn, deinem Gott, geweiht. An ihm darfst du keine Arbeit tun: du, dein Sohn und deine Tochter, dein Sklave und deine Sklavin, dein Vieh und der Fremde, der in deinen Stadtbereichen Wohnrecht hat. Denn in sechs Tagen hat der Herr Himmel, Erde und Meer gemacht und alles, was dazu gehört; am siebten Tag ruhte er. Darum hat der Herr den Sabbattag gesegnet und ihn für heilig erklärt.
Ehre deinen Vater und deine Mutter, damit du lange lebst in dem Land, das der Herr, dein Gott, dir gibt!
Du sollst nicht morden.
Du sollst nicht die Ehe brechen.
Du sollst nicht stehlen.
Du sollst nicht falsch gegen deinen Nächsten aussagen.
Du sollst nicht nach dem Haus deines Nächsten verlangen. Du sollst nicht nach der Frau deines Nächsten verlangen, nach seinem Sklaven oder seiner Sklavin, seinem Rind oder seinem Esel oder nach irgend etwas, das deinem Nächsten gehört."
(Ex 20)

Der Bundesschluß

Mose kam und übermittelte dem Volk alle Worte und Rechtsvorschriften des Herrn. Das ganze Volk antwortete einstimmig und sagte: „Alles, was der Herr gesagt hat, wollen wir tun." Mose schrieb alle Worte des Herrn auf.
Am nächsten Morgen stand er zeitig auf und errichtete am Fuß des Berges einen Altar und zwölf Steinmale für die zwölf Stämme Israels. Er schickte die jungen Männer Israels aus. Sie brachten Brandopfer dar und schlachteten junge Stiere als Heilsopfer für den Herrn.
Mose nahm die Hälfte des Blutes und goß es in eine Schüssel, mit der anderen Hälfte besprengte er den Altar. Darauf nahm er die Urkunde des Bundes und verlas sie vor dem Volk. Sie antworteten: „Alles, was

Auf dem Weg zum Moseberg

der Herr gesagt hat, wollen wir tun; wir wollen gehorchen."
Da nahm Mose das Blut, besprengte damit das Volk und sagte: „Das ist das Blut des Bundes, den der Herr aufgrund all dieser Worte mit euch geschlossen hat."
Der Herr sprach zu Mose: „Komm herauf zu mir auf den Berg, und bleib hier! Ich will dir die Steintafeln übergeben, die Weisung und die Gebote."
Die Erscheinung der Herrlichkeit des Herrn auf dem Gipfel des Berges zeigte sich vor den Augen der Israeliten wie verzehrendes Feuer.
Mose ging mitten in die Wolke hinein und stieg auf den Berg hinauf. Vierzig Tage und vierzig Nächte blieb Mose auf dem Berg.
(Ex 24)

Der Bruch des Bundes – das goldene Kalb

Als das Volk sah, daß Mose noch immer nicht vom Berg herabkam, versammelte es sich um Aaron und sagte zu ihm: „Komm, mach uns Götter, die vor uns herziehen! Denn dieser Mose, der Mann, der uns aus Ägypten heraufgebracht hat – wir wissen nicht, was mit ihm geschehen ist."

Aaron antwortete: „Nehmt euren Frauen, Söhnen und Töchtern die goldenen Ringe ab, die sie an den Ohren tragen, und bringt sie her!" Da nahm das ganze Volk die goldenen Ohrringe ab und brachte sie zu Aaron. Er nahm sie von ihnen entgegen, zeichnete mit einem Griffel eine Skizze und goß danach ein Kalb.

Goldenes Kalb

Da sagten sie: „Das sind deine Götter, Israel, die dich aus Ägypten heraufgeführt haben!"
Als Aaron das sah, baute er vor dem Kalb einen Altar und rief aus: „Morgen ist ein Fest zur Ehre des Herrn."
Am folgenden Morgen standen sie zeitig auf, brachten Brandopfer dar und führten Tiere für das Heilsopfer herbei. Das Volk setzte sich zum Essen und Trinken und stand auf, um sich zu vergnügen.
Da sprach der Herr zu Mose: „Geh, steig hinunter, denn dein Volk, das du aus Ägypten heraufgeführt hast, läuft ins Verderben! Schnell sind sie von dem Weg abgewichen, den ich ihnen vorgeschrieben habe. Sie haben sich ein Kalb aus Metall gegossen und werfen sich vor ihm zu

Boden. Sie bringen ihm Schlachtopfer dar und sagen: Das sind deine Götter, Israel, die dich aus Ägypten heraufgeführt haben."
Mose stieg den Berg hinab, die beiden Tafeln der Bundesurkunde in der Hand, die Tafeln, die auf beiden Seiten beschrieben waren. Auf der einen wie auf der anderen Seite waren sie beschrieben. Die Tafeln hatte Gott selbst gemacht, und die Schrift, die auf den Tafeln eingegraben war, war Gottes Schrift.
Josua hörte das Lärmen und Schreien des Volkes, und er sagte zu Mose: „Horch, Krieg ist im Lager!" Mose antwortete: „Nicht Siegesgeschrei, auch nicht Geschrei nach Niederlage ist das Geschrei, das ich höre."
Als Mose dem Lager näher kam und das Kalb und den Tanz sah, entbrannte sein Zorn. Er schleuderte die Tafeln fort und zerschmetterte sie am Fuß des Berges. Dann packte er das Kalb, das sie gemacht hatten, verbrannte es im Feuer und zerstampfte es zu Staub. Den Staub streute er in Wasser und gab es den Israeliten zu trinken.
Der Herr aber schlug das Volk mit Unheil, weil es das Kalb gemacht hatte. (Ex 32)

Die Erneuerung des Bundes

Weiter sprach der Herr zu Mose: „Hau dir zwei steinerne Tafeln zurecht wie die ersten! Ich werde darauf die Worte schreiben, die auf den ersten Tafeln standen, die du zerschmettert hast. Halte dich für morgen früh bereit! Steig am Morgen auf den Sinai, und dort auf dem Gipfel des Berges stell dich vor mich hin!"
Da hieb Mose zwei Tafeln aus Stein zurecht wie die ersten. Am Morgen stand Mose zeitig auf und ging auf den Sinai hinauf, wie es ihm der Herr aufgetragen hatte. Die beiden steinernen Tafeln nahm er mit. Der Herr aber stieg in der Wolke herab und stellte sich dort neben ihn hin. Er rief den Namen Jahwe aus.
Sofort verneigte sich Mose bis zur Erde und warf sich zu Boden. Er sagte: „Wenn ich deine Gnade gefunden habe, mein Herr, dann ziehe doch mein Herr mit uns. Es ist zwar ein störrisches Volk, doch vergib uns unsere Schuld und Sünde, und laß uns dein Eigentum sein!" Da sprach der Herr: „Hiermit schließe ich einen Bund: Vor deinem ganzen Volk werde ich Wunder wirken, wie sie auf der ganzen Erde und unter allen Völkern nie geschehen sind."

Dann sprach der Herr zu Mose: „Schreib diese Worte auf! Denn aufgrund dieser Worte schließe ich mit dir und mit Israel einen Bund."
Mose blieb dort beim Herrn vierzig Tage und vierzig Nächte. Er aß kein Brot und trank kein Wasser. Er schrieb die Worte des Bundes, die zehn Worte, auf Tafeln. Als Mose vom Sinai herunterstieg, hatte er die beiden Tafeln der Bundesurkunde in der Hand.
(Ex 34)

Das heilige Zelt

Mose fertigte mit den Israeliten das Heilige Zelt an. Jeder trug dazu bei, was er hatte und konnte. Im Inneren des heiligen Zeltes wurde mit kostbaren Teppichen das Offenbarungszelt errichtet. Dort stand die prächtig geschmückte Bundeslade, in der die Bundesurkunde, also die Gesetzestafeln, aufbewahrt wurden. An der Bundeslade waren Stangen befestigt, so daß die Israeliten dieses Heiligtum auf ihrem weiteren Zug durch die Wüste tragen konnten. Zur Einrichtung des Heiligen Zeltes gehörten auch die Altäre für Brand- und Rauchopfer, weitere Geräte für den Gottesdienst und ein Becken zum Waschen. Mose gab den Nachkommen aus dem Stamm Levi den Auftrag, für die Gottesdienste Sorge zu tragen, und Aaron wurde oberster Priester im Heiligtum. Wenn Mose mit Gott sprechen wollte, ging er in das Heilige Zelt hinein, das immer am Rand des israelitischen Lagers aufgestellt wurde.
Nach Stämmen geordnet, zog das Volk in Richtung Norden durch die Wüste weiter, um nach Kanaan, in das Land Abrahams, Isaaks und Jakobs zu gelangen.

Der Weg zum Gelobten Land

Der Bericht der Kundschafter

Der Herr sprach zu Mose: „Schick einige Männer aus, die das Land Kanaan erkunden, das ich den Israeliten geben will! Aus jedem Väterstamm sollt ihr einen Mann aussenden, und zwar jeweils einen der führenden Männer."
Da schickte Mose von der Wüste Paran die Männer aus, wie es der Herr befohlen hatte. Er sagte zu ihnen: „Zieht von hier durch den Negeb und steigt hinauf ins Gebirge! Seht, wie das Land beschaffen ist und ob das

Volk, das darin wohnt, stark oder schwach ist, ob es klein oder groß ist. Seht, wie das Land beschaffen ist, in dem das Volk wohnt, ob es gut ist oder schlecht, und wie die Städte angelegt sind, in denen es wohnt, ob sie offen oder befestigt sind und ob das Land fett oder mager ist, ob es dort Bäume gibt oder nicht. Habt Mut und bringt Früchte des Landes mit!" Es war gerade die Zeit der ersten Trauben.
Da zogen die Männer hinauf und erkundeten das Land. Sie durchzogen zuerst den Negeb und kamen bis Hebron. Von dort kamen sie in das Traubental. Dort schnitten sie eine Rebe mit einer Weintraube ab und trugen sie zu zweit auf einer Stange, dazu auch einige Granatäpfel und Feigen.
Vierzig Tage, nachdem man sie zur Erkundung des Landes ausgeschickt hatte, machten sie sich auf den Rückweg. Sie kamen zu Mose und Aaron und zu der ganzen Gemeinde der Israeliten in die Wüste Paran nach Kadesch. Sie berichteten ihnen und der ganzen Gemeinde und zeigten ihnen die Früchte des Landes. Sie erzählten Mose: „Wir kamen in das Land, in das du uns geschickt hast. Es ist wirklich ein Land, in dem Milch und Honig fließen; das hier sind seine Früchte! Aber das Volk, das im Land wohnt, ist stark, und die Städte sind befestigt und sehr groß. Alle Leute, die wir dort gesehen haben, sind hochgewachsen. Sogar die Riesen haben wir dort gesehen. Wir kamen uns selbst klein wie Heuschrecken vor."
Da erhob die ganze Gemeinde ein lautes Geschrei, und das Volk weinte die ganze Nacht. Alle Israeliten murrten über Mose und Aaron, und die ganze Gemeinde sagte zu ihnen: „Wären wir doch in Ägypten oder wenigstens hier in der Wüste gestorben! Warum nur will uns der Herr in dieses Land bringen? Etwa damit wir durch das Schwert umkommen und unsere Frauen und Kinder eine Beute der Feinde werden? Wäre es für uns nicht besser, nach Ägypten zurückzukehren?" Und sie sagten zueinander: „Wir wollen einen neuen Anführer wählen und nach Ägypten zurückkehren!"
Josua und Kaleb, zwei von denen, die das Land erkundet hatten, zerrissen ihre Kleider und sagten zu der ganzen Gemeinde der Israeliten: „Das Land, das wir durchwandert und erkundet haben, dieses Land ist überaus schön. Wenn der Herr uns wohlgesinnt ist und uns in dieses Land bringt, dann schenkt er uns ein Land, in dem Milch und Honig fließen. Lehnt euch nur nicht gegen den Herrn auf! Habt keine Angst vor den Leuten in jenem Land. Sie werden unsere Beute. Ihr schützender Schatten ist von ihnen gewichen, denn der Herr ist mit uns. Habt keine Angst vor ihnen!"

Doch die ganze Gemeinde drohte, Mose und Aaron zu steinigen. Da erschien die Herrlichkeit des Herrn am Offenbarungszelt allen Israeliten, und der Herr sprach zu Mose: „Wie lange verachtet mich dieses Volk noch, wie lange noch wollen sie nicht an mich glauben trotz aller Zeichen, die ich mitten unter ihnen vollbracht habe? Alle Männer, die meine Herrlichkeit und meine Zeichen gesehen haben, die ich in Ägypten und in der Wüste vollbracht habe, und doch nicht auf mich gehört haben, sie alle werden das Land nicht zu sehen bekommen, das ich ihren Vätern mit einem Eid zugesichert habe. Keiner von denen, die mich verachtet haben, wird es zu sehen bekommen."
(Num 13;14)

Segen und Fluch – Leben und Tod

Während der vierzig Jahre, die das Volk durch die Wüste wanderte, fiel es immer wieder von Gott ab. Israel tat nicht, was Mose ihm in Gottes Auftrag sagte. Die Strafe ließ nicht lange auf sich warten. Dann trat Mose immer wieder vor Gott für sein Volk ein. Mose war inzwischen alt geworden und wußte, daß er nicht in das Gelobte Land, in das Land seiner Väter, einziehen würde. Noch einmal ermahnte Mose das Volk Israel, den Bund mit Gott zu halten.

Mose sprach zum versammelten Volk Israel:
„Hiermit lege ich dir heute das Leben und das Glück, den Tod und das Unglück vor.
Wenn du auf die Gebote des Herrn, deines Gottes, auf die ich dich heute verpflichte, hörst, indem du den Herrn, deinen Gott liebst, auf seinen Wegen gehst und auf seine Gebote, Gesetze und Rechtsvorschriften achtest, dann wirst du leben und zahlreich werden. Und der Herr, dein Gott, wird dich in dem Land segnen, in das du hineinziehst, um es in Besitz zu nehmen.
Wenn du aber dein Herz abwendest und nicht hörst, wenn du dich verführen läßt, dich vor anderen Göttern niederwirfst und ihnen dienst – heute erkläre ich euch: Dann werdet ihr ausgetilgt werden; ihr werdet nicht lange in dem Land leben, in das du jetzt über den Jordan hinüberziehst, um hineinzuziehen und es in Besitz zu nehmen.
Den Himmel und die Erde rufe ich heute als Zeugen gegen euch an. Leben und Tod lege ich dir vor, Segen und Fluch. Wähle also das Leben,

damit du lebst, du und deine Nachkommen. Liebe den Herrn, deinen Gott, hör auf seine Stimme, und halte dich an ihm fest; denn er ist dein Leben. Er ist die Länge deines Lebens, das du in dem Land verbringen darfst, von dem du weißt: Der Herr hat deinen Vätern Abraham, Isaak und Jakob geschworen, es ihnen zu geben."
(Dtn 30)

Der Abschiedssegen des Mose

Der Herr sprach zu Mose: „Steig auf das Gebirge und sieh dir das Land an, das ich den Israeliten gegeben habe! Wenn du es gesehen hast, wirst du mit deinen Vorfahren vereint werden wie dein Bruder Aaron."
Da sagte Mose zum Herrn: „Der Herr, der Gott, der alle Menschen belebt, setze einen Mann als Anführer der Gemeinde ein, der vor ihnen her in den Kampf zieht und vor ihnen her wieder in das Lager einzieht, der sie zum Krieg hinausführt und sie zurückführt. Die Gemeinde des Herrn soll nicht sein wie Schafe, die keinen Hirten haben."
Der Herr antwortete Mose: „Nimm Josua, den Sohn Nuns, einen Mann, der mit Geist begabt ist, und leg ihm deine Hand auf!"
Mose rief Josua herbei und sagte vor den Augen ganz Israels zu ihm: „Empfange Macht und Stärke. Du sollst mit diesem Volk in das Land hineinziehen, von dem du weißt: Der Herr hat ihren Vätern geschworen, es ihnen zu geben. Du sollst es an sie als Erbbesitz verteilen. Der Herr selbst zieht vor dir her. Er ist mit dir. Er läßt dich nicht fallen und verläßt dich nicht. Du sollst dich nicht fürchten und keine Angst haben." Mose stieg aus den Steppen von Moab hinauf auf den Berg Nebo gegenüber Jericho, und der Herr zeigte ihm den Negeb und die Jordangegend, den Talgraben von Jericho, das ganze Land bis zum Mittelmeer. Er sagte zu ihm: „Das ist das Land, das ich Abraham, Isaak und Jakob versprochen habe mit dem Schwur: Deinen Nachkommen werde ich es geben. Ich habe es dich mit deinen Augen schauen lassen. Hinüberziehen wirst du nicht."
Danach starb Mose, der Knecht des Herrn, dort in Moab, wie es der Herr bestimmt hatte. Man begrub ihn in einem Tal in Moab. Bis heute kennt niemand sein Grab. Mose war hundertzwanzig Jahre alt, als er starb. Sein Auge war noch nicht getrübt, seine Frische war noch nicht geschwunden. Die Israeliten beweinten Mose dreißig Tage lang.
(Num 27; Dtn 31; 34)

Glaubenstexte Israels

Mein Vater war ein heimatloser Aramäer

Mein Vater war ein heimatloser Aramäer. Er zog nach Ägypten, lebte dort als Fremder mit wenigen Leuten und wurde dort zu einem großen, mächtigen und zahlreichen Volk. Die Ägypter behandelten uns schlecht, machten uns rechtlos und legten uns harte Fronarbeit auf.
Wir schrien zum Herrn, dem Gott unserer Väter.
Der Herr hörte unser Schreien und sah unsere Rechtlosigkeit, unsere Arbeitslast und unsere Bedrängnis.
Der Herr führte uns mit starker Hand und hocherhobenem Arm, unter großem Schrecken, unter Zeichen und Wundern aus Ägypten. Er brachte uns an diese Stätte und gab uns dieses Land, ein Land, in dem Milch und Honig fließen.
Und siehe, nun bringe ich hier die ersten Erträge von den Früchten des Landes, das du mir gegeben hast, Herr.
(Dtn 26)

Landschaft im Negev

Höre, Israel!

Höre, Israel! Jahwe, unser Gott, Jahwe ist einzig. Darum sollst du den Herrn, deinen Gott, lieben mit ganzem Herzen, mit ganzer Seele und mit ganzer Kraft.
Diese Worte, auf die ich dich heute verpflichte, sollen auf deinem Herzen geschrieben stehen. Du sollst sie deinen Söhnen wiederholen. Du sollst von ihnen reden, wenn du zu Hause sitzt und wenn du auf der Straße gehst, wenn du dich schlafen legst und wenn du aufstehst. Du sollst sie als Zeichen um das Handgelenk binden. Sie sollen zum Schmuck auf deiner Stirn werden. Du sollst sie auf die Türpfosten deines Hauses und in deine Stadttore schreiben.
(Dtn 6)

Mit 13 Jahren wird ein jüdischer Junge auf das Gesetz verpflichtet. Dieser Einstieg in das Erwachsenenleben wird im Bar-Mizwa-Fest gefeiert.

Wenn dich morgen dein Sohn fragt

Wenn dich morgen dein Sohn fragt: „Warum achtet ihr auf die Satzungen, die Gesetze und Rechtsvorschriften, auf die der Herr, unser Gott, euch verpflichtet hat?", dann sollst du deinem Sohn antworten: „Wir waren Sklaven des Pharao in Ägypten, und der Herr hat uns mit starker Hand aus Ägypten geführt. Der Herr hat vor unseren Augen gewaltige, unheilvolle Zeichen und Wunder an Ägypten, am Pharao und an seinem ganzen Haus getan. Uns aber hat er dort herausgeführt, um uns in das Land, das er unseren Vätern mit einem Schwur versprochen hatte, hineinzuführen und es uns zu geben. Der Herr hat uns verpflichtet, alle diese Gesetze zu halten und den Herrn, unseren Gott, zu fürchten, damit es uns das ganze Leben lang gut geht und er uns Leben schenkt, wie wir es heute haben. Nur dann werden wir im Recht sein, wenn wir darauf achten, dieses ganze Gesetz vor dem Herrn, unserem Gott, so zu halten, wie er es uns zur Pflicht gemacht hat."
(Dtn 6)

Schutz vor Unterdrückung und Ausbeutung

Einen Fremden sollst du nicht ausnützen oder ausbeuten, denn ihr selbst seid in Ägypten Fremde gewesen. Ihr sollt keine Witwe oder Waise ausnützen. Wenn du sie ausnützt und sie zu mir schreit, werde ich auf ihren Klageschrei hören.
Leihst du einem aus meinem Volk, einem Armen, der neben dir wohnt, Geld, dann sollst du dich gegen ihn nicht wie ein Wucherer benehmen. Ihr sollt von ihm keinen Wucherzins fordern. Nimmst du von einem Mitbürger den Mantel zum Pfand, dann sollst du ihn bis Sonnenuntergang zurückgeben, denn es ist seine einzige Decke. Worin soll er sonst schlafen? Wenn er zu mir schreit, höre ich es, denn ich habe Mitleid.
(Ex 22)

Verhalten im Rechtsverfahren

Du sollst kein leeres Gerücht verbreiten. Biete deine Hand nicht dem, der Unrecht hat, indem du als falscher Zeuge auftrittst. Du sollst dich nicht der Mehrheit anschließen, wenn sie im Unrecht ist.
(Ex 23)

Verhalten gegen den Feind

Wenn du dem verirrtem Rind oder dem Esel deines Feindes begegnest, sollst du ihm das Tier zurückbringen. Wenn du siehst, wie der Esel deines Gegners unter der Last zusammenbricht, dann laß ihn nicht im Stich, sondern leiste ihm Hilfe!
(Ex 23)

Verbot von Rechtsbeugung

Du sollst das Recht des Armen in seinem Rechtsstreit nicht beugen. Von einem unlauteren Verfahren sollst du dich fernhalten. Wer unschuldig und im Recht ist, den bring nicht um sein Leben. Denn ich spreche den Schuldigen nicht frei. Du sollst dich nicht bestechen lassen, denn Bestechung macht Sehende blind und verkehrt die Sache derer, die im Recht sind.
(Ex 23)

Sabbatjahr

Sechs Jahre kannst du in deinem Land säen und die Ernte einbringen. Im siebten sollst du es brach liegen lassen und nicht bestellen. Die Armen in deinem Volk sollen davon essen, den Rest mögen die Tiere des Feldes fressen. Das gleiche sollst du mit deinem Weinberg und deinen Ölbäumen tun.
(Ex 23)

Israel im Land Kanaan

Die Landnahme

Der Übergang über den Jordan

Als Josua und mit ihm alle Israeliten an den Jordan kamen, übernachteten sie dort, bevor sie ihn überschritten.
Nach drei Tagen gingen die Schreiber durch das Lager und befahlen dem Volk: „Wenn ihr die Bundeslade des Herrn, eures Gottes, seht und die levitischen Priester, die sie tragen, dann sollt ihr aufbrechen und ihr folgen. Nur müßt ihr zwischen ihr und euch einen Abstand von zweitausend Ellen lassen. Ihr dürft nicht zu nahe an sie herankommen. So werdet ihr wissen, welchen Weg ihr gehen sollt. Denn ihr seid den Weg ja früher noch nie gegangen!" Und Josua sagte zu dem Volk: „Heiligt euch, denn morgen wird der Herr mitten unter euch Wunder tun!" Und zu den Priestern sagte Josua: „Nehmt die Bundeslade auf und zieht dem Volk voran!" Und sie nahmen die Bundeslade auf und gingen dem Volk voraus.
Da sagte der Herr zu Josua: „Heute fange ich an, dich vor den Augen ganz Israels groß zu machen, damit alle erkennen, daß ich mit dir sein werde, wie ich mit Mose gewesen bin. Du aber sollst den Priestern, die die Bundeslade tragen, befehlen: Wenn ihr zum Ufer des Jordan kommt, geht in den Jordan hinein und bleibt dort stehen."
Darauf sagte Josua zu den Israeliten: „Kommt her und hört die Worte des Herrn, eures Gottes!" Dann sagte Josua: „Daran sollt ihr erkennen, daß ein lebendiger Gott mitten unter euch ist: Er wird die fremden Völker vor euren Augen vertreiben. Seht, die Bundeslade des Herrn der ganzen Erde zieht vor euch her durch den Jordan. Sobald die Füße der Priester, die die Lade des Herrn tragen, des Herrn der ganzen Erde, im Wasser des Jordan stehen, wird das Wasser des Jordan, das von oben

Der Jordan hat im heißen Sommer wenig Wasser

herabkommt, wie abgeschnitten sein und wie ein Wall dastehen." Dann brach das Volk seine Zelte ab, um den Jordan zu überschreiten. Die Priester gingen mit der Bundeslade an der Spitze des Volkes und kamen an den Jordan. Der Fluß war während der ganzen Erntezeit über alle Ufer getreten. Als die Priester mit ihren Füßen das Wasser berührten, blieben die Fluten des Jordan stehen. Die Fluten, die zum Meer der Araba, dem Salzmeer, hinabfließen, liefen vollständig ab, und das Volk zog Jericho gegenüber durch den Jordan. Die Priester, die die Bundeslade des Herrn trugen, standen mitten im Jordan auf trockenem Boden, während ganz Israel trockenen Fußes hinüberging, bis das ganze Volk den Jordan durchschritten hatte.
(Jos 3)

Die zwölf Gedenksteine

Als das ganze Volk den Jordan durchschritten hatte, sagte der Herr zu Josua: „Wählt aus dem Volk zwölf Männer aus, aus jedem Stamm einen, und befehlt ihnen: Hebt hier an der Stelle mitten im Jordan, wo die Priester fest und sicher standen, zwölf Steine auf, nehmt sie mit hinüber und legt sie an dem Ort nieder, an dem ihr die nächste Nacht verbringt."
Josua wählte also aus den Israeliten zwölf Männer aus, aus jedem Stamm einen, und sagte zu ihnen: „Geht vor der Lade des Herrn, eures Gottes, her bis zur Mitte des Jordan; dort soll jeder von euch einen Stein auf seine Schulter heben, so viele Steine, wie es Stämme der Israeliten gibt. Sie sollen euch ein Zeichen sein. Wenn euch eure Söhne morgen fragen: Was bedeuten diese Steine?, dann antwortet ihnen: Als die Bundeslade durch den Jordan zog, da waren die Fluten des Jordan wie abgeschnitten. So sind diese Steine ein ewiges Erinnerungszeichen für die Israeliten."
Die Israeliten taten, was Josua befohlen hatte, und nahmen zwölf Steine mitten aus dem Jordan, so viele, wie es Stämme der Israeliten gab, wie es der Herr dem Josua befohlen hatte. Sie brachten sie zu ihrem Rastplatz und stellten sie dort auf.
Als nun die Priester, die die Bundeslade des Herrn trugen, aus der Mitte des Jordan heraufstiegen und ihre Füße das Ufer berührten, da kehrte das Wasser des Jordan an seinen Ort zurück und trat wie zuvor wieder über alle Ufer.

An jenem Tag machte der Herr den Josua in den Augen ganz Israels groß, und man hatte Ehrfurcht vor ihm, wie man vor Mose zeit seines Lebens Ehrfurcht hatte.
(Jos 4)

Die Eroberung Jerichos

Die Israeliten kamen nach Jericho. Jericho hielt wegen der Israeliten die Tore fest verschlossen. Niemand konnte heraus und niemand konnte hinein.
Da sagte der Herr zu Josua: „Sieh her, ich gebe Jericho und seinen König in deine Gewalt."
Josua rief die Priester zu sich und sagte: „Nehmt die Bundeslade und laßt sieben Priester sieben Widderhörner vor der Lade des Herrn hertragen." Und zum Volk sagte er: „Zieht rings um die Stadt herum und laßt die bewaffneten Männer vor der Lade des Herrn herziehen."
Und es geschah so, wie Josua es dem Volk gesagt hatte: Sieben Priester trugen die sieben Widderhörner vor dem Herrn her und bliesen im Gehen die Hörner, und die Bundeslade des Herrn zog hinter ihnen her. Die bewaffneten Männer gingen vor den Priestern her, die die Hörner bliesen. Die Nachhut folgte der Lade und man blies ständig die Hörner.
Dem Volk aber befahl Josua: „Erhebt kein Kriegsgeschrei und laßt eure Stimmen nicht hören! Kein Wort komme aus eurem Mund bis zu dem Tag, an dem ich zu euch sage: Erhebt das Kriegsgeschrei! Dann sollt ihr losschreien."
Darauf ließ er die Lade des Herrn einmal um die Stadt herumziehen.
Dann kam man zum Lager zurück und übernachtete im Lager.
Früh am anderen Morgen brach Josua auf, und die Priester trugen die Lade des Herrn. Sieben Priester trugen die sieben Widderhörner der Lade des Herrn voraus und bliesen ständig die Hörner. Die bewaffneten Männer zogen vor ihnen her, und die Nachhut folgte der Lade des Herrn. Man blies ständig die Hörner. So zogen sie auch am zweiten Tag einmal um die Stadt herum und kehrten wieder in das Lager zurück. Das machten sie sechs Tage lang.
Am siebten Tag aber brachen sie beim Anbruch der Morgenröte auf und zogen wie gewohnt um die Stadt, siebenmal; nur an diesem Tag zogen sie siebenmal um die Stadt.

Landschaft bei Jericho

Als die Priester beim siebtenmal die Hörner bliesen, sagte Josua zum Volk: „Erhebt das Kriegsgeschrei! Denn der Herr hat die Stadt in eure Gewalt gegeben. Mit allem, was in ihr ist, soll die Stadt zu Ehren des Herrn dem Untergang geweiht sein."
Darauf wurden die Widderhörner geblasen, und als das Volk den Hörnerschall hörte, brach es in lautes Kriegsgeschrei aus. Die Stadtmauer stürzte in sich zusammen. Das Volk stieg in die Stadt hinein, jeder an der nächstbesten Stelle. So eroberten sie die Stadt. Und der Herr war mit Josua, und sein Ruhm verbreitete sich im ganzen Land.
(Jos 6)

Die Versammlung des Volkes in Sichem

Lange Zeit später hatte der Herr den Israeliten Ruhe vor allen ihren Feinden verschafft. Josua war alt und hochbetagt. Da versammelte er alle Stämme Israels in Sichem und rief die Ältesten Israels, seine Oberhäupter, Richter und Listenführer zusammen.
Als sie vor Gott standen, sagte Josua zum ganzen Volk: „So spricht der

Herr, der Gott Israels: Ich gab euch ein Land, um das ihr euch nicht bemüht hattet, und Städte, die ihr nicht erbaut hattet. Ihr habt in den Städten gewohnt und habt von Weinbergen und Ölbäumen gegessen, die ihr nicht gepflanzt hattet.
Jetzt also fürchtet den Herrn und dient ihm in vollkommener Treue. Schafft die Götter ab, denen eure Väter jenseits des Stromes und in Ägypten gedient haben, und dient dem Herrn. Wenn es euch aber nicht gefällt, dem Herrn zu dienen, dann entscheidet euch heute, wem ihr dienen wollt: den Göttern, denen eure Väter jenseits des Stromes dienten, oder den Göttern der Kanaaniter, in deren Land ihr wohnt. Ich aber und mein Haus, wir wollen dem Herrn dienen."
Das Volk antwortete: „Das sei uns fern, daß wir den Herrn verlassen und anderen Göttern dienen. Denn der Herr, unser Gott, war es, der uns und unsere Väter aus dem Sklavenhaus Ägypten herausgeführt hat. Er hat vor unseren Augen alle die großen Wunder getan. Er hat uns beschützt auf dem ganzen Weg, den wir gegangen sind, und unter allen Völkern, durch deren Gebiet wir gezogen sind. Der Herr hat alle Völker vertrieben, auch die Kanaaniter, die vor uns im Land wohnten. Auch wir wollen dem Herrn dienen, denn er ist unser Gott."
Da sagte Josua zum Volk: „Ihr seid nicht imstande, dem Herrn zu dienen, denn er ist ein heiliger Gott, ein eifersüchtiger Gott; er wird euch eure Frevel und eure Sünden nicht verzeihen. Wenn ihr den Herrn verlaßt und fremden Göttern dient, dann wird er sich von euch abwenden, wird Unglück über euch bringen und euch ein Ende bereiten, obwohl er euch zuvor Gutes getan hat."
Das Volk sagte zu Josua: „Dem Herrn, unserem Gott, wollen wir dienen und auf seine Stimme hören."
So schloß Josua an jenem Tag in Sichem für das Volk einen Bund (mit dem Herrn) und gab dem Volk Gesetz und Recht. Josua schrieb alle diese Worte in das Buch des Gesetzes Gottes. Er nahm einen großen Stein und stellte ihn in Sichem unter der Eiche beim Heiligtum des Herrn auf. Dabei sagte er zu dem ganzen Volk: „Seht her, dieser Stein wird ein Zeuge sein gegen uns, denn er hat alle Worte des Herrn gehört, die er zu uns gesprochen hat. Er soll ein Zeuge gegen euch sein, damit ihr euren Gott nicht verleugnet." Dann entließ Josua das Volk, einen jeden in seinen Erbbesitz. Nach diesen Ereignissen starb Josua, der Sohn Nuns, der Knecht des Herrn.
(Jos 23; 24)

Gideon

Für die Israeliten war es nicht einfach, sich im Land Kanaan anzusiedeln. Die Einwohner wollten die Eindringlinge nicht dort wohnen lassen. So kam es immer wieder zu Kämpfen. Auch mußten die Israeliten erst wieder mühsam einüben, wie man seßhaft lebt. Dabei konnten sie vieles von den Kanaanäern lernen, beispielsweise wie man Siedlungen anlegt und Häuser baut, wie man Getreide und Wein anbaut, erntet und aufbewahrt, wie man Zisternen als Wasserspeicher anlegt oder auch wie man Öl aus den Oliven gewinnt.
Die Kanaaniter verehrten Götter und Göttinnen, die Israel fremd waren. Sie gaben ihnen Namen wie zum Beispiel Baal oder Astarte. Sie erhofften von diesen Göttern günstiges Wetter für Aussaat und Ernte, Fruchtbarkeit des Bodens, Nachwuchs bei den Tieren und Glück für sich selbst. Im Laufe der Zeit vergaßen die Israeliten ihren Gott Jahwe. Sie feierten die Feste der Götter Kanaans und besuchten deren Heiligtümer.
Weil sich das Volk Israel so von seinem Gott und Herrn abwandte, geriet es in Not und Bedrückung. Da besann es sich, schrie zum Herrn um Erbarmen, und Gott half. Er wählte einen aus ihrer Mitte zum Richter. Der sollte das Volk Gottes im Kampf gegen die Feinde führen, es aufrichten und wieder auf die richtige Bahn lenken.

Die Berufung Gideons

Die Israeliten taten, was dem Herrn mißfiel. Da gab sie der Herr in die Gewalt Midians, sieben Jahre lang. Als Midian die Oberhand gewann, machten sich die Israeliten die Schluchten in den Bergen und die Höhlen und die Bergnester als Unterschlupf vor den Midianitern zurecht. Doch immer, wenn die Israeliten gesät hatten, kamen Midian, die Amalekiter und die Leute aus dem Osten und zogen gegen sie heran. Sie belagerten die Israeliten und vernichteten die Ernte des Landes bis hin in die Gegend von Gaza. Sie ließen in Israel keine Lebensmittel übrig, auch kein Schaf, kein Rind und keinen Esel. Denn sie zogen mit ihren Herden und Zelten heran und kamen so zahlreich wie die Heuschrecken herbei. Zahllos waren sie selbst und auch ihre Kamele. Sie kamen und verheerten das Land.
So verarmte Israel sehr wegen Midian, und die Israeliten schrien zum Herrn. Als nun die Israeliten wegen Midian zum Herrn schrien, schickte der Herr einen Propheten zu den Israeliten. Dieser sagte zu ihnen:

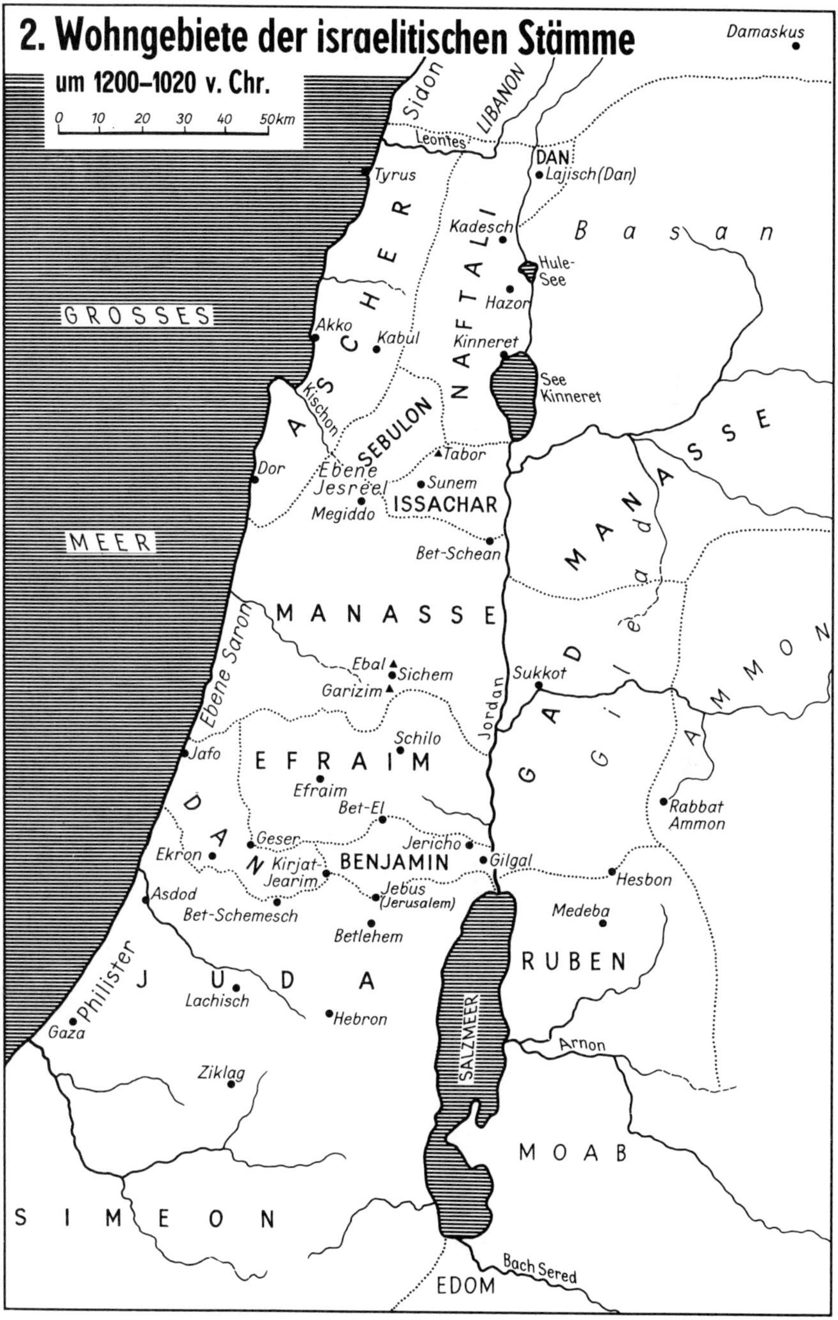
2. Wohngebiete der israelitischen Stämme
um 1200–1020 v. Chr.
0 10 20 30 40 50km
Damaskus
Sidon
LIBANON
Leontes
Tyrus
DAN
Lajisch (Dan)
Kadesch
Basan
Hule-See
Hazor
GROSSES
MEER
ASCHER
NAFTALI
Akko
Kabul
Kinneret
See Kinneret
Kischon
SEBULON
Tabor
Dor
Ebene Jesreel
Sunem
Megiddo
ISSACHAR
Bet-Schean
MANASSE
Gilead
AMMON
Ebene Saron
Ebal
Sichem
Garizim
Sukkot
Jordan
GAD
Schilo
Jafo
EFRAIM
Efraim
Bet-El
DAN
Rabbat Ammon
Geser
Jericho
Ekron
Kirjat-Jearim
BENJAMIN
Gilgal
Hesbon
Asdod
Jebus (Jerusalem)
Bet-Schemesch
Medeba
Betlehem
RUBEN
Philister
JUDA
Lachisch
Gaza
Hebron
SALZMEER
Arnon
Ziklag
MOAB
SIMEON
EDOM
Bach Sered

„So spricht der Herr, der Gott Israels: Ich selbst habe euch aus Ägypten heraufgeführt. Ich habe euch aus dem Sklavenhaus herausgeführt. Ich habe euch aus der Gewalt Ägyptens und aus der Gewalt all eurer Unterdrücker befreit. Ich habe sie vor euren Augen vertrieben und euch ihr Land gegeben. Und ich habe euch gesagt: Ich bin der Herr, euer Gott. Fürchtet nicht die Götter der Amoriter, in deren Land ihr wohnt. Aber ihr habt nicht auf meine Stimme gehört."
Der Engel des Herrn kam und setzte sich unter die Eiche bei Ofra, die dem Joasch gehörte. Sein Sohn Gideon war gerade dabei, in der Kelter Weizen zu dreschen, um ihn vor Midian in Sicherheit zu bringen. Da erschien ihm der Engel des Herrn und sagte zu ihm: „Der Herr sei mit dir, starker Held." Doch Gideon sagte zu ihm: „Ach, mein Herr, ist der Herr wirklich mit uns? Warum hat uns all das getroffen? Wo sind alle seine wunderbaren Taten, von denen uns unsere Väter erzählt haben? Sie sagten doch: Wirklich, der Herr hat uns aus Ägypten heraufgeführt. Jetzt aber hat uns der Herr verstoßen und uns der Faust Midians preisgegeben." Da wandte sich der Herr ihm zu und sagte: „Geh und befrei mit der Kraft, die du hast, Israel aus der Faust Midians! Ja, ich sende dich." Er entgegnete ihm: „Ach, mein Herr, womit soll ich Israel befreien? Sieh doch, meine Sippe ist die schwächste in Manasse, und ich bin der Jüngste im Haus meines Vaters." Doch der Herr sagte zu ihm: „Weil ich mit dir bin, wirst du Midian schlagen, als wäre es nur ein Mann."
(Ri 6)

Der Kampf gegen die Midianiter

Ganz Midian, Amalek und die Leute aus dem Osten taten sich zusammen, zogen herüber und schlugen in der Ebene Jesreel ihr Lager auf. Da kam der Geist des Herrn über Gideon. Gideon blies ins Widderhorn. Auch schickte er Boten in ganz Manasse umher und rief Manasse, ihm in den Kampf zu folgen. Außerdem schickte er Boten in Ascher, Sebulon und Naftali umher, und auch diese stießen zu ihnen.
Am frühen Morgen brach Gideon mit allen Leuten, die er bei sich hatte, auf, und sie errichteten bei einer Quelle ihr Lager; das Lager Midians war nördlich davon beim Hügel More in der Ebene. Der Herr sagte zu Gideon: „Die Leute, die du bei dir hast, sind zu zahlreich, als daß ich

Midian in deine Gewalt geben könnte. Sonst könnte sich Israel mir gegenüber rühmen und sagen: Meine eigene Hand hat mich gerettet. Ruf daher so laut, daß die Leute es hören: Wer sich fürchtet und Angst hat, soll umkehren." Gideon musterte sie, und darauf kehrten von den Leuten zweiundzwanzigtausend um, während zehntausend bei ihm blieben. Doch der Herr sagte zu Gideon: „Die Leute sind immer noch zahlreich. Führ sie hinab ans Wasser; dort will ich sie für dich mustern. Von wem ich sagen werde: Er soll mit dir gehen, der soll mitgehen, und jeder, von dem ich zu dir sagen werde: Dieser soll nicht mit dir gehen, der soll nicht mitgehen."

Gideon führte die Leute zum Wasser hinab, und der Herr sagte zu ihm: „Stell alle, die das Wasser mit der Zunge auflecken, wie es ein Hund tut, auf einen besonderen Platz, und ebenso alle, die sich zum Trinken hinknien." Die Zahl derer, die das Wasser aufleckten, betrug dreihundert Mann. Alle übrigen Leute aber knieten sich hin, um das Wasser zu trinken, indem sie es mit der Hand zum Mund führten. Der Herr sagte zu Gideon: „Durch die dreihundert Mann, die das Wasser aufgeleckt haben, will ich euch retten; ich werde Midian in deine Gewalt geben. Alle übrigen Leute sollen nach Hause gehen. Gideon entließ also alle Israeliten, jeden zu seinem Zelt, und sie nahmen die Verpflegung der Leute und ihre Widderhörner mit. Nur die dreihundert Mann behielt er bei sich.

Das Lager Midians lag unterhalb von ihm in der Ebene. In jener Nacht geschah es, daß Jahwe zu ihm sagte: „Steh auf, geh zum Lager hinab; denn ich habe es in deine Gewalt gegeben. Wenn du dich aber davor fürchtest, hinabzusteigen, dann geh zuerst allein mit deinem Diener Pura ins Lager hinab, und höre, was man dort redet. Dann wirst du die Kraft bekommen, zum Lager hinabzuziehen. Gideon ging also mit seinem Diener Pura bis unmittelbar an die Krieger im Lager heran.

Midian und Amalek und die Leute des Ostens waren in die Ebene eingefallen, zahlreich wie die Heuschrecken, und ihre Kamele waren zahllos wie der Sand am Ufer des Meeres. Als Gideon ankam, erzählte gerade einer dem andern einen Traum. Er sagte: „Hör zu, ich hatte einen Traum: Ich sah, wie ein Laib Gerstenbrot ins Lager Midians rollte. Er gelangte bis zum Zelt und stieß dagegen, so daß es umfiel und umgestülpt dalag. Dann brach das Zelt zusammen." Der andere antwortete: „Das bedeutet nichts anderes als das Schwert des Israeliten Gideon, des Sohnes des Joasch. Gott hat Midian und das ganze Lager in seine Gewalt gegeben."

Kampfszene, assyrischer Feldzug gegen arabische Wüstenvölker

Als Gideon die Erzählung von dem Traum und seine Deutung hörte, warf er sich nieder und betete. Dann kehrte er ins Lager Israels zurück und rief: „Auf! Der Herr hat das Lager Midians in eure Gewalt gegeben." Gideon teilte die dreihundert Mann in drei Abteilungen und gab allen Männern Widderhörner und leere Krüge in die Hand; in den Krügen waren Fackeln. Er sagte zu ihnen: „Seht auf mich, und macht alles ebenso wie ich! Paßt auf: Ich gehe nun an den Rand des Lagers der Midianiter, und das, was ich mache, müßt auch ihr machen. Wenn ich und alle, die bei mir sind, das Widderhorn blasen, dann müßt ihr rings um das ganze Lager eure Hörner blasen und rufen: Für den Herrn und Gideon!"

Gideon und die hundert Mann, die bei ihm waren, gelangten zu Beginn der mittleren Nachtwache an den Rand des Lagers der Midianiter; man hatte gerade die Wachen aufgestellt. Sie bliesen das Widderhorn und zerschlugen die Krüge, die sie in der Hand hatten. Nun bliesen auch die beiden anderen Abteilungen ihre Hörner, zerschlugen die Krüge, ergriffen mit der linken Hand die Fackeln, während sie in der rechten Hand die Widderhörner hielten, um zu blasen, und schrien: „Das Schwert für den Herrn und Gideon!" Dabei blieben sie rings um das Lager stehen, jeder an dem Platz, wo er gerade war. Im Lager liefen alle durcheinander, schrien und flohen. Als die dreihundert Männer ihre Hörner bliesen, richtete der Herr im ganzen Lager das Schwert des einen gegen den andern. Alle im Lager flohen bis weit über den Jordan zurück.

(Ri 6; 7)

Samuel

Die israelitischen Stämme hatten nicht viel, was sie einig und stark machen konnte. Sie hatten keinen König an ihrer Spitze. Es gab auch keine Hauptstadt und keinen festen Ort für ihr Heiligtum, wie bei den anderen Völkern.
Die Lade des Herrn sollte den Israeliten die Anwesenheit Gottes anzeigen und sie auf ihren gefahrvollen Wegen begleiten. Sie enthielt die Tafeln mit den Geboten Gottes und wurde deshalb auch „Bundeslade" genannt. Aufbewahrt wurde sie zum Beispiel in Gilgal bei Jericho oder auch in Schilo, im Bergland von Efraim. Zur Erinnerung an die Landnahme in Kanaan fasteten die Israeliten und reinigten sich einmal im Jahr vor einer Prozession, in der die Priester an der Spitze des Zuges mit der Lade den Jordan durchquerten. In Gilgal, nahe bei Jericho, standen zwölf Denksteine im Kreis. Dieses Heiligtum hielt in den Israeliten Gottes Befreiungstat wach, der das Volk aus Ägypten herausgeführt und am Schilfmeer vor den Ägyptern errettet hatte.
Auch Schilo im Bergland barg ein Heiligtum für die Lade des Herrn. Dort wurde auch das Heilige Zelt aufgestellt. Priester hüteten das Heiligtum. Sie überwachten und ordneten die Opfer am Paschafest oder wenn Familien oder Einzelne ihren Dank und ihre Bitten vor Gott brachten. Auch fragte man die Priester um Rat.
Geopfert wurden Speisen (Mehl, Öl und Wein), Weihrauch oder Tiere auf dafür bestimmten Altären. Speisen oder Weihrauch wurden im Feuer verbrannt, Öl oder Wein teilweise auch vor dem Altar ausgegossen. Als Schlachtopfer brachte man ein Rind, ein Schaf oder eine Ziege zum Altar. Die Priester schlachteten das Tier und fingen das Blut auf. Mit dem Opferblut wurden der Altar und die Opfergemeinde besprengt. Die Fettstücke verbrannten im Feuer. Vom übrigen Fleisch sonderten die Priester einen Teil für ihren Lebensunterhalt aus. Das übrige Fleisch wurde gekocht und gebraten von der Sippe nach Dank- und Bittgebeten verzehrt. Dazu lagerte die Familie beim Tempel.

Die Geburt Samuels

In Rama wohnte ein Mann aus dem Gebirge Efraim. Er hieß Elkana. Er hatte zwei Frauen. Die eine hieß Hanna, die andere Peninna. Peninna hatte Kinder, Hanna aber hatte keine Kinder.
Dieser Mann zog Jahr für Jahr von seiner Stadt nach Schilo hinauf, um den Herrn anzubeten und ihm zu opfern.
An dem Tag, an dem Elkana das Opfer darbrachte, gab er seiner Frau Peninna und all ihren Söhnen und Töchtern ihre Anteile. Hanna aber

gab er einen doppelten Anteil, denn er hatte Hanna lieb, obwohl der Herr ihr Kinder versagt hatte. Ihre Rivalin kränkte und demütigte sie sehr, weil der Herr ihr Kinder versagt hatte. So machte es Elkana Jahr für Jahr. Sooft sie zum Hause des Herrn hinaufzogen, hatte Hanna unter den Kränkungen Peninnas zu leiden; und sie weinte und aß nichts.
Ihr Mann Elkana fragte sie: „Hanna, warum weinst du? Warum ißt du nichts? Warum ist dein Herz betrübt? Bin ich dir nicht mehr wert als zehn Söhne?"
Nachdem sie in Schilo gegessen und getrunken hatten, stand Hanna auf und trat vor den Herrn. Der Priester Eli saß an den Türpfosten des Tempels auf seinem Stuhl. Hanna war verzweifelt und betete zum Herrn und weinte sehr. Und sie gelobte: „Herr, wenn du das Elend deiner Magd wirklich ansiehst, wenn du an mich denkst und deine Magd nicht vergißt und mir einen Sohn schenkst, dann will ich ihn für sein ganzes Leben dem Herrn überlassen; kein Schermesser soll an sein Haupt kommen." So betete sie lange vor dem Herrn. Eli beobachtete ihren Mund, denn Hanna redete nur still vor sich hin. Ihre Lippen bewegten sich, doch ihre Stimme war nicht zu hören. Deshalb hielt Eli sie für betrunken, und er sagte zu ihr: „Wie lange willst du dich noch wie eine Betrunkene aufführen? Sieh zu, daß du deinen Weinrausch los wirst."
Hanna antwortete: „Nein, Herr! Ich bin eine unglückliche Frau. Ich habe weder Wein getrunken noch Bier. Ich habe nur dem Herrn mein Herz ausgeschüttet. Halte deine Magd nicht für eine nichtsnutzige Frau; nur aus großem Kummer und aus Traurigkeit habe ich so lange geredet."
Eli sagte zur ihr: „Geh in Frieden! Der Gott Israels wird dir die Bitte erfüllen, die du an ihn gerichtet hast." Sie sagte: „Möge deine Magd Gnade finden vor deinen Augen." Dann ging sie weg; sie aß wieder und hatte kein trauriges Gesicht mehr.
Am nächsten Morgen standen sie früh auf und beteten den Herrn an. Dann machten sie sich auf den Heimweg und kehrten in ihr Haus nach Rama zurück. Elkana erkannte seine Frau Hanna. Der Herr dachte an sie, und Hanna wurde schwanger. Als die Zeit abgelaufen war, gebar sie einen Sohn und nannte ihn Samuel, denn sie sagte: „Ich habe ihn vom Herrn erbeten."
Als Elkana wieder mit seiner Familie hinaufzog, um dem Herrn das jährliche Opfer darzubringen und die Gaben, die er gelobt hatte, zog Hanna nicht mit. Sie sagte zu ihrem Mann: „Ich werde den Knaben erst,

wenn er entwöhnt ist, hinaufbringen. Dann soll er vor dem Angesicht des Herrn erscheinen und für immer dort bleiben."
Ihr Mann Elkana sagte zu ihr: „Tu, was dir gefällt! Bleib hier, bis du ihn entwöhnt hast. Wenn nur der Herr sein Wort erfüllt!"
Die Frau blieb also daheim und stillte den Sohn, bis sie ihn entwöhnte. Als sie ihn entwöhnt hatte, nahm sie ihn mit hinauf, dazu einen dreijährigen Stier, ein Efa Mehl und einen Schlauch Wein. So brachte sie ihn zum Haus des Herrn in Schilo. Der Knabe war damals noch sehr jung. Als sie den Stier geschlachtet hatten, brachten sie den Knaben zu Eli, und Hanna sagte: „Bitte, mein Herr, so wahr du lebst, mein Herr, ich bin die Frau, die damals neben dir stand, um zum Herrn zu beten. Ich habe um diesen Knaben gebetet, und der Herr hat mir die Bitte erfüllt, die ich an ihn gerichtet habe. Darum lasse ich ihn auch vom Herrn zurückfordern. Er soll für sein ganzes Leben ein vom Herrn Zurückgeforderter sein." Und sie beteten dort den Herrn an. Darauf kehrte Elkana in sein Haus nach Rama zurück. Der Knabe aber stand von da an im Dienste des Herrn unter der Aufsicht des Priesters Eli.
(1 Sam 1; 2)

Die Schuld des Hauses Eli

Die Söhne Elis waren nichtsnutzige Menschen. Sie kümmerten sich nicht um den Herrn, und sie pflegten sich gegenüber dem Volk so zu verhalten: Sooft jemand ein Schlachtopfer darbrachte und das Fleisch kochte, kam ein Diener des Priesters mit einer dreizinkigen Gabel in der Hand. Er stach in den Kessel oder den Topf, in das Becken oder die Schüssel, und alles, was die Gabel heraufholte, nahm der Priester für sich. So machten sie es bei allen Israeliten, die nach Schilo kamen. Noch bevor man das Fett in Rauch aufgehen ließ, kam der Diener des Priesters und sagte zu dem Mann, der opferte: „Gib mir Fleisch zum Braten für den Priester; er nimmt von dir aber kein gekochtes Fleisch an, sondern nur rohes." Wenn ihm der Mann erwiderte: „Zuerst muß man doch das Fett in Rauch aufgehen lassen, dann nimm dir, was dein Herz begehrt!", sagte ihm der Diener: „Nein, gib es sofort her, sonst nehme ich es mit Gewalt." Die Sünde der jungen Männer war sehr schwer in den Augen des Herrn; denn sie behandelten das Opfer des Herrn mit Verachtung.

Der junge Samuel aber versah den Dienst vor dem Angesicht des Herrn, bekleidet mit dem leinenen Efod. Seine Mutter machte ihm immer wieder ein kleines Obergewand und brachte es ihm jedes Jahr mit, wenn sie zusammen mit ihrem Mann hinaufzog, um das jährliche Opfer darzubringen. Dann segnete Eli Elkana und seine Frau und sagte: „Der Herr gebe dir für den, den er von dir erbeten hat, andere Nachkommenschaft von dieser Frau." Darauf gingen sie wieder in ihren Heimatort zurück. Der Herr aber nahm sich Hannas an; sie wurde schwanger und bekam noch drei Söhne und zwei Töchter. Der Knabe Samuel aber wuchs beim Herrn heran.
Eli war sehr alt geworden. Er hörte von allem, was seine Söhne allen Israeliten antaten. Er sagte zu ihnen: „Warum tut ihr so etwas? Warum muß ich von allen Leuten solch schlimme Dinge über euch hören? Nein, meine Söhne, was man, wie ich höre, im Volk des Herrn über euch verbreitet, ist nicht gut. Wenn ein Mensch gegen einen Menschen sündigt, kann Gott Schiedsrichter sein. Wenn aber ein Mensch gegen den Herrn sündigt, wer kann dann für ihn eintreten?" Aber sie hörten nicht auf die Stimme ihres Vaters; denn der Herr war entschlossen, sie umkommen zu lassen. Der Knabe Samuel aber wuchs heran und gewann immer mehr an Gunst beim Herrn und auch bei den Menschen.
(1 Sam 2)

Die erste Offenbarung an Samuel

Der junge Samuel versah den Dienst des Herrn unter der Aufsicht Elis. In jenen Tagen waren Worte des Herrn selten; Visionen waren nicht häufig. Eines Tages geschah es: Eli schlief auf seinem Platz; seine Augen waren schwach geworden, und er konnte nicht mehr sehen. Die Lampe Gottes war noch nicht erloschen, und Samuel schlief im Tempel des Herrn, wo die Lade Gottes stand. Da rief der Herr den Samuel, und Samuel antwortete: „Hier bin ich." Dann lief er zu Eli und sagte: „Hier bin ich, du hast mich gerufen." Eli erwiderte: „Ich habe dich nicht gerufen. Geh wieder schlafen." Da ging er und legte sich wieder schlafen. Der Herr rief noch einmal: „Samuel!" Samuel stand auf und ging zu Eli und sagte: „Hier bin ich, du hast mich gerufen." Eli erwiderte: „Ich habe dich nicht gerufen, mein Sohn. Geh wieder schlafen!"
Samuel kannte den Herrn noch nicht, und das Wort des Herrn war ihm noch nicht offenbart worden. Da rief der Herr den Samuel wieder, zum

drittenmal. Er stand auf und ging zu Eli und sagte: „Hier bin ich, du hast mich gerufen." Da merkte Eli, daß der Herr den Knaben gerufen hatte. Eli sagte zu Samuel: „Geh, leg dich schlafen! Wenn er dich wieder ruft, dann antworte: Rede, Herr; denn dein Diener hört." Samuel ging und legte sich an seinem Platz nieder. Da kam der Herr, trat zu ihm heran und rief wie die vorigen Male: „Samuel, Samuel!" Und Samuel antwortete: „Rede, denn dein Diener hört." Der Herr sagte zu Samuel: „Fürwahr, ich werde in Israel etwas tun, so daß jedem, der davon hört, beide Ohren gellen. An jenem Tag werde ich an Eli vom Anfang bis zum Ende alles verwirklichen, was ich seinem Haus angedroht habe. Ich habe ihm angekündigt, daß ich über sein Haus für immer das Urteil gesprochen habe wegen seiner Schuld; denn er wußte, wie seine Söhne Gott lästern, und gebot ihnen nicht Einhalt. Darum habe ich dem Haus Eli geschworen: Die Schuld des Hauses Eli kann durch Opfer und durch Gaben in Ewigkeit nicht gesühnt werden."
Samuel blieb bis zum Morgen liegen, dann öffnete er die Türen zum Haus des Herrn. Er fürchtete sich aber, Eli von der Vision zu berichten. Da rief Eli Samuel und sagte: „Samuel, mein Sohn!" Er antwortete: „Hier bin ich." Eli fragte: „Was war es, das er zu dir gesagt hat? Verheimliche mir nichts! Gott möge dir dies und das antun, wenn du mir auch nur eines von all den Worten verheimlichst, die er zu dir gesprochen hat." Da teilte ihm Samuel alle Worte mit und verheimlichte ihm nichts. Darauf sagte Eli: „Es ist der Herr. Er tue, was ihm gefällt."
Samuel wuchs heran, und der Herr war mit ihm und ließ keines von all seinen Worten unerfüllt. Ganz Israel von Dan bis Berscheba erkannte, daß Samuel als Prophet des Herrn beglaubigt war. Auch weiterhin erschien der Herr in Schilo: Der Herr offenbarte sich Samuel in Schilo durch sein Wort. Das Wort Samuels erging an ganz Israel.
(1 Sam 3; 4)

Die Bundeslade bei den Philistern

Israel zog gegen die Philister in den Krieg. Sie schlugen ihr Lager bei Eben-Eser auf, und die Philister hatten ihr Lager in Afek. Die Philister rückten in Schlachtordnung gegen Israel vor, und der Kampf wogte hin und her. Israel wurde von den Philistern besiegt, die von Israels Heer auf dem Feld etwa viertausend Mann erschlugen. Als das Volk ins

Lager zurückkam, sagten die Ältesten Israels: „Warum hat der Herr heute die Philister über uns siegen lassen? Wir wollen die Bundeslade des Herrn aus Schilo zu uns holen; er soll in unsere Mitte kommen und uns aus der Gewalt unserer Feinde retten."
Das Volk schickte also Männer nach Schilo, und sie holten von dort die Bundeslade des Herrn der Heere, der über den Kerubim thront. Hofni und Pinhas, die beiden Söhne Elis, begleiteten die Bundeslade Gottes. Als nun die Bundeslade des Herrn ins Lager kam, erhob ganz Israel ein lautes Freudengeschrei, so daß die Erde dröhnte. Die Philister hörten das laute Geschrei und sagten: „Was ist das für ein lautes Geschrei im Lager der Hebräer?" Als sie erfuhren, daß die Lade des Herrn ins Lager gekommen sei, fürchteten sich die Philister; denn sie sagten: „Gott ist zu ihnen ins Lager gekommen." Und sie riefen: „Weh uns! Denn so etwas ist früher nie geschehen. Weh uns! Wer rettet uns aus der Hand dieses mächtigen Gottes? Das ist der Gott, der Ägypten mit allerlei Plagen geschlagen hat. Seid tapfer, Philister, und seid Männer, damit ihr nicht den Hebräern dienen müßt, wie sie euch gedient haben. Seid Männer und kämpft!" Da traten die Philister zum Kampf an, und Israel wurde besiegt, so daß alle zu ihren Zelten flohen. Es war eine sehr schwere Niederlage. Von Israel fielen dreißigtausend Mann Fußvolk. Die Lade Gottes wurde erbeutet, und die beiden Söhne Elis, Hofni und Pinhas, fanden den Tod.
Ein Benjaminiter lief vom Schlachtfeld weg und kam noch am gleichen Tag nach Schilo, mit zerrissenen Kleidern und Staub auf dem Haupt. Als er ankam, saß Eli auf seinem Stuhl neben der Straße und hielt Ausschau; denn er hatte Angst um die Lade Gottes. Als der Mann kam und in der Stadt berichtete, schrie die ganze Stadt auf. Eli hörte das laute Geschrei und fragte: „Was bedeutet dieser Lärm?" Der Mann lief schnell herbei und berichtete Eli. Eli war achtundneunzig Jahre alt; seine Augen waren starr geworden, so daß er nichts mehr sehen konnte. Der Mann sagte zu Eli: „Ich bin der Mann, der vom Schlachtfeld gekommen ist; ich bin heute aus der Schlacht geflohen." Eli fragte: „Wie ist es denn zugegangen, mein Sohn?" Der Bote antwortete: „Israel ist vor den Philistern geflohen. Das Volk hat eine schwere Niederlage erlitten. Auch deine beiden Söhne Hofni und Pinhas sind tot, und die Lade Gottes ist weggeschleppt worden." Als er die Lade Gottes erwähnte, fiel Eli rückwärts von seinem Stuhl neben dem Tor, brach sich das Genick und starb, denn er war ein alter und schwerfälliger Mann. Er war vierzig Jahre lang Richter in Israel gewesen.

Die Philister brachten die Lade Gottes, die sie erbeutet hatten, von Eben-Eser nach Aschdod. Dann nahmen sie die Lade Gottes, brachten sie in den Tempel Dagons und stellten sie neben Dagon auf. Als die Einwohner von Aschdod aber am nächsten Morgen aufstanden, war Dagon vornüber gefallen und lag vor der Lade des Herrn mit dem Gesicht auf dem Boden. Sie nahmen Dagon und stellten ihn wieder an seinen Platz. Doch als sie am nächsten Morgen in der Frühe wieder aufstanden, da war Dagon wieder vornüber gefallen und lag vor der Lade des Herrn mit dem Gesicht auf dem Boden. Dagons Kopf und seine beiden Hände lagen abgeschlagen auf der Schwelle. Nur der Rumpf war Dagon geblieben.
(1 Sam 4; 5)

Die Rückkehr der Lade

Die Hand des Herrn lastete schwer auf den Einwohnern von Aschdod, und er versetzte sie in Schrecken und schlug Aschdod und sein Gebiet mit der Beulenpest. Als die Einwohner von Aschdod sahen, was geschah, sagten sie: „Die Lade des Gottes Israels darf nicht bei uns bleiben; denn seine Hand liegt schwer auf uns und auf unserem Gott Dagon."
Darauf sandten sie Boten zu allen Fürsten der Philister, riefen sie zusammen und sagten: „Schafft die Lade des Gottes Israels fort! Sie soll an den Ort zurückkehren, an den sie gehört, und nicht uns und unser Volk töten."
Dann riefen die Philister ihre Priester und Wahrsager herbei und fragten sie: „Was sollen wir mit der Lade des Herrn machen? Gebt uns Auskunft, auf welche Weise wir sie an den Ort zurückschicken sollen, an den sie gehört." Sie antworteten: „Macht einen neuen Wagen; holt zwei säugende Kühe, auf die noch kein Joch gelegt worden ist, und spannt die Kühe vor den Wagen; ihre Kälber aber nehmt ihnen weg, und bringt sie nach Hause! Dann nehmt die Lade des Herrn, und stellt sie auf den Wagen, und legt daneben in einer Tasche die goldenen Gegenstände, die ihr ihm als Sühnegabe entrichten wollt; dann laßt sie fortziehen! Gebt aber acht: Wenn die Lade in Richtung Bet-Schemesch, also in ihr Gebiet hinaufzieht, dann war er es, der uns dieses große Unheil zugefügt hat; wenn nicht, dann wissen wir, daß nicht seine Hand uns getroffen hat, sondern daß es ein Zufall gewesen ist." Die Leute machten es

so. Sie nahmen zwei säugende Kühe und spannten sie an den Wagen; ihre Kälber aber hielten sie zu Hause zurück. Sie stellten die Lade des Herrn auf den Wagen und auch die Tasche mit den goldenen Mäusen und den Abbildern ihrer Geschwüre. Die Kühe aber gingen geradewegs in Richtung Bet-Schemesch; sie folgten genau der Straße, wichen weder nach rechts noch nach links ab und brüllten immerzu. Die Philister folgten ihnen bis zur Grenze von Bet-Schemesch. Die Leute von Bet-Schemesch waren gerade im Tal bei der Weizenernte. Als sie aufblickten und die Lade sahen, freuten sie sich sehr darüber. Sie schickten Boten zu den Einwohnern von Kirjat-Jearim und ließen sagen: „Die Philister haben die Lade des Herrn zurückgebracht. Kommt herab, und holt sie zu euch hinauf!"
Da kamen die Leute von Kirjat-Jearim und holten die Lade des Herrn zu sich hinauf. Sie brachten sie in das Haus Abinadabs auf der Anhöhe. Und seinen Sohn Eleasar weihten sie, daß er die Lade des Herrn bewache.
(1 Sam 5-7)

Saul, David und Salomo – die ersten Könige Israels

Die Völker, die in Nachbarschaft zu Israel lebten, wurden von Königen regiert. Das machte sie mächtig und stark, denn im Gehorsam vor seinem König war ein Volk geeint. Viele Völker verehrten ihren König so sehr, daß sie meinten, von ihm würden Leben und Tod, Heil und Unheil, Glück und Unglück abhängen. Durch den König würde Segen über das Volk kommen, und nur er würde dem Volk Frieden verschaffen können. Einige Völker waren überzeugt, daß es ihnen genauso erging wie ihrem König. Wurde ihm geflucht, galt es auch dem Volk. Klagte oder trauerte der König, trauerte und klagte das Volk mit ihm. Lebte der König in Glück und Frieden, erging es dem Volk ebenso. Von den Gaben, die man den Göttern brachte, erhielt auch der König Anteile. So sollten sie wieder dem Volk zugute kommen. Weil aber der König nur Mensch war, konnte er seine Würde und Macht auch mißbrauchen. Einige Könige machten ihr Volk arm, nutzten es für sich aus und gingen willkürlich mit dem Leben ihrer Untertanen um.

Israel geriet durch die anderen Völker oft in Bedrängnis. Deshalb wollte es, wie die anderen Völker, einen König an seiner Spitze haben. Doch Gott selbst ist König und Hirt seines Volkes. Er hatte sein Volk aus Ägypten befreit und ihm Gesetz und Gebote gegeben. Niemals konnte ein Mensch anstelle von Gott über das Volk Gottes herrschen. Wenn Israel einen König haben wollte, dann stand er unter dem Gebot Gottes, zwar im Volk an der Spitze, aber nicht über dem Volk. Der König war gesalbt, seine Macht dafür einzusetzen, daß Gott allein in Israel als Herrscher über das Volk verehrt wird. Das wird Israel Frieden und Heil bringen, dann werden auch die Armen, Waisen und Witwen und die Fremden Gerechtigkeit erfahren. Der König sollte wie ein Hirte sein, der das Volk Gottes führt.

Gott berief Propheten in Israel. Sie berieten die Könige im Auftrag Gottes, erinnerten sie an ihren Auftrag und ermahnten sie, Gottes Gebote zu halten. Saul, David und Salomo waren die ersten Könige Israels. Besonders David war beliebt und beim ganzen Volk geehrt. Von berühmten Menschen wird oft schon aus ihrer Kinder- und Jugendzeit Wunderbares berichtet. David war schon als Kind von Gott ausgezeichnet. Doch auch schlechte Taten Davids verschweigt die Bibel nicht. Der König sollte Recht sprechen und dem Unschuldigen sowie dem Armen, Recht verschaffen. Aber auch der König stand unter dem Gebot Gottes. Er mußte für seine Sünden ebenso mit Gottes Strafe rechnen, sich bekehren und Buße tun.

König Saul

Sauls Begegnung mit Samuel

Damals lebte in Benjamin ein Mann namens Kisch, ein wohlhabender Benjaminiter. Er hatte einen Sohn namens Saul, der jung und schön war. Kein anderer unter den Israeliten war so schön wie er. Er überragte alle um Haupteslänge.
Eines Tages verliefen sich die Eselinnen von Sauls Vater Kisch. Da sagte Kisch zu seinem Sohn Saul: „Nimm einen von den Knechten, mach dich mit ihm auf den Weg, und such die Eselinnen!“ Sie durchquerten das Gebirge Efraim und durchstreiften das Gebiet von Schalischa, fanden sie aber nicht. Sie zogen durch das Gebiet von Schaalim – ohne Erfolg. Dann durchwanderten sie das Land Jemini, fanden sie aber wieder nicht.
Als sie in das Gebiet von Zuf gekommen waren, sagte Saul zu seinem Knecht, der ihn begleitete: „Komm, wir wollen umkehren, sonst macht sich mein Vater um uns noch mehr Sorgen als um die Eselinnen.“ Der Knecht erwiderte ihm: „In dieser Stadt wohnt doch ein Gottesmann. Er ist sehr angesehen; alles, was er sagt, trifft mit Sicherheit ein. Laßt uns jetzt zu ihm gehen; vielleicht kann er uns sagen, welchen Weg wir hätten gehen sollen.“ Saul antwortete dem Knecht: „Was sollen wir dem Mann mitbringen, wenn wir hingehen? Das Brot in unseren Taschen ist zuende. Wir haben nichts, was wir dem Gottesmann als Geschenk bringen könnten. Oder haben wir sonst etwas?“ Darauf antwortete ihm der Knecht: „Sieh her, ich habe noch einen Viertel-Silberschekel bei mir. Den will ich dem Gottesmann geben, damit er uns Auskunft über den Weg gibt.“ – Früher sagte man in Israel, wenn man hinging, um Gott zu befragen: „Wir wollen zum Seher gehen.“ Denn wer heute Prophet genannt wird, hieß früher Seher. – Saul sagte zu seinem Knecht: „Dein Vorschlag ist gut. Komm, wir wollen hingehen.“ Sie gingen also in die Stadt, wo der Gottesmann wohnte.
Als sie die Steige zur Stadt hinaufgingen, trafen sie einige Mädchen, die herauskamen, um Wasser zu schöpfen. Sie fragten sie: „Ist der Seher hier?“ Sie antworteten ihnen: „Ja, er ist da, da vorn. Beeilt euch aber, denn er ist gerade in die Stadt gekommen, weil das Volk heute auf der

Kulthöhe ein Opferfest feiert. Wenn ihr in die Stadt kommt, werdet ihr ihn gerade noch treffen, bevor er zur Kulthöhe hinaufsteigt, um am Mahl teilzunehmen. Denn das Volk ißt nicht, ehe er kommt, weil er das Opfer segnen muß; erst dann essen die Eingeladenen. Geht also hinauf; denn jetzt könnt ihr ihn treffen." Da gingen sie weiter zur Stadt hinauf. Und als sie zur Mitte der Stadt gekommen waren, kam ihnen gerade Samuel entgegen, der zur Kulthöhe hinaufgehen wollte.
Der Herr aber hatte Samuel, einen Tag bevor Saul kam, das Ohr für eine Offenbarung geöffnet und gesagt: „Morgen um diese Zeit schicke ich einen Mann aus dem Gebiet Benjamins zu dir. Ihn sollst du zum Fürsten meines Volkes Israel salben. Er wird mein Volk aus der Gewalt der Philister befreien. Denn ich habe die Not meines Volkes Israel gesehen, und sein Hilfeschrei ist zu mir gedrungen."
Als Samuel Saul sah, sagte der Herr zu ihm: „Das ist der Mann, von dem ich dir gesagt habe: Der wird über mein Volk herrschen." Saul trat mitten im Tor zu Samuel und fragte: „Sag mir doch, wo das Haus des Sehers ist." Samuel antwortete Saul: „Ich bin der Seher. Geh vor mir her zur Kulthöhe hinauf! Ihr sollt heute mit mir essen. Morgen früh will ich dich dann weiterziehen lassen. Ich werde dir Auskunft über alles geben, was du auf dem Herzen hast. Über die Eselinnen, die dir vor drei Tagen abhanden gekommen sind, brauchst du dir keine Gedanken zu machen. Sie wurden gefunden. Auf wen aber richtet sich die ganze Sehnsucht Israels? Gilt sie nicht dir und dem ganzen Haus deines Vaters?" Da antwortete Saul: „Bin ich nicht ein Benjaminiter, also aus dem kleinsten Stamm Israels? Ist meine Sippe nicht die geringste von allen Sippen des Stammes Benjamin? Warum sagst du so etwas zu mir?"
(1 Sam 9)

Die Salbung Sauls zum König

Samuel nahm Saul und seinen Knecht mit, führte sie in das Haus und wies ihnen die Ehrenplätze unter den Eingeladenen an; es waren etwa dreißig Männer versammelt. Samuel sagte zum Koch: „Bring das Stück her, das ich dir gegeben habe, das, von dem ich dir gesagt habe: Halt es bei dir zurück!" Da trug der Koch die Keule auf und setzte sie Saul vor. Er sagte: „Das ist das, was übrig blieb. Greif zu und iß! Als ich das Volk eingeladen hatte, ist dieses Stück für dich und für diese Stunde aufge-

hoben worden." An jenem Tag aß Saul zusammen mit Samuel. Dann stiegen sie von der Kulthöhe in die Stadt hinab, und Samuel hatte mit Saul auf dem Flachdach eine Unterredung.
Früh am Morgen, als die Dämmerung anbrach, rief Samuel zu Saul aufs Dach hinauf: „Steh auf! Ich will dir das Geleit geben." Saul stand auf, und beide gingen zusammen hinaus. Als sie zur Grenze des Stadtgebietes gekommen waren, sagte Samuel zu Saul: „Sag dem Knecht, er soll vorausgehen; du aber bleib nun hier stehen! Ich will dir ein Gotteswort verkünden." Da ging der Knecht voraus.

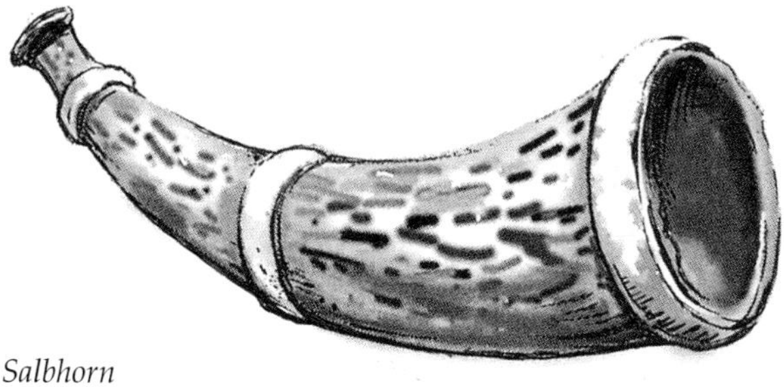

Salbhorn

Da nahm Samuel den Ölkrug und goß Saul das Öl auf das Haupt, küßte ihn und sagte: „Hiermit hat der Herr dich zum Fürsten über sein Erbe gesalbt. Wenn du jetzt von mir weggehst, wirst du beim Grab der Rahel in Zelzach im Gebiet von Benjamin zwei Männer treffen, und sie werden zu dir sagen: Die Eselinnen, nach denen du auf der Suche bist, sind gefunden worden. Doch denkt dein Vater nicht mehr an die Sache mit den Eselinnen, sondern macht sich Sorgen um euch und sagt: Was kann ich nur wegen meines Sohnes unternehmen? Wenn du dann von dort weiterziehst und zur Tabor-Eiche kommst, werden dir dort drei Männer begegnen, die zu Gott nach Bet-El hinaufziehen. Einer trägt ein Böckchen, einer trägt drei Laib Brot und einer trägt einen Schlauch Wein. Sie werden dich grüßen und dir zwei Brote geben; die sollst du von ihnen annehmen. Danach wirst du nach Gibeat-Elohim kommen, wo die Vorposten der Philister stehen. Wenn du dort in die Stadt hineingehst, wirst du eine Schar von Propheten treffen, die von der Kulthöhe herabkommen, und vor ihnen wird Harfe, Pauke, Flöte und Zither gespielt. Sie selbst sind in prophetischer Verzückung. Dann wird der Geist des Herrn über dich kommen, und du wirst wie sie in Verzückung geraten und in einen anderen Menschen verwandelt werden.

Wenn du aber all diese Zeichen erlebst, dann tu, was sich gerade ergibt; denn Gott ist mit dir. Hernach geh mir voraus nach Gilgal hinab! Ich werde dann bereits auf dem Weg zu dir sein, um Brandopfer darzubringen und Heilsopfer zu schlachten. Sieben Tage mußt du warten, bis ich zu dir komme. Dann werde ich dir verkünden, was du tun sollst."
Als sich Saul nun umwandte, um von Samuel wegzugehen, verwandelte Gott sein Herz. Und noch am gleichen Tag trafen alle diese Zeichen ein.
Als Saul und sein Knecht nach Gibea gelangten, kam ihnen tatsächlich eine Schar von Propheten entgegen. Der Geist Gottes kam über Saul, und Saul geriet mitten unter ihnen in prophetische Verzückung. Alle, die ihn von früher kannten, sahen, wie er zusammen mit den Propheten in Verzückung war. Die Leute sagten zueinander: „Was ist denn nur mit dem Sohn des Kisch geschehen? Ist auch Saul unter den Propheten?"
Als die Verzückung zu Ende war, ging Saul nach Gibea hinein. Der Onkel Sauls fragte ihn und seinen Knecht: „Wo seid ihr denn gewesen?" Er antwortete: „Wir waren weg, um die Eselinnen zu suchen. Als wir aber sahen, daß sie nirgends zu finden waren, gingen wir zu Samuel." Sauls Onkel sagte: „Erzähl mir doch, was Samuel euch gesagt hat." Saul antwortete seinem Onkel: „Er hat uns mit Bestimmtheit gesagt, daß die Eselinnen gefunden worden sind." Die Sache mit dem Königtum aber, von der Samuel gesprochen hatte, erzählte er ihm nicht.
(1 Sam 9; 10)

Die Wahl Sauls zum König

Samuel rief das Volk zum Herrn nach Mizpa zusammen. Er sagte zu den Israeliten: „So spricht der Herr, der Gott Israels: Ich habe Israel aus Ägypten befreit und aus der Gewalt all der Königreiche, die euch bedrängt haben. Ihr aber habt heute euren Gott verworfen, der euer Retter in allen Nöten und Bedrängnissen war, und ihr habt gesagt: Nein, du sollst einen König bei uns einsetzen. Stellt euch jetzt also vor dem Herrn auf, geordnet nach euren Stämmen und Tausendschaften." Und Samuel ließ alle Stämme Israels antreten, um das Los zu werfen. Das Los fiel auf den Stamm Benjamin. Darauf ließ er den Stamm Benjamin geordnet nach seinen Sippen antreten, und das Los fiel auf die Sippe

Matri. Und schließlich fiel das Los auf Saul, den Sohn des Kisch. Man suchte ihn überall, fand ihn aber nicht. Sie befragten noch einmal den Herrn: „Ist noch jemand hierher gekommen?" Der Herr antwortete: „Ja, aber er hat sich beim Troß versteckt." Sie liefen hin und holten ihn von dort. Als er mitten unter das Volk trat, überragte er alle anderen um Haupteslänge. Und Samuel sagte zum ganzen Volk: „Habt ihr gesehen, wen der Herr erwählt hat? Keiner ist ihm gleich im ganzen Volk." Da jubelte das ganze Volk und sagte: „Es lebe der König!"
Samuel machte dem Volk das Königsrecht bekannt, schrieb es in ein Buch und legte das Buch vor dem Herrn nieder. Dann entließ Samuel das ganze Volk, jeden in sein Haus. Auch Saul ging in sein Haus nach Gibea. Und mit ihm zog eine Schar von Männern, deren Herz Gott berührt hatte. Niederträchtige Menschen aber sagten: „Was kann uns der schon helfen?" Sie verachteten ihn und brachten ihm kein Geschenk. Er aber tat, als merkte er es nicht.
(1 Sam 10)

Sauls Sieg über die Ammoniter

Da zog der Ammoniter Nahasch heran und belagerte Jabesch-Gilead. Die Männer von Jabesch sagten zu Nahasch: „Schließ einen Vertrag mit uns, dann wollen wir dir dienen." Der Ammoniter Nahasch erwiderte ihnen: „Unter einer Bedingung will ich mit euch einen Vertrag schließen: Ich steche euch allen das rechte Auge aus und bringe damit Schande über ganz Israel." Die Ältesten von Jabesch sagten: „Laß uns sieben Tage Zeit! Wir wollen Boten durch das ganze Gebiet von Israel schicken. Wenn sich niemand findet, der uns retten kann, werden wir uns dir ergeben."

Als die Boten nach Gibea-Saul kamen und die Sache dem Volk vortrugen, brach das ganze Volk in lautes Weinen aus. Saul kam gerade hinter seinen Rindern vom Feld her und fragte: „Was haben denn die Leute, daß sie weinen?" Sie erzählten ihm, was die Männer von Jabesch berichtet hatten. Als Saul das hörte, kam der Geist Gottes über ihn, und sein Zorn entbrannte heftig. Er ergriff ein Gespann Rinder und hieb es in Stücke, schickte die Stücke durch Boten in das ganze Gebiet von Israel und ließ sagen: „Wer nicht hinter Saul und Samuel in den Kampf zieht,

dessen Rindern soll es ebenso gehen." Da fiel der Schrecken des Herrn auf das ganze Volk, und sie rückten aus wie ein Mann.
Als Saul sie in Besek musterte, waren es dreihunderttausend Männer aus Israel und dreißigtausend Männer aus Juda. Sie sagten zu den Boten, die gekommen waren: „Folgendes sollt ihr den Männern von Jabesch-Gilead sagen: Morgen, wenn die Sonne am heißesten brennt, bekommt ihr Hilfe." Die Boten gingen heim und berichteten alles, und die Männer von Jabesch freuten sich. Sie ließen Nahasch sagen: „Morgen werden wir zu euch hinauskommen. Dann könnt ihr mit uns machen, was euch gefällt." Am nächsten Morgen stellte Saul das Volk in drei Abteilungen auf. Um die Zeit der Morgenwache drangen sie mitten in das Lager ein, und zur Zeit der Mittagshitze hatten sie die Ammoniter geschlagen. Nur wenige blieben übrig. Sie wurden zerstreut, so daß nicht einmal zwei von ihnen beieinander blieben.
Da sagte das Volk zu Samuel: „Wer hat damals gesagt: Soll etwa Saul als König über uns herrschen? Gebt diese Männer heraus, damit wir sie töten." Saul aber sagte: „An diesem Tag soll niemand getötet werden; denn heute hat der Herr Israel Hilfe gebracht."
Samuel sagte zum Volk: „Kommt, wir wollen nach Gilgal gehen und dort das Königtum erneuern." Da ging das ganze Volk nach Gilgal. Sie machten dort in Gilgal Saul vor dem Herrn zum König, schlachteten dem Herrn Heilsopfer, und Saul und alle Männer Israels waren voll Freude.
(1 Sam 11)

Sauls Verstoßung

Das Wort des Herrn erging an Samuel: „Es reut mich, daß ich Saul zum König gemacht habe. Denn er hat sich von mir abgewandt und hat meine Befehle nicht ausgeführt." Das verdroß Samuel sehr, und er schrie die ganze Nacht zum Herrn.
Als Samuel nun zu Saul kam, sagte Saul zu ihm: „Gesegnet seist du vom Herrn. Ich habe den Befehl des Herrn ausgeführt." Samuel erwiderte: „Und was bedeutet dieses Blöken von Schafen, das mir in die Ohren dringt, und das Gebrüll der Rinder, das ich da höre?" Saul antwortete: „Man hat sie aus Amalek mitgebracht, weil das Volk die besten von den Schafen und Rindern geschont hat, um sie dem Herrn, deinem

Gott, zu opfern. Das übrige haben wir dem Untergang geweiht." Da sagte Samuel zu Saul: „Hör auf! Ich will dir verkünden, was der Herr mir heute Nacht gesagt hat." Saul antwortete: „Sprich!" Samuel sagte: „Bist du nicht, obwohl du dir gering vorkommst, das Haupt der Stämme Israels? Der Herr hat dich zum König von Israel gesalbt. Warum hast du nicht auf die Stimme des Herrn gehört, sondern hast dich auf die Beute gestürzt und getan, was dem Herrn mißfällt?" Saul erwiderte Samuel: „Ich habe doch auf die Stimme des Herrn gehört; ich bin den Weg gegangen, auf den der Herr mich geschickt hat; ich habe Agag, den König von Amalek, hergebracht und die Amalekiter dem Untergang geweiht. Aber das Volk hat von der Beute einige Schafe und Rinder genommen, das Beste von dem, was dem Untergang geweiht war, um es dem Herrn, deinem Gott, in Gilgal zu opfern." Samuel aber sagte: „Hat der Herr an Brandopfern und Schlachtopfern das gleiche Gefallen wie am Gehorsam gegenüber der Stimme des Herrn? Wahrhaftig, Gehorsam ist besser als Opfer, Hinhören besser als das Fett von Widdern."

Da sagte Saul zu Samuel: „Ich habe gesündigt; denn ich habe mich über den Befehl des Herrn und deine Anweisungen hinweggesetzt, ich habe mich vor dem Volk gefürchtet und auf seine Stimme gehört. Darum nimm doch die Sünde von mir weg, und kehr mit mir zurück, damit ich den Herrn anbete."

Samuel erwiderte Saul: „Ich kehre nicht mit dir zurück; denn du hast das Wort des Herrn verworfen, und nun hat der Herr dich verworfen, so daß du nicht mehr König von Israel sein kannst." Als Samuel sich umwandte, um wegzugehen, griff Saul nach dem Zipfel seines Mantels, doch der riß ab.

Da sagte Samuel zu ihm: „So entreißt dir heute der Herr die Herrschaft über Israel und gibt sie einem anderen, der besser ist als du."

(1 Sam 15)

Davids Salbung zum König

Der Herr sagte zu Samuel: „Wie lange willst du noch um Saul trauern? Ich habe ihn doch verworfen; er soll nicht mehr als König über Israel herrschen. Fülle dein Horn mit Öl und mach dich auf den Weg! Ich schicke dich zu dem Betlehemiter Isai; denn ich habe mir einen von seinen Söhnen als König ausersehen." Samuel erwiderte: „Wie kann ich da hingehen? Saul wird es erfahren und mich umbringen." Der Herr sagte: „Nimm ein junges Rind mit und sag: Ich bin gekommen, um dem Herrn ein Schlachtopfer darzubringen. Lade Isai zum Opfer ein! Ich selbst werde dich dann erkennen lassen, was du tun sollst: Du sollst mir nur den salben, den ich dir nennen werde." Samuel tat, was der Herr befohlen hatte.

Das Hirtenfeld bei Betlehem

Als er nach Betlehem kam, gingen ihm die Ältesten der Stadt zitternd entgegen und fragten: „Bedeutet dein Kommen Frieden?" Er antwortete: „Frieden. Ich bin gekommen, um dem Herrn ein Schlachtopfer darzubringen. Heiligt euch und kommt mit mir zum Opfer!" Dann heiligte er Isai und seine Söhne und lud sie zum Opfer ein. Als sie kamen und er den Eliab sah, dachte er: „Gewiß steht nun vor dem Herrn sein Gesalbter." Der Herr aber sagte zu Samuel: „Sieh nicht auf sein Aussehen und seine stattliche Gestalt, denn ich habe ihn verworfen. Gott sieht nämlich nicht auf das, worauf der Mensch sieht. Der Mensch sieht, was vor den Augen ist, der Herr aber sieht das Herz." Nun rief Isai den Abinadab und ließ ihn vor Samuel treten. Dieser sagte: „Auch ihn hat der Herr nicht erwählt." Isai ließ Schima kommen. Samuel sagte: „Auch ihn hat

der Herr nicht erwählt." So ließ Isai sieben seiner Söhne vor Samuel treten, aber Samuel sagte zu Isai: „Diese hat der Herr nicht erwählt." Und er fragte Isai: „Sind das alle deine Söhne?" Er antwortete: „Der Jüngste fehlt noch, aber der hütet gerade die Schafe." Samuel sagte zu Isai: „Schick jemand hin, und laß ihn holen. Wir wollen uns nicht zum Mahl hinsetzen, bevor er hergekommen ist." Isai schickte also jemand hin und ließ ihn kommen. David war blond, hatte schöne Augen und eine schöne Gestalt. Da sagte der Herr: „Auf, salbe ihn! Denn er ist es." Samuel nahm das Horn mit dem Öl und salbte David mitten unter seinen Brüdern. Und der Geist des Herrn war über David von diesem Tag an. Samuel aber brach auf und kehrte nach Rama zurück.
(1 Sam 16)

David im Dienst Sauls

Der Geist des Herrn war von Saul gewichen; jetzt quälte ihn ein böser Geist. Da sagten die Diener Sauls zu ihm: „Du siehst, ein böser Geist quält dich. Darum möge unser Herr seinen Knechten, die vor ihm stehen, befehlen, einen Mann zu suchen, der die Zither zu spielen versteht. Sobald dich der böse Geist überfällt, soll er auf der Zither spielen; dann wird es dir wieder gut gehen." Saul sagte zu seinen Dienern: „Seht euch für mich nach einem Mann um, der gut spielen kann, und bringt ihn her zu mir!" Einer der jungen Männer antwortete: „Ich kenne einen Sohn des Betlehemiters Isai, der Zither zu spielen versteht. Und er ist tapfer und ein guter Krieger, wortgewandt, von schöner Gestalt, und der Herr ist mit ihm."
Da schickte Saul Boten zu Isai und ließ ihm sagen: „Schick mir deinen Sohn David, der bei den Schafen ist." Isai nahm einen Esel, dazu Brot, einen Schlauch Wein und ein Ziegenböckchen und schickte seinen Sohn David damit zu Saul. So kam David zu Saul und trat in seinen Dienst. Saul gewann ihn sehr lieb, und David wurde sein Waffenträger. Darum schickte Saul zu Isai und ließ ihm sagen: „David soll in meinem Dienst bleiben; denn er hat mein Wohlwollen gefunden." Sooft nun ein böser Geist Saul überfiel, nahm David die Zither und spielte darauf. Dann fühlte sich Saul erleichtert, es ging ihm wieder gut, und der böse Geist wich von ihm.
(1 Sam 16)

David und Goliat

Die Philister zogen ihre Truppen zum Kampf zusammen. Auch Saul und die Männer Israels sammelten sich. Sie schlugen ihr Lager im Terebinthental auf und traten zum Kampf gegen die Philister an. Die Philister standen an dem Berg auf der einen Seite, die Israeliten an dem Berg auf der anderen Seite. Zwischen ihnen lag das Tal.
Da trat aus dem Lager der Philister ein Vorkämpfer namens Goliat aus Gat hervor. Er war sechs Ellen und eine Spanne groß. Auf seinem Kopf hatte er einen Helm aus Bronze, und er trug einen Schuppenpanzer aus Bronze, der fünftausend Schekel wog. Er hatte bronzene Schienen an den Beinen, und zwischen seinen Schultern hing ein Sichelschwert aus Bronze. Der Schaft seines Speeres war so dick wie ein Weberbaum, und die eiserne Speerspitze wog sechshundert Schekel. Sein Schildträger ging vor ihm her. Goliat trat vor und rief zu den Reihen der Israeliten hinüber. „Warum seid ihr ausgezogen und habt euch zum Kampf aufgestellt? Bin ich nicht ein Philister, und seid ihr nicht die Knechte Sauls? Wählt euch doch einen Mann aus! Er soll zu mir herunterkommen. Wenn er mich im Kampf erschlagen kann, wollen wir eure Knechte sein. Wenn ich ihm aber überlegen bin und ihn erschlage, dann sollt ihr unsere Knechte sein und uns dienen." Und der Philister sagte weiter: „Heute habe ich die Reihen Israels verhöhnt und gesagt: Schickt mir doch einen Mann, damit wir gegeneinander kämpfen können." Als Saul und ganz Israel diese Worte des Philisters hörten, erschraken sie und hatten große Angst.
Zur Zeit Sauls war Isai bereits alt und betagt. Die drei ältesten Söhne Isais waren zusammen mit Saul in den Krieg gezogen. Seine drei Söhne, die mit in den Krieg gezogen waren, hießen Eliab – er war der Erstgeborene –, der zweite Abinadab, der dritte Schima. Die drei Ältesten waren Saul gefolgt. David aber war der jüngste. David kehrte öfters vom Hof Sauls nach Betlehem zurück, um die Schafe seines Vaters zu hüten.
Der Philister kam jeden Morgen und Abend und stellte sich kampfbereit hin – vierzig Tage lang. Eines Tages sagte Isai zu seinem Sohn David: „Nimm für deine Brüder ein Efa von diesem gerösteten Korn und diese zehn Brote, und lauf damit zu ihnen ins Lager. Und diese zehn Käse bring dem Obersten der Tausendschaft! Sieh nach, ob es deinen Brüdern gut geht, und laß dir ein Pfand als Lebenszeichen von ihnen geben! Saul ist mit ihnen und all den anderen Israeliten im Tere-

binthental, und sie kämpfen gegen die Philister." David brach früh am Morgen auf, überließ die Herde einem Wächter, lud die Sachen auf und ging, wie es ihm Isai befohlen hatte. Als er zur Wagenburg kam, rückte das Heer gerade in Schlachtordnung aus und ließ den Kampfruf erschallen. Israel und die Philister stellten sich, Reihe gegen Reihe, zum Kampf auf.

David legte das Gepäck ab, überließ es dem Wächter des Trosses und lief zur Schlachtreihe. Er ging zu seinen Brüdern und fragte, wie es ihnen gehe. Während er noch mit ihnen redete, trat gerade aus den Reihen der Philister ihr Vorkämpfer, der Philister namens Goliat aus Gat, hervor; er rief die gewohnten Worte, und David hörte es. Als die Israeliten den Mann sahen, hatten sie alle große Angst vor ihm und flohen. Sie sagten: „Habt ihr gesehen, wie dieser Mann daherkommt? Er kommt doch nur, um Israel zu verhöhnen. Wer ihn erschlägt, den wird der König sehr reich machen. Er wird ihm seine Tochter geben, und seine Familie wird er von allen Steuern in Israel befreien."

David fragte die Männer, die bei ihm standen: „Was wird man für den Mann tun, der diesen Philister erschlägt und die Schande von Israel wegnimmt? Wer ist denn dieser unbeschnittene Philister, daß er die Schlachtreihen des lebendigen Gottes verhöhnen darf?" Die Leute antworteten ihm dasselbe: Das und das wird man dem tun, der ihn erschlägt. Sein ältester Bruder Eliab hörte, wie er mit den Männern redete, und er wurde zornig auf David. Er sagte: „Wozu bist du denn hergekommen? Wem hast du denn die paar Schafe in der Wüste überlassen? Ich kenne doch deine Keckheit und die Bosheit in dir. Du bist nur hergekommen, um den Kampf zu sehen." David erwiderte: „Was habe ich denn jetzt wieder getan? Ich habe doch nur gefragt." Dann wandte er sich von ihm ab und einem anderen zu und fragte ihn dasselbe. Die Leute antworteten ihm wie beim erstenmal.

Als bekannt wurde, was David gesagt hatte, berichtete man davon auch in Sauls Umgebung, und Saul ließ ihn holen. David sagte zu Saul: „Niemand soll wegen des Philisters den Mut sinken lassen. Dein Knecht wird hingehen und mit diesem Philister kämpfen." Saul erwiderte ihm: „Du kannst nicht zu diesem Philister hingehen, um mit ihm zu kämpfen; du bist zu jung, er aber ist ein Krieger seit seiner Jugend." David sagte zu Saul: „Dein Knecht hat für seinen Vater die Schafe gehütet. Wenn ein Löwe oder ein Bär kam und ein Lamm aus der Herde wegschleppte, lief ich hinter ihm her, schlug auf ihn ein und riß das Tier aus seinem Maul. Und wenn er sich dann gegen mich aufrichtete, packte ich ihn an der Mähne und schlug ihn tot. Dein Knecht hat den Löwen und den Bären erschlagen, und diesem unbeschnittenen Philister soll es genauso ergehen wie ihnen, weil er die Schlachtreihen des lebendigen Gottes verhöhnt hat." Und David sagte weiter: „Der Herr, der mich aus der Gewalt des Löwen und des Bären gerettet hat, wird mich auch aus der Gewalt dieses Philisters retten." Da antwortete Saul David: „Geh, der Herr sei mit dir." Und Saul zog David seine Rüstung an. Er setzte ihm einen bronzenen Helm auf den Kopf und legte ihm seinen Panzer an, und über der Rüstung hängte er ihm sein Schwert um. David versuchte in der Rüstung zu gehen, aber er war es nicht gewohnt. Darum sagte er zu Saul: „Ich kann in diesen Sachen nicht gehen, ich bin nicht daran gewöhnt." Und er legte sie wieder ab, nahm seinen Stock in die Hand, suchte sich fünf glatte Steine aus dem Bach und legte sie in die Hirtentasche, die er bei sich hatte und die ihm als Schleudersteintasche diente. Die Schleuder in der Hand, ging er auf den Philister zu.

Der Philister kam immer näher an David heran; sein Schildträger schritt vor ihm her. Voll Verachtung blickte der Philister David an, als er ihn sah; denn David war noch sehr jung, er war blond und von schöner Gestalt. Der Philister sagte zu David: „Bin ich denn ein Hund, daß du mit einem Stock zu mir kommst?" Und er verfluchte David bei seinen Göttern.

Er rief David zu: „Komm nur her zu mir, ich werde dein Fleisch den Vögeln des Himmels und den wilden Tieren zum Fraß geben." David antwortete dem Philister: „Du kommst zu mir mit Schwert, Speer und Sichelschwert, ich aber komme zu dir im Namen des Herrn der Heere, des Gottes der Schlachtreihen Israels, den du verhöhnt hast. Heute wird dich der Herr mir ausliefern. Ich werde dich erschlagen und dir den Kopf abhauen. Die Leichen des Heeres der Philister werde ich noch heute den Vögeln des Himmels und den wilden Tieren zum Fraß geben. Alle Welt soll erkennen, daß Israel einen Gott hat. Auch alle, die hier versammelt sind, sollen erkennen, daß der Herr nicht durch Schwert und Speer Rettung verschafft. Denn es ist ein Krieg des Herrn, und er wird euch in unsere Gewalt geben."

Als der Philister weiter vorrückte und immer näher an David herankam, lief auch David von der Schlachtreihe der Israeliten aus schnell dem Philister entgegen. Er griff in seine Hirtentasche, nahm einen Stein heraus, schleuderte ihn ab und traf den Philister an der Stirn. Der Stein

drang in die Stirn ein, und der Philister fiel mit dem Gesicht zu Boden. So besiegte David den Philister mit einer Schleuder und einem Stein; er traf den Philister und tötete ihn, ohne ein Schwert in der Hand zu haben. Dann lief David hin und trat neben den Philister. Er ergriff sein Schwert, zog es aus der Scheide, schlug ihm den Kopf ab und tötete ihn. Als die Philister sahen, daß ihr starker Mann tot war, flohen sie. Die Männer von Israel und Juda aber griffen an, erhoben das Kriegsgeschrei und verfolgten die Philister.
Nach der Verfolgung kehrten die Israeliten zurück und plünderten das Lager der Philister. David nahm den Kopf des Philisters und brachte ihn nach Jerusalem. Goliats Waffen aber legte er in sein Zelt.
(1 Sam 17)

Jonatans Freundschaft mit David

Als Saul David dem Philister entgegengehen sah, sagte er zu Abner, seinem Heerführer: „Abner, wessen Sohn ist der junge Mann?“ Abner antwortete: „So wahr du lebst, König, ich weiß es nicht.“ Der König sagte: „Dann erkundige dich, wessen Sohn der Knabe ist.“ Als David zurückkehrte, nachdem er den Philister erschlagen hatte, nahm ihn Abner mit und führte ihn zu Saul. David hatte den Kopf des Philisters noch in der Hand. Saul fragte ihn: „Wessen Sohn bist du, junger Mann?“ David antwortete: „Der Sohn deines Knechtes Isai aus Betlehem.“
Nach dem Gespräch Davids mit Saul schloß Jonatan David in sein Herz. Und Jonatan liebte David wie sein eigenes Leben. Saul behielt David von jenem Tag an bei sich und ließ ihn nicht mehr in das Haus seines Vaters zurückkehren. Jonatan schloß mit David einen Bund, weil er ihn wie sein eigenes Leben liebte. Er zog den Mantel, den er anhatte, aus und gab ihn David, ebenso seine Rüstung, sein Schwert, seinen Bogen und seinen Gürtel.
(1 Sam 17; 18)

Sauls Feindschaft gegen David

David zog ins Feld, und überall, wohin Saul ihn schickte, hatte er Erfolg, so daß Saul ihn an die Spitze seiner Krieger stellte. David war

beim ganzen Volk und bei den Dienern Sauls beliebt. Als sie nach Davids Sieg über den Philister heimkehrten, zogen die Frauen aus allen Städten Israels König Saul singend und tanzend mit Handpauken, Freudenrufen und Zimbeln entgegen. Die Frauen spielten und riefen voll Freude:
„Saul hat Tausend erschlagen, David aber Zehntausend."
Saul wurde darüber sehr zornig. Das Lied mißfiel ihm, und er sagte: „David geben sie Zehntausend, mir aber geben sie nur Tausend. Jetzt fehlt ihm nur noch die Königswürde." Von diesem Tag an war Saul gegen David voll Argwohn.
Saul begann sich vor David zu fürchten, weil der Herr mit David war, Saul aber verlassen hatte. Darum entfernte Saul David aus seiner Umgebung und machte ihn zum Obersten einer Tausendschaft. So zog David an der Spitze der Leute hinaus in den Krieg und wieder heim. David hatte Erfolg, wohin ihn auch sein Weg führte, und der Herr war mit ihm. Als Saul sah, daß David sehr erfolgreich war, bekam er noch mehr Angst vor ihm. Ganz Israel und Juda aber liebte David, weil er an ihrer Spitze hinaus in den Krieg und wieder heimzog.
(1 Sam 18)

Jonatans Vermittlung

Saul redete vor seinem Sohn Jonatan und vor allen seinen Dienern davon, daß er David töten wolle. Sauls Sohn Jonatan aber hatte David sehr gern. Deshalb berichtete er David davon und sagte: „Mein Vater Saul will dich töten. Nimm dich also morgen früh in acht, verbirg dich in einem Versteck! Ich aber will zusammen mit meinem Vater auf das Feld hinausgehen. Dort, wo du dich versteckt hältst, werde ich stehenbleiben und mit meinem Vater über dich reden, und wenn ich etwas erfahre, werde ich dir Bescheid geben." Jonatan redete also zugunsten Davids mit seinem Vater und sagte zu ihm: „Der König möge sich doch nicht an seinem Knecht David versündigen; denn er hat sich ja auch nicht an dir versündigt, und seine Taten sind für dich sehr nützlich gewesen. Er hat sein Leben aufs Spiel gesetzt und den Philister erschlagen. Der Herr hat durch ihn ganz Israel viel Hilfe gebracht. Du hast es selbst gesehen und dich darüber gefreut. Warum willst du dich nun versündigen und unschuldiges Blut vergießen, indem du David ohne

jeden Grund tötest?" Saul hörte auf Jonatan und schwor: „So wahr der Herr lebt: David soll nicht umgebracht werden." Jonatan rief David und berichtete ihm alles. Dann führte Jonatan David zu Saul, und David war wieder in Sauls Dienst wie vorher.
(1 Sam 19)

Davids Flucht

Der Krieg ging weiter, und David zog wieder gegen die Philister in den Kampf. Er brachte ihnen eine schwere Niederlage bei, und sie ergriffen die Flucht.
Doch wieder kam vom Herrn ein böser Geist über Saul, während er in seinem Haus saß und den Speer in der Hand hielt und David auf der Zither spielte. Da versuchte Saul, David mit dem Speer an die Wand zu spießen. Aber er wich Saul aus, so daß der Speer in die Wand fuhr. David floh und brachte sich in Sicherheit. Noch in derselben Nacht schickte Saul Boten zum Haus Davids, die ihm auflauern und ihn am nächsten Morgen töten sollten. Doch Michal, Davids Frau, warnte ihn und sagte: „Wenn du dich nicht noch in dieser Nacht in Sicherheit bringst, wirst du morgen früh umgebracht." Michal ließ David durch das Fenster hinab, so daß er fliehen und sich in Sicherheit bringen konnte. Dann nahm Michal das Götterbild, legte es in Davids Bett, umgab seinen Kopf mit einem Geflecht von Ziegenhaaren und deckte es mit einem Kleidungsstück zu. Als nun Saul die Boten schickte, die David holen sollten, sagte sie: „Er ist krank." Saul schickte die Boten zurück, um nach David zu sehen, und befahl: „Bringt ihn im Bett zu mir her; er soll umgebracht werden." Als die Boten kamen, entdeckten sie im Bett ein Götterbild mit einem Geflecht von Ziegenhaaren um den Kopf. Da sagte Saul zu Michal: „Warum hast du mich so betrogen und meinen Feind entkommen lassen, so daß er sich in Sicherheit bringen konnte?" Michal antwortete Saul: „Er hat zu mir gesagt: Laß mich weggehen, sonst bringe ich dich um." David floh also und brachte sich in Sicherheit. Er kam zu Samuel nach Rama und erzählte ihm alles, was Saul ihm angetan hatte.
(1 Sam 19)

Jonatans Beistand für David

David floh aus dem Prophetenhaus in Rama, ging zu Jonatan und hielt ihm vor: „Was habe ich denn getan? Was ist meine Schuld? Was habe ich gegen deinen Vater verbrochen, daß er mir nach dem Leben trachtet?" Jonatan antwortete ihm: „Das ist undenkbar. Du wirst nicht sterben. Du weißt doch: Mein Vater tut nichts Wichtiges oder Unwichtiges, ohne es mir zu offenbaren. Warum sollte mein Vater gerade das vor mir verheimlichen? Nein, das kann nicht sein." David aber beteuerte nochmals: „Dein Vater weiß genau, daß ich dein Wohlwollen gefunden habe, und sagt sich: Jonatan soll das nicht wissen, sonst wird er betrübt. Aber, so wahr der Herr lebt und so wahr du selbst lebst: Zwischen mir und dem Tod liegt nur ein Schritt." Jonatan fragte David: „Was könnte ich für dich tun?" David antwortete Jonatan: „Du weißt doch, morgen ist Neumond. Da müßte ich unbedingt am Mahl des Königs teilnehmen. Laß mich fortgehen, damit ich mich bis übermorgen abend auf dem Feld versteckt halte. Wenn dein Vater mich vermißt, dann sag: David hat mich dringend gebeten, in seine Heimatstadt Betlehem gehen zu dürfen, weil dort das jährliche Opfer für die ganze Sippe stattfindet. Wenn er dann sagt: Gut, dann steht es günstig für deinen Knecht. Wenn er aber in heftigen Zorn gerät, dann kannst du daran erkennen, daß das Unheil von ihm beschlossen ist. Zeig deinem Knecht also deine Freundschaft; denn du hast mit deinem Knecht einen Bund vor dem Herrn geschlossen. Wenn ich Schuld auf mich geladen habe, dann töte mich gleich! Warum willst du mich erst zu deinem Vater bringen?" Jonatan antwortete: „Das darf nicht mit dir geschehen. Sobald ich sicher weiß, daß mein Vater beschlossen hat, Unheil über dich zu bringen, werde ich es dir auf jeden Fall mitteilen."

David aber fragte Jonatan: „Wer wird mir die Nachricht bringen, wenn dir dein Vater etwa eine schroffe Antwort gibt?" Jonatan sagte zu David: „Komm, wir wollen aufs Feld hinausgehen!" Beide gingen aufs Feld hinaus. Und Jonatan sagte zu David: „Beim Herrn, dem Gott Israels: Wenn ich morgen oder übermorgen um diese Zeit bei meinem Vater in Erfahrung bringe, daß es gut für David steht, dann werde ich jemand schicken und es dir sagen lassen. Der Herr möge Jonatan dies und das antun: Wenn mein Vater Böses gegen dich im Sinn hat, werde ich es dir sagen und werde dich in Frieden gehen lassen. Der Herr möge mit dir sein, wie er mit meinem Vater gewesen ist." Dann sagte Jonatan zu ihm:

„Morgen ist Neumond. Du wirst vermißt werden; denn man wird deinen Platz beobachten. Übermorgen aber geh weiter hinab an den Ort, wo du dich am Tag der Tat versteckt hattest, und setz dich neben den Stein dort. Ich werde dann drei Pfeile in seine Nähe schießen, als ob ich ein Ziel treffen wollte. Dann gib acht: Ich schicke meinen Diener und sage zu ihm: Geh, such nach den Pfeilen! Wenn ich dem Diener ausdrücklich sage: Paß auf, die Pfeile liegen von dir aus herwärts, hol sie, dann komm, denn es steht günstig für dich, und es liegt nichts vor, so wahr der Herr lebt. Wenn ich aber zu dem jungen Mann sage: Paß auf, die Pfeile liegen von dir aus weiter draußen!, dann geh weg, denn der Herr schickt dich fort. Für diese Vereinbarung, die wir, ich und du, getroffen haben, soll der Herr auf ewig mein und dein Zeuge sein." Daraufhin versteckte sich David auf dem Feld.
So kam der Neumond, und der König setzte sich zu Tisch, um das Mahl zu halten. Er setzte sich wie jedesmal auf seinen gewohnten Platz an der Wand. Jonatan saß ihm gegenüber, und Abner saß an Sauls Seite. Davids Platz aber blieb leer. Saul sagte an diesem Tag nichts, denn er dachte: Es ist ihm etwas zugestoßen, was ihn unrein sein läßt; sicher ist er nicht rein. Als aber am zweiten Tag, dem Tag nach dem Neumond, der Platz Davids wieder leer blieb, sagte Saul zu seinem Sohn Jonatan: „Warum ist der Sohn Isais gestern und heute nicht zum Essen gekommen?" Jonatan antwortete Saul: „David hat mich dringend gebeten, nach Betlehem gehen zu dürfen. Er sagte: Laß mich gehen; denn in der Stadt findet ein Opfer unserer Sippe statt. Mein Bruder selbst hat mich aufgefordert zu kommen. Wenn ich dein Wohlwollen gefunden habe, dann möchte ich jetzt gehen und meine Brüder wiedersehen. Deswegen ist David nicht an den Tisch des Königs gekommen." Da wurde Saul zornig über Jonatan und sagte: „Du Sohn eines entarteten und aufsässigen Weibes! Ich weiß sehr gut, daß du dich zu deiner eigenen Schande und zur Schande des Schoßes deiner Mutter für den Sohn Isais entschieden hast. Doch solange der Sohn Isais auf Erden lebt, wirst weder du noch dein Königtum Bestand haben. Schick also sofort jemand hin, und laß ihn holen; denn er ist ein Kind des Todes." Jonatan antwortete seinem Vater Saul: „Warum soll er umgebracht werden? Was hat er getan?" Da schleuderte Saul den Speer gegen ihn, um ihn zu töten. Nun wußte Jonatan, daß sein Vater beschlossen hatte, David umzubringen. Voll Zorn stand er vom Tisch auf und aß an diesem zweiten Neumondtag nichts; denn er war bekümmert wegen David, weil sein Vater ihn beschimpft hatte.

Am nächsten Morgen ging Jonatan, wie er mit David verabredet hatte, aufs Feld hinaus, und ein junger Diener war bei ihm. Er sagte zu dem Diener: „Lauf, such die Pfeile, die ich abschieße." Der Diener lief, und er schoß einen Pfeil über ihn hinaus. Als der Diener an die Stelle kam, wohin Jonatan den Pfeil geschossen hatte, rief Jonatan dem Diener nach: „Liegt der Pfeil von dir aus nicht noch weiter draußen?" Und er rief dem Diener nach: „Beeil dich, schnell, bleib nicht stehen!" Der Diener Jonatans hob den Pfeil auf und kam zu seinem Herrn zurück. Der Diener aber ahnte nichts; nur Jonatan und David wußten von der Vereinbarung. Jonatan gab dem Diener, den er bei sich hatte, seine Waffen und sagte zu ihm: „Geh, bring sie in die Stadt!" Als der Diener heimgegangen war, verließ David sein Versteck neben dem Stein, warf sich mit dem Gesicht zur Erde nieder und verneigte sich dreimal tief vor Jonatan. Dann küßten sie einander, und beide weinten. David hörte nicht auf zu weinen, und Jonatan sagte zu ihm: „Geh in Frieden! Für das, was wir beide uns im Namen des Herrn geschworen haben, sei der Herr zwischen mir und dir, zwischen meinen und deinen Nachkommen auf ewig Zeuge."

Dann brach David auf und ging weg, Jonatan aber begab sich in die Stadt zurück. David ließ sich in den Bergen der Steppe nieder. Saul suchte ihn die ganze Zeit, aber Gott gab ihn nicht in seine Hand. David aber wußte, daß Saul ausgezogen war, weil er ihm nach dem Leben trachtete.
Als David in Horescha in der Steppe Sif war, brach Jonatan, der Sohn Sauls, auf und ging zu David. Er stärkte Davids Vertrauen auf Gott. Er sagte zu ihm: „Fürchte dich nicht; die Hand meines Vaters Saul wird dich nicht erreichen. Du wirst König über Israel sein, und ich werde der Zweite nach dir sein. Auch mein Vater Saul weiß das." Und die beiden schlossen vor dem Herrn erneut einen Bund. David blieb in Horescha, und Jonatan ging wieder nach Hause.
(1 Sam 20; 21; 23)

Davids Achtung vor Sauls Leben

Als Saul von der Verfolgung der Philister zurückkehrte, berichtete man ihm: „Gib acht, David ist in der Steppe von En-Gedi." Da nahm Saul

Berghöhlen südlich vom Toten Meer

dreitausend Mann, ausgesuchte Leute aus ganz Israel, und zog aus, um David und seine Männer bei den Steinbock-Felsen zu suchen. Auf seinem Weg kam er zu einigen Schafhürden. Dort war eine Höhle. Saul ging hinein, um seine Notdurft zu verrichten. David aber und seine Männer saßen hinten in der Höhle. Da sagten die Männer zu David: „Das ist der Tag, von dem der Herr zu dir gesagt hat: Sieh her, ich gebe deinen Feind in deine Gewalt, und du kannst mit ihm machen, was dir richtig erscheint. Da stand David auf und schnitt heimlich einen Zipfel von Sauls Mantel ab. Hinterher aber schlug David das Gewissen, weil er einen Zipfel vom Mantel Sauls abgeschnitten hatte. Er sagte zu seinen Männern: „Der Herr bewahre mich davor, meinem Gebieter, dem Gesalbten des Herrn, so etwas anzutun und Hand an ihn zu legen; denn er ist der Gesalbte des Herrn." Und David fuhr seine Leute mit scharfen Worten an und ließ nicht zu, daß sie sich an Saul vergriffen. Als Saul die Höhle verlassen hatte und seinen Weg fortsetzte, stand auch David auf, verließ die Höhle und rief Saul nach: „Mein Herr und König!" Als Saul sich umblickte, verneigte sich David bis zur Erde und warf sich vor ihm nieder. Dann sagte David zu Saul: „Warum hörst du auf die Worte von Leuten, die sagen: Gib acht, David will dein Verderben? Doch heute kannst du mit eigenen Augen sehen, daß der Herr dich heute in der Höhle in meine Gewalt gegeben hat. Man hat mir gesagt, ich solle dich töten; aber ich habe dich geschont. Ich sagte: Ich will nicht die Hand an meinen Herrn legen; denn er ist der Gesalbte des Herrn. Sieh her, mein Vater! Hier, der Zipfel deines Mantels in meiner Hand. Wenn ich einen Zipfel deines Mantels abgeschnitten und dich nicht getötet habe, dann kannst du erkennen und einsehen, daß ich weder Bosheit noch Aufruhr im Sinn habe und daß ich mich nicht gegen dich versündigt habe. Du aber stellst mir nach, um mir das Leben zu nehmen."
Saul sagte zu David: „Du bist gerechter als ich; denn du hast mir Gutes erwiesen, während ich böse an dir gehandelt habe. Du hast heute bewiesen, daß du gut an mir gehandelt hast. Obwohl der Herr mich in deine Gewalt gegeben hatte, hast du mich nicht getötet. Wenn jemand auf seinen Feind trifft, läßt er ihn dann im Guten seinen Weg weiterziehen? Der Herr möge dir mit Gutem vergelten, was du mir heute getan hast. Jetzt weiß ich, daß du König werden wirst und daß das Königtum in deiner Hand Bestand haben wird. Darum schwöre mir nun beim Herrn, daß du meine Nachkommen nicht ausrotten und meinen Namen nicht aus dem Haus meines Vaters austilgen wirst." Und David schwor

es Saul. Saul zog nach Hause, David aber und seine Männer stiegen wieder in die unzugänglichen Berge hinauf.
(1 Sam 24)

David bei den Philistern

David überlegte: Eines Tages werde ich doch noch durch Saul umgebracht. Es bleibt nichts anderes übrig, als mich im Land der Philister in Sicherheit zu bringen. Dann wird Saul mich in Ruhe lassen und aufhören, mich weiter im ganzen Gebiet Israels zu suchen, und ich bin seiner Hand entkommen.
David machte sich also auf den Weg und ging mit den sechshundert Männern, die bei ihm waren, zu Achisch hinüber, dem König von Gat. Und er blieb mit seinen Leuten bei Achisch in Gat. Alle hatten ihre Familien bei sich, David seine beiden Frauen: Ahinoam, die Jesreeliterin, und Abigajil aus Karmel.
Als man Saul meldete, daß David nach Gat geflohen war, suchte er nicht mehr weiter nach ihm. David sagte zu Achisch: „Wenn ich dein Wohlwollen gefunden habe, dann weise mir einen Platz in einer der Städte des flachen Landes zu, wo ich mich niederlassen kann. Warum soll dein Knecht bei dir in der Königsstadt wohnen?" Da gab ihm Achisch noch am gleichen Tag Ziklag. Deshalb gehört Ziklag den Königen von Juda bis zum heutigen Tag. Die Zeit, die David im Land der Philister verbrachte, betrug ein Jahr und vier Monate.
(1 Sam 27)

Davids Entlassung aus dem Heer der Philister

In jenen Tagen sammelten die Philister ihre Truppen, um gegen Israel in den Kampf zu ziehen. Da sagte Achisch zu David: „Du weißt sehr wohl, daß du samt deinen Männern mit mir ins Feldlager ziehen mußt." David antwortete Achisch: „Auf diese Weise wirst du selbst erfahren, was dein Knecht tun wird." Achisch sagte zu David: „Gut, ich mache dich für diese ganze Zeit zu meinem Leibwächter."
Die Philister versammelten ihr ganzes Heer bei Afek, während die Israeliten ihr Lager an der Quelle bei Jesreel aufgeschlagen hatten.

Als nun die Fürsten der Philister mit ihren Hundertschaften und Tausendschaften auf dem Marsch waren – David und seine Männer zogen mit Achisch am Schluß –, fragten die Obersten der Philister: „Was sollen diese Hebräer hier?" Achisch antwortete den Obersten der Philister: „Das ist doch David, der Knecht Sauls, des Königs von Israel, der seit Jahr und Tag bei mir ist. Seit dem Tag, da er übergelaufen ist, bis heute fand ich bei ihm nichts Nachteiliges." Die Obersten der Philister aber wurden zornig auf ihn und sagten zu ihm: „Schick den Mann zurück! Er soll an den Ort zurückkehren, den du ihm zugewiesen hast, und nicht mit uns in den Kampf ziehen. Dann kann er sich in der Schlacht nicht gegen uns wenden. Womit könnte er sich die Gunst seines Herrn besser erwerben als mit den Köpfen unserer Leute hier? Ist das nicht der gleiche David, von dem man beim Reigentanz gesungen hat: Saul hat Tausend erschlagen, David aber Zehntausend?"
Da rief Achisch David zu sich und sagte zu ihm: „So wahr Jahwe lebt, du bist ein aufrechter Mann, und es wäre in meinen Augen gut, wenn du mit mir ins Feld ziehen und wieder zurückkommen würdest. Denn ich habe an dir nichts Unrechtes entdeckt seit dem Tag, an dem du zu mir gekommen bist, bis heute. Aber den Fürsten bist du nicht genehm. Darum kehr jetzt um, und zieh in Frieden. So wirst du nichts tun, was den Fürsten der Philister mißfällt." David sagte zu Achisch: „Was habe ich denn getan? Was hast du an deinem Knecht auszusetzen gehabt von dem Tag an, an dem ich in deinen Dienst getreten bin, bis heute? Warum darf ich nicht mitkommen und gegen die Feinde meines Herrn, des Königs, kämpfen?" Achisch antwortete David: „Gewiß, mir bist du teuer wie ein Engel Gottes. Aber die Obersten der Philister haben gesagt: Er soll nicht mit uns in den Kampf ziehen. Darum brich morgen früh auf, samt den Knechten deines Herrn, die mit dir gekommen sind. Brecht morgen früh auf, sobald es hell wird, und geht nach Hause!" David machte sich also mit seinen Männern in aller Frühe auf den Weg. Er zog noch am Morgen weg und kehrte ins Land der Philister zurück. Die Philister aber zogen nach Jesreel hinauf.
(1 Sam 28; 29)

Saul bei der Totenbeschwörerin von En-Dor

Samuel war gestorben, und ganz Israel hatte die Totenklage für ihn gehalten und ihn in seiner Stadt Rama begraben. Saul aber hatte die Totenbeschwörer und die Wahrsager aus dem Land vertrieben. Als sich die Philister gesammelt hatten, rückten sie heran und schlugen bei Schunem ihr Lager auf. Saul versammelte ganz Israel, und sie schlugen ihr Lager im Bergland von Gilboa auf. Als Saul das Lager der Philister sah, bekam er große Angst, und sein Herz begann zu zittern. Da befragte Saul den Herrn, aber der Herr gab ihm keine Antwort, weder durch Träume, noch durch die Losorakel, noch durch die Propheten. Daher sagte Saul zu seinen Dienern: „Sucht mir eine Frau, die Gewalt über einen Totengeist hat; ich will zu ihr gehen und sie befragen." Seine Diener antworteten ihm: „In En-Dor gibt es eine Frau, die über einen Totengeist Gewalt hat." Da machte sich Saul unkenntlich, zog andere Kleider an und ging mit zwei Männern zu der Frau.
Sie kamen in der Nacht bei der Frau an, und er sagte zu ihr: „Wahrsage mir durch den Totengeist! Laß für mich den heraufsteigen, den ich dir nenne." Die Frau antwortete ihm: „Du weißt doch selbst, was Saul getan hat: Er hat die Totenbeschwörer und die Wahrsager im Land ausgerottet. Warum stellst du mir eine Falle, um mich zu töten?" Saul aber schwor ihr beim Herrn und sagte: „So wahr der Herr lebt: Es soll dich in dieser Sache keine Schuld treffen." Die Frau sagte: „Wen soll ich für dich heraufsteigen lassen?" Er antwortete: „Laß Samuel für mich heraufsteigen!" Als die Frau Samuel erblickte, schrie sie laut auf und sagte zu Saul: „Warum hast du mich getäuscht? Du bist ja Saul!" Der König sagte zu ihr: „Hab keine Angst! Was siehst du denn?" Die Frau antwortete Saul: „Ich sehe einen Geist aus der Erde heraufsteigen." Er fragte sie: „Wie sieht er aus?" Sie antwortete: „Ein alter Mann steigt herauf; er ist in einen Mantel gehüllt." Da erkannte Saul, daß es Samuel war. Er verneigte sich mit dem Gesicht zur Erde und warf sich zu Boden. Und Samuel sagte zu Saul: „Warum hast du mich aufgestört und mich heraufsteigen lassen?" Saul antwortete: „Ich bin in großer Bedrängnis. Die Philister führen Krieg gegen mich, und Gott ist von mir gewichen und hat mir keine Antwort mehr gegeben, weder durch die Propheten noch durch die Träume. Darum habe ich dich gerufen, damit du mir sagst, was ich tun soll." Samuel erwiderte: „Warum fragst du mich? Der Herr ist doch von dir gewichen und ist dein Feind geworden. Er hat getan,

was er durch mich angekündigt hatte: Der Herr hat dir das Königtum aus der Hand gerissen und hat es einem anderen, nämlich David, gegeben. Weil du nicht auf die Stimme des Herrn gehört und seinen glühenden Zorn an Amalek nicht vollstreckt hast, darum hat dir der Herr heute das getan. Der Herr wird auch Israel zusammen mit dir in die Gewalt der Philister geben, und morgen wirst du samt deinen Söhnen bei mir sein. Auch das Heerlager Israels wird der Herr in die Gewalt der Philister geben." Da fiel Saul der Länge nach jäh zu Boden; so sehr war er über die Worte Samuels erschrocken. Es war auch keine Kraft mehr in ihm, weil er den ganzen Tag und die ganze Nacht keinen Bissen gegessen hatte.
Die Frau ging zu Saul hin und sah, daß er ganz verstört war. Sie sagte zu ihm: „Deine Magd hat auf deine Stimme gehört. Ich habe mein Leben aufs Spiel gesetzt, als ich auf das hörte, was du zu mir gesagt hast. Jetzt aber höre auch du auf die Stimme deiner Magd! Ich will dir ein Stück Brot zum Essen geben. Dann wirst du wieder zu Kräften kommen und kannst deines Weges gehen." Er aber weigerte sich und sagte: „Ich esse nichts." Doch seine Diener und die Frau drängten ihn, bis er auf ihre Stimme hörte. Er erhob sich vom Boden und setzte sich aufs Bett. Die Frau hatte ein Mastkalb im Haus. Sie schlachtete es in aller Eile, nahm Mehl, knetete Teig und backte ungesäuerte Brote. Das alles setzte sie Saul und seinen Knechten vor. Sie aßen, standen auf und gingen noch in der gleichen Nacht zurück.
(1 Sam 28)

Sauls Ende

Als die Philister gegen Israel kämpften, flohen die Israeliten vor ihnen. Viele waren gefallen und lagen erschlagen auf dem Gebirge von Gilboa. Die Philister verfolgten Saul und seine Söhne und erschlugen Sauls Söhne Jonatan, Abinadab und Malkischua. Um Saul selbst entstand ein schwerer Kampf. Die Bogenschützen hatten ihn getroffen, und er war sehr schwer verwundet. Da sagte Saul zu seinem Waffenträger: „Zieh dein Schwert, und durchbohre mich damit! Sonst kommen diese Unbeschnittenen, durchbohren mich und treiben ihren Mutwillen mit mir." Der Waffenträger wollte es nicht tun; denn er hatte große Angst. Da nahm Saul selbst das Schwert und stürzte sich hinein. Als der Waffenträger sah, daß Saul tot war, stürzte auch er sich in sein Schwert und starb zusammen mit Saul. So kamen Saul, seine drei Söhne, sein Waffenträger und alle seine Männer an jenem Tag gemeinsam ums Leben. Als die Israeliten auf der anderen Seite der Ebene und jenseits des Jordan sahen, daß die Israeliten geflohen und daß Saul und seine Söhne tot waren, verließen sie ihre Städte und flohen. Dann kamen die Philister und besetzten die Städte.

Als am nächsten Tag die Philister kamen, um die Erschlagenen auszuplündern, fanden sie Saul und seine drei Söhne, die auf dem Gebirge von Gilboa gefallen waren. Sie schlugen ihm den Kopf ab, zogen ihm die Rüstung aus und schickten beides im Land der Philister umher, um ihrem Götzentempel und dem Volk die Siegesnachricht zu übermitteln. Die Rüstung Sauls legten sie im Astartetempel nieder. Seinen Leichnam aber hefteten sie an die Mauer von Bet-Schean.

Als die Einwohner von Jabesch-Gilead hörten, was die Philister mit Saul gemacht hatten, brachen alle kriegstüchtigen Männer auf, marschierten die ganze Nacht hindurch und nahmen die Leiche Sauls und die Leichen seiner Söhne von der Mauer von Bet-Schean ab. Sie brachten sie nach Jabesch und verbrannten sie dort. Dann nahmen sie die Gebeine, begruben sie unter der Tamariske von Jabesch und fasteten sieben Tage lang.

(1 Sam 31)

Davids Klage

Israel, dein Stolz liegt erschlagen auf deinen Höhen.
Ach, die Helden sind gefallen!

Meldet es nicht in Gat,
verkündet es nicht auf Aschkelons Straßen,
damit die Töchter der Philister sich nicht freuen,
damit die Töchter der Unbeschnittenen nicht jauchzen.

Ihr Berge in Gilboa, kein Tau und kein Regen
falle auf euch, ihr trügerischen Gefilde.
Denn dort wurde der Schild der Helden befleckt,
der Schild des Saul, als wäre er nicht mit Öl gesalbt.

Ohne das Blut von Erschlagenen,
ohne das Mark der Helden
kam der Bogen Jonatans nie zurück;
auch das Schwert Sauls
kehrte niemals erfolglos zurück.

Saul und Jonatan, die Geliebten und Teuren,
im Leben und Tod sind sie nicht getrennt.
Sie waren schneller als Adler,
waren stärker als Löwen.

Ihr Töchter Israels, um Saul müßt ihr weinen;
er hat euch in köstlichen Purpur gekleidet,
hat goldenen Schmuck auf eure Gewänder geheftet.

Ach, die Helden sind gefallen mitten im Kampf.
Jonatan liegt erschlagen auf deinen Höhen.

Weh ist mir um dich, mein Bruder Jonatan.
Du warst mir sehr lieb.
Wunderbarer war deine Liebe für mich
als die Liebe der Frauen.

Ach, die Helden sind gefallen,
die Waffen des Kampfes verloren.
(2 Sam 1)

König David

David wird König

Danach befragte David den Herrn: „Soll ich in eine der Städte Judas hinaufziehen?" Der Herr antwortete ihm: „Zieh hinauf!" David fragte: „Wohin soll ich ziehen?" Er antwortete: „Nach Hebron." David zog also nach Hebron mit seinen beiden Frauen, Ahinoam aus Jesreel und Abi-

gajil aus Karmel. Auch die Männer, die bei ihm waren, führte David hinauf, jeden mit seiner Familie, und sie ließen sich in den Städten um Hebron nieder. Dann kamen die Männer Judas nach Hebron und salbten David dort zum König über das Haus Juda.
Als man David berichtete, daß die Einwohner von Jabesch-Gilead Saul begraben hatten, schickte er Boten zu den Männern von Jabesch-Gilead und ließ ihnen sagen: „Ihr sollt vom Herrn gesegnet sein, weil ihr Saul, eurem Herrn, dieses Wohlwollen erwiesen und ihn begraben habt. Möge der Herr euch jetzt auch sein Wohlwollen und seine Treue erweisen. Auch ich will euch dafür Gutes tun, daß ihr das getan habt. Nun aber zeigt euren Mut, und seid tapfer. Denn Saul, euer Herr, ist tot, mich aber hat das Haus Juda zu seinem König gesalbt."
Alle Stämme Israels kamen zu David nach Hebron und sagten: „Wir sind doch dein Fleisch und Bein. Schon früher, als noch Saul unser König war, bist du es gewesen, der Israel in den Kampf und wieder nach Hause geführt hat. Der Herr hat zu dir gesagt: Du sollst der Hirt meines Volkes Israel sein, du sollst Israels Fürst werden." Alle Ältesten Israels kamen zum König nach Hebron. Der König David schloß mit ihnen in Hebron einen Vertrag vor dem Herrn, und sie salbten David zum König von Israel.
Die Philister hörten, daß man David zum König von Israel gesalbt hatte. Da zogen alle herauf, um David gefangenzunehmen. David erfuhr davon und zog sich in eine Bergfestung zurück. Als die Philister herankamen und in der Rafaïterebene umherstreiften, befragte David den Herrn; er sagte: „Soll ich die Philister angreifen? Wirst du sie in meine Hand geben?" Der Herr antwortete David: „Greif sie an; denn ich werde die Philister bestimmt in deine Hand geben." Da zog David nach Baal-Perazim. Dort schlug er die Philister und sagte: „Der Herr hat die Reihen meiner Feinde vor meinen Augen durchbrochen, wie Wasser einen Damm durchbricht."
(2 Sam 2; 5)

Die Überführung der Bundeslade nach Jerusalem

Der König zog mit seinen Männern nach Jerusalem gegen die Jebusiter, die in dieser Gegend wohnten. Die Jebusiter aber sagten zu David: „Du kommst hier nicht herein; die Blinden und Lahmen werden dich vertrei-

ben." Das sollte besagen: David wird hier nicht eindringen. Dennoch eroberte David die Burg Zion; sie wurde die Stadt Davids.
David wurde immer mächtiger und der Herr, der Gott der Heere, war mit ihm. Hiram, der König von Tyrus, schickte seine Gesandtschaft zu David und ließ ihm Zedernholz überbringen. Auch Zimmerleute und Steinmetzen schickte er, und sie bauten für David einen Palast. So erkannte David, daß der Herr ihn als König von Israel bestätigt hatte und daß der Herr sein Königtum wegen seines Volkes Israel zu hohem Ansehen gebracht hatte.

Stadtmauer von Jerusalem

David versammelte wiederum alle jungen Krieger aus Israel, dreißigtausend Mann, brach auf und zog mit seinem ganzen Heer nach Juda, um von dort die Lade Gottes heraufzuholen, über der der Name des Herrn der Heere, der über den Kerubim thront, ausgerufen worden ist. Sie stellten die Lade Gottes auf einen neuen Wagen und holten sie so vom Haus Abinadabs, das auf einem Hügel stand. Usa und Achjo, die Söhne Abinadabs, lenkten den Wagen mit der Lade Gottes, und Achjo ging vor der Lade her. David und das ganze Haus Israel tanzten und sangen vor dem Herrn mit ganzer Hingabe und spielten auf Zithern, Harfen und Pauken, mit Rasseln und Zimbeln. Als sie zur Tenne

Nachons kamen, brachen die Rinder aus, und Usa streckte seine Hand nach der Lade Gottes aus und faßte sie an. Da entbrannte der Zorn des Herrn gegen Usa, und Gott erschlug ihn auf der Stelle wegen dieser Vermessenheit, so daß er neben der Lade Gottes starb. David war sehr erregt darüber, daß der Herr den Usa so plötzlich dahingerafft hatte.
An jenem Tag bekam David Angst vor dem Herrn, und er sagte: „Wie soll die Lade des Herrn jemals zu mir kommen?" Darum wollte David die Lade des Herrn nicht zu sich in die Davidstadt bringen lassen, sondern stellte sie in das Haus des Obed-Edom aus Gat. Drei Monate lang blieb die Lade des Herrn im Haus Obed-Edoms aus Gat, und der Herr segnete Obed-Edom und sein ganzes Haus.
Als man König David berichtete: „Der Herr hat das Haus Obed-Edoms und alles, was ihm gehört, um der Lade Gottes willen gesegnet", da ging David hin und brachte die Lade Gottes voll Freude aus dem Haus Obed-Edoms in die Davidstadt hinauf. Sobald die Träger der Lade des Herrn sechs Schritte gegangen waren, opferte er einen Stier und ein Mastkalb. Und David tanzte mit ganzer Hingabe vor dem Herrn her und trug dabei das leinene Efod. So brachten David und das ganze Haus Israel die Lade des Herrn unter Jubelgeschrei und unter dem Klang des Widderhorns hinauf.
(2 Sam 5; 6)

Die Verheißung an David

Als nun der König in seinem Haus wohnte und der Herr ihm Ruhe vor allen seinen Feinden ringsum verschafft hatte, sagte er zu dem Propheten Natan: „Ich wohne in einem Haus aus Zedernholz, die Lade Gottes aber wohnt in einem Zelt." Natan antwortete dem König: „Geh nur und tu alles, was du im Sinn hast; denn der Herr ist mit dir." Aber in jener Nacht erging das Wort des Herrn an Natan: „Geh zu meinem Knecht David, und sag zu ihm: So spricht der Herr: Du willst mir ein Haus bauen, damit ich darin wohne? Seit dem Tag, als ich die Israeliten aus Ägypten heraufgeführt habe, habe ich bis heute nie in einem Haus gewohnt, sondern bin in einer Zeltwohnung umhergezogen. Habe ich in der Zeit, als ich bei den Israeliten von Ort zu Ort zog, jemals zu einem der Richter Israels, die ich als Hirten über mein Volk Israel eingesetzt hatte, ein Wort gesagt und sie gefragt: Warum habt ihr mir kein

Haus aus Zedernholz gebaut? Sag also jetzt meinem Knecht David: So spricht der Herr der Heere: Ich habe dich von der Weide und von der Herde weggeholt, damit du Fürst über mein Volk Israel wirst, und ich bin überall mit dir gewesen, wohin du auch gegangen bist. Ich habe alle deine Feinde vor deinen Augen vernichtet, und ich will dir einen großen Namen machen, der dem Namen der Großen auf der Erde gleich ist. Ich will meinem Volk Israel einen Platz zuweisen und es einpflanzen, damit es an seinem Ort sicher wohnen kann und sich nicht mehr ängstigen muß und schlechte Menschen es nicht mehr unterdrücken wie früher und auch von dem Tag an, an dem ich Richter in meinem Volk Israel eingesetzt habe. Ich verschaffe dir Ruhe vor allen deinen Feinden. Nun verkündet dir der Herr, daß der Herr dir ein Haus bauen wird. Wenn deine Tage erfüllt sind und du dich zu deinen Vätern legst, werde ich deinen leiblichen Sohn als deinen Nachfolger einsetzen und seinem Königtum Bestand verleihen. Er wird für meinen Namen ein Haus bauen, und ich werde seinem Königsthron ewigen Bestand verleihen. Ich will für ihn Vater sein, und er wird für mich Sohn sein. Wenn er sich verfehlt, werde ich ihn nach Menschenart mit Ruten und mit Schlägen züchtigen. Meine Huld aber soll nicht von ihm weichen, wie sie von Saul gewichen ist, den ich vor deinen Augen verstoßen habe. Dein Haus und dein Königtum sollen durch mich auf ewig bestehen bleiben; dein Thron soll auf ewig Bestand haben." Natan sprach zu David genau so, wie es ihm gesagt und offenbart worden war.
Da ging König David hin und setzte sich vor dem Herrn nieder und sagte: „Wer bin ich, mein Herr und Gott, und was ist mein Haus, daß du mich bis hierher geführt hast? Denn du, Herr der Heere, Gott Israels, hast deinem Knecht offenbart: Ich will dir ein Haus bauen. Darum fand dein Knecht den Mut, so zu dir zu beten. Ja, mein Herr und Gott, du bist der einzige Gott, und deine Worte sind wahr. Du hast deinem Knecht ein solches Glück zugesagt. So segne jetzt gnädig das Haus deines Knechtes, damit es ewig vor deinen Augen Bestand hat. Denn du, mein Herr und Gott, hast es versprochen, und mit deinem Segen wird das Haus deines Knechtes für immer gesegnet sein."
(2 Sam 7)

David und Batseba

Um die Jahreswende, zu der Zeit, in der die Könige in den Krieg ziehen, schickte David den Joab mit seinen Männern und ganz Israel aus, und sie verwüsteten das Land der Ammoniter und belagerten Rabba. David selbst aber blieb in Jerusalem.
Als David einmal zur Abendzeit von seinem Lager aufstand und auf dem Flachdach des Königspalastes hin und her ging, sah er von dort aus eine Frau, die badete. Die Frau war sehr schön anzusehen. David schickte jemand hin und erkundigte sich nach ihr. Man sagte ihm: „Das ist Batseba, die Tochter Ammiels, die Frau des Hetiters Urija." Darauf schickte David Boten zu ihr und ließ sie holen. Sie kam zu ihm, und er schlief mit ihr – sie hatte sich gerade von ihrer Unreinheit gereinigt. Dann kehrte sie in ihr Haus zurück. Die Frau war aber schwanger geworden und schickte deshalb zu David und ließ ihm mitteilen: „Ich bin schwanger."
Darauf sandte David einen Boten zu Joab und ließ ihm sagen: „Schick den Hetiter Urija zu mir!" Und Joab schickte Urija zu David. Als Urija zu ihm kam, fragte David, ob es Joab und dem Volk gut gehe und wie es mit dem Kampfe stehe. Dann sagte er zu Urija: „Geh in dein Haus hinab, und wasch dir die Füße!" Urija verließ das Haus des Königs, und es wurde ihm ein Geschenk des Königs nachgetragen. Urija aber legte sich am Tor des Königshauses bei den Knechten seines Herrn nieder und ging nicht in sein Haus hinab. Man berichtete David: „Urija ist nicht in sein Haus hinabgegangen." Darauf sagte David zu Urija: „Bist du nicht gerade von einer Reise gekommen? Warum bist du nicht in dein Haus hinuntergegangen?" Urija antwortete David: „Die Lade und Israel und Juda wohnen in Hütten, und mein Herr Joab und die Knechte meines Herrn lagern auf freiem Feld; da soll ich in mein Haus gehen, um zu essen und zu trinken und bei meiner Frau zu liegen? So wahr du lebst und so wahr deine Seele lebt, das werde ich nicht tun." Darauf sagte David zu Urija: „Bleib auch heute noch hier; morgen werde ich dich wegschicken." So blieb Urija an jenem Tag in Jerusalem. Am folgenden Tag lud David ihn ein, bei ihm zu essen und zu trinken, und machte ihn betrunken. Am Abend ging Urija weg, um sich wieder auf seinem Lager bei den Knechten seines Herrn niederzulegen; er ging nicht in sein Haus hinab.
Am anderen Morgen schrieb David einen Brief an Joab und ließ ihn durch Urija überbringen. Er schrieb in dem Brief: „Stellt Urija nach

vorn, wo der Kampf am heftigsten ist, dann zieht euch von ihm zurück, so daß er getroffen wird und den Tod findet."
Joab hatte die Stadt beobachtet, und er stellte Urija an einen Platz, von dem er wußte, daß dort besonders tüchtige Krieger standen. Als dann die Leute aus der Stadt einen Ausfall machten und gegen Joab kämpften, fielen einige von den Kriegern Davids; auch der Hetiter Urija fand den Tod. Joab schickte einen Boten zu David und ließ ihm den Verlauf des Kampfes berichten. Und er befahl dem Boten: „Wenn du dem König alles über den Verlauf des Kampfes bis zu Ende berichtet hast und wenn dann der König in Zorn gerät und zu dir sagt: Warum seid ihr beim Kampf so nahe an die Stadt herangegangen? Habt ihr nicht gewußt, daß sie von der Mauer herabschießen? Warum seid ihr so nahe an die Mauer herangegangen?, dann sollst du sagen: Auch dein Knecht, der Hetiter Urija, ist tot." Der Bote ging fort, kam zu David und berichtete ihm alles, was Joab ihm aufgetragen hatte. Der Bote sagte zu David: „Die Männer waren stärker als wir und waren gegen uns bis aufs freie Feld vorgedrungen. Wir aber drängten sie bis zum Eingang des Tores zurück. Da schossen die Schützen von der Mauer herab auf deine Knechte, so daß einige von den Knechten des Königs starben. Auch dein Knecht, der Hetiter Urija, ist tot." Da sagte David zu dem Boten: „So sollst du zu Joab sagen: Betrachte die Sache nicht als so schlimm; denn das Schwert frißt bald hier, bald dort. Setz den Kampf gegen die Stadt mutig fort, und zerstöre sie! So sollst du ihm Mut machen." Als die Frau Urijas hörte, daß ihr Mann Urija tot war, hielt sie für ihren Gemahl die Totenklage. Sobald die Trauerzeit vorüber war, ließ David sie zu sich in sein Haus holen. Sie wurde seine Frau und gebar ihm einen Sohn. Dem Herrn aber mißfiel, was David getan hatte.
(2 Sam 11)

Gottes Strafe für David

Darum schickte der Herr den Natan zu David. Dieser ging zu David und sagte zu ihm: „In einer Stadt lebten einst zwei Männer; der eine war reich, der andere arm. Der Reiche besaß sehr viele Schafe und Rinder, der Arme aber besaß nichts außer einem einzigen kleinen Lamm, das er gekauft hatte. Er zog es auf, und es wurde bei ihm zusammen mit seinen Kindern groß. Es aß von seinem Stück Brot, und es trank aus seinem Becher, in seinem Schoß lag es und war für ihn wie eine Tochter. Da kam ein Besucher zu dem reichen Mann, und er brachte es nicht über sich, eines von seinen Schafen oder Rindern zu nehmen, um es für den zuzubereiten, der zu ihm gekommen war. Darum nahm er dem Armen das Lamm weg und bereitete es für den Mann zu, der zu ihm gekommen war."

Da geriet David in heftigen Zorn über den Mann und sagte zu Natan: „So wahr der Herr lebt: Der Mann, der das getan hat, verdient den Tod. Das Lamm soll er vierfach ersetzen, weil er das getan und kein Mitleid gehabt hat." Da sagte Natan zu David: „Du selbst bist der Mann. So spricht der Herr, der Gott Israels: Ich habe dich zum König von Israel gesalbt, und ich habe dich aus der Hand Sauls gerettet. Ich habe dir das Haus deines Herrn und die Frauen deines Herrn in den Schoß gegeben, und ich habe dir das Haus Israel und Juda gegeben, und wenn das zu wenig ist, gebe ich dir noch manches andere dazu. Aber warum hast du das Wort des Herrn verachtet und etwas getan, was ihm mißfällt? Du hast den Hetiter Urija mit dem Schwert erschlagen und hast dir seine Frau zur Frau genommen; durch das Schwert der Ammoniter hast du ihn umgebracht. Darum soll jetzt das Schwert auf ewig nicht mehr von deinem Haus weichen. Denn du hast mich verachtet und dir die Frau des Hetiters genommen, damit sie deine Frau werde. So spricht der Herr: Ich werde dafür sorgen, daß sich aus deinem eigenen Haus das Unheil gegen dich erhebt, und ich werde dir vor deinen Augen deine Frauen wegnehmen und sie einem andern geben. Er wird am hellen Tag bei deinen Frauen liegen. Ja, du hast es heimlich getan, ich aber werde es vor ganz Israel und am hellen Tag tun." Darauf sagte David zu Natan: „Ich habe gegen den Herrn gesündigt." Natan antwortete David: „Der Herr hat dir deine Sünde vergeben; du wirst nicht sterben. Weil du aber die Feinde des Herrn durch diese Sache zum Lästern veranlaßt hast, muß der Sohn, der dir geboren wird, sterben."

Dann ging Natan nach Hause. Der Herr aber ließ das Kind, das die Frau des Urija dem David geboren hatte, schwer krank werden. David suchte Gott wegen des Knaben auf und fastete streng; und wenn er heimkam, legte er sich bei Nacht auf die bloße Erde. Die Ältesten seines Hauses kamen zu ihm, um ihn dazu zu bewegen, von der Erde aufzustehen. Er aber wollte nicht und aß auch nicht mit ihnen. Am siebten Tag aber starb das Kind. Davids Diener fürchteten sich, ihm mitzuteilen, daß das Kind tot war; denn sie sagten: „Wir haben ihm zugeredet, als das Kind

noch am Leben war; er aber hat nicht auf uns gehört. Wie können wir ihm jetzt sagen: Das Kind ist tot? Er würde ein Unheil anrichten."
David jedoch sah, daß seine Diener miteinander flüsterten, und merkte daran, daß das Kind tot war. Er fragte seine Diener: „Ist das Kind tot?" Sie antworteten: „Ja, es ist tot." Da erhob sich David von der Erde, wusch sich, salbte sich, wechselte seine Kleider, ging zum Haus des Herrn und warf sich davor nieder. Als er dann nach Hause zurückkehrte, verlangte er zu essen. Man setzte ihm etwas vor, und er aß. Da fragten ihn seine Diener: „Was soll das bedeuten, was du getan hast? Als das Kind noch am Leben war, hast du seinetwegen gefastet und geweint. Nachdem aber das Kind tot ist, stehst du auf und ißt." Er antwortete: „Als das Kind noch am Leben war, habe ich gefastet und geweint; denn ich dachte: Wer weiß, vielleicht ist der Herr mir gnädig, und das Kind bleibt am Leben. Jetzt aber, da es tot ist, warum soll ich da noch fasten? Kann ich es zurückholen? Ich werde einmal zu ihm gehen, aber es kommt nicht zu mir zurück." Und David tröstete seine Frau Batseba; er ging zu ihr hinein und schlief mit ihr. Und sie gebar einen Sohn, und er gab ihm den Namen Salomo. Der Herr liebte Salomo.
(2 Sam 12)

Abschaloms Aufstand gegen David

Abschalom, der älteste Sohn des Königs David, hatte eine schlimme Tat seines Bruders gerächt und ihn umbringen lassen. Deshalb mußte er vor seinem Vater David fliehen und konnte erst nach drei Jahren zurückkehren. David hörte allmählich auf, mit Abschalom wegen des Mordes zu hadern. Wieder in Jerusalem konnte Abschalom immer noch nicht seinem Vater unter die Augen treten. Endlich ließ David Abschalom rufen. Abschalom kam und warf sich vor David nieder. David küßte seinen Sohn Abschalom und verzieh ihm. Später aber plante Abschalom gegen David eine Verschwörung. Abschalom wollte selbst König über Israel sein.

Einige Zeit danach schaffte sich Abschalom einen Wagen und Pferde an sowie fünfzig Mann, die immer vor ihm herliefen. Früh am Morgen stellte er sich neben den Weg zum Stadttor, und sooft jemand mit einer Streitsache zum König vor Gericht gehen wollte, sprach er ihn an und sagte: „Aus welcher Stadt bist du?" Wenn der dann antwortete: „Dein Knecht ist aus einem der Stämme Israels," sagte Abschalom zu ihm:

„Was du sagst, ist ja gut und recht, aber beim König gibt es niemand, der dich anhört." Und Abschalom fügte hinzu: „Würde mich doch jemand zum Richter im Land machen, damit jeder, der einen Streit oder eine Rechtssache hat, zu mir kommt, ich würde ihm Recht verschaffen." Ging dann einer auf ihn zu, um vor ihm niederzufallen, dann streckte er die Hand aus, hielt ihn fest und küßte ihn. So machte es Abschalom bei allen Israeliten, die zum König vor Gericht gehen wollten, und so stahl er sich in das Herz der Israeliten.
Nach vier Jahren sagte Abschalom zum König: „Ich möchte nach Hebron gehen, um ein Gelübde zu erfüllen, das ich dem Herrn abgelegt habe: Wenn der Herr mich wirklich nach Jerusalem zurückkehren läßt, dann will ich für den Herrn einen Gottesdienst feiern." Der König antwortete ihm: „Geh in Frieden." Da brach Abschalom auf und ging nach Hebron. Doch von dort schickte er Boten an alle Stämme Israels und ließ ihnen sagen: „Wenn ihr den Klang des Widderhorns hört, dann sollt ihr rufen: Abschalom ist König in Hebron." Zweihundert Männer aus Jerusalem waren mit Abschalom gegangen. Er hatte sie eingeladen, und sie waren mit ihm gezogen, ohne von der ganzen Sache etwas zu ahnen. Als er seine Opfer darbrachte, ließ Abschalom auch den Berater Davids aus seiner Heimatstadt kommen. So wurde die Verschwörung immer größer, und immer mehr Leute schlossen sich Abschalom an.
(2 Sam 15)

Davids Flucht aus Jerusalem

Als ein Bote kam und David meldete: „Das Herz der Israeliten hat sich Abschalom zugewandt!", sagte David zu allen seinen Dienern, die noch bei ihm in Jerusalem waren: „Auf, wir müssen fliehen, denn für uns gibt es keine Rettung vor Abschalom. Beeilt euch mit dem Aufbruch, sonst kommt er und holt uns ein, bringt Unglück über uns und schlägt die Stadt mit scharfem Schwert."
Die Diener des Königs sagten zu ihm: „Ganz wie der Herr und König sich entscheidet. Hier sind deine Knechte." So zog der König fort, und sein ganzes Haus folgte ihm.
Als der König mit den Leuten, die ihm folgten, fortzog, blieben sie beim letzten Haus stehen und alle seine Diener zogen an ihm vorüber. Alle weinten laut, als die Leute an David vorüberzogen. Dann überschritt

der König den Bach Kidron, und alle zogen weiter auf dem Weg zur Steppe.
Auch Zadok und all die Leviten um ihn, die die Bundeslade Gottes trugen, waren dabei. Sie stellten die Lade Gottes nieder, und Abjatar brachte Opfer dar, bis alle Leute aus der Stadt vollzählig an David vorübergezogen waren. Der König sagte zu Zadok: „Bring die Lade Gottes in die Stadt zurück! Wenn ich vor den Augen des Herrn Gnade finde, dann wird er mich zurückführen und mich die Lade und ihre Stätte wiedersehen lassen. Wenn er aber sagt: Ich habe an dir keinen Gefallen!, gut, dann mag er mit mir machen, was ihm gefällt." Und weiter sagte der König zu dem Priester Zadok: „Siehst du das ein? Kehr in Frieden in die Stadt zurück!" Darauf brachte Zadok die Lade Gottes nach Jerusalem zurück und blieb dort.
David stieg weinend und mit verhülltem Haupte den Ölberg hinauf. Er ging barfuß, und alle Leute, die bei ihm waren, verhüllten ihr Haupt und zogen weinend hinauf.
(2 Sam 15)

Abschaloms Tod

Abschalom war mit dem ganzen Heer der Israeliten nach Jerusalem gekommen.
Der Kampf breitete sich über die ganze dortige Gegend aus, und der Wald verschlang an jenem Tag mehr Krieger als das Schwert. Plötzlich kam Abschalom in das Blickfeld der Krieger Davids; er ritt auf einem Maultier. Als das Maultier unter den Ästen einer großen Eiche hindurchlief, blieb Abschalom mit dem Kopf fest an der Eiche hängen, so daß er zwischen Himmel und Erde schwebte und das Maultier unter ihm weglief. Jemand sah es und meldete dem Feldherrn Joab: „Ich habe gerade Abschalom an einer Eiche hängen sehen." Davids Feldherr Joab nahm drei Spieße in die Hand und stieß sie Abschalom, der noch lebend an der Eiche hing, ins Herz.
Ein Kuschiter kam und meldete David: „Mein Herr, der König, lasse sich die gute Nachricht bringen, daß der Herr dir heute Recht verschafft hat gegenüber allen, die sich gegen dich erhoben hatten." Der König fragte den Kuschiter: „Geht es dem Jungen, Abschalom, gut?" Der Kuschiter antwortete: „Wie dem jungen Mann möge es allen Feinden

meines Herrn, des Königs, ergehen, allen, die sich in böser Absicht gegen dich erhoben haben."
Da zuckte der König zusammen, stieg in den oberen Raum des Tores hinauf und weinte. Während er hinaufging, rief er immer wieder: „Mein Sohn Abschalom, mein Sohn, mein Sohn Abschalom! Wäre ich doch an deiner Stelle gestorben, Abschalom, mein Sohn, mein Sohn."
Man meldete Joab: „Der König weint und trauert um Abschalom."
So wurde der Tag der Rettung für das ganze Volk zu einem Trauertag. Denn die Leute hörten an diesem Tag: Der König ist voll Schmerz wegen seines Sohnes.
(2 Sam 16; 18)

Davids letzte Anordnungen und sein Tod

Als die Zeit herankam, da David sterben sollte, ermahnte er seinen Sohn Salomo: „Ich gehe nun den Weg alles Irdischen. Sei also stark und mannhaft! Erfüll deine Pflicht gegen den Herrn, deinen Gott: Geh auf seinen Wegen, und befolg alle Gebote, Befehle, Satzungen und Anordnungen, die im Gesetz des Mose niedergeschrieben sind. Dann wirst du Erfolg haben bei allem, was du tust, und in allem, was du unternimmst. Und der Herr wird sein Wort wahr machen, das er mir gegeben hat, als er sagte: Wenn deine Söhne auf ihren Weg achten und aufrichtig mit ganzem Herzen und ganzer Seele vor mir leben, wird es dir nie an Nachkommen auf dem Thron Israels fehlen."
David entschlief zu seinen Vätern und wurde in der Davidstadt begraben. Die Zeit, in der David über Israel König war, betrug vierzig Jahre. In Hebron regierte er sieben und in Jerusalem dreiunddreißig Jahre. Salomo saß nun auf dem Thron seines Vaters David, und seine Herrschaft festigte sich mehr und mehr.
(1 Kön 2)

König Salomo

Salomos Bitte um Weisheit

Salomo liebte den Herrn und befolgte die Gebote seines Vaters David. In Gibeon erschien der Herr dem Salomo nachts im Traum und forderte ihn auf: „Sprich eine Bitte aus, die ich dir gewähren soll." Salomo antwortete: „Du hast deinem Knecht David, meinem Vater, große Huld erwiesen; denn er lebte vor dir in Treue, in Gerechtigkeit und mit aufrichtigem Herzen. Du hast ihm diese große Huld bewahrt und ihm einen Sohn geschenkt, der heute auf seinem Thron sitzt. So hast du jetzt, Herr, mein Gott, deinen Knecht anstelle meines Vaters David zum König gemacht. Doch ich bin noch sehr jung und weiß nicht, wie ich mich als König verhalten soll. Dein Knecht steht aber mitten in deinem Volk, das du erwählt hast: einem großen Volk, das man wegen seiner Menge nicht zählen und nicht schätzen kann. Verleih daher deinem Knecht ein hörendes Herz, damit er dein Volk regieren und das Gute vom Bösen zu unterscheiden versteht. Wer könnte sonst dieses mächtige Volk regieren?" Es gefiel dem Herrn, daß Salomo diese Bitte aussprach. Daher antwortete ihm Gott: „Weil du gerade diese Bitte ausgesprochen hast und nicht um langes Leben, Reichtum oder um den Tod deiner Feinde, sondern um Einsicht gebeten hast, um auf das Recht zu hören, werde ich deine Bitte erfüllen. Sieh, ich gebe dir ein so weises und verständiges Herz, daß keiner vor dir war und keiner nach dir kommen wird, der dir gleicht. Aber auch das, was du nicht erbeten hast, will ich dir geben: Reichtum und Ehre, so daß zu deinen Lebzeiten keiner unter den Königen dir gleicht. Wenn du auf meinen Wegen gehst, meine Gesetze und Gebote befolgst wie dein Vater David, dann schenke ich dir ein langes Leben." Da erwachte Salomo und merkte, daß es ein Traum war. Als er nach Jerusalem kam, trat er vor die Bundeslade des Herrn, brachte Brand- und Heilsopfer dar und gab ein Festmahl für alle seine Diener.
(1 Kön 3)

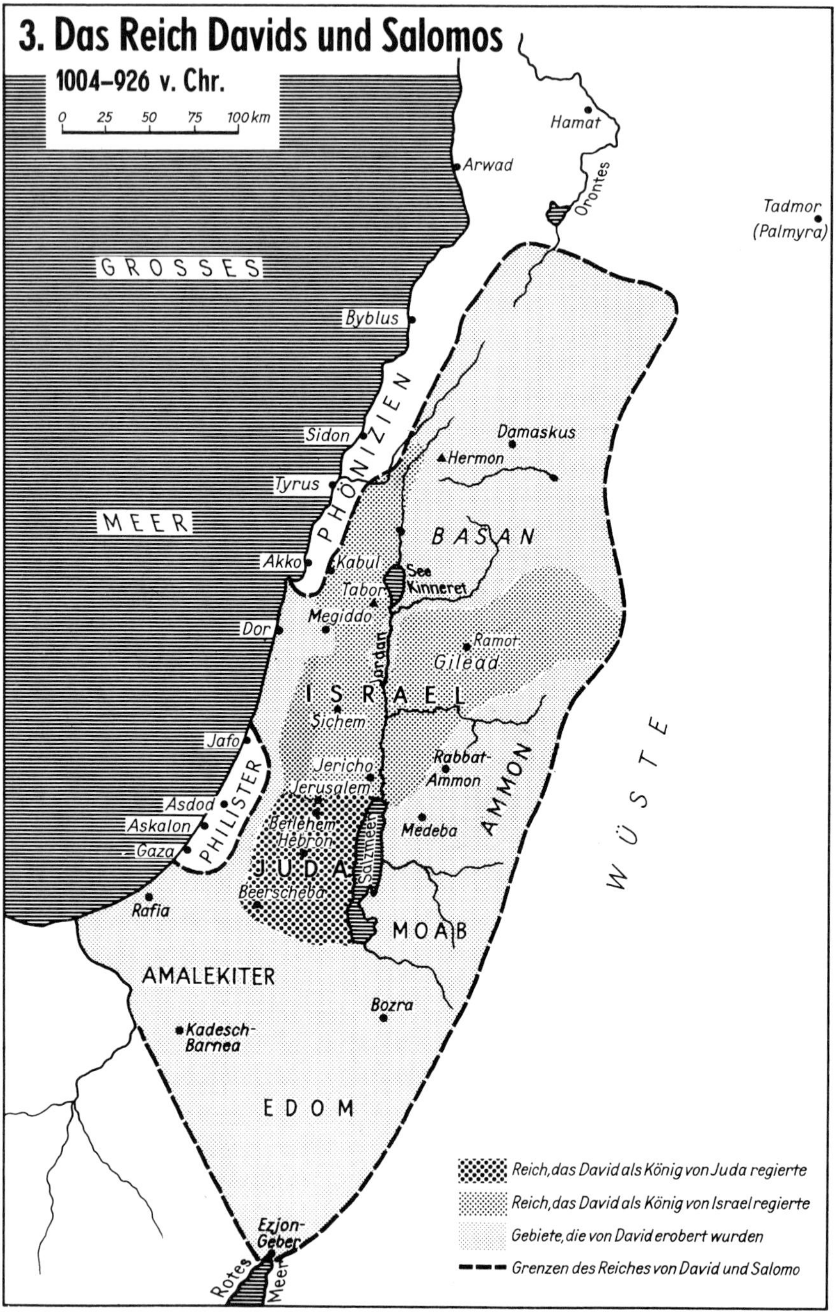
3. Das Reich Davids und Salomos
1004–926 v. Chr.
0 25 50 75 100 km
Hamat
Arwad
Orontes
Tadmor
(Palmyra)
GROSSES
MEER
Byblus
PHÖNIZIEN
Sidon
Tyrus
Damaskus
Hermon
BASAN
Akko
Kabul
See Kinneret
Tabor
Megiddo
Dor
Ramot
Gilead
ISRAEL
Jordan
Sichem
Jafo
Jericho
Jerusalem
Rabbat-Ammon
AMMON
WÜSTE
PHILISTER
Asdod
Askalon
Gaza
Betlehem
Hebron
Medeba
Salzmeer
JUDA
Beerscheba
Rafia
MOAB
AMALEKITER
Bozra
Kadesch-Barnea
EDOM
Ezjon-Geber
Rotes Meer
Reich, das David als König von Juda regierte
Reich, das David als König von Israel regierte
Gebiete, die von David erobert wurden
Grenzen des Reiches von David und Salomo

Das salomonische Urteil

Damals kamen zwei Dirnen und traten vor den König. Die eine sagte: „Bitte, Herr, ich und diese Frau wohnen im gleichen Haus, und ich habe dort in ihrem Beisein geboren. Am dritten Tag nach meiner Niederkunft gebar auch diese Frau. Wir waren beisammen; kein Fremder war bei uns im Haus, nur wir beide waren dort. Nun starb der Sohn dieser Frau während der Nacht; denn sie hatte ihn im Schlaf erdrückt. Sie stand mitten in der Nacht auf, nahm mir mein Kind weg, während deine Magd schlief, und legte es an ihre Seite. Ihr totes Kind aber legte sie an meine Seite. Als ich am Morgen aufstand, um mein Kind zu stillen, war es tot. Als ich es aber am Morgen genau ansah, war es nicht mein Kind, das ich geboren hatte." Da rief die andere Frau: „Nein, mein Kind lebt, und dein Kind ist tot." Doch die erste entgegnete: „Nein, dein Kind ist tot, und mein Kind lebt." So stritten sie vor dem König. Da begann der König: „Diese sagt: Mein Kind lebt, und dein Kind ist tot! und jene sagt: Nein, dein Kind ist tot, und mein Kind lebt." Und der König fuhr fort: „Holt mir mein Schwert!" Man brachte es vor den König. Nun entschied er: „Schneidet das lebende Kind entzwei, und gebt eine Hälfte der einen und eine Hälfte der anderen!" Doch nun bat die Mutter des lebenden Kindes den König – es regte sich nämlich in ihr die mütterliche Liebe zu ihrem Kind: „Bitte, Herr, gebt ihr das lebende Kind, und tötet es nicht!" Doch die andere rief: „Es soll weder mir noch dir gehören. Zerteilt es!" Da befahl der König: „Gebt jener das lebende Kind, und tötet es nicht; denn sie ist seine Mutter."
Ganz Israel hörte von dem Urteil, das der König gefällt hatte, und sie schauten mit Ehrfurcht zu ihm auf; denn sie erkannten, daß die Weisheit Gottes in ihm war, wenn er Recht sprach.
(1 Kön 3)

Der Tempelbau in Jerusalem

Salomo sprach: „Mein Vater David war durch Kriege verhindert, dem Namen des Herrn, seines Gottes, ein Haus zu bauen. Seine Feinde bedrängten ihn, bis der Herr sie ihm unter die Füße legte. Jetzt aber hat mir der Herr, mein Gott, ringsum Ruhe verschafft. Es gibt keine Widersacher mehr und keine Gefahr. Darum gedenke ich, dem Namen des

Herrn, meines Gottes, ein Haus zu bauen. Denn er hat meinem Vater David zugesagt: Dein Sohn, den ich an deiner Stelle auf deinen Thron setzen werde, wird meinem Namen das Haus bauen."
Im vierten Jahr der Regierung Salomos über Israel begann er das Haus des Herrn zu bauen. Das Haus, das König Salomo für den Herrn baute, war sechzig Ellen lang (31,5 m), zwanzig Ellen breit (10,5 m) und dreißig Ellen hoch (15,75 m). Die Vorhalle vor dem Hauptraum des Hauses war zwanzig Ellen breit und zehn Ellen tief in der Längsrichtung des Hauses. An die Wände des Hauptraumes und des hinteren Raumes legte er ringsum einen Anbau mit Kammern. Beim Bau des Hauses wurden Steine verwendet, die man schon im Steinbruch fertig behauen hatte. Hämmer, Meißel und sonstige eiserne Werkzeuge waren beim Bau des Hauses nicht zu hören. Über Treppen stieg man zum mittleren und vom mittleren zum dritten Stockwerk hinauf.
Das Wort des Herrn erging an Salomo: „Dieses Haus, das du baust, – wenn du meinen Geboten gehorchst und auf meine Vorschriften achtest und alle meine Befehle ausführst und befolgst, dann werde ich an dir das Wort wahr machen, das ich zu deinem Vater David gesprochen habe. Und ich werde inmitten der Israeliten wohnen und mein Volk Israel nicht verlassen."
So vollendete Salomo den Bau des Hauses. Er täfelte seine Innenwände mit Zedernholz aus. Vom Fußboden bis zu den Balken der Decke ließ er eine Holzvertäfelung anbringen. Den Fußboden belegte er mit Zypressenholz. Zwanzig Ellen vor der Rückseite des Hauses errichtete er vom Fußboden bis zum Gebälk eine Wand aus Zedernholz und schuf so die Gotteswohnung, das Allerheiligste. Vierzig Ellen lang war der davorliegende Hauptraum. Im Innern hatte das Haus Zedernverkleidung mit eingeschnitzten Blumengewinden und Blütenranken. Alles war aus Zedernholz, kein Stein war zu sehen. Im Innern des Hauses richtete er die Gotteswohnung ein, um die Bundeslade des Herrn aufstellen zu können. Auch ließ er den Altar aus Zedernholz herstellen. Das Innere des Hauses ließ Salomo mit bestem Gold auskleiden, und vor der Gotteswohnung ließ er goldene Ketten anbringen. Auch den Altar vor der Gotteswohnung überzog er ganz mit Gold.
In der Gotteswohnung ließ er zwei Kerubim aus Olivenholz anfertigen. Ihre Höhe betrug zehn Ellen. Und von einem Flügelende bis zum anderen waren es zehn Ellen. Beide hatten gleiches Maß und gleiche Gestalt. Salomo stellte die Kerubim mitten in den innersten Raum. Ihre Flügel

waren so ausgespannt, daß der Flügel des einen Kerubs die eine Wand, der Flügel des zweiten Kerubs die andere Wand, die Flügel in der Mitte des Raumes aber einander berührten. Er ließ die Kerubim mit Gold überziehen.

Tempel Salomos, eine Rekonstruktion

Für den Eingang zur Gotteswohnung ließ er Türflügel aus Olivenholz anfertigen. Ebenso ließ er für den Eingang zum Hauptraum Türpfosten aus Olivenholz anfertigen, dazu zwei Türflügel aus Zypressenholz. Jeder Türflügel hatte zwei drehbare Teile. Salomo legte den inneren Hof an und umgab ihn mit einer Mauer aus drei Lagen Quadern und einer Lage Zedernbalken. Das Haus wurde mit all seinem Zubehör vollendet, ganz so, wie es geplant war. Sieben Jahre hatte man an ihm gebaut.
Ein Bronzeschmied formte zwei bronzene Säulen. Er stellte die Säulen an der Vorhalle des Tempels auf. Dann machte er das „Meer". Es wurde aus Bronze gegossen und maß zehn Ellen von einem Rand zum anderen und war völlig rund. Das Meer stand auf zwölf Rindern. Von ihnen schauten drei nach Norden, drei nach Westen, drei nach Süden und drei nach Osten. Das Meer ruhte oben auf den Rindern. Ihre Hinterteile waren nach innen gekehrt. Der Schmied machte zehn fahrbare Gestelle aus Bronze, dazu zehn bronzene Kessel. Für jedes der zehn Gestelle war ein Kessel bestimmt. Auch machte der Schmied Töpfe, Schaufeln und Schalen.

Salomo ließ alle Geräte, die zum Haus des Herrn gehörten, anfertigen: den goldenen Altar, den goldenen Tisch, auf den man die Schaubrote legte, die fünf Leuchter auf der rechten und die fünf Leuchter auf der linken Seite vor der Gotteswohnung, dazu die goldenen Blüten, Lampen und Dochtscheren, ferner die Becken, Schalen, Schüsseln, Messer und Pfannen – alles aus bestem Gold. So wurden alle Arbeiten, die König Salomo für das Haus des Herrn ausführen ließ, vollendet. Dann brachte er die Weihegaben seines Vaters David hinein und legte das Silber, das Gold und die Geräte in die Schatzkammern des Hauses des Herrn.
(1 Kön 5-7)

Einzug der Bundeslade in den Tempel

Damals versammelte Salomo die Ältesten Israels, alle Stammesführer und die Häupter der israelitischen Großfamilien bei sich in Jerusalem, um die Bundeslade des Herrn aus der Stadt Davids – das ist Zion – heraufzuholen. In Gegenwart aller Ältesten Israels nahmen die Priester die Lade und brachten sie zugleich mit dem Offenbarungszelt hinauf. König Salomo aber und die ganze Gemeinde Israels, die bei ihm vor der Lade versammelt war, schlachteten die Schafe und Rinder, die man wegen ihrer Menge nicht zählen konnte. Darauf stellten die Priester die Bundeslade des Herrn an ihren Platz, in die Gotteswohnung des Hauses, in das Allerheiligste, unter die Flügel der Kerubim. In der Lade befanden sich nur die zwei steinernen Tafeln, die Mose am Horeb hineingelegt hatte, die Tafeln des Bundes, den der Herr mit den Israeliten beim Auszug aus Ägypten geschlossen hatte. Als dann die Priester aus dem Heiligtum traten, erfüllte die Wolke das Haus des Herrn. Damals sagte Salomo: „Der Herr hat die Sonne an den Himmel gesetzt, er selbst wollte im Dunkel wohnen. Ich habe ein fürstliches Haus für dich gebaut, eine Wohnstätte für ewige Zeiten."
Dann trat Salomo in Gegenwart der ganzen Versammlung Israels vor den Altar des Herrn, breitete seine Hände zum Himmel aus und betete: „Herr, Gott Israels, im Himmel oben und auf der Erde unten gibt es keinen Gott, der so wie du Bund und Huld seinen Knechten bewahrt, die mit ungeteiltem Herzen vor ihm leben. Wohnt denn Gott wirklich auf der Erde? Siehe, selbst der Himmel und die Himmel der Himmel fassen

dich nicht, viel weniger dieses Haus, das ich gebaut habe. Achte auf das Flehen deines Knechtes und deines Volkes Israel, wenn sie an dieser Stätte beten. Höre sie im Himmel, dem Ort, wo du wohnst. Höre sie und verzeih!"

Als Salomo dieses flehentliche Gebet zum Herrn beendet hatte, trat er vor die ganze Versammlung Israels, segnete sie und rief mit lauter Stimme: „Gepriesen sei der Herr, der seinem Volk Israel Ruhe geschenkt hat, wie er es versprochen hat. Der Herr, unser Gott, sei mit uns, wie er mit unseren Vätern war. Er lenke unsere Herzen zu sich hin, damit wir auf seinen Wegen gehen und die Gebote, Befehle und Anordnungen befolgen, die er unseren Vätern gegeben hat. Möge er seinem Knecht und seinem Volk Israel Recht verschaffen, damit alle Völker der Erde erkennen, daß niemand Gott ist als der Herr allein. Euer Herz bleibe ungeteilt beim Herrn, unserem Gott!"

Dann brachten der König und mit ihm ganz Israel vor dem Herrn Opfer dar. Salomo feierte damals mit ganz Israel das Laubhütten-Fest sieben Tage lang. Am achten Tag entließ er das Volk. Sie priesen den König und gingen zu ihren Zelten, frohen Mutes und voll Freude über all das Gute, das der Herr an seinem Knecht David und seinem Volk Israel getan hatte.

(1 Kön 8)

Propheten in Israel

Unter den Königen Saul und David war Israel sehr stark geworden. König Salomo brachte das Land mit seiner Weisheit zu Wohlstand und Reichtum. Alle Völker ringsum kannten und achteten Israel. Zudem war das Land der Israeliten ein Kreuzungspunkt wichtiger Handelsstraßen und lag nahe am Mittelmeer. So blickten viele Herrscher benachbarter Völker mit Neid und Begierde auf das auserwählte Volk.

Die Israeliten selbst sahen den Grund für ihre Stärke und ihren Wohlstand in der Treue Gottes zu seinem Volk. Sie wußten, daß ihr Land nur dann schwach werden konnte, wenn das Volk den Glauben an Gott verlor. Deshalb mußten sie sich davor hüten, die Lebensweise der heidnischen Völker anzunehmen. Da sie jedoch schon das Königtum von ihnen übernommen hatten, drohte die Gefahr, sich auch ihrer Religion anzupassen. Zudem konnte man sich die Götter der Heiden besser vorstellen als den unsichtbaren Jahwe. Sie verehrten Götter für den Krieg und für den Frieden. Götter für die Fruchtbarkeit von Feld und Herde. Götter für Glück und Unglück. Jeder wußte, daß man diese Götter auf bestimmten Bergkuppen oder bei Quellen finden konnte. Es war klar, wohin man sich in Freud und Leid wenden konnte. Als solche Götter galten auch die Baalsgottheiten, für deren Verehrung die Baalspriester in den heidnischen Völkern ringsum sorgten. Im Laufe der Zeit wandten sich auch viele Israeliten diesen Göttern zu. Sie vergaßen den einzigen Gott, der sie aus der Knechtschaft Ägyptens befreit hatte.

Nach dem Tod von König Salomo zerfiel das Königreich Israel in zwei Teile: in das Nordreich, das Israel genannt wurde, und in das Südreich mit dem Namen Juda. Die Hauptstadt von Juda war Jerusalem; im Nordreich wurde später Samaria zum Sitz des Königs. Die Teilung Israels war für alle, die das Land gern erobert hätten, ein günstiges Zeichen. Wiederholt fielen sie in Israel oder Juda ein. Ganze Teile des Volkes wurden in die Verbannung geführt.

In dieser Zeit standen immer wieder Propheten auf. Sie mahnten das Volk, am Bund mit Jahwe festzuhalten. Sie setzten sich mit den anderen Glaubensrichtungen auseinander. Sie sprachen dem Volk Mut zu, wenn es vor seinen Feinden fliehen wollte. Sie trösteten es, wenn es unter Fremdherrschaft geriet oder gar in fremde Länder verschleppt wurde.

Elija

Der Prophet Elija lebte zur Zeit des Königs Ahab im Nordreich Israel, der dort von 873 bis 853 v. Chr. herrschte. Ahab hatte eine Frau aus Phönizien geheiratet, die am heidnischen Glauben ihres Volkes festhielt. Sie ließ Opferstätten für die Baalsgottheiten errichten. König Ahab neigte dazu, diesen Gottheiten zu vertrauen. Im Volk entstand dadurch große Verwirrung. Wem sollte man glauben? Elija ermahnte im Namen Gottes den König und bestärkte das Volk im Glauben an Jahwe. Er tat das mit solcher Kraft, daß noch heute viele Juden auf seine Wiederkunft warten.

Elija am Bach Kerit

Der Prophet Elija aus Tischbe in Gilead sprach zu Ahab: „So wahr der Herr, der Gott Israels, lebt, in dessen Dienst ich stehe: In diesen Jahren sollen weder Tau noch Regen fallen, es sei denn auf mein Wort hin."
Danach erging das Wort des Herrn an Elija: „Geh weg von hier, wende dich nach Osten und verbirg dich am Bach Kerit östlich des Jordan! Aus dem Bach sollst du trinken, und den Raben habe ich befohlen, daß sie dich dort ernähren."
Elija ging weg und tat, was der Herr befohlen hatte; er begab sich zum Bach Kerit östlich des Jordan und ließ sich dort nieder. Die Raben brachten ihm Brot und Fleisch am Morgen und ebenso Brot und Fleisch am Abend; und er trank aus dem Bach.
Nach einiger Zeit aber vertrocknete der Bach; denn es fiel kein Regen im Land.
(1 Kön 17)

Elija in Sarepta

Da erging das Wort des Herrn an Elija: „Mach dich auf und geh nach Sarepta, das zu Sidon gehört, und bleib dort! Ich habe dort einer Witwe befohlen, dich zu versorgen."
Er machte sich auf und ging nach Sarepta. Als er an das Stadttor kam, traf er dort eine Witwe, die Holz auflas. Er bat sie: „Bring mir in einem

Gefäß ein wenig Wasser zum Trinken!" Als sie wegging, um es zu holen, rief er ihr nach: „Bring mir auch einen Bissen Brot mit!"
Doch sie sagte: „So wahr der Herr, dein Gott, lebt: ich habe nichts mehr vorrätig als eine Handvoll Mehl im Topf und ein wenig Öl im Krug. Ich lese hier ein paar Stücke Holz auf und gehe dann heim, um für mich und meinen Sohn etwas zuzubereiten. Das wollen wir noch essen, und dann sterben."
Elija entgegnete ihr: „Geh heim und tu, was du gesagt hast! Nur mache zuerst für mich ein kleines Gebäck und bring es zu mir heraus! Danach kannst du für dich und deinen Sohn etwas zubereiten. Denn so spricht der Herr, der Gott Israels:
Der Mehltopf wird nicht leer werden und der Ölkrug nicht versiegen bis zu dem Tag, an dem der Herr wieder Regen auf den Erdboden sendet."
Sie ging und tat, was Elija gesagt hatte. So hatte sie mit ihm und ihrem Sohn viele Tage zu essen. Der Mehltopf wurde nicht leer, und der Ölkrug versiegte nicht, wie der Herr durch Elija versprochen hatte.
Nach einiger Zeit erkrankte der Sohn der Witwe, der das Haus gehörte. Die Krankheit verschlimmerte sich so, daß zuletzt kein Atem mehr in ihm war. Da sagte sie zu Elija: „Was habe ich mit dir zu schaffen, Mann Gottes? Du bist nur zu mir gekommen, um an meine Sünde zu erinnern und meinem Sohn den Tod zu bringen.
Er antwortete ihr: „Gib mir deinen Sohn!" Und er nahm ihn von ihrem Schoß, trug ihn in das Obergemach hinauf, in dem er wohnte, und legte ihn auf sein Bett. Dann rief er zum Herrn und sagte: „Herr, mein Gott, willst du denn auch über die Witwe, in deren Haus ich wohne, Unheil bringen und ihren Sohn sterben lassen?" Hierauf streckte er sich dreimal über den Knaben hin, rief zum Herrn und flehte: „Herr, mein Gott, laß doch das Leben in diesen Knaben zurückkehren!" Der Herr erhörte das Gebet Elijas. Das Leben kehrte in den Knaben zurück und er lebte wieder auf. Elija nahm ihn, brachte ihn vom Obergemach in das Haus hinab und gab ihn seiner Mutter zurück mit den Worten: „Siehe, dein Sohn lebt."
Da sagte die Frau zu Elija: „Jetzt weiß ich, daß du ein Mann Gottes bist und daß das Wort des Herrn wirklich in deinem Mund ist."
(1 Kön 17)

Das Gottesurteil auf dem Berg Karmel

Nach langer Zeit – es war im dritten Jahr – erging das Wort des Herrn an Elija: „Geh und zeig dich dem Ahab! Ich will Regen auf die Erde senden." Da ging Elija hin, um sich Ahab zu zeigen. Die Hungersnot war groß in Samaria. Ahab ging Elija entgegen. Sobald er ihn sah, rief er aus: „Bist du es, Verderber Israels?" Elija entgegnete: „Nicht ich habe Israel ins Verderben gestürzt, sondern du und das Haus deines Vaters, weil ihr die Gebote des Herrn übertreten habt und den Baalen nachgelaufen seid. Doch schick jetzt Boten aus und versammle mir ganz Israel auf dem Karmel, auch die vierhundertfünfzig Propheten des Baal und die vierhundert Propheten der Aschera, die vom Tisch Isebels essen!"

Ahab schickte in ganz Israel umher und ließ die Propheten auf dem Berg Karmel zusammenkommen. Und Elija trat vor das ganze Volk und rief: „Wie lange noch schwankt ihr nach zwei Seiten? Wenn Jahwe der wahre Gott ist, dann folgt ihm! Wenn aber Baal es ist, dann folgt diesem!" Doch das Volk gab ihm keine Antwort.

Da sagte Elija zum Volk: „Ich allein bin als Prophet des Herrn übriggeblieben; die Propheten des Baal aber sind vierhundertfünfzig. Man gebe uns zwei Stiere. Sie sollen sich einen auswählen, ihn zerteilen und auf das Holz legen, aber kein Feuer anzünden. Ich werde den anderen zubereiten, auf das Holz legen und kein Feuer anzünden. Dann sollt ihr den Namen eures Gottes anrufen, und ich werde den Namen des Herrn anrufen. Der Gott, der mit Feuer antwortet, ist der wahre Gott." Da rief das ganze Volk: „Der Vorschlag ist gut."

Nun sagte Elija zu den Propheten des Baal: „Wählt ihr zuerst einen Stier aus und bereitet ihn zu; denn ihr seid die Mehrheit! Ruft dann den Namen eures Gottes an, entzündet aber kein Feuer!" Sie nahmen den Stier, den er ihnen überließ, und bereiteten ihn zu. Dann riefen sie vom Morgen bis zum Mittag den Namen des Baal an und schrien: „Baal, erhöre uns!" Doch es kam kein Laut, und niemand gab Antwort. Sie tanzten hüpfend um den Altar, den sie gebaut hatten. Um die Mittagszeit verspottete Elija sie und sagte: „Ruft lauter! Er ist doch Gott. Er könnte beschäftigt sein, könnte beiseite gegangen oder verreist sein. Vielleicht schläft er und wacht dann auf."

Sie schrien nun mit lauter Stimme. Nach ihrem Brauch ritzten sie sich mit Schwertern und Lanzen wund, bis das Blut an ihnen herabfloß. Als der Mittag vorüber war, verfielen sie in Raserei bis zu der Zeit, da man

das Speiseopfer darzubringen pflegt. Doch es kam kein Laut, keine Antwort, keine Erhörung.
Nun forderte Elija das ganze Volk auf: „Tretet her zu mir!" Sie kamen, und Elija baute den zerstörten Altar Jahwes wieder auf. Er nahm zwölf Steine, nach der Zahl der Stämme der Söhne Jakobs, zu dem der Herr gesagt hatte: „Israel soll dein Name sein." Er fügte die Steine zu einem Altar für den Namen des Herrn, zog rings um den Altar einen Graben. Sodann schichtete er das Holz auf, zerteilte den Stier und legte ihn auf das Holz. Nun befahl er: „Füllt vier Krüge mit Wasser und gießt es über das Brandopfer und das Holz!" Hierauf gebot er: „Tut es noch einmal!" Und sie wiederholten es. Dann sagte er: „Tut es zum drittenmal!" Und sie taten es zum drittenmal.
Das Wasser lief rings um den Altar. Auch den Graben füllte er mit Wasser.

Baalsfigur und kanaanitische Götterstatuen

Zu der Zeit nun, da man das Speiseopfer darzubringen pflegt, trat der Prophet Elija an den Altar und rief: „Herr, Gott Abrahams, Isaaks und Israels, heute soll man erkennen, daß du Gott bist in Israel, daß ich dein Knecht bin und all das in deinem Auftrag tue. Erhöre mich, Herr, erhöre mich! Dieses Volk soll erkennen, daß du, Herr, der wahre Gott bist und daß du sein Herz zur Umkehr wendest."
Da kam das Feuer des Herrn herab und verzehrte das Brandopfer, das Holz, die Steine und die Erde. Auch das Wasser im Graben leckte es auf. Das ganze Volk sah es, warf sich auf das Angesicht nieder und rief: „Jahwe ist Gott, Jahwe ist Gott!" Elija aber befahl ihnen: „Ergreift die Propheten des Baal! Keiner von ihnen soll entkommen!" Man ergriff sie, und Elija ließ sie zum Bach Kischon hinabführen und dort töten.
Dann sagte Elija zu Ahab: „Geh hinauf, iß und trink; denn ich höre das Rauschen des Regens."
Während Ahab wegging, um zu essen und zu trinken, stieg Elija zur Höhe des Karmel empor, kauerte sich auf den Boden nieder und legte seinen Kopf zwischen die Knie. Dann befahl er seinem Diener: „Geh hinauf und schau auf das Meer hinaus!"
Dieser ging hinauf, schaute hinaus und meldete: „Es ist nichts zu sehen." Elija befahl: „Geh noch einmal hinauf!" So geschah es siebenmal. Beim siebten Mal meldete der Diener: „Eine Wolke, klein wie eine Menschenhand, steigt aus dem Meer herauf."
Darauf sagte Elija: „Geh hinauf und sag zu Ahab: Spanne an und fahr hinab, damit der Regen dich nicht aufhält!"
Es dauerte nicht lange, da verfinsterte sich der Himmel durch Sturm und Wolken, und es fiel ein starker Regen. Ahab bestieg den Wagen und fuhr nach Jesreel. Über Elija aber kam die Hand des Herrn. Er gürtete sich und lief vor Ahab her bis dorthin, wo der Weg nach Jesreel abzweigt.
(1 Kön 18)

Elija am Gottesberg Horeb

Ahab erzählte Isebel alles, was Elija getan, auch daß er alle Propheten mit dem Schwert getötet habe. Sie schickte einen Boten zu Elija und ließ ihm sagen: „Die Götter sollen mir dies und das antun, wenn ich morgen

um diese Zeit dein Leben nicht dem Leben eines jeden von ihnen gleich mache."
Elija geriet in Angst, machte sich auf und ging weg, um sein Leben zu retten. Er kam nach Beerscheba in Juda und ließ dort seinen Diener zurück. Er selbst ging eine Tagereise weit in die Wüste hinein. Dort setzte er sich unter einen Ginsterstrauch und wünschte sich den Tod. Er sagte: „Nun ist es genug, Herr. Nimm mein Leben; denn ich bin nicht besser als meine Väter." Dann legte er sich unter den Ginsterstrauch und schlief ein. Doch ein Engel rührte ihn an und sprach: „Steh auf und iß!" Als er um sich blickte, sah er neben seinem Kopf Brot, das in glühender Asche gebacken war, und einen Krug Wasser. Er aß und trank und legte sich wieder hin.
Doch der Engel des Herrn kam zum zweitenmal, rührte ihn an und sprach: „Steh auf und iß! Sonst ist der Weg zu weit für dich." Da stand er auf, aß und trank und wanderte, durch diese Speise gestärkt, vierzig Tage und vierzig Nächte bis zum Gottesberg Horeb. Dort ging er in eine Höhle, um darin zu übernachten.
Da zog der Herr vorüber: Ein starker, heftiger Sturm, der die Berge zerriß und die Felsen zerbrach, ging dem Herrn voraus. Doch der Herr war nicht im Sturm. Nach dem Sturm kam ein Erdbeben. Doch der Herr war nicht im Erdbeben. Nach dem Beben kam ein Feuer. Doch der Herr war nicht im Feuer. Nach dem Feuer kam ein sanftes, leises Säuseln.
Als Elija es hörte, hüllte er sein Gesicht in den Mantel, trat hinaus und stellte sich an den Eingang der Höhle.
(1 Kön 19)

Neue Aufträge für Elija

Da vernahm er eine Stimme, die ihm zurief: „Was willst du hier, Elija?"
Er antwortete: „Mit Leidenschaft bin ich für den Herrn, den Gott der Heere, eingetreten, weil die Israeliten deinen Bund verlassen, deine Altäre zerstört und deine Propheten mit dem Schwert getötet haben. Ich allein bin übriggeblieben, und nun trachten sie auch mir nach dem Leben."
Der Herr antwortete ihm: „Geh deinen Weg durch die Wüste zurück und begib dich nach Damaskus! Bist du dort angekommen, salbe Hasaël zum König über Aram! Jehu, den Sohn Nimschis, sollst du zum

König von Israel salben, und Elischa, den Sohn Schafats aus Abel-Mehola, salbe zum Propheten an deiner Stelle! So wird es geschehen: Wer dem Schwert Hasaëls entrinnt, den wird Jehu töten. Und wer dem Schwert Jehus entrinnt, den wird Elischa töten. Ich werde in Israel siebentausend übriglassen, alle, deren Knie sich vor dem Baal nicht gebeugt und deren Mund ihn nicht geküßt hat."
(1 Kön 19)

Die Berufung Elischas

Als Elija von dort weggegangen war, traf er Elischa, den Sohn Schafats. Er war gerade mit zwölf Gespannen am Pflügen. Er selbst pflügte mit dem zwölften. Im Vorbeigehen warf Elija seinen Mantel über ihn. Sogleich verließ Elischa die Rinder, eilte Elija nach und bat ihn: „Laß mich noch meinem Vater und meiner Mutter den Abschiedskuß geben; dann werde ich dir folgen." Elija antwortete: „Geh, aber komm dann zurück! Bedenke, was ich an dir getan habe."
Elischa ging von ihm weg, nahm seine zwei Rinder und schlachtete sie. Mit dem Joch der Rinder kochte er das Fleisch und setzte es den Leuten zum Essen vor. Dann stand er auf, folgte Elija und trat in seinen Dienst.
(1 Kön 19)

Nabots Weinberg

Nabot aus Jesreel hatte einen Weinberg in Jesreel neben dem Palast Ahabs, des Königs von Samaria. Ahab verhandelte mit Nabot und schlug ihm vor: „Gib mir deinen Weinberg! Er soll mir als Gemüsegarten dienen; denn er liegt bei meinem Haus. Ich will dir dafür einen besseren Weinberg geben. Wenn es dir aber lieber ist, bezahle ich dir den Kaufpreis in Geld." Doch Nabot erwiderte: „Der Herr bewahre mich davor, daß ich dir das Erbe meiner Väter überlasse."
Darauf kehrte Ahab in sein Haus zurück. Er war mißmutig und verdrossen, weil Nabot aus Jesreel zu ihm gesagt hatte: „Ich werde dir das Erbe meiner Väter nicht überlassen." Er legte sich auf sein Bett, wandte das Gesicht zur Wand und wollte nicht essen. Seine Frau Isebel kam zu ihm herein und fragte: „Warum bist du mißmutig und willst nicht

essen?“ Er erzählte ihr: „Ich habe mit Nabot aus Jesreel verhandelt und ihm gesagt: Verkauf mir deinen Weinberg für Geld, oder wenn es dir lieber ist, gebe ich dir einen anderen dafür. Doch er hat geantwortet: Ich werde dir meinen Weinberg nicht geben.“ Da sagte seine Frau Isebel zu ihm: „Du bist doch jetzt Herr in Israel. Steh auf, iß und sei guter Dinge! Ich werde dir den Weinberg Nabots aus Jesreel verschaffen.“
Sie schrieb Briefe im Namen Ahabs, versah sie mit seinem Siegel und schickte sie an die Ältesten und Vornehmen, die mit Nabot zusammen in der Stadt wohnten. In den Briefen schrieb sie: „Ruft ein Fasten aus und laßt Nabot oben vor allem Volk Platz nehmen! Setzt ihm aber zwei nichtswürdige Männer gegenüber! Sie sollen gegen ihn als Zeugen auftreten und sagen: Du hast Gott und den König gelästert. Führt ihn dann hinaus und steinigt ihn zu Tode!“
Die Männer der Stadt, die Ältesten und Vornehmen, die mit ihm zusammen in der Stadt wohnten, taten, was Isebel ihnen geboten hatte, was in den Briefen stand, die sie ihnen gesandt hatte. Sie riefen ein Fasten aus und ließen Nabot oben vor allem Volk Platz nehmen. Es kamen aber auch die beiden nichtswürdigen Männer und setzten sich ihm gegenüber. Sie standen vor dem Volk als Zeugen gegen Nabot auf und sagten: „Nabot hat Gott und den König gelästert.“ Sogleich führte man ihn aus der Stadt hinaus und steinigte ihn zu Tode.
Darauf ließen sie Isebel melden: „Nabot wurde gesteinigt und ist tot.“ Sobald sie hörte, daß Nabot gesteinigt wurde und tot war, sagte sie zu Ahab: „Auf, nimm den Weinberg Nabots aus Jesreel in Besitz, den er dir für Geld nicht verkaufen wollte; denn Nabot lebt nicht mehr; er ist tot.“ Als Ahab hörte, daß Nabot tot war, stand er auf und ging zum Weinberg Nabots aus Jesreel hinab, um von ihm Besitz zu ergreifen. Da erging das Wort des Herrn an Elija aus Tischbe: „Mach dich auf und geh Ahab, dem König von Israel, entgegen, der in Samaria seinen Wohnsitz hat. Er ist zum Weinberg Nabots hinabgegangen, um von ihm Besitz zu ergreifen. Sag ihm: So spricht der Herr: Durch einen Mord bist du Erbe geworden? Weiter sag ihm: So spricht der Herr: An der Stelle, wo die Hunde das Blut Nabots geleckt haben, werden Hunde auch dein Blut lecken.“
Als Ahab diese Drohungen hörte, zerriß er seine Kleider, trug ein Bußgewand auf dem bloßen Leib, fastete, schlief im Bußgewand und ging bedrückt umher.
(1 Kön 21)

4. Die geteilten Reiche Israel und Juda
um 800 v. Chr.

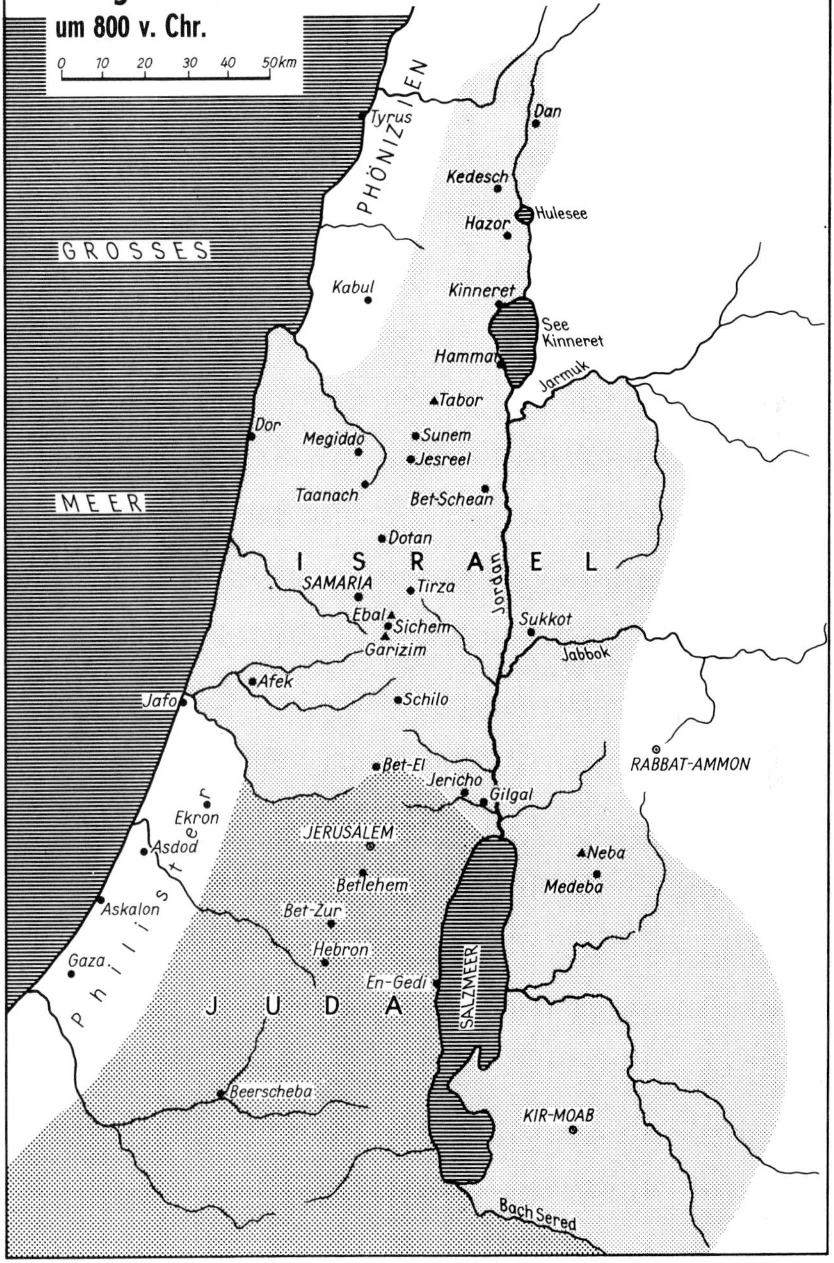

Jesaja

Den Propheten lag nicht nur die religiöse Verehrung Jahwes am Herzen. Auch die Gestaltung des praktischen Lebens aus dem Glauben an den einen Gott war ihnen wichtig. So kritisiert der Prophet Amos um das Jahr 750 v. Chr. die Mächtigen im Nordreich Israel:

„Weil ihr von den Hilflosen Pachtgeld annehmt und ihr Getreide mit Steuern belegt, darum baut ihr Häuser aus behauenen Steinen – aber ihr werdet nicht darin wohnen; ihr legt euch prächtige Weinberge an – und werdent den Wein nicht trinken. Denn ich kenne eure vielen Vergehen und eure zahlreichen Sünden. Ihr bringt den Unschuldigen in Not, ihr laßt euch bestechen und weist den Armen ab vor Gericht" (Amos 7,11-12).

Solche Worte zeigen die Unabhängigkeit der Propheten von den Mächtigen im Land, aber auch ihre Gefährdung durch sie:

Amazja, der Priester von Bet-El, ließ Jerobeam, dem König von Israel, melden: „Mitten im Haus Israel ruft Amos zum Aufruhr gegen dich auf; seine Worte sind unerträglich für das Land. Denn so sagt Amos: Jerobeam stirbt durch das Schwert, und Israel muß sein Land verlassen und in die Verbannung ziehen." Zu Amos aber sagte Amazja: „Geh, Seher, flüchte ins Land Juda! Iß dort dein Brot, und tritt dort als Prophet auf! In Bet-El darfst du nicht mehr als Prophet reden; denn das hier ist ein Heiligtum des Königs und ein Reichstempel." Amos antwortete Amazja: „Ich bin kein Prophet und kein Prophetenschüler, sondern ich bin ein Viehzüchter, und ich ziehe Maulbeerfeigen. Aber der Herr hat mich von meiner Herde weggeholt und zu mir gesagt: Geh und rede als Prophet zu meinem Volk Israel!" (Amos 7,10-15)

Wenig später lebte und wirkte im Südreich Juda der Prophet Jesaja. Damals lag König Ahas (734-728 v. Chr.) im Streit mit dem Nordreich Israel. Deshalb suchte er Verbündete im mächtigen Reich der Assyrer. Jesaja warnte ihn davor. Er kündigte großes Unheil für Juda an und tröstete zugleich den getreuen Rest des Volkes.

Im Jahr 722 v. Chr. wurde Samaria durch die Assyrer erobert. Das Nordreich Israel ging unter. Nun wurde das Südreich Juda auch Israel genannt.

Die Berufung des Propheten

Im Todesjahr des Königs Usija sah ich den Herrn. Er saß auf einem hohen und erhabenen Thron. Der Saum seines Gewandes füllte den Tempel aus. Serafim standen über ihm. Jeder hatte sechs Flügel. Mit zwei Flügeln bedeckten sie ihr Gesicht, mit zwei bedeckten sie ihre Füße, und mit zwei flogen sie. Sie riefen einander zu:
„Heilig, heilig, heilig ist der Herr der Heere. Von seiner Herrlichkeit ist die ganze Erde erfüllt." Die Türschwellen bebten bei ihrem lauten Ruf, und der Tempel füllte sich mit Rauch. Da sagte ich: „Weh mir, ich bin verloren! Denn ich bin ein Mann mit unreinen Lippen und lebe mitten in einem Volk mit unreinen Lippen, und meine Augen haben den König, den Herrn der Heere, gesehen."
Da flog einer der Serafim zu mir; er trug in seiner Hand eine glühende Kohle, die er mit einer Zange vom Altar genommen hatte. Er berührte damit meinen Mund und sagte: „Das hier hat deine Lippen berührt. Deine Schuld ist getilgt, deine Sünde gesühnt."
Danach hörte ich die Stimme des Herrn, der sagte: „Wen soll ich senden? Wer wird für uns gehen?" Ich antwortete: „Hier bin ich, sende mich!" Da sagte er:
„Geh und sag diesem Volk:
Hören sollt ihr, hören, aber nicht verstehen!
Sehen sollt ihr, sehen, aber nicht erkennen!
Verhärte das Herz dieses Volkes,
verstopf ihm die Ohren,
verkleb ihm die Augen,
damit es mit seinen Augen nicht sieht
und mit seinen Ohren nicht hört,
damit sein Herz nicht zur Einsicht kommt
und sich nicht bekehrt und nicht geheilt wird."
Ich fragte: „Wie lange, Herr?"
Er antwortete:
„Bis die Städte verödet sind und unbewohnt,
die Häuser menschenleer,
bis das Ackerland zur Wüste geworden ist.
Der Herr wird die Menschen weit weg treiben,
dann ist das Land leer und verlassen.
Bleibt darin noch ein Zehntel übrig –

Höhlen von Qumran am Westufer des Toten Meeres, in denen 1947 ein junger Beduine die ältesten bekannten Schriftrollen fand. Der bedeutendste Fund ist die Jesaja-Rolle aus dem 2. Jhdt. v. Chr.

auch sie werden schließlich vernichtet,
wie bei einer Eiche oder Terebinthe,
von der nur der Stumpf bleibt,
wenn man sie fällt.
Ihr Stumpf aber ist heiliger Same."
(Jes 6)

Warnung vor Unglauben und Untreue

Weiter sagte der Herr zu mir: „Weil dieses Volk die ruhig dahinfließenden Wasser von Schiloach verachtet und vor Rezin (dem König von Damaskus) und dem Sohn Remaljas (dem König von Israel) verzagt, daher wird der Herr die gewaltigen und großen Wasser des Eufrat – den König von Assur und seine ganze Macht – über sie dahinfluten lassen.
Tobt, ihr Völker!
Ihr werdet doch zerschmettert.
Horcht auf, ihr Enden der Erde!
Den Herrn der Heere sollt ihr heilig halten;
vor ihm sollt ihr euch fürchten,
vor ihm sollt ihr erschrecken.
Er wird das Heiligtum sein für die beiden Reiche Israels,
der Stein, an dem man anstößt,
der Felsen, an dem man zu Fall kommt."

Ich will diese Warnung sorgfältig bewahren
und die Lehre in meinen Jüngern wie mit einem Siegel verschließen.
Ich will auf den Herrn warten,
der jetzt sein Angesicht vor dem Haus Jakob verhüllt,
auf ihn will ich hoffen.
(Jes 8)

Der falsche und der wahre Gottesdienst

Hört das Wort des Herrn, ihr Herrscher von Sodom!
Vernimm die Weisung unseres Gottes, du Volk von Gomorra!
„Was soll ich mit euren vielen Schlachtopfern?",
spricht der Herr.

„Die Widder, die ihr als Opfer verbrennt,
und das Fett eurer Rinder habe ich satt;
das Blut der Stiere, der Lämmer und Böcke ist mir zuwider.
Wenn ihr kommt, um mein Angesicht zu schauen –
wer hat von euch verlangt, daß ihr meine Vorhöfe zertrampelt?
Bringt mir nicht länger sinnlose Gaben,
Rauchopfer, die mir ein Greuel sind.
Neumond und Sabbat und Festversammlung –
Frevel und Feste – ertrage ich nicht.
Eure Neumondfeste und Feiertage
sind mir in der Seele verhaßt,
sie sind mir zur Last geworden,
ich bin es müde, sie zu ertragen.
Wenn ihr eure Hände ausbreitet,
verhülle ich meine Augen vor euch.
Wenn ihr auch noch so viel betet,
ich höre es nicht.
Eure Hände sind voller Blut.
Wascht euch, reinigt euch! Laßt ab von eurem üblen Treiben!
Hört auf, vor meinen Augen Böses zu tun!
Lernt, Gutes zu tun!
Sorgt für das Recht!
Helft den Unterdrückten!
Verschafft den Waisen Recht,
tretet ein für die Witwen!"
(Jes 1)

Das Lied vom Weinberg

Ich will ein Lied singen von meinem geliebten Freund,
ein Lied vom Weinberg meines Liebsten.
„Mein Freund hatte einen Weinberg
auf einer fruchtbaren Höhe.
Er grub ihn um und entfernte die Steine
und bepflanzte ihn mit den edelsten Reben.
Er baute mitten darin einen Turm und hieb eine Kelter darin aus.
Dann hoffte er, daß der Weinberg süße Trauben brächte,

doch er brachte nur saure Beeren.
Nun sprecht das Urteil, Jerusalems Bürger und ihr Männer von Juda,
im Streit zwischen mir und dem Weinberg!
Was konnte ich noch für meinen Weinberg tun,
das ich nicht für ihn tat?
Warum hoffte ich denn auf süße Trauben?
Warum brachte er nur saure Beeren?
Jetzt aber will ich euch kundtun,
was ich mit meinem Weinberg mache:
Ich entferne seine schützende Hecke;
so wird er zur Weide.
Seine Mauer reiße ich ein;
dann wird er zertrampelt.
Zu Ödland will ich ihn machen.
Man soll seine Reben nicht schneiden
und soll ihn nicht hacken;
Dornen und Disteln werden dort wuchern.
Ich verbiete den Wolken, ihm Regen zu spenden."
Ja, der Weinberg des Herrn der Heere
ist das Haus Israel,
und die Männer von Juda sind die Reben,
die er zu seiner Freude gepflanzt hat.
Er hoffte auf Rechtsspruch –
doch siehe da: Rechtsbruch,
und auf Gerechtigkeit –
doch siehe da: Der Rechtlose schreit.
(Jes 5)

Weherufe über das trotzige Israel

Weh euch, die ihr Haus an Haus reiht
und Feld an Feld fügt,
bis kein Platz mehr da ist
und ihr allein im Land ansässig seid.
Meine Ohren hören das Wort des Herrn der Heere:
Wahrhaftig, alle eure Häuser sollen veröden.
Sie sollen unbewohnt sein.

Ein Weinberg von zehn Morgen bringt nur ein Bat Wein,
ein Hómer Saatgut bringt nur ein Efa Korn.
Weh euch, die ihr schon früh am Morgen
hinter dem Bier her seid
und sitzen bleibt bis spät in die Nacht,
wenn euch der Wein erhitzt.
Bei ihren Gelagen spielt man Zither und Harfe,
Pauken und Flöten;
aber was der Herr tut, beachten sie nicht,
was seine Hände vollbringen, sehen sie nicht.
Darum muß mein Volk in die Verbannung,
denn es hat keine Erkenntnis.
Seine Reichen sterben vor Hunger,
die Masse der Armen verschmachtet vor Durst.
Weh denen, die das Böse gut und das Gute böse nennen,
die die Finsternis zum Licht und das Licht zur Finsternis machen,
die das Bittere süß und das Süße bitter machen.
Weh denen, die in ihren eigenen Augen weise sind
und sich selbst für klug halten.
Weh denen, die Helden sind, wenn es gilt, Wein zu trinken,
und tapfer, wenn es gilt, starke Getränke zu brauen,
die den Schuldigen für Bestechungsgeld freisprechen,
und dem Gerechten sein Recht vorenthalten:
Darum: Wie des Feuers Zunge die Stoppeln frißt
und wie das Heu in der Flamme zusammensinkt,
so soll ihre Wurzel verfaulen
und ihre Blüte wie Staub aufgewirbelt werden.
Denn sie haben die Weisung des Herrn der Heere von sich gewiesen
und über das Wort des heiligen Gottes Israels gelästert.
(Jes 5)

Die Weissagung über den Immanuel

In der Zeit, als Ahas König von Juda war, meldete man ihm: „Aram hat sich mit Efraim verbündet.“ Da zitterte das Herz des Königs und das Herz seines Volkes, wie die Bäume des Waldes im Wind zittern.
Der Herr aber sagte zu Jesaja: „Geh hinaus, zusammen mit deinem

Sohn Schear-Jaschub (Ein Rest kehrt um) zur Walkerfeldstraße an das Ende der Wasserleitung des oberen Teiches, um Ahas zu treffen. Sage zu ihm: Bewahre die Ruhe, fürchte dich nicht! Dein Herz soll nicht verzagen wegen dieser beiden Holzscheite, dieser rauchenden Stummel. Zwar planen Aram, Efraim und der Sohn des Remalja Böses gegen dich und sagen: Wir wollen gegen Juda ziehen, es an uns reißen und für uns erobern; dann wollen wir den Sohn Tabeals zum König machen. Doch so spricht Gott, der Herr: Das kommt nicht zustande, das wird nicht geschehen. Denn das Haupt von Aram ist Damaskus, und das Haupt von Damaskus ist Rezin. Das Haupt von Efraim ist Samaria, und das Haupt von Samaria ist der Sohn des Remalja. Glaubt ihr nicht, so bleibt ihr nicht."
Der Herr sprach noch einmal zu Ahas; er sagte: „Erbitte dir vom Herrn, deinem Gott, ein Zeichen." Ahas antwortete: „Ich will um nichts bitten und den Herrn nicht auf die Probe stellen." Da sagte Jesaja: „Hört her, ihr vom Hause David. Dann wird euch der Herr von sich aus ein Zeichen geben: Seht, die Jungfrau wird ein Kind empfangen, sie wird einen Sohn gebären, und sie wird ihm den Namen Immanuel (Gott mit uns) geben."
(Jes 7)

Der Messias

Das Volk, das im Dunkel lebt,
sieht ein helles Licht;
über denen, die im Land der Finsternis wohnen,
strahlt ein Licht auf.

Du erregst lauten Jubel
und schenkst große Freude.
Man freut sich in deiner Nähe,
wie man sich freut bei der Ernte,
wie man jubelt, wenn Beute verteilt wird.
Denn wie am Tag von Midian zerbrichst du
das drückende Joch,
das Tragholz auf unserer Schulter und den Stock des Treibers.
Jeder Stiefel, der dröhnend daherstampft,
jeder Mantel, der mit Blut befleckt ist,
wird verbrannt, wird ein Fraß des Feuers.

Denn uns ist ein Kind geboren,
ein Sohn ist uns geschenkt.
Die Herrschaft liegt auf seiner Schulter,
und man nennt ihn „Wunderbarer Ratgeber",
„starker Gott", „Vater in Ewigkeit", „Fürst des Friedens".
Seine Herrschaft ist groß,
und der Friede hat kein Ende.
Auf dem Thron Davids herrscht er über sein Reich;
er festigt und stützt es durch Recht und Gerechtigkeit,
jetzt und für alle Zeiten.
Der leidenschaftliche Eifer des Herrn
der Heere wird das vollbringen.
(Jes 9)

Ankündigung des messianischen Reiches

Aus dem Baumstumpf Isais wächst ein Reis hervor,
ein junger Trieb aus seinen Wurzeln bringt Frucht.
Der Geist des Herrn läßt sich nieder auf ihm:
der Geist der Weisheit und der Einsicht,
der Geist des Rates und der Stärke,
der Geist der Erkenntnis und der Gottesfurcht.

Er richtet nicht nach dem Augenschein,
und nicht nur nach dem Hörensagen entscheidet er,
sondern er richtet die Hilflosen gerecht
und entscheidet für die Armen des Landes, wie es recht ist.

Er schlägt den Gewalttätigen mit dem Stock seines Wortes
und tötet den Schuldigen mit dem Hauch seines Mundes.
Gerechtigkeit ist der Gürtel um seine Hüften,
Treue ist der Gürtel um seinen Leib.

Dann wohnt der Wolf beim Lamm,
der Panther liegt beim Böcklein.
Kalb und Löwe weiden zusammen,
ein kleiner Knabe kann sie hüten.

Kuh und Bärin freunden sich an,
ihre Jungen liegen beieinander.
Der Löwe frißt Stroh wie das Rind.

Der Säugling spielt vor dem Schlupfloch der Natter,
das Kind streckt seine Hand in die Höhle der Schlange.
Man tut nichts Böses mehr und begeht kein Verbrechen
auf meinem ganzen heiligen Berg;
denn das Land ist erfüllt von der Erkenntnis des Herrn,
so wie das Meer mit Wasser gefüllt ist.

An jenem Tag wird es der Sproß aus der Wurzel Isais sein,
der dasteht als Zeichen für die Nationen;
die Völker suchen ihn auf,
sein Wohnsitz ist prächtig.

An jenem Tag wird der Herr seine Hand von neuem erheben,
um den übriggebliebenen Rest seines Volkes zurückzugewinnen.
Er stellt für die Völker ein Zeichen auf,
um die Zersprengten Israels wieder zu sammeln,
um die Zerstreuten Judas zusammenzuführen
von den vier Enden der Erde.
(Jes 11)

Frieden auf Erden

Am Ende der Tage wird es geschehen:
Der Berg mit dem Haus des Herrn
steht fest gegründet als höchster der Berge;
er überragt alle Hügel.
Zu ihm strömen alle Völker.
Viele Nationen machen sich auf den Weg. Sie sagen:
„Kommt, wir ziehen hinauf zum Berg des Herrn
und zum Haus des Gottes Jakobs. Er zeige uns seine Wege,
auf seinen Pfaden wollen wir gehen.
Denn von Zion kommt die Weisung des Herrn,
aus Jerusalem sein Wort.

Er spricht Recht im Streit der Völker,
er weist viele Nationen zurecht."
Dann schmieden sie Pflugscharen aus ihren Schwertern
und Winzermesser aus ihren Lanzen.
Man zieht nicht mehr das Schwert, Volk gegen Volk,
und übt sich nicht mehr für den Krieg.
Ihr vom Haus Jakob,
kommt, wir wollen unsere Wege gehen im Licht des Herrn!
(Jes 2)

Blühende Wüste Juda

Jeremia

Der Prophet Jeremia wirkte über hundert Jahre nach Jesaja von 627-586 v. Chr. in Jerusalem. Inzwischen waren die Babylonier (Chaldäer) die stärkste Weltmacht. Sie bedrohten den Rest Israels, das Südreich Juda. Jeremia erlebte, wie sie im Jahr 597 v. Chr. Tausende führende Leute in die Verbannung nach Babylon führten. Den Verbannten schrieb Jeremia in einem Brief, sie sollten nicht den Mut verlieren, sondern ihr Leben im fremden Land neu gestalten. Den König beschwor er, sich keine Verbündeten gegen Babylon zu suchen. Vielmehr sollte er sich – auf Gott vertrauend – in die Hand der Babylonier fallen lassen. Als der König sich jedoch anders entschied, blieb Jeremia dennoch bei seinem Volk. Im Jahr 587 v. Chr. eroberten die Babylonier Jerusalem, zerstörten die Stadt und verschleppten viele ihrer Einwohner nach Babylon. Einige entkamen nach Ägypten und nahmen Jeremia mit. Damit war auch das Südreich untergegangen.

Die Berufung Jeremias zum Propheten

Das Wort des Herrn erging an mich: „Noch ehe ich dich im Mutterleib formte, habe ich dich ausersehen; noch ehe du aus dem Mutterschoß hervorkamst, habe ich dich geheiligt; zum Propheten für die Völker habe ich dich bestimmt."
Da sagte ich: „Ach, mein Gott und Herr, ich kann doch nicht reden, ich bin ja noch so jung."
Aber der Herr erwiderte mir: „Sag nicht: Ich bin noch so jung! Wohin ich dich auch sende, dahin sollst du gehen, und was ich dir auftrage, das sollst du verkünden. Fürchte dich nicht vor ihnen; denn ich bin mit dir um dich zu retten. – Spruch des Herrn."
Dann streckte der Herr seine Hand aus, berührte meinen Mund und sprach zu mir: „Hiermit lege ich meine Worte in deinen Mund. Sieh her! Am heutigen Tag setze ich dich über Völker und Reiche; du sollst ausreißen und niederreißen, vernichten und einreißen, aufbauen und einpflanzen."
(Jer 1)

Zwei Visionen

Das Wort des Herrn erging an mich: „Was siehst du, Jeremia?" Ich antwortete: „Einen Mandelzweig sehe ich." Da sprach der Herr zu mir: „Du hast richtig gesehen; denn ich wache über mein Wort und führe es aus."
Abermals erging an mich das Wort des Herrn: „Was siehst du?" Ich antwortete: „Einen dampfenden Kessel sehe ich; sein Rand neigt sich von Norden her."
Da sprach der Herr zu mir: „Von Norden her ergießt sich das Unheil über alle Bewohner des Landes. Ja, ich rufe alle Stämme der Nordreiche

– Spruch des Herrn –, daß sie kommen und ihre Richterstühle an den Toreingängen Jerusalems aufstellen, gegen all seine Mauern ringsum und gegen alle Städte von Juda. Dann werde ich mein Urteil über sie sprechen und sie strafen für alles Böse, das sie getan haben, weil sie mich verlassen, anderen Göttern geopfert und das Werk ihrer eigenen Hände angebetet haben.
Du aber gürte dich, tritt vor sie hin und verkünde ihnen alles, was ich dir auftrage! Erschrick nicht vor ihnen, sonst setze ich dich vor ihren Augen in Schrecken! Ich selbst mache dich heute zur befestigten Stadt, zur eisernen Säule und zur ehernen Mauer gegen das ganze Volk, gegen die Könige, Beamten und Priester von Juda und gegen die Bürger des Landes. Mögen sie dich bekämpfen, sie werden dich nicht bezwingen; denn ich bin mit dir, um dich zu retten – Spruch des Herrn."

Die Tempelrede

Das Wort, das vom Herrn an Jeremia erging: „Stell dich an das Tor des Hauses des Herrn! Dort ruf dieses Wort aus und sprich: Hört das Wort des Herrn, ganz Juda, alle, die ihr durch diese Tore kommt, um dem Herrn zu huldigen. So spricht der Herr der Heere, der Gott Israels: Bessert euer Verhalten und euer Tun, dann will ich bei euch wohnen hier an diesem Ort. Vertraut nicht auf die trügerischen Worte: Der Tempel des Herrn, der Tempel des Herrn, der Tempel des Herrn ist hier! Denn nur wenn ihr euer Verhalten und euer Tun von Grund auf bessert, wenn ihr gerecht entscheidet im Rechtsstreit, wenn ihr die Fremden, die Waisen und Witwen nicht unterdrückt, unschuldiges Blut an diesem Ort nicht vergießt und nicht anderen Göttern nachlauft zu eurem eigenen Schaden, dann will ich bei euch wohnen hier an diesem Ort, in dem Land, das ich euren Vätern gegeben habe für ewige Zeiten. Freilich, ihr vertraut auf die trügerischen Worte, die nichts nützen. Wie? Stehlen, morden, die Ehe brechen, falsch schwören, dem Baal opfern und anderen Göttern nachlaufen, die ihr nicht kennt –, und dabei kommt ihr und tretet vor mein Angesicht in diesem Haus, über dem mein Name ausgerufen ist, und sagt: Wir sind geborgen!, um dann weiter alle jene Greuel zu treiben. Ist denn in euren Augen dieses Haus, über dem mein Name ausgerufen ist, eine Räuberhöhle geworden? Gut, dann betrachte auch ich es so – Spruch des Herrn.

Ich werde mit dem Haus, über dem mein Name ausgerufen ist und auf das ihr euch verlaßt, und mit der Stätte, die ich euch und euren Vätern gegeben habe, so verfahren, wie ich mit Schilo verfuhr. Verstoßen werde ich euch von meinem Angesicht."
Als Jeremia alles gesagt hatte, was er im Auftrag des Herrn vor dem ganzen Volk zu verkünden hatte, ergriffen ihn die Priester, die Propheten und alles Volk und schrien: „Jetzt mußt du sterben. Warum weissagst du im Namen des Herrn: Wie Schilo wird es diesem Haus gehen, und diese Stadt wird verwüstet und entvölkert werden?"
Jeremia aber erwiderte allen Beamten und dem ganzen Volk: „Der Herr hat mich gesandt, damit ich als Prophet gegen dieses Haus und diese Stadt alle Worte verkünde, die ihr gehört habt. Nun also, bessert euer Verhalten und euer Tun, und hört auf die Stimme des Herrn, eures Gottes! Dann wird den Herrn das Unheil reuen, das er euch angedroht hat. Ich selbst bin in eurer Hand; macht mit mir, was ihr für gut und recht haltet. Aber das sollt ihr wissen: Wenn ihr mich tötet, bringt ihr unschuldiges Blut über euch, über diese Stadt und ihre Einwohner. Denn der Herr hat mich wirklich zu euch gesandt, damit ich euch alle diese Worte in die Ohren rufe." Da sagten die Beamten und das ganze Volk zu den Priestern und Propheten: „Dieser Mann hat den Tod nicht verdient; denn er hat zu uns im Namen des Herrn, unseres Gottes, geredet."
(Jer 7; 26)

Gott und die Götzenbilder

Hört das Wort, das der Herr zu euch spricht,
ihr vom Haus Israel. So spricht der Herr:

„Gewöhnt euch nicht an den Weg der Völker,
erschreckt nicht vor den Zeichen des Himmels,
wenn auch die Völker vor ihnen erschrecken.
Denn die Gebräuche der Völker sind leerer Wahn.
Ihre Götzen sind nur Holz,
das man im Wald schlägt,
ein Werk aus der Hand des Schnitzers,
mit dem Messer verfertigt.

Er verziert es mit Silber und Gold,
mit Nagel und Hammer macht er es fest,
so daß es nicht wackelt.
Sie sind wie Vogelscheuchen im Gurkenfeld.
Sie können nicht reden;
man muß sie tragen, weil sie nicht gehen können.

Der Herr aber ist in Wahrheit Gott,
lebendiger Gott und ewiger König.
Er hat die Erde geschaffen durch seine Kraft,
den Erdkreis gegründet durch seine Weisheit,
durch seine Einsicht den Himmel ausgespannt.
Läßt er seine Stimme ertönen,
dann rauschen die Wasser am Himmel.
Wolken führt er herauf vom Rand der Erde;
er läßt es blitzen und regnen,
aus seinen Kammern entsendet er den Wind.

Töricht steht jeder Mensch da ohne Erkenntnis,
beschämt jeder Goldschmied mit seinem Götzenbild,
denn seine Bilder sind Trug,
kein Atem ist in ihnen.
Nichtig sind sie, ein Spottgebilde.
Zur Zeit ihrer Heimsuchung gehen sie zugrunde.

Anders der Gott, der Jakobs Anteil ist.
Denn er ist der Schöpfer des Alls
und Israel der Stamm, der ihm gehört.
Herr der Heere ist sein Name."
(Jer 10)

Das Gleichnis vom Töpfer

Das Wort, das vom Herrn an Jeremia erging: „Mach dich auf und geh zum Haus des Töpfers hinab! Dort will ich dir meine Worte mitteilen." So ging ich zum Haus des Töpfers hinab. Er arbeitete gerade mit der Töpferscheibe. Mißriet das Gefäß, das er in Arbeit hatte, wie es beim

Ton in der Hand des Töpfers vorkommen kann, so machte der Töpfer daraus wieder ein anderes Gefäß, ganz wie es ihm gefiel.
Da erging an mich das Wort des Herrn: „Kann ich nicht mit euch verfahren wie dieser Töpfer, Haus Israel? – Spruch des Herrn. Seht, wie der Ton in der Hand des Töpfers, so seid ihr in meiner Hand, Haus Israel. Bald drohe ich einem Volk oder einem Reich, es auszureißen, niederzureißen und zu vernichten. Kehrt aber das Volk, dem ich gedroht habe, um von seinem bösen Tun, so reut mich das Unheil, das ich ihm zugedacht hatte. Bald sage ich einem Volk oder einem Reich zu, es aufzubauen und einzupflanzen. Tut es aber dann, was mir mißfällt, und hört es nicht auf meine Stimme, so reut mich das Gute, das ich ihm zugesagt habe.
Und nun sag zu den Leuten von Juda und zu den Einwohnern Jerusalems: So spricht der Herr: Seht, ich bereite Unheil gegen euch vor und fasse einen Plan gegen euch. Kehrt um, ein jeder von seinem bösen Weg, und bessert euer Verhalten und euer Tun!
Aber sie werden sagen: Vergebliche Mühe! Wir wollen unseren eigenen Plänen folgen, und jeder von uns will nach dem Trieb seines bösen Herzens handeln!" Kommt, laßt uns gegen Jeremia Pläne schmieden! Kommt, wir wollen ihn mit seinen eigenen Worten schlagen und achtgeben auf alles, was er sagt!
Aber Jeremia betete zu Gott:
„Gib du, Herr, acht auf mich
und höre das Gerede meiner Widersacher!
Darf man denn Gutes mit Bösem vergelten?
Denn sie haben mir eine Grube gegraben.
Denk daran, wie ich vor dir stand,
um zu ihren Gunsten zu sprechen
und deinen Zorn von ihnen abzuwenden!"
(Jer 18)

Prophetenklage

Du hast mich betört, o Herr,
und ich ließ mich betören;
du hast mich gepackt und überwältigt.
Zum Gespött bin ich geworden den ganzen Tag,
ein jeder verhöhnt mich.

Ja, sooft ich rede, muß ich schreien,
„Gewalt und Unterdrückung!“ muß ich rufen.
Denn das Wort des Herrn bringt mir
den ganzen Tag nur Spott und Hohn.
Sagte ich aber: „Ich will nicht mehr an ihn denken
und nicht mehr in seinem Namen sprechen“,
so war es mir, als brenne in meinem Herzen Feuer,
eingeschlossen in meinem Innern.
Ich quälte mich, es auszuhalten,
und konnte nicht,
hörte ich doch das Flüstern der Vielen:
„Grauen ringsum! Zeigt ihn an!
Wir wollen ihn anzeigen.“
Meine nächsten Bekannten
warten alle darauf, daß ich stürze:
„Vielleicht läßt er sich betören,
daß wir ihm beikommen können
und uns an ihm rächen.“

Doch der Herr steht mir bei
wie ein gewaltiger Held.
Darum straucheln meine Verfolger
und kommen nicht auf. Sie werden schmählich zuschanden,
da sie nichts erreichen,
in ewiger unvergeßlicher Schmach.
Aber der Herr der Heere prüft den Gerechten,
er sieht Herz und Nieren.
(Jer 20)

Das Joch Babels

Im Anfang der Regierung Zidkijas, des Sohnes Joschijas, des Königs von Juda, erging vom Herrn folgendes Wort an Jeremia: „Mach dir Stricke und Jochhölzer und leg sie dir auf den Nacken! Dann schicke durch ihre Gesandten, die zu Zidkija, dem König von Juda, nach Jerusalem gekommen sind, eine Botschaft an die fremden Könige! Gib ihnen folgenden Auftrag an ihre Gebieter: So spricht der Herr der Heere, der Gott Israels:

Will ein Volk oder Reich dem König Nebukadnezzar von Babel nicht untertan sein und seinen Nacken nicht unter das Joch des Königs von Babel beugen, so werde ich dieses Volk mit Schwert, Hunger und Pest heimsuchen – Spruch des Herrn –, bis ich es seiner Hand ausgeliefert habe." Auch zu Zidkija, dem König von Juda, redete ich ganz in diesem Sinn: „Beugt euren Nacken unter das Joch des Königs von Babel und seid ihm und seinem Volk untertan; dann bleibt ihr am Leben. Warum sollt ihr, du und dein Volk, durch Schwert, Hunger und Pest umkommen, wie der Herr dem Volk, das dem König von Babel nicht untertan sein will, angedroht hat? Hört nicht auf die Reden der Propheten, die zu euch sagen: Ihr sollt dem König von Babel nicht untertan sein! Denn was sie euch weissagen, ist Lüge. Ich habe sie nicht gesandt – Spruch des Herrn –; darum ist es Lüge, wenn sie in meinem Namen weissagen."
Zu den Priestern und dem ganzen Volk sagte ich: „So spricht der Herr: Hört nicht auf die Reden eurer Propheten, die euch weissagen: Die Geräte des Hauses des Herrn werden aus Babel zurückgebracht werden, und zwar bald. Denn was sie euch weissagen, ist Lüge. Denn so spricht der Herr der Heere über die Säulen, das Eherne Meer, die fahrbaren Gestelle und den Rest der in dieser Stadt noch verbliebenen Geräte: Nach Babel werden sie gebracht, und dort bleiben sie bis zu dem Tag, da ich mich ihrer annehme – Spruch des Herrn – und sie wieder an diesen Ort heraufbringe."
(Jer 27)

Der falsche Prophet Hananja

Im selben Jahr, im Anfang der Regierung Zidkijas, des Königs von Juda, im fünften Monat des vierten Jahres, sagte der Prophet Hananja, der Sohn Asurs aus Gibeon, im Haus des Herrn vor den Priestern und dem ganzen Volk zu Jeremia: „So spricht der Herr der Heere, der Gott Israels: Ich zerbreche das Joch des Königs von Babel. Noch zwei Jahre, und ich bringe alle Geräte des Hauses des Herrn, die Nebukadnezzar, der König von Babel, von diesem Ort weggenommen und nach Babel gebracht hat, wieder an diesen Ort zurück. Auch Jojachin, den Sohn Jojakims, den König von Juda, samt allen Verschleppten aus Juda, die nach Babel gebracht wurden, führe ich an diesen Ort zurück – Spruch des Herrn –, denn ich zerbreche das Joch des Königs von Babel."

Der Prophet Jeremia antwortete dem Propheten Hananja vor den Priestern und vor dem ganzen Volk, das im Haus des Herrn stand: „Ganz recht! Mag der Herr so tun! Der Herr erfülle deine Worte, die du verkündet hast, und bringe die Geräte des Hauses des Herrn und alle Verschleppten aus Babel zurück an diesen Ort! Doch höre das Wort, das ich dir und dem ganzen Volk in die Ohren rufe: Die Propheten, die vor mir und vor dir je gelebt haben, weissagten Krieg, Unheil und Pest gegen viele Länder und mächtige Reiche. Der Prophet aber, der Heil weissagt – an der Erfüllung des prophetischen Wortes erkennt man den Propheten, den der Herr wirklich gesandt hat."
Da nahm der Prophet Hananja das Jochholz vom Nacken des Propheten Jeremia und brach es entzwei. Vor dem ganzen Volk erklärte Hananja: „So spricht der Herr: Ebenso nehme ich binnen zwei Jahren das Joch Nebukadnezzars, des Königs von Babel, vom Nacken aller Völker und zerbreche es." Der Prophet Jeremia ging seines Weges.
Nachdem nun der Prophet Hananja das Jochholz vom Nacken des Propheten Jeremia genommen und zerbrochen hatte, erging das Wort des Herrn an Jeremia: „Geh hin und sage zu Hananja: So spricht der Herr: Jochstangen aus Holz hast du zerbrochen, dafür aber mußt du nun Jochstangen aus Eisen machen. Denn so spricht der Herr der Heere, der Gott Israels: Ein eisernes Joch habe ich auf den Nacken aller dieser Völker gelegt; sie müssen Nebukadnezzar, dem König von Babel, untertan sein."
Der Prophet Jeremia sagte also zum Propheten Hananja: „Höre, Hananja! Der Herr hat dich nicht gesandt und du hast dieses Volk dazu verführt, auf Lügen zu vertrauen. Darum – so spricht der Herr: Siehe, ich schaffe dich vom Erdboden fort! Noch in diesem Jahr bist du tot; denn du hast Auflehnung gegen den Herrn gepredigt." Im siebten Monat desselben Jahres starb der Prophet Hananja.
(Jer 28)

Der Brief an die Verbannten

Das ist der Wortlaut des Briefes, den der Prophet Jeremia aus Jerusalem an den Rest der Ältesten der Gemeinde der Verbannten sandte, an die Priester, Propheten und das ganze Volk, das Nebukadnezzar von Jerusalem nach Babel verschleppt hatte:

„So spricht der Herr der Heere, der Gott Israels, zur ganzen Gemeinde der Verbannten, die ich von Jerusalem nach Babel weggeführt habe: Baut Häuser und wohnt darin, pflanzt Gärten und eßt ihre Früchte! Nehmt euch Frauen und zeugt Söhne und Töchter, nehmt für eure Söhne Frauen und gebt eure Töchter Männern, damit sie Söhne und Töchter gebären! Ihr sollt euch dort vermehren und nicht vermindern. Bemüht euch um das Wohl der Stadt, in die ich euch weggeführt habe, und betet für sie zum Herrn; denn in ihrem Wohl liegt euer Wohl.
Denn so spricht der Herr: Wenn siebzig Jahre für Babel vorüber sind, dann werde ich nach euch sehen, mein Heilswort an euch erfüllen und euch an diesen Ort zurückführen. Denn ich, ich kenne meine Pläne, die ich für euch habe – Spruch des Herrn –, Pläne des Heils und nicht des Unheils; denn ich will euch eine Zukunft und eine Hoffnung geben.
Wenn ihr mich ruft, wenn ihr kommt und zu mir betet, so erhöre ich euch. Sucht ihr mich, so findet ihr mich. Wenn ihr von ganzem Herzen nach mir fragt, lasse ich mich von euch finden – Spruch des Herrn. Ich wende euer Geschick und sammle euch aus allen Völkern und von allen Orten, wohin ich euch versprengt habe – Spruch des Herrn. Ich bringe euch an den Ort zurück, von dem ich euch weggeführt habe."
(Jer 29)

Der neue Bund

So spricht der Herr, der Herr der Heere, der Gott Israels:
„Seht, es werden Tage kommen – Spruch des Herrn –, in denen ich mit dem Haus Israel und dem Haus Juda einen neuen Bund schließen werde, nicht wie der Bund war, den ich mit ihren Vätern geschlossen habe, als ich sie bei der Hand nahm, um sie aus Ägypten herauszuführen. Diesen meinen Bund haben sie gebrochen, obwohl ich ihr Gebieter war. Denn das wird der Bund sein, den ich nach diesen Tagen mit dem Haus Israel schließe – Spruch des Herrn: Ich lege mein Gesetz in sie hinein und schreibe es auf ihr Herz. Ich werde ihr Gott sein, und sie werden mein Volk sein. Keiner wird mehr den anderen belehren, man wird nicht zueinander sagen: Erkennt den Herrn!, sondern sie alle, klein und groß, werden mich erkennen – Spruch des Herrn. Denn ich verzeihe ihre Schuld, an ihre Sünde denke ich nicht mehr."
(Jer 31)

Die Verbrennung der Buchrolle

Im vierten Jahr Jojakims, des Sohnes Joschijas, des Königs von Juda, erging vom Herrn dieses Wort an Jeremia: „Nimm dir eine Buchrolle und schreib darauf alle Worte, die ich zu dir über Israel und Juda und über alle Völker gesprochen habe, seitdem ich zu dir rede, von den Tagen Joschijas an bis heute. Vielleicht werden die Leute vom Haus Juda, wenn sie hören, wieviel Unheil ich ihnen antun will, umkehren von ihren bösen Wegen, und ich kann ihnen Schuld und Sünde verzeihen."

Buchrolle

Da rief Jeremia Baruch, den Sohn Nerijas, und Baruch schrieb nach dem Diktat Jeremias alle Worte, die der Herr zu ihm gesprochen hatte, auf eine Buchrolle. Jeremia gab hierauf Baruch folgenden Auftrag: „Mir ist es verwehrt, das Haus des Herrn zu betreten. Darum geh du hin und lies am Fasttag aus der Rolle, die du nach meinem Diktat geschrieben hast, dem Volk im Haus des Herrn die Worte des Herrn vor! Auch allen Judäern, die aus ihren Städten herbeiströmen, sollst du sie vorlesen. Vielleicht flehen sie vor dem Herrn um Erbarmen und kehren um, jeder von seinem bösen Weg; denn groß ist der Zorn und Grimm, den der Herr diesem Volk angedroht hat."

Baruch, der Sohn Nerijas, handelte treu nach dem Auftrag des Propheten Jeremia und las im Haus des Herrn die Worte des Herrn aus dem Buch vor. Im fünften Jahr Jojakims, des Sohnes Joschijas, des Königs von Juda, hatte man im neunten Monat alles Volk in Jerusalem und alle Leute, die von den Städten Judas nach Jerusalem kommen sollten, zu einem Fasten vor dem Herrn aufgerufen. Nun las Baruch im Haus des Herrn dem ganzen Volk aus dem Buch die Worte Jeremias vor.

Als Mischa, der Sohn Gemarjas, des Sohnes Schafans, alle Worte des Herrn aus dem Buch vernommen hatte, ging er hinab in den Königspalast zur Halle des Staatsschreibers.

Dort waren gerade alle hohen Beamten zu einer Sitzung versammelt: der Staatsschreiber Elischama und alle sonstigen Beamten. Micha teilte ihnen alle Worte mit, die er gehört hatte, als Baruch dem Volk aus dem Buch vorlas. Da schickten die versammelten Beamten Jehudi zu Baruch und ließen ihm sagen: „Nimm die Rolle, aus der du dem Volk vorgelesen hast, und komm hierher!"

Sogleich nahm Baruch die Rolle und ging zu ihnen. Sie sagten zu ihm: „Setz dich und lies sie uns vor!" Nun las ihnen Baruch vor. Als sie all die Worte hörten, schauten sie einander erschrocken an und sagten „Wir müssen das alles dem König mitteilen." Sie fragten Baruch: „Sag uns doch, wie hast du alle diese Worte niedergeschrieben?" Baruch erwiderte ihnen: „Jeremia hat mir alle diese Worte diktiert, und ich habe sie mit Tinte in das Buch geschrieben."

Darauf sagten die Beamten zu Baruch: „Geh und verbirg dich, du und auch Jeremia! Niemand soll wissen, wo ihr seid." Dann begaben sie sich zum König in den Palasthof, nachdem sie die Rolle in der Halle des Staatsschreibers Elischama verwahrt hatten, und berichteten das alles dem König.

Da gab der König dem Jehudi den Auftrag, die Rolle zu holen, und dieser holte sie aus der Halle des Staatsschreibers Elischama. Und Jehudi las sie dem König vor und allen Beamten, die um den König herumstanden. Der König wohnte im Winterhaus, und vor ihm brannte das Feuer auf dem Kohlenbecken. Sooft nun Jehudi drei oder vier Spalten gelesen hatte, schnitt sie der König mit dem Schreibermesser ab und warf sie in das Feuer auf dem Kohlenbecken, bis das Feuer auf dem Kohlenbecken die ganze Rolle verzehrt hatte.

Niemand erschrak, und niemand zerriß seine Kleider, weder der König noch irgendeiner seiner Diener, die all diese Worte gehört hatten. Selbst als Elnatan, Delaja und Gemarja den König bestürmten, die Rolle nicht zu verbrennen, hörte er nicht auf sie. Vielmehr befahl der König dem Prinzen Jerachmeël und einigen Palastbeamten, den Schreiber Baruch und den Propheten Jeremia festzunehmen; aber der Herr hielt sie verborgen.

Nachdem der König die Rolle mit den Worten, die Baruch nach dem Diktat Jeremias niedergeschrieben hatte, verbrannt hatte, erging das Wort des Herrn an Jeremia: „Nimm dir eine andere Rolle und schreibe all die früheren Worte darauf, die auf der ersten Rolle standen, die Jojakim, der König von Juda, verbrannt hat! Über Jojakim aber, den König von Juda, sollst du sagen: So spricht der Herr: Du hast diese Rolle verbrannt und gesagt: Warum hast du darin geschrieben, der König von Babel werde bestimmt kommen, dieses Land verheeren und Mensch und Tier darin vernichten? Darum – so spricht der Herr über Jojakim, den König von Juda: Er wird keinen Nachkommen haben, der auf dem Thron Davids sitzt, und sein Leichnam soll weggeworfen werden und der Hitze des Tags und der Kälte der Nacht ausgesetzt sein. Ich ziehe ihn, seine Nachkommen und seine Diener zur Rechenschaft für ihre Schuld. Ich bringe über sie, über die Einwohner Jerusalems und die Leute von Juda all das Unheil, das ich ihnen angedroht habe, ohne daß sie hören wollten."

Da nahm Jeremia eine andere Rolle und übergab sie dem Schreiber Baruch. Dieser schrieb auf sie nach dem Diktat Jeremias alle Worte des Buches, das Jojakim, der König von Juda, im Feuer verbrannt hatte. Ihnen wurden noch viele ähnliche Worte hinzugefügt.

(Jer 36)

Der Prophet im Gefängnis

An Jojachins Stelle wurde Zidkija, der Sohn Joschijas, König. Ihn hatte Nebukadnezzar, der König von Babel, als König über das Land Juda eingesetzt. Weder er selbst noch seine Diener, noch die Bürger des Landes hörten auf die Worte, die der Herr durch den Propheten Jeremia sprach.

Damals, als das Heer der Chaldäer vor dem Heer des Pharao von Jerusalem abgerückt war, wollte sich Jeremia von Jerusalem ins Land Benjamin begeben, um dort mit seinen Verwandten ein Erbe zu teilen. Er war

bereits am Benjamintor angelangt. Dort stand ein Wachhabender namens Jirija. Dieser hielt den Propheten Jeremia an und rief: „Du willst zu den Chaldäern überlaufen!" Jeremia entgegnete: „Das ist nicht wahr; ich laufe nicht zu den Chaldäern über."
Doch Jirija hörte nicht auf ihn; er nahm Jeremia fest und brachte ihn vor die Beamten. Diese waren über Jeremia wütend, schlugen ihn und warfen ihn in den Kerker, in das Haus des Staatsschreibers Jonatan; denn dieses hatte man als Gefängnis eingerichtet. So kam Jeremia in die Zisternenhöhle mit den Gewölben. Dort saß Jeremia lange Zeit gefangen.
Eines Tags ließ ihn König Zidkija holen. Der König fragte ihn heimlich in seinem Palast: „Ist ein Wort vom Herrn da?"
Jeremia bejahte es und antwortete: „Du wirst der Hand des Königs von Babel ausgeliefert werden." Dann sagte Jeremia zum König Zidkija: „Welches Verbrechen habe ich an dir, an deinen Dienern und an diesem Volk begangen, daß ihr mich ins Gefängnis geworfen habt? Und wo sind jetzt eure Propheten, die euch geweissagt haben: Der König von Babel wird nicht über euch und dieses Land kommen? Doch nun höre, mein Herr und König! Möge meine Bitte bei dir Gehör finden! Laß mich nicht ins Haus des Staatsschreibers zurückbringen, sonst gehe ich dort zugrunde!"
Da gab König Zidkija den Befehl, Jeremia im Wachthof zu verwahren, und versorgte ihn täglich mit einem Laib Brot aus der Bäckergasse, bis alles Brot in der Stadt zu Ende ging. So blieb also Jeremia im Wachthof.
(Jer 37)

Jeremia in der Zisterne

Die Beamten hörten von den Worten, die Jeremia zum ganzen Volk redete, indem er sagte: „So spricht der Herr: Wer in dieser Stadt bleibt, der stirbt durch Schwert, Hunger und Pest. Wer aber zu den Chaldäern hinausgeht, der wird überleben; er wird sein Leben wie ein Beutestück gewinnen und davonkommen. So spricht der Herr: Diese Stadt wird ganz sicher dem Heer des Königs von Babel in die Hände fallen, und er wird sie erobern."
Darauf sagten die Beamten zum König: „Dieser Mann muß mit dem Tod bestraft werden; denn er lähmt mit solchen Reden die Hände der Krieger,

die in dieser Stadt noch übriggeblieben sind, und die Hände des ganzen Volkes. Denn dieser Mensch sucht nicht Heil, sondern Unheil für dieses Volk."
Der König Zidkija erwiderte: „Nun, er ist in eurer Hand; denn der König vermag nichts gegen euch."
Da ergriffen sie Jeremia und warfen ihn in die Zisterne, die sich im Wachthof befand; man ließ ihn an Stricken hinunter. In der Zisterne war kein Wasser, sondern nur Schlamm, und Jeremia sank in den Schlamm.
(Jer 38)

Die Rettung durch den Kuschiter

Der Kuschiter Ebed-Melech, ein Höfling, der im königlichen Palast bedienstet war, hörte, daß man Jeremia in die Zisterne geworfen hatte. Während der König sich am Benjamintor aufhielt, verließ Ebed-Melech den Palast und sagte zum König: „Mein Herr und König, schlecht war alles, was diese Männer dem Propheten Jeremia angetan haben; sie haben ihn in die Zisterne geworfen, damit er dort unten verhungere."
Da befahl der König dem Ebed-Melech: „Nimm dir von hier drei Männer mit und zieh den Propheten Jeremia aus der Zisterne herauf, bevor er stirbt!"
Ebed-Melech nahm die Männer mit sich und ging zum Königspalast in die Kleiderkammer des Vorratshauses. Dort holte er Stücke von abgelegten und zerrissenen Kleidern und ließ sie an Stricken zu Jeremia in die Zisterne hinunter. Dann rief der Kuschiter Ebed-Melech Jeremia zu: „Leg die Stücke der abgelegten und zerrissenen Kleider in deine Achselhöhlen unter die Stricke!" Jeremia tat so. Nun zogen sie Jeremia an den Stricken hoch und brachten ihn aus der Zisterne herauf. Von da an blieb Jeremia im Wachthof.
(Jer 38)

Letzte Warnung an den König

König Zidkija ließ den Propheten Jeremia zu sich an den dritten Eingang beim Haus des Herrn holen. Der König sagte zu Jeremia: „Ich möchte dich nach einem Gotteswort fragen; verschweig mir nichts!"

Jeremia antwortete Zidkija: „Wenn ich es dir verkünde, läßt du mich bestimmt umbringen, und wenn ich dir einen Rat gebe, hörst du nicht auf mich." Da schwor König Zidkija dem Jeremia heimlich und sprach: „So wahr der Herr lebt, der uns dieses Leben gegeben hat, ich lasse dich nicht umbringen, und gebe dich nicht in die Hand jener Männer, die dir nach dem Leben trachten."
Hierauf sagte Jeremia zu Zidkija: „So spricht der Herr, der Gott der Heere, der Gott Israels: Wenn du freiwillig hinausgehst zu den Heerführern des Königs von Babel, dann ist dein Leben gerettet, diese Stadt wird nicht in Brand gesteckt, und du bleibst am Leben, du und dein Haus. Gehst du aber nicht hinaus zu den Heerführern des Königs von Babel, dann wird diese Stadt den Chaldäern ausgeliefert. Sie werden sie in Brand stecken, und du selbst wirst ihrer Hand nicht entrinnen."
König Zidkija entgegnete Jeremia: „Ich habe Angst vor den Judäern, die bereits zu den Chaldäern abgefallen sind; man könnte mich ihnen ausliefern und sie würden mir übel mitspielen." Jeremia versicherte: „Man wird dich nicht ausliefern: Hör doch auf die Stimme des Herrn in meiner Rede! Dann geht es dir gut, und dein Leben bleibt erhalten."
Zidkija sagte zu Jeremia: „Niemand darf von diesem Gespräch erfahren, sonst mußt du sterben. Wenn aber die Beamten erfahren, daß ich mit dir geredet habe, und wenn sie zu dir kommen und dich auffordern: Teile uns mit, was du zum König gesagt hast und was der König zu dir gesagt hat, verheimliche uns nichts, sonst bringen wir dich um, dann antworte ihnen: Ich habe an den König die Bitte gerichtet, mich nicht ins Haus Jonatans zurückbringen zu lassen, weil ich dort zugrunde gehe."
Tatsächlich kamen alle Beamten zu Jeremia und fragten ihn. Er antwortete ihnen genauso, wie ihm der König geboten hatte. Da ließen sie von ihm ab; denn niemand hatte das Gespräch gehört. So blieb Jeremia im Wachthof bis zu dem Tag, an dem Jerusalem erobert wurde.
(Jer 38)

Der Fall Jerusalems

Im neunten Jahr Zidkijas, des Königs von Juda, im zehnten Monat, rückte Nebukadnezzar, der König von Babel, mit seiner ganzen Streitmacht vor Jerusalem und belagerte es. Im elften Jahr Zidkijas, am neunten Tag des vierten Monats, wurden Breschen in die Stadtmauer geschla-

gen. Da zogen alle Heerführer des Königs von Babel ein und ließen sich im Mitteltor nieder.
Als Zidkija, der König von Juda, und alle Krieger dies sahen, ergriffen sie die Flucht und verließen bei Nacht die Stadt auf dem Weg zum königlichen Garten; sie gingen durch das Tor zwischen den beiden Mauern und schlugen die Richtung nach der Araba ein. Aber die chaldäischen Truppen setzten ihnen nach und holten Zidkija in den Niederungen von Jericho ein. Sie nahmen ihn gefangen, brachten ihn vor Nebukadnezzar, den König von Babel, nach Ribla in der Landschaft Hamat, und dieser sprach das Urteil über ihn. Der König von Babel ließ in Ribla die Söhne Zidkijas vor dessen Augen niedermachen; auch alle Vornehmen Judas. Zidkija ließ er blenden und in Fesseln legen, um ihn nach Babel zu bringen.
Den königlichen Palast und die Häuser der Bürger steckten die Chaldäer in Brand, und die Mauern Jerusalems rissen sie nieder. Den Rest der Bevölkerung, der noch in der Stadt geblieben war, sowie alle, die zum Königtum von Babel übergelaufen waren, und den Rest der Handwerker verschleppte der Kommandant der Leibwache nach Babel. Nur von den armen Leuten, die nichts hatten, ließ der Kommandant der Leibwache einen Teil im Land Juda zurück und gab ihnen Weinberge und Äcker.
(Jer 39)

Die Befreiung Jeremias

Nebukadnezzar, der König von Babel, hatte dem Kommandant der Leibwache folgende Anweisung über Jeremia gegeben: „Laß ihn holen, kümmere dich um ihn, und füg ihm kein Leid zu, sondern richte dich nach seinen Wünschen."
Da schickten der Kommandant der Leibwache, der Oberkämmerer und der Oberhofmeister sowie alle Obersten des Königs von Babel Leute zum Wachhof, ließen Jeremia von dort holen und übergaben ihn Gedalja, damit er ihn nach Hause entlasse. So blieb Jeremia mitten unter dem Volk.
(Jer 39)

Der Zug nach Ägypten

Das Wort des Herrn erging an Jeremia. Und er sagte zum ganzen Volk: „So spricht der Herr, der Gott Israels, zu dem ihr mich gesandt habt, um ihm eure Bitte vorzutragen: Wenn ihr in diesem Land wohnen bleibt, so werde ich euch aufbauen und nicht niederreißen, euch einpflanzen und nicht ausreißen. Ja, ich bereue das Unheil, das ich euch angetan habe. Fürchtet euch nicht vor dem König von Babel, vor dem ihr Angst habt. Fürchtet euch nicht vor ihm – Spruch des Herrn. Denn ich bin mit euch, um euch zu retten und seiner Hand zu entreißen. Ich bewirke Erbarmen für euch. Er wird sich euer erbarmen und euch in eure Heimat zurückkehren lassen. Wenn ihr aber sagt: Wir bleiben nicht in diesem Land, und auf die Stimme des Herrn, eures Gottes, nicht hört, sondern sagt: Nein, nach Ägypten wollen wir ziehen, wo wir weder Krieg sehen noch Trompetenschall hören, noch nach Brot hungern werden, und dort wollen wir bleiben!, nun, dann hört das Wort des Herrn, ihr, der Rest von Juda! So spricht der Herr der Heere, der Gott Israels: Wenn ihr darauf besteht, nach Ägypten zu ziehen, und auswandert, um euch dort niederzulassen, dann wird euch das Schwert, das ihr fürchtet, dort in Ägypten erreichen, und der Hunger, vor dem euch bangt, wird euch dort in Ägypten verfolgen, und ihr werdet dort umkommen."
Da sagten Asarja und Johanan sowie alle übermütigen Männer zu Jeremia: Was du sagst, ist erlogen. Nicht der Herr, unser Gott, hat dich gesandt mit dem Auftrag: Ihr sollt nicht nach Ägypten ziehen, um euch dort niederzulassen. Vielmehr hetzt dich Baruch gegen uns auf, um uns den Chaldäern auszuliefern, daß sie uns töten oder nach Babel verschleppen."
Johanan, alle Truppenführer und das ganze Volk hörten also nicht auf die Stimme des Herrn, im Land Juda zu bleiben. Johanan, der Sohn Kareachs, und alle Truppenführer nahmen den ganzen Rest Judas, der aus allen Völkern, unter die er versprengt gewesen, zurückgekehrt war, um sich im Land Juda niederzulassen, und alle Leute, die der Kommandant der Leibwache bei Gedalja belassen hatte, auch den Propheten Jeremia und Baruch, und sie zogen nach Ägypten, weil sie nicht auf die Stimme des Herrn hörten.
(Jer 42; 43)

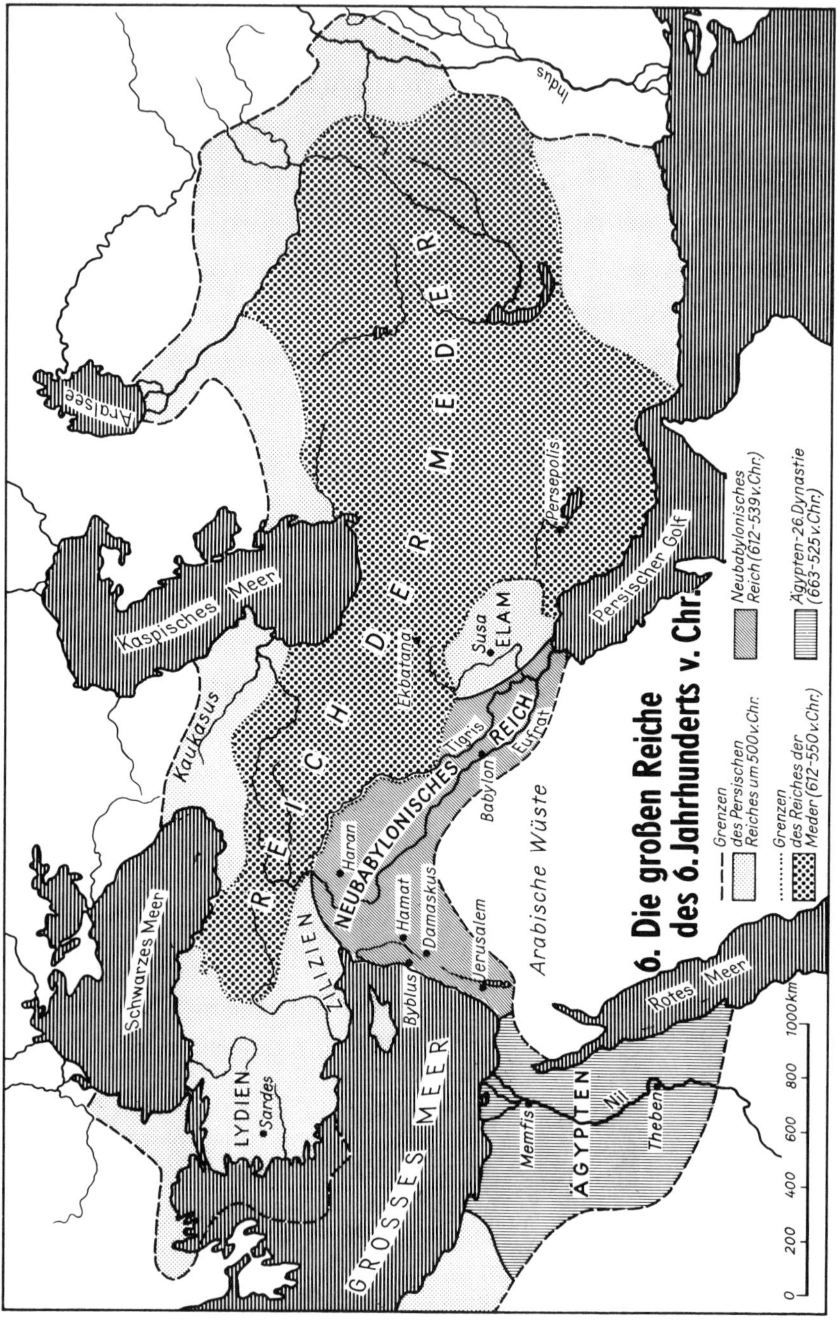

6. Die großen Reiche des 6. Jahrhunderts v. Chr.

Die Judäer in babylonischer Gefangenschaft

Der Psalm 137 beschreibt die Enttäuschung der Judäer in der babylonischen Gefangenschaft, die auch als Exil bezeichnet wird:

„An den Strömen von Babel,
da saßen wir und weinten,
wenn wir an Zion dachten.
Wir hängten unsere Harfen
an die Weiden in jenem Land.

Dort verlangten von uns die Zwingherren Lieder,
unsere Peiniger forderten Jubel:
Singt uns Lieder vom Zion!
Wie könnten wir singen die Lieder des Herrn,
fern, auf fremder Erde?
Wenn ich dich je vergesse, Jerusalem,
dann soll mir die rechte Hand verdorren!
Die Zunge soll mir am Gaumen kleben,
wenn ich an dich nicht mehr denke,
wenn ich Jerusalem nicht
zu meiner höchsten Freude erhebe."
(Ps 137)

Der Brief des Propheten Jeremia (Jer 29) zeigte den Verbannten einen Weg, wie sie in der Fremde als gläubige Juden überleben konnten. Sie sollten sich am Aufbau der Städte beteiligen und für das gemeinsame Wohl aller Einwohner mitsorgen.
Unter den Verbannten wirkte der Prophet Ezechiel. Er verkündete ihnen, daß Gott überall für sein Volk sorgt:

„So spricht Gott, der Herr: Jetzt will ich meine Schafe selber suchen und mich selber um sie kümmern. Wie ein Hirt sich um die Tiere seiner Herde kümmert, die sich verirrt haben, so kümmere ich mich um meine Schafe und hole sie zurück von all den Orten, wohin sie sich am dunklen, düsteren Tag zerstreut haben. Ich führe sie aus den Völkern heraus, ich hole sie aus den Ländern zusammen und bringe sie in ihr Land. Ich führe sie in den Bergen Israels auf die Weide, in den Tälern und an allen

Babylon mit der Prachtstraße und dem Ischtartor. Versuch einer Nachbildung

bewohnten Orten des Landes. Auf gute Weide will ich sie führen, im Bergland Israels werden ihre Weideplätze sein. Dort sollen sie auf guten Weideplätzen lagern, auf den Bergen Israels sollen sie fette Weiden finden. Ich werde meine Schafe auf die Weide führen, ich werde sie ruhen lassen – Spruch Gottes, des Herrn. Die verlorengegangenen Tiere will ich suchen, die vertriebenen zurückbringen, die verletzten verbinden, die schwachen kräftigen, die fetten und starken behüten. Ich will ihr Hirt sein und für sie sorgen, wie es recht ist."
(Ez 34)

Die in Jerusalem zurückgebliebenen einfachen Leute fanden in den Worten eines Propheten Trost, dessen Name heute unbekannt ist. Seine Botschaft ist aber im Buch Jesaja enthalten:

„Tröstet, tröstet mein Volk!
spricht euer Gott.
Redet Jerusalem zu Herzen
und verkündet der Stadt,
daß ihr Frondienst zu Ende geht,
daß ihre Schuld beglichen ist,
denn sie hat die volle Strafe erlitten
von der Hand des Herrn
für all ihre Sünden.
Eine Stimme ruft:
Bahnt für den Herrn
einen Weg durch die Wüste!
Baut in der Steppe
eine ebene Straße für unseren Gott!
Jedes Tal soll sich heben,
jeder Berg und Hügel sich senken.
Was krumm ist, soll gerade werden,
und was hüglig ist, werde eben.
Dann offenbart sich die Herrlichkeit des Herrn,
alle Sterblichen werden sie sehen.
Ja, der Mund des Herrn hat gesprochen."

„Brecht in Jubel aus, jauchzt alle zusammen,
ihr Trümmer Jerusalems!

Denn der Herr tröstet sein Volk,
er erlöst Jerusalem.
Der Herr macht seinen heiligen Arm frei
vor den Augen aller Völker.
Alle Enden der Erde
sehen das Heil unseres Gottes."
(Jes 40; 52)

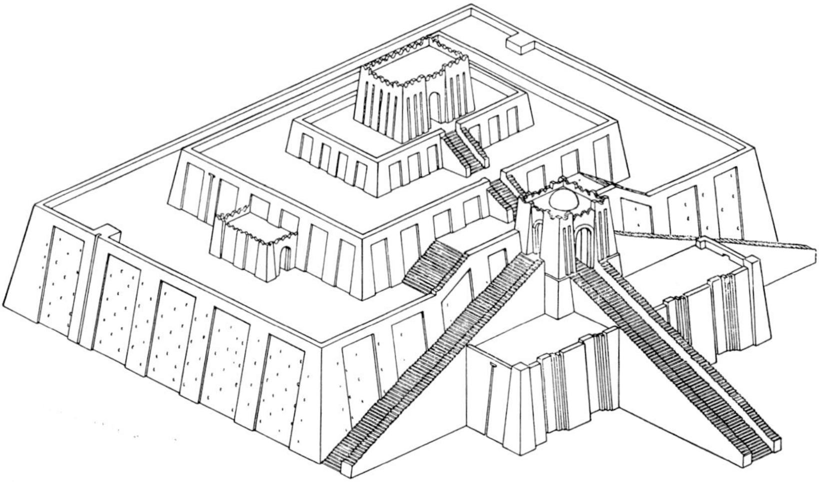

Rekonstruktion eines Stufenturmes (Zikkurat) in Ur nach der Bauweise um 2000 v. Chr.

Die Juden nach dem Verlust ihrer staatlichen Selbständigkeit – die Zeit der Perser, Griechen und Römer

Mit der Zerstörung Jerusalems im Jahr 587 v. Chr. durch die Babylonier endete die staatliche Existenz Israels. Seine Bewohner wurden zum größten Teil vertrieben und lebten in der Zerstreuung (Diaspora). Der Tempel, das Zeichen ihrer Zusammengehörigkeit, war ihnen genommen. Das Leben unter fremden Völkern brachte es mit sich, daß sie sich an deren Leben anpaßten. Sie verständigten sich z. B. in einst fremden Sprachen. Manche von ihnen genossen bei den fremden Völkern hohes Ansehen. Dennoch bewahrten viele den Glauben an Jahwe. Die Beschneidung, bei der den kleinen Jungen am Geschlechtsglied ein Stückchen Haut abgeschnitten wird, war ihnen ein Zeichen des Bundes, den Gott mit seinem Volk geschlossen hat. Am Sabbat kamen sie in Versammlungshäusern (griechisch: Synagogen) zusammen und lasen in hebräischer Sprache aus ihrer Bibel, den fünf Büchern Mose. Sie sammelten alle wichtigen Erzählungen über die Geschichte ihres Volkes und verehrten diese fast genauso wie die Hl. Schrift selbst. Auch die Sehnsucht nach Jerusalem und seinem Tempel hielt sie zusammen.

Im Jahr 538 v. Chr. erließ der Perserkönig Kyrus ein Edikt zum Wiederaufbau des Tempels in Jerusalem. Er wollte in Palästina Frieden schaffen, weil durch dieses Land wichtige Handelsstraßen führten. 515 v. Chr. wurde der Tempel wieder eingeweiht. Doch dauerte es noch bis 445 v. Chr., ehe mit dem Aufbau der Stadt Jerusalem unter dem Statthalter Nehemia begonnen werden konnte. Auch nach dem Sieg der Griechen über die Perser (333 bei Issus) durften die Juden ihre Religion öffentlich bekennen. Für das gute Klima zwischen Juden und Griechen in dieser Zeit spricht die Übersetzung der fünf Bücher Mose ins Griechische durch siebzig jüdische Schriftgelehrte. Diese griechische Bibel wird Septuaginta genannt (lateinisch: siebzig). Um das Jahr 200 v. Chr. ist sie fertiggeworden.

Zu Beginn des 2. Jahrhunderts v. Chr. übernahmen die Seleukiden die Machtausübung im palästinensischen Teil des hellenistischen Weltreiches. Unter König Antiochus IV. Epiphanes setzte eine heftige Verfolgung der jüdischen Religion ein, die erst durch das Erstarken der Römer beendet werden konnte. Von den erbitterten Glaubenskriegen zwischen 166 und 143 v. Chr., in denen auch der Tempel in Jerusalem zerstört wurde, berichten die Makkabäerbücher.

Nehemia

Nehemia war Jude und arbeitete am Hof des Perserkönigs Artaxerxes I. (465-423 v. Chr.). Dieser schickte Nehemia als Statthalter nach Jerusalem (445-425 v. Chr.). Mit ihm gingen viele Juden in die zerstörte Stadt zurück, in der nur der Tempel wiedererrichtet worden war (515 v. Chr.). Das Buch Nehemia erzählt vom Wiederaufbau der Stadt und des religiösen Lebens in ihr.

Die Rückkehr des Nehemia

Im Monat Nisan, im zwanzigsten Jahr des Königs Artaxerxes, nahm ich den Wein und reichte ihn dem König; mein Amt war es nämlich, für den Wein zu sorgen. Nie zuvor hatte der König mein Aussehen schlecht gefunden; jetzt aber fragte er mich: „Warum siehst du so schlecht aus? Du bist doch nicht etwa krank? Nein, du hast gewiß Kummer." Ich erschrak sehr; dann sagte ich zum König: „Der König möge ewig leben. Wie sollte ich nicht schlecht aussehen? Die Stadt, in der die Gräber meiner Väter sind, liegt in Trümmern, und ihre Tore sind vom Feuer verzehrt." Der König erwiderte: „Was möchtest du also?" Da betete ich zum Gott des Himmels; dann sagte ich zum König: „Wenn du, König, es für gut findest, und wenn du deinem Knecht vertraust, so sende mich nach Juda, damit ich die Stadt wieder aufbaue, in der die Gräber meiner Väter sind."

Darauf fragte mich der König, während die Königin neben ihm saß: „Wie lang soll deine Reise dauern? Wann kommst du zurück?" Ich nannte ihm eine bestimmte Zeit; der König war einverstanden und ließ mich ziehen. Ich sagte dem König noch: „Wenn der König es für gut findet, dann gebe man mir Briefe mit an die Statthalter des Gebiets jenseits des Stroms, damit sie mich bis nach Juda durchreisen lassen; ferner einen Brief an Asaf, den Verwalter der königlichen Wälder. Er soll mir Bauholz liefern für die Tore der Tempelburg, für die Stadtmauer und für das Haus, in das ich ziehen will." Der König bewilligte es mir, weil die gütige Hand meines Gottes über mir war.

So kam ich zu den Statthaltern im Gebiet jenseits des Stroms, und ich übergab ihnen die Briefe des Königs. Der König hatte mir auch Hauptleute und Reiter als Geleit gegeben. Sanballat, der Horoniter, und Tobi-

ja, der Knecht von Ammon, hörten davon. Es verdroß sie sehr, daß da ein Mann kam, der sich für das Wohl der Israeliten einsetzte.
So kam ich nach Jerusalem.
(Neh 2)

Der Aufbau der Stadtmauer

In Jerusalem blieb ich drei Tage. Dann machte ich mich bei Nacht auf, nahm aber nur einige wenige Männer mit. Noch hatte ich keinem Menschen mitgeteilt, was mein Gott mir eingegeben hatte, für Jerusalem zu tun. Ich nahm keine Tiere mit außer dem einen, auf dem ich ritt. So ritt ich bei Nacht zum Taltor hinaus. An der Drachenquelle vorbei gelangte ich zum Aschentor. Dabei besichtigte ich die Mauern Jerusalems. Sie waren niedergerissen und die Tore vom Feuer verzehrt. Ich ritt zum Quelltor und zum Königsteich hinüber. Hier konnte ich mit dem Reittier nicht mehr vorwärts kommen. So ging ich bei Nacht das Bachtal hinauf und besichtigte die Mauer. Dann kehrte ich um und kam durch das Taltor wieder zurück. Die Vorsteher wußten nicht, wohin ich gegangen war und was ich vorhatte. Denn ich hatte bis dahin den Juden nichts mitgeteilt, weder den Priestern noch den Vornehmen, noch den Beamten und den übrigen, die an dem Werk mitwirken sollten. Jetzt aber sagte ich zu ihnen: „Ihr seht selbst, in welchem Elend wir leben. Jerusalem liegt in Trümmern, und seine Tore sind abgebrannt. Gehen wir daran und bauen wir die Mauern Jerusalems wieder auf! So machen wir unserer Schande ein Ende." Dann berichtete ich ihnen, wie die Hand meines Gottes so gütig über mir gewesen war und was der König mir zugesagt hatte. Da sagten sie: „Wir wollen ans Werk gehen und bauen." Und sie nahmen die gute Sache in die Hand.
(Neh 2)

Spott und Störversuche der Feinde

Als Sanballat hörte, daß wir die Mauer aufbauten, wurde er zornig und ärgerte sich sehr. Er spottete über die Juden und sagte vor seinen Brüdern und dem Heer von Samarien: „Was machen diese elenden Juden da? Wollen sie Jerusalem wieder für sich befestigen? Wollen sie Opfer dar-

bringen? Wollen sie es an einem Tag vollenden? Können sie die Steine, die doch ausgeglüht sind, aus den Schutthaufen zu neuem Leben aufrichten?" Und Tobija von Ammon, der neben ihm stand, sagte: „Laßt sie nur bauen! Springt ein Fuchs hinauf, dann reißt er ihre Steinmauer nieder."
„Hör, unser Gott, wie wir zum Gespött geworden sind. Laß ihren Hohn auf sie selbst zurückfallen! Gib sie der Plünderung und der Gefangenschaft preis! Deck ihr Vergehen nicht zu! Ihre Sünde soll bei dir nicht ausgelöscht sein; denn sie haben die Bauenden beleidigt."
Wir bauten an der Mauer weiter, und bald hatte sich die Mauer ringsum bis zur Hälfte geschlossen. Das ermutigte das Volk zur weiteren Arbeit. Unsere Feinde aber sagten: „Sie sollen nichts merken und nichts von uns sehen, bis wir mitten unter ihnen stehen; dann metzeln wir sie nieder und machen dem Unternehmen ein Ende." Doch die Juden, die bei ihnen lebten, kamen und sagten uns mindestens zehnmal: „Aus allen Orten ringsum, wo sie wohnen, ziehen sie gegen uns heran." Da stellte ich unterhalb der Mauer auf dem freien Gelände das Volk nach Sippen geordnet auf, mit Schwertern, Lanzen und Bogen bewaffnet. Ich musterte sie, dann erhob ich mich und sagte zu den Vornehmen, den Beamten und den übrigen Männern: „Fürchtet euch nicht vor ihnen! Denkt an den Herrn; er ist groß und furchtgebietend. Kämpft für eure Brüder und Söhne, für eure Töchter und Frauen und für eure Häuser!"
Unsere Feinde erfuhren, daß uns ihr Vorhaben bekannt geworden war. So vereitelte Gott ihren Plan, und wir alle kehrten zu der Mauer zurück, jeder zu seiner Arbeit. Seit jenem Tag arbeitete nur die Hälfte meiner Leute am Bau; die andere Hälfte hielt Lanzen, Schilde, Bogen und Panzer bereit, und die Obersten standen hinter dem ganzen Volk Juda, das an der Mauer baute. Die Lastträger arbeiteten so: Mit der einen Hand taten sie ihre Arbeit, in der anderen hielten sie den Wurfspieß. Von den Bauleuten hatte jeder sein Schwert um die Hüften gegürtet, und so bauten sie. Ständig hatte ich den Hornbläser bei mir, und ich sagte zu den Vornehmen, den Beamten und den übrigen: „Die Arbeit ist vielfältig und weit ausgedehnt. Wir stehen auf der Mauer zerstreut und weit voneinander entfernt. Wo ihr also das Horn ertönen hört, dort sammelt euch um uns! Gott wird für uns streiten." So arbeiteten wir am Bau, während die Hälfte die Lanzen bereit hielt, vom Anbruch der Morgenröte bis zum Aufgang der Sterne. Damals sagte ich dem Volk noch: „Jeder soll mit seinen Leuten auch nachts in Jerusalem bleiben; dann stehen sie uns in der Nacht als Wache zur Verfügung und am Tag zur

Arbeit." Weder ich noch meine Brüder, weder meine Leute noch die Wachmannschaft, die mich begleitete, keiner von uns zog seine Kleider aus; jeder hatte seine Waffe an der Seite.
Nach zweiundfünfzig Tagen, am Fünfundzwanzigsten des Monats Elul, war die Mauer vollendet. Als unsere Feinde es hörten, fürchteten sich alle Völker rings um uns her. Ihr Hochmut verging ihnen, und sie mußten einsehen, daß unser Gott es war, der dieses Werk vollbracht hatte.
(Neh 3; 4; 6)

Die Unterweisung im Gesetz

Das ganze Volk versammelte sich geschlossen auf dem Platz vor dem Wassertor und bat den Schriftgelehrten Esra, das Buch mit dem Gesetz des Mose zu holen, das der Herr den Israeliten vorgeschrieben hat. Am ersten Tag des siebten Monats brachte der Priester Esra das Gesetz vor die Versammlung; zu ihr gehörten die Männer und die Frauen und alle, die das Gesetz verstehen konnten. Vom frühen Morgen bis zum Mittag las Esra auf dem Platz vor dem Wassertor den Männern und Frauen und denen, die es verstehen konnten, das Gesetz vor. Das ganze Volk lauschte auf das Buch des Gesetzes. Der Schriftgelehrte Esra stand auf einer Kanzel aus Holz, die man eigens dafür errichtet hatte.
Esra öffnete das Buch vor aller Augen; denn er stand höher als das versammelte Volk. Als er das Buch aufschlug, erhoben sich alle. Dann pries Esra den Herrn, den großen Gott; darauf antworteten alle mit erhobenen Händen: „Amen, amen!" Sie verneigten sich, warfen sich vor dem Herrn nieder, mit dem Gesicht zur Erde.
Man las aus dem Buch, dem Gesetz Gottes, in Abschnitten vor und gab dazu Erklärungen, so daß die Leute das Vorgelesene verstehen konnten. Der Statthalter Nehemia, der Priester und Schriftgelehrte Esra und die Leviten, die das Volk unterwiesen, sagten dann zum ganzen Volk: „Heute ist ein heiliger Tag zu Ehren des Herrn, eures Gottes. Seid nicht traurig, und weint nicht!" Alle Leute weinten nämlich, als sie die Worte des Gesetzes hörten. Dann sagte Esra zu ihnen: „Nun geht, haltet ein festliches Mahl, und trinkt süßen Wein! Schickt auch denen etwas, die selbst nichts haben; denn heute ist ein heiliger Tag zur Ehre des Herrn. Macht euch keine Sorgen; denn die Freude am Herrn ist eure Stärke."
(Neh 8)

Die Makkabäer

König Antiochus IV. Epiphanes (175-164 v. Chr.) verbot den Juden, im Tempel Opfer darzubringen, den Sabbat zu halten und ihre Söhne zu beschneiden. Er ließ ihre heiligen Schriften vernichten und versuchte, sie zur Verehrung heidnischer Götter zu zwingen. Viele gläubige Juden sammelten sich um Mattatias, der aber im Kampf gegen Antiochus umkam. Sein Sohn Judas Makkabäus setzte den Befreiungskampf fort (166-161 v. Chr.). Ihm folgte sein Bruder Jonatan (160-143 v. Chr.) und schließlich sein Bruder Simeon (143-134 v. Chr.). Unter seiner Führung gelang es nach Verhandlungen mit den Römern, eine gewisse Unabhängigkeit Israels zu sichern. Diese Zeit wird in den beiden Makkabäerbüchern nicht nur als Zeit der Glaubensverfolgungen beschrieben, sondern auch als Zeit der tapferen Glaubenshelden. Der Glaube an die Auferstehung der Toten, der in dieser Zeit in Israel erwachte, gab ihnen den Mut, ihr Leben einzusetzen.

Einführung der heidnischen Kulte

Damals schrieb der König seinem ganzen Reich vor, alle sollen zu einem einzigen Volk werden und jeder solle seine Eigenart aufgeben. Alle Völker fügten sich dem Erlaß des Königs. Auch vielen Männern aus Israel gefiel der Gottesdienst, den er angeordnet hatte; sie opferten den Götterbildern und entweihten den Sabbat. Der König schickte Boten nach Jerusalem und in die Städte Judäas mit der schriftlichen Anordnung, man solle eine Lebensform übernehmen, die dem Land fremd war. Brand-, Schlacht- und Trankopfer im Heiligtum seien einzustellen, Sabbate und Feste zu entweihen, das Heiligtum und die Heiligen zu schänden. Man solle statt dessen Altäre, Heiligtümer und Tempel für die fremden Götter errichten sowie Schweine und andere unreine Tiere opfern. Ihre Söhne dürften sie nicht mehr beschneiden, vielmehr sollten sie sich mit jeder denkbaren Unreinheit und Schande beflecken. So sollte das Gesetz in Vergessenheit geraten, und alle seine Vorschriften sollten hinfällig werden. Wer aber des Königs Anordnung nicht befolge, müsse sterben. Ähnliche Anweisungen erließ er für sein ganzes Reich.

Er setzte Beamte ein, die die Durchführung im ganzen Volk überwachen sollten; auch gab er den Befehl, der Reihe nach in allen Städten Judäas einen Opfergottesdienst zu halten.

Viele aus dem Volk schlossen sich ihnen an; sie alle fielen vom Gesetz ab und trieben es schlimm im Land. Die Israeliten mußten sich vor ihnen verstecken, wo immer sie Zuflucht fanden.
Vor den Haustüren und auf den Plätzen opferte man Weihrauch. Alle Buchrollen des Gesetzes, die man fand, wurden zerrissen und verbrannt. Wer im Besitz einer Bundesrolle angetroffen wurde oder zum Gesetz hielt, wurde aufgrund der königlichen Anordnung zum Tod verurteilt.
(1 Makk 1)

Das Martyrium des Eleasar

Unter den angesehensten Schriftgelehrten war Eleasar, ein Mann von hohem Alter und edlen Gesichtszügen. Man sperrte ihm den Mund auf und wollte ihn zwingen, Schweinefleisch zu essen. Er aber zog den ehrenvollen Tod einem Leben voll Schande vor, ging freiwillig auf die Folterbank zu und spuckte das Fleisch wieder aus. In solcher Haltung mußten alle herantreten, die sich standhaft wehrten zu essen, was man nicht essen darf – nicht einmal um des geliebten Lebens willen. Die Leute, die bei dem gesetzwidrigen Opfermahl Dienst taten und die den Mann von früher her kannten, nahmen ihn heimlich beiseite und redeten ihm zu, er solle sich doch Fleisch holen lassen, das er essen dürfe, und es selbst zubereiten. Dann solle er tun, als ob er von dem Opferfleisch esse, wie es der König befohlen habe. Wenn er es so mache, entgehe er dem Tod; weil sie alte Freunde seien, würden sie ihn mit Nachsicht behandeln.
Er aber faßte einen edlen Entschluß, wie es sich gehörte für einen Mann, der so alt und wegen seines Alters angesehen war, in Würde ergraut, der von Jugend an vorbildlich gelebt und – was noch wichtiger ist – den heiligen, von Gott gegebenen Gesetzen gehorcht hatte. So erklärte er ohne Umschweife, man solle ihn ruhig zur Unterwelt schicken. „Wer so alt ist wie ich, soll sich nicht verstellen. Viele junge Leute könnten sonst glauben, Eleasar sei mit seinen neunzig Jahren noch zu der fremden Lebensart übergegangen. Wenn ich jetzt heucheln würde, um eine geringe, kurze Zeit länger zu leben, würde ich sie irreleiten, meinem Alter aber Schimpf und Schande bringen. Vielleicht könnte ich mich für den Augenblick der Bestrafung durch die Menschen entziehen; doch

nie, weder lebendig noch tot, werde ich den Händen des Allherrschers entfliehen. Darum will ich jetzt wie ein Mann sterben und mich so meines Alters würdig zeigen. Der Jugend aber hinterlasse ich ein leuchtendes Beispiel, wie man mutig und mit Haltung für die ehrwürdigen und heiligen Gesetze eines schönen Todes stirbt." Nach diesen Worten ging er geradewegs zur Folterbank.

Da schlug die Freundlichkeit, die ihm seine Begleiter eben noch erwiesen hatten, in Feindschaft um; denn was er gesagt hatte, hielten sie für Wahnsinn. Als man ihn zu Tod prügelte, sagte er stöhnend: „Der Herr mit seiner heiligen Erkenntnis weiß, daß ich dem Tod hätte entrinnen können. Mein Körper leidet qualvoll unter den Schlägen, meine Seele aber erträgt sie mit Freuden, weil ich ihn fürchte." So starb er. Durch seinen Tod hinterließ er nicht nur der Jugend, sondern den meisten aus dem Volk ein Beispiel für edle Gesinnung und ein Denkmal der Tugend.

(2 Makk 6)

Mattatias und seine Söhne

Damals trat ein Priester auf aus dem Geschlecht des Jojarib namens Mattatias; sein Vater war Johanan, der Sohn Simeons. Er stammte aus Jerusalem, hatte sich aber in Modeïn niedergelassen. Er hatte fünf Söhne.

Als er das gotteslästerliche Treiben in Judäa und in Jerusalem sah, sagte er: „Ach, warum bin ich geboren, daß ich erleben muß, wie man mein Volk vernichtet und die heilige Stadt zerstört? Ohnmächtig mußte man zusehen, wie sie in die Gewalt ihrer Feinde geriet, wie die heilige Stätte Fremden in die Hände fiel." Und Mattatias und seine Söhne zerrissen ihre Gewänder, zogen Bußkleider an und gaben sich tiefer Trauer hin.

Da kamen die Beamten, die vom König den Auftrag hatten, die Einwohner zum Abfall von Gott zu zwingen, in die Stadt Modeïn, um die Opfer durchzuführen. Viele Männer aus Israel kamen zu ihnen; auch Mattatias und seine Söhne mußten erscheinen.

Da wandten sich die Leute des Königs an Mattatias und sagten: „Du besitzt in dieser Stadt Macht, Ansehen und Einfluß und hast die Unterstützung deiner Söhne und Verwandten. Tritt als erster vor und tu, was der König angeordnet hat. So haben es alle Völker getan, auch die Män-

ner in Judäa und alle, die in Jerusalem geblieben sind. Dann wirst du mit deinen Söhnen zu den Freunden des Königs gehören. Auch wird man dich und deine Söhne mit Silber, Gold und vielen Geschenken überhäufen."
Mattatias aber antwortete mit lauter Stimme: „Auch wenn alle Völker im Reich des Königs ihm gehorchen und jedes von der Religion seiner Väter abfällt und sich für seine Anordnungen entscheidet – ich, meine Söhne und meine Verwandten bleiben beim Bund unserer Väter. Der Himmel bewahre uns davor, das Gesetz und seine Vorschriften zu verlassen. Wir gehorchen den Befehlen des Königs nicht, und wir weichen weder nach rechts noch nach links von unserer Religion ab."
Kaum hatte er das gesagt, da trat vor aller Augen ein Jude vor und wollte auf dem Altar von Modeïn opfern, wie es der König angeordnet hatte. Als Mattatias das sah, packte ihn leidenschaftlicher Eifer; er bebte vor Erregung und ließ seinem gerechten Zorn freien Lauf. Er sprang vor und erstach den Abtrünnigen über dem Altar. Zusammen mit ihm erschlug er auch den königlichen Beamten, der sie zum Opfer zwingen wollte, und riß den Altar nieder. Der leidenschaftliche Eifer für das Gesetz hatte ihn gepackt. Dann ging Mattatias durch die Stadt und rief laut: „Wer sich für das Gesetz ereifert und zum Bund steht, der soll mir folgen." Und er floh mit seinen Söhnen in die Berge; ihren ganzen Besitz ließen sie in der Stadt zurück.
Damals schloß sich ihnen auch die Gemeinschaft der Hasidäer an. Das waren tapfere Männer aus Israel, die alle dem Gesetz treu ergeben waren. Auch alle anderen, die vor dem Unheil flohen, kamen zu ihnen und verstärkten ihre Reihen.
Schließlich kam für Mattatias die Zeit, daß er sterben mußte. Da sagte er zu seinen Söhnen: „Nun sind über uns Hochmut und Strafe gekommen, die Zeit des Zusammenbruchs und lodernder Zorn. Jetzt ereifert euch für das Gesetz, meine Söhne, setzt euer Leben ein für den Bund unserer Väter! Denkt an die Taten, die unsere Väter zu ihren Zeiten vollbrachten; erwerbt euch großen Ruhm und einen ewigen Namen!"
Und nachdem er sie gesegnet hatte, wurde er mit seinen Vätern vereint. Er starb im Jahr 146. Man setzte ihn im Grab seiner Väter in Modeïn bei, und ganz Israel hielt feierlich die Totenklage um ihn.
(1 Makk 2)

Judas Makkabäus

An die Stelle des Mattatias trat sein Sohn Judas mit dem Beinamen der Makkabäer. Alle seine Brüder unterstützten ihn, wie auch alle, die sich seinem Vater angeschlossen hatten. Freudig kämpften sie für Israel.
Nach dem sogenannten Pfingstfest zogen sie in Eilmärschen gegen Gorgias, den Befehlshaber der Idumäer. Er rückte mit dreitausend Fußsoldaten und vierhundert Reitern aus. Als sie zum Kampf antraten, fielen einige von den Juden.
Am nächsten Tag kamen die Leute des Judas, um die Leichen der Gefallenen zu überführen – es war inzwischen höchste Zeit geworden – und sie inmitten ihrer Angehörigen in den Familiengräbern zu bestatten. Da entdeckten sie, daß alle Toten unter ihren Kleidern Amulette der Götter von Jamnia trugen, obwohl das den Juden vom Gesetz her verboten ist. Da wurde allen klar, daß die Männer deswegen gefallen waren, und sie priesen nun alle das Wirken des Herrn, des gerechten Richters, der das Verborgene ans Licht bringt. Anschließend hielten sie einen Bittgottesdienst ab und beteten, daß die begangene Sünde wieder völlig ausgelöscht werde.
Der edle Judas aber ermahnte die Leute, sich von Sünden rein zu halten; sie hätten ja mit eigenen Augen gesehen, welche Folgen das Vergehen der Gefallenen gehabt habe. Er veranstaltete eine Sammlung, an der sich alle beteiligten, und schickte etwa zweitausend Silberdrachmen nach Jerusalem, damit man dort ein Sündopfer darbringe. Damit handelte er sehr schön und edel; denn er dachte an die Auferstehung. Hätte er nicht erwartet, daß die Gefallenen auferstehen werden, wäre es nämlich überflüssig und sinnlos gewesen, für die Toten zu beten. Auch hielt er sich den herrlichen Lohn vor Augen, der für die hinterlegt ist, die in Frömmigkeit sterben. Ein heiliger und frommer Gedanke! Darum ließ er die Toten entsühnen, damit sie von der Sünde befreit werden.
(1 Makk 3; 2 Makk 12)

Die Reinigung und Weihe des Tempels

Judas und seine Brüder aber sagten: „Unsere Feinde sind nun vernichtend geschlagen. Wir wollen nach Jerusalem hinaufziehen, den Tempel reinigen und ihn neu weihen." Das ganze Heer versammelte sich also und zog zum Berg Zion hinauf. Da sahen sie das Heiligtum verödet daliegen. Der Brandopferaltar war entweiht; die Tore hatte man verbrannt. In den Vorhöfen wuchs Unkraut wie in einem Wald oder auf einem Berg, und die Nebengebäude waren verfallen. Da zerrissen sie ihre Gewänder, begannen laut zu klagen und streuten sich Staub auf das Haupt.

Dann nahmen sie unbehauene Steine, wie es das Gesetz vorschreibt, und errichteten einen neuen Altar, der genauso aussah wie der alte. Auch das Heiligtum und die Innenräume des Tempels bauten sie wieder auf und reinigten die Vorhöfe. Sie fertigten neue heilige Geräte an und stellten den Leuchter, den Rauchopferaltar und den Tisch in den Tempel. Dann brachten sie auf dem Altar ein Rauchopfer dar, zündeten die Lichter an dem Leuchter an, so daß der Tempel hell wurde, legten Schaubrote auf den Tisch und hängten den Vorhang auf. So beendeten sie alle Arbeiten, die sie sich vorgenommen hatten.

Zur gleichen Zeit und am selben Tag, an dem die fremden Völker den Tempel entweiht hatten, wurde er neu geweiht, unter Liedern, Zither- und Harfenspiel und dem Klang der Zimbeln. Das ganze Volk warf sich nieder auf das Gesicht, sie beteten an und priesen den Himmel, der ihnen Erfolg geschenkt hatte.

Judas faßte mit seinen Brüdern und mit der ganzen Gemeinde Israels den Beschluß, Jahr für Jahr zur selben Zeit mit festlichem Jubel die Tage der Altarweihe zu begehen, und zwar acht Tage lang.

(1 Makk 4)

Daniel

Im Buch Daniel wird davon erzählt, daß es Daniel und seinen Gefährten immer wieder gelang, ihren Glauben auch in Zeiten der Gefahr zu bewahren. Dazu verhalfen ihnen auch Visionen, die alle Macht als vergänglich darstellten. Diese Erzählungen aus babylonischer und persischer Zeit stärkten die Juden vor allem in der Zeit des Seleukiden Antiochus IV., als dieser daranging, die jüdische Religion zu verbieten.

Daniel in der Löwengrube

Darius fand es für gut, über das Reich hundertzwanzig Satrapen einzusetzen, die über das ganze Reich verteilt sein sollten. Über diese wieder setzte er drei oberste Beamte, zu denen auch Daniel gehörte. Ihnen sollten die Satrapen Rechenschaft ablegen, damit der König keinen Schaden erleide. Daniel nun zeichnete sich vor den anderen obersten Beamten und den Satrapen aus; denn in ihm war ein außergewöhnlicher Geist. Der König erwog sogar, ihn zum höchsten Beamten des ganzen Reiches zu machen. Da suchten die obersten Beamten und die Satrapen einen Grund, um Daniel wegen seiner Amtsführung anzuklagen. Sie konnten aber keinen Grund zur Anklage und kein Vergehen finden; denn er war zuverlässig; keine Nachlässigkeit und kein Vergehen konnte man ihm nachweisen.
Da sagten jene Männer: „Wir werden keinen Grund finden, um diesen Daniel anzuklagen, es sei denn, wir finden gegen ihn etwas wegen des Gesetzes seines Gottes." Darum bestürmten die obersten Beamten und Satrapen den König und sagten zu ihm: „König Darius, mögest du ewig leben. Alle obersten Beamten des Reiches, die Präfekten, Satrapen, Räte und Statthalter raten dem König, ein Dekret zu erlassen und folgendes Verbot in Kraft zu setzen: Jeder, der innerhalb von dreißig Tagen an irgendeinen Gott oder Menschen außer an dich, König, eine Bitte richtet, der soll in die Löwengrube geworfen werden. Erlaß dieses Verbot, o König, und fertige ein Schreiben darüber aus! Es soll nach dem unwandelbaren Gesetz der Meder und Perser unabänderlich sein." König Darius unterzeichnete das Verbot.
Als Daniel erfuhr, daß das Schreiben unterzeichnet war, ging er in sein Haus. In seinem Obergemach waren die Fenster nach Jerusalem hin

offen. Dort kniete er dreimal am Tag nieder und richtete sein Gebet und seinen Lobpreis an seinen Gott, ganz so, wie er es gewohnt war. Nun schlichen sich jene Männer heran und fanden Daniel, wie er zu seinem Gott betete und flehte. Darauf gingen sie zum König und erinnerten ihn an sein Verbot; sie sagten: „O König, hast du nicht ein Verbot unterzeichnet, nach dem jeder, der innerhalb von dreißig Tagen an irgendeinen Gott oder Menschen außer an dich, König, eine Bitte richtet, in die Löwengrube geworfen werden soll?" Der König gab zur Antwort: „Die Anordnung steht fest nach dem unwandelbaren Gesetz der Meder und Perser." Da berichteten sie dem König: „Daniel, einer von den verschleppten Juden, achtet weder dich, König, noch das Verbot, das du unterschrieben hast, sondern verrichtet dreimal am Tag sein Gebet." Als der König das hörte, war es ihm sehr peinlich, und er dachte nach, wie er Daniel retten könne. Bis Sonnenuntergang bemühte er sich, ihn freizubekommen. Doch jene Männer bestürmten ihn und sagten: „Bedenke, König, es ist bei den Medern und Persern Gesetz, daß jedes Verbot und Dekret, das der König erläßt, unabänderlich ist." Darauf befahl der König, Daniel herzubringen, und man warf ihn zu den Löwen in die Grube. Der König sagte noch zu Daniel: „Möge dein Gott, dem du so unablässig dienst, dich erretten." Und man nahm einen großen Stein und wälzte ihn auf die Öffnung der Grube. Der König versiegelte ihn mit seinem Siegel und den Siegeln seiner Großen, um zu verhindern, daß an der Lage Daniels etwas verändert würde.
Dann ging der König in seinen Palast; fastend verbrachte er die Nacht; er ließ sich keine Speisen bringen und konnte keinen Schlaf finden. Früh am Morgen, als es gerade hell wurde, stand der König auf und ging in Eile zur Löwengrube. Als er sich der Grube näherte, rief er mit schmerzlicher Stimme nach Daniel und fragte: „Daniel, du Diener des lebendigen Gottes! Hat dein Gott, dem du so unablässig dienst, dich vor den Löwen erretten können?" Daniel antwortete ihm: „O König, mögest du ewig leben. Mein Gott hat seinen Engel gesandt und den Rachen der Löwen verschlossen. Sie taten mir nichts zuleide; denn in seinen Augen war ich schuldlos, und auch dir gegenüber, König, bin ich ohne Schuld." Darüber war der König hoch erfreut und befahl, Daniel aus der Grube herauszuholen. So wurde Daniel aus der Grube herausgeholt; man fand an ihm nicht die geringste Verletzung, denn er hatte seinem Gott vertraut.

Nun aber ließ der König die Männer herbeiholen, die Daniel verklagt hatten, und ließ sie mit ihren Kindern und Frauen in die Löwengrube werfen. Sie waren noch nicht am Boden der Grube angelangt, da stürzten sich die Löwen auf sie und zermalmten ihnen alle Knochen.
Daraufhin schrieb König Darius an alle Völker, Nationen und Sprachen auf der ganzen Erde: „Friede sei mit euch in Fülle! Hiermit ordne ich an: Im ganzen Gebiet meines Reiches soll man vor dem Gott Daniels zittern und sich vor ihm fürchten. Denn er ist der lebendige Gott, er lebt in Ewigkeit. Sein Reich geht niemals unter; seine Herrschaft hat kein Ende. Er rettet und befreit; er wirkt Zeichen und Wunder am Himmel und auf der Erde; er hat Daniel aus den Tatzen der Löwen errettet."
Daniel aber ging es gut unter dem König Darius und auch unter dem Perserkönig Kyrus.
(Dan 7)

Daniels Vision vom Menschensohn

Ich hatte während der Nacht eine Vision: Die vier Winde des Himmels wühlten das große Meer auf. Dann stiegen aus dem Meer vier große Tiere herauf; jedes hatte eine andere Gestalt. Das erste war einem Löwen ähnlich, hatte jedoch Adlerflügel. Während ich es betrachtete, wurden ihm die Flügel ausgerissen; es wurde vom Boden emporgehoben und wie ein Mensch auf zwei Füße gestellt, und es wurde ihm ein menschliches Herz gegeben. Dann erschien ein zweites Tier; es glich einem Bären und war nach einer Seite hin aufgerichtet. Es hielt drei Rippen zwischen den Zähnen in seinem Maul, und man ermunterte es: Auf, friß noch viel mehr Fleisch! Danach sah ich ein anderes Tier; es glich einem Panther, hatte aber auf dem Rücken vier Flügel, wie die Flügel eines Vogels; auch hatte das Tier vier Köpfe; ihm wurde die Macht eines Herrschers verliehen. Danach sah ich in meinen nächtlichen Visionen ein viertes Tier; es war furchtbar und schrecklich anzusehen und sehr stark; es hatte große Zähne aus Eisen. Es fraß und zermalmte alles, und was übrig blieb, zertrat es mit den Füßen. Von den anderen Tieren war es völlig verschieden. Auch hatte es zehn Hörner. Als ich die Hörner betrachtete, da wuchs zwischen ihnen ein anderes, kleineres Horn empor, und vor ihm wurden drei von den früheren Hör-

nern ausgerissen; und an diesem Horn waren Augen wie Menschenaugen und ein Maul, das anmaßend redete.
Ich sah immer noch hin; da wurden Throne aufgestellt, und ein Hochbetagter nahm Platz. Sein Gewand war weiß wie Schnee, sein Haar wie reine Wolle. Feuerflammen waren sein Thron, und dessen Räder waren lodernde Feuer. Ein Strom von Feuer ging von ihm aus. Tausendmal Tausende dienten ihm, zehntausendmal Zehntausende standen vor ihm. Das Gericht nahm Platz, und es wurden Bücher aufgeschlagen. Ich sah immer noch hin, bis das Tier – wegen der anmaßenden Worte, die das Horn redete – getötet wurde. Sein Körper wurde dem Feuer übergeben und vernichtet. Auch den anderen Tieren wurde die Herrschaft genommen. Doch ließ man ihnen das Leben bis zu einer bestimmten Frist. Immer noch hatte ich die nächtlichen Visionen:
Da kam mit den Wolken des Himmels einer wie ein Menschensohn.
Er gelangte bis zu dem Hochbetagten und wurde vor ihn geführt.
Ihm wurden Herrschaft, Würde und Königtum gegeben.
Alle Völker, Nationen und Sprachen müssen ihm dienen.
Seine Herrschaft ist eine ewige, unvergängliche Herrschaft.
Sein Reich geht niemals unter.
(Dan 7)

Nachsinnen über Gott und die Welt

Alle Teile der Bibel erzählen davon, wie Gott in der Welt wirkt und was er mit den Menschen vorhat. Die Bibel sagt auch, wie die Menschen ihr Leben vor Gott gestalten sollen. Ob über das Verhältnis zu den Heidenvölkern berichtet wird, ob es um die Einhaltung der Gebote geht, oder ob die Propheten ermahnen und trösten – immer geht es in erster Linie um die Beziehung Gottes zu den Menschen.
Die Israeliten wußten, daß Gott größer ist als alles, was man über ihn sagen kann. Gott ist viel größer als all die Götter und Götzenbilder, die ringsum von den heidnischen Völkern verehrt wurden. Deshalb gab es in Israel auch das Gebot: „Du sollst dir von Gott kein Bild machen." Für den gläubigen Juden war es klar, daß man Gott nicht darstellen kann. Man kann nur spüren, ersinnen, wie Gott ist, wie er wirkt, was er will.
Es gibt ganz unterschiedliche Weisen, von Gott zu reden. Man kann von Gott sprechen, wie man sich sein Wirken in der Geschichte vorstellt. Man kann Gott aber auch in Gedichten und Liedern besingen – so wie man seine eigenen Gefühle auch in Versen beschreiben kann. Solche Lieder von Gott sind z. B. die Psalmen. Auch die Vorstellung darüber, wie die Welt entstanden sein könnte, kann man mit einem Lobpreis auf Gott verbinden. Schließlich ist es sogar möglich, Geschichten zu erfinden, um zu erzählen, wie der Mensch richtig vor Gott leben soll.
Wenn man biblische Texte richtig verstehen will, muß man auf solche Unterschiede achten.

Das Buch der Psalmen

Psalmen sind Lieder, die in ganz unterschiedlicher Weise von Gott erzählen: Loblieder, Klagelieder, Danklieder. Sie wurden bei Wallfahrten und Tempelgottesdiensten gesungen. Alles, was das Herz der Gläubigen bewegt, wurde in diesen Liedern vor Gott gebracht. In alter Zeit wurden die Psalmen mit einem Saiteninstrument, dem Psalter, begleitet. Bis heute sind die Psalmen und andere biblische Lieder die wichtigsten Gesänge der Kirche.

Harfenspieler

Psalm 8: Die Herrlichkeit des Schöpfers – die Würde des Menschen

Herr, unser Herrscher,
wie gewaltig ist dein Name auf der ganzen Erde;
über den Himmel breitest du deine Hoheit aus.
Aus dem Mund der Kinder und Säuglinge schaffst du dir Lob,
deinen Gegnern zum Trotz;
deine Feinde und Widersacher müssen verstummen.
Seh' ich den Himmel, das Werk deiner Finger,
Mond und Sterne, die du befestigt:
Was ist der Mensch, daß du an ihn denkst,
des Menschen Kind, daß du dich seiner annimmst?
Du hast ihn nur wenig geringer gemacht als Gott,
hast ihn mit Herrlichkeit und Ehre gekrönt.
Du hast ihn als Herrscher eingesetzt über das Werk deiner Hände,
hast ihm alles zu Füßen gelegt:
All die Schafe, Ziegen und Rinder
und auch die wilden Tiere,
die Vögel des Himmels und die Fische im Meer,
alles, was auf den Pfaden der Meere dahinzieht.
Herr, unser Herrscher,
wie gewaltig ist dein Name auf der ganzen Erde!

Psalm 23: Der gute Hirt

Der Herr ist mein Hirte,
nichts wird mir fehlen.
Er läßt mich lagern auf grünen Auen
und führt mich zum Ruheplatz am Wasser.
Er stillt mein Verlangen;
er leitet mich auf rechten Pfaden, treu seinem Namen.

Muß ich auch wandern in finsterer Schlucht,
ich fürchte kein Unheil;
denn du bist bei mir,
dein Stock und dein Stab geben mir Zuversicht.

Du deckst mir den Tisch
vor den Augen meiner Feinde.
Du salbst mein Haupt mit Öl,
du füllst mir reichlich den Becher.
Lauter Güte und Huld werden mir folgen mein Leben lang,
und im Haus des Herrn darf ich wohnen für lange Zeit.

Psalm 24: Der Einzug des Herrn in sein Heiligtum

Dem Herrn gehört die Erde und was sie erfüllt,
der Erdkreis und seine Bewohner.
Denn er hat ihn auf Meere gegründet,
ihn über Strömen befestigt.
Wer darf hinaufziehn zum Berg des Herrn,
wer darf stehn an seiner heiligen Stätte?
Der reine Hände hat und ein lauteres Herz,
der nicht betrügt und keinen Meineid schwört.
Er wird Segen empfangen vom Herrn
und Heil von Gott, seinem Helfer.
Das sind die Menschen, die nach ihm fragen,
die dein Antlitz suchen, Gott Jakobs.
Ihr Tore, hebt euch nach oben,
hebt euch, ihr uralten Pforten;

denn es kommt der König der Herrlichkeit.
Wer ist der König der Herrlichkeit?
Der Herr, stark und gewaltig,
der Herr, mächtig im Kampf.
Ihr Tore, hebt euch nach oben,
hebt euch, ihr uralten Pforten;
denn es kommt der König der Herrlichkeit.
Wer ist der König der Herrlichkeit?
Der Herr der Heerscharen,
er ist der König der Herrlichkeit.

Psalm 27: Die Gemeinschaft mit Gott

Der Herr ist mein Licht und mein Heil:
Vor wem sollte ich mich fürchten?
Vor wem sollte mir bangen?
Dringen Frevler auf mich ein,
um mich zu verschlingen,
meine Bedränger und Feinde,
sie müssen straucheln und fallen.
Mag ein Heer mich belagern:
Mein Herz wird nicht verzagen.
Mag Krieg gegen mich toben:
Ich bleibe dennoch voll Zuversicht.
Nur eines erbitte ich vom Herrn,
danach verlangt mich:
Im Haus des Herrn zu wohnen
alle Tage meines Lebens,
die Freundlichkeit des Herrn zu schauen
und nachzusinnen in seinem Tempel.
Denn er birgt mich in seinem Haus
am Tage des Unheils;
er beschirmt mich im Schutz seines Zeltes,
er hebt mich auf einen Felsen empor.
Nun kann ich mein Haupt erheben
über die Feinde, die mich umringen.
Ich will Opfer darbringen in seinem Zelt, Opfer mit Jubel;

dem Herrn will ich singen und spielen.
Vernimm, o Herr, mein lautes Rufen;
sei mir gnädig, und erhöre mich!
Mein Herz denkt an dein Wort: Sucht mein Angesicht!
Dein Angesicht, Herr, will ich suchen.
Verbirg nicht dein Gesicht vor mir;
weise deinen Knecht im Zorn nicht ab!
Du wurdest meine Hilfe.
Verstoß mich nicht, verlaß mich nicht,
du Gott meines Heiles!
Wenn mich auch Vater und Mutter verlassen,
der Herr nimmt mich auf.
Zeige mir, Herr, deinen Weg,
leite mich auf ebener Bahn trotz meiner Feinde!
Gib mich nicht meinen gierigen Gegnern preis;
denn falsche Zeugen stehen gegen mich auf und wüten.
Ich aber bin gewiß, zu schauen
die Güte des Herrn im Land der Lebenden.
Hoffe auf den Herrn, und sei stark!
Hab festen Mut, und hoffe auf den Herrn!

Psalm 100: Lobgesang des Volkes beim Einzug ins Heiligtum

Jauchzt vor dem Herrn, alle Länder der Erde!
Dient dem Herrn mit Freude!
Kommt vor sein Antlitz mit Jubel!
Erkennt: Der Herr allein ist Gott.
Er hat uns geschaffen, wir sind sein Eigentum,
sein Volk und die Herde seiner Weide.
Tretet mit Dank durch seine Tore ein!
Kommt mit Lobgesang in die Vorhöfe seines Tempels!
Dankt ihm, preist seinen Namen!
Denn der Herr ist gütig,
ewig währt seine Huld,
von Geschlecht zu Geschlecht seine Treue.

Psalm 104: Loblied auf den Schöpfer

Lobe den Herrn, meine Seele!
Herr, mein Gott, wie groß bist du!
Du bist mit Hoheit und Pracht bekleidet.
Du hüllst dich in Licht wie in ein Kleid,
du spannst den Himmel aus wie ein Zelt.
Du verankerst die Balken deiner Wohnung im Wasser.
Du nimmst dir die Wolken zum Wagen,
du fährst einher auf den Flügeln des Sturmes.
Du machst dir die Winde zu Boten
und lodernde Feuer zu deinen Dienern.

Du hast die Erde auf Pfeiler gegründet;
in alle Ewigkeit wird sie nicht wanken.
Einst hat die Urflut sie bedeckt wie ein Kleid,
die Wasser standen über den Bergen:
Sie wichen vor deinem Drohen zurück,
sie flohen vor der Stimme deines Donners.
Da erhoben sich Berge und senkten sich Täler
an den Ort, den du für sie bestimmt hast.
Du hast den Wassern eine Grenze gesetzt,
die dürfen sie nicht überschreiten;
nie wieder sollen sie die Erde bedecken.

Du läßt die Quellen hervorsprudeln in den Tälern,
sie eilen zwischen den Bergen dahin.
Allen Tieren des Feldes spenden sie Trank,
die Wildesel stillen ihren Durst daraus.
An den Ufern wohnen die Vögel des Himmels,
aus den Zweigen erklingt ihr Gesang.
Du tränkst die Berge aus deinen Kammern,
aus deinen Wolken wird die Erde satt.

Du läßt Gras wachsen für das Vieh,
auch Pflanzen für den Menschen, die er anbaut,
damit er Brot gewinnt von der Erde
und Wein, der das Herz des Menschen erfreut;

damit sein Gesicht von Öl erglänzt
und Brot das Menschenherz stärkt.
Die Bäume des Herrn trinken sich satt,
die Zedern des Libanon, die er gepflanzt hat.
In ihnen bauen die Vögel ihr Nest,
auf den Zypressen nistet der Storch.
Die hohen Berge gehören dem Steinbock,
dem Klippdachs bieten die Felsen Zuflucht.

Du hast den Mond gemacht als Maß für die Zeiten,
die Sonne weiß, wann sie untergeht.
Du sendest Finsternis, und es wird Nacht,
dann regen sich alle Tiere des Waldes.
Die jungen Löwen brüllen nach Beute,
sie verlangen von Gott ihre Nahrung.
Strahlt die Sonne dann auf, so schleichen sie heim
und lagern sich in ihren Verstecken.
Nun geht der Mensch hinaus an sein Tagwerk,
an seine Arbeit bis zum Abend.

Herr, wie zahlreich sind deine Werke!
Mit Weisheit hast du sie alle gemacht,
die Erde ist voll von deinen Geschöpfen.
Da ist das Meer, so groß und weit,
darin ein Gewimmel ohne Zahl: kleine und große Tiere.
Dort ziehen die Schiffe dahin,
auch der Leviatan, den du geformt hast,
um mit ihm zu spielen.
Sie alle warten auf dich,
daß du ihnen Speise gibst zur rechten Zeit.
Gibst du ihnen, dann sammeln sie ein;
öffnest du deine Hand, werden sie satt an Gutem.
Verbirgst du dein Gesicht, sind sie verstört;
nimmst du ihnen den Atem, so schwinden sie hin
und kehren zurück zum Staub der Erde.
Sendest du deinen Geist aus, so werden sie alle erschaffen,
und du erneuerst das Antlitz der Erde.

Weltbild der Völker im alten Orient

Ewig währe die Herrlichkeit des Herrn;
der Herr freue sich seiner Werke.
Er blickt auf die Erde, und sie erbebt;
er rührt die Berge an, und sie rauchen.

Ich will meinem Gott spielen, solange ich da bin.
Möge ihm mein Dichten gefallen.
Ich will mich freuen am Herrn.
Doch die Sünder sollen von der Erde verschwinden,
es sollen keine Frevler mehr dasein.
Lobe den Herrn, meine Seele!
Halleluja!

Psalm 122: Ein Lied zur Wallfahrt nach Jerusalem

Ich freute mich, als man mir sagte:
„Zum Haus des Herrn wollen wir pilgern."
Schon stehen wir in deinen Toren, Jerusalem:
Jerusalem, du starke Stadt,
dicht gebaut und fest gefügt.
Dorthin ziehen die Stämme hinauf, die Stämme des Herrn,
wie es Israel geboten ist,
den Namen des Herrn zu preisen.
Denn dort stehen Throne bereit für das Gericht,
die Throne des Hauses David.
Erbittet für Jerusalem Frieden!
Wer dich liebt, sei in dir geborgen.
Friede wohne in deinen Mauern,
in deinen Häusern Geborgenheit.
Wegen meiner Brüder und Freunde
will ich sagen: In dir sei Friede.
Wegen des Hauses des Herrn, unseres Gottes,
will ich dir Glück erflehen.

Psalm 126: Tränen und Jubel

Als der Herr das Los der Gefangenschaft Zions wendete,
da waren wir alle wie Träumende.
Da war unser Mund voll Lachen
und unsere Zunge voll Jubel.
Da sagte man unter den andern Völkern:
„Der Herr hat an ihnen Großes getan."

Ja, Großes hat der Herr an uns getan.
Da waren wir fröhlich.
Wende doch, Herr, unser Geschick,
wie du versiegte Bäche wieder füllst im Südland.
Die mit Tränen säen,
werden mit Jubel ernten.
Sie gehen hin unter Tränen
und tragen den Samen zur Aussaat.
Sie kommen wieder mit Jubel
und bringen ihre Garben ein.

Psalm 130: Bitte in tiefer Not

Aus der Tiefe rufe ich, Herr, zu Dir:
Herr, höre meine Stimme!
Wende dein Ohr mir zu,
achte auf mein lautes Flehen!
Würdest du, Herr, unsere Sünden beachten,
Herr, wer könnte bestehen?
Doch bei dir ist Vergebung,
damit man in Ehrfurcht dir dient.
Ich hoffe auf den Herrn, es hofft meine Seele,
ich warte voll Vertrauen auf sein Wort.
Meine Seele wartet auf den Herrn
mehr als die Wächter auf den Morgen.
Mehr als die Wächter auf den Morgen
soll Israel harren auf den Herrn!

Denn beim Herrn ist die Huld,
bei ihm ist Erlösung in Fülle.
Ja, er wird Israel erlösen
von all seinen Sünden.

Psalm 136: Danklitanei für Gottes ewige Huld

Danket dem Herrn, denn er ist gütig,
denn seine Huld währt ewig!
Danket dem Gott aller Götter,
denn seine Huld währt ewig!
Danket dem Herrn aller Herren,
denn seine Huld währt ewig!
Der allein große Wunder tut,
denn seine Huld währt ewig,
der den Himmel geschaffen hat in Weisheit,
denn seine Huld währt ewig,
der die Erde über den Wassern gegründet hat,
denn seine Huld währt ewig,
der die großen Leuchten gemacht hat,
denn seine Huld währt ewig,
die Sonne zur Herrschaft über den Tag,
denn seine Huld währt ewig,
Mond und Sterne zur Herrschaft über die Nacht,
denn seine Huld währt ewig.

Der die Erstgeburt der Ägypter schlug,
denn seine Huld währt ewig,
und Israel herausführte aus ihrer Mitte,
denn seine Huld währt ewig,
mit starker Hand und erhobenem Arm,
denn seine Huld währt ewig,
der das Schilfmeer zerschnitt in zwei Teile,
denn seine Huld währt ewig,
und Israel hindurchführte zwischen den Wassern,
denn seine Huld währt ewig,
und den Pharao ins Meer stürzte samt seinem Heer,
denn seine Huld währt ewig.

Der sein Volk durch die Wüste führte,
denn seine Huld währt ewig,
der große Könige schlug,
denn seine Huld währt ewig,

und mächtige Könige tötete,
denn seine Huld währt ewig,
Sihon, den König der Amoriter,
denn seine Huld währt ewig,
und Og, den König von Baschan,
denn seine Huld währt ewig,
und der ihr Land zum Erbe gab,
denn seine Huld währt ewig,
der es Israel gab, seinem Knecht,
denn seine Huld währt ewig.

Der an uns dachte in unsrer Erniedrigung,
denn seine Huld währt ewig,
und uns den Feinden entriß,
denn seine Huld währt ewig.
Der allen Geschöpfen Nahrung gibt,
denn seine Huld währt ewig.

Danket dem Gott des Himmels,
denn seine Huld währt ewig.

Psalm 150: Das große Halleluja

Halleluja!
Lobet Gott in seinem Heiligtum,
lobt ihn in seiner mächtigen Feste!
Lobt ihn für seine großen Taten,
lobt ihn in seiner gewaltigen Größe!
Lobt ihn mit dem Schall der Hörner,
lobt ihn mit Harfe und Zither!
Lobt ihn mit Pauken und Tanz,
lobt ihn mit Flöten und Saitenspiel!
Lobt ihn mit hellen Zimbeln,
lobt ihn mit klingenden Zimbeln!
Alles was atmet,
lobe den Herrn! Halleluja!

Geschichten vom Anfang

Gutes und Böses in der Welt

Die Menschen in Israel haben die Erlebnisse ihres Volkes, vor allem die Rettung aus Ägypten, immer weitererzählt. Dabei kam es ihnen nicht darauf an, daß ihre Kinder viele Ereignisse wußten, sondern daß sie merkten: Gott ist mit seinem Volk. Er hat Abraham erwählt. Er hat Israel aus Ägypten befreit und es zu seinem Volk gemacht. Er hat das Land gegeben und sein Volk in der Auseinandersetzung mit vielen Feinden vor der Vernichtung bewahrt. So hat Israel erfahren: Gott macht alles gut.
Doch es gab ein Problem. Die Menschen sind in das Böse verstrickt. Sie streiten miteinander und sind mit Haß und Neid erfüllt. Darunter leiden sie, und viele fragen: Woher kommt das Böse in die Welt? Für Israel gab es nur eine Antwort: Es kann nur von den Menschen kommen.
Diese Erfahrung ist in Israel immer sicherer geworden: Gott hat die Menschen und die Welt gut geschaffen. Das Böse haben sich die Menschen selbst zuzuschreiben.
Zur Zeit des Königs David hat man zum ersten Mal diese Gedanken in eindrucksvollen Bildern und Erzählungen niedergeschrieben. Sie zeigen uns noch heute, wie großartig Israel von Gott dachte und wie genau man in diesem Volk den Menschen kannte.
Die Erzählungen von der Erschaffung der Welt und der Menschen durch Gott und von der Bosheit der Menschen gegenüber Gott und ihren Mitmenschen stehen im Alten Testament am Anfang. Sie sind aber das Ergebnis eines langen Nachdenkens über Gott und sein Volk, an dessen Beginn Abraham als von Gott berufener Stammvater stand.

Die Erschaffung der Welt

Ein jüngerer Text

Im Anfang schuf Gott Himmel und Erde, die Erde aber war wüst und wirr, Finsternis lag über der Urflut, und Gottes Geist schwebte über dem Wasser.
Gott sprach: „Es werde Licht." Und es wurde Licht. Gott sah, daß das Licht gut war. Gott schied das Licht von der Finsternis, und Gott nannte das Licht Tag, und die Finsternis nannte er Nacht. Es wurde Abend, und es wurde Morgen: erster Tag.

Dann sprach Gott: „Ein Gewölbe entstehe mitten im Wasser und scheide Wasser von Wasser." Gott machte also das Gewölbe und schied das Wasser unterhalb des Gewölbes vom Wasser oberhalb des Gewölbes. So geschah es, und Gott nannte das Gewölbe Himmel. Es wurde Abend, und es wurde Morgen: zweiter Tag.

Dann sprach Gott: „Das Wasser unterhalb des Himmels sammle sich an einem Ort, damit das Trockene sichtbar werde." So geschah es. Das Trockene nannte Gott Land, und das angesammelte Wasser nannte er Meer. Gott sah, daß es gut war. Dann sprach Gott: „Das Land lasse junges Grün wachsen, alle Arten von Pflanzen, die Samen tragen, und von Bäumen, die auf der Erde Früchte bringen mit ihrem Samen darin." So geschah es. Das Land brachte junges Grün hervor, alle Arten von Pflanzen, die Samen tragen, alle Arten von Bäumen, die Früchte bringen mit ihrem Samen darin. Gott sah, daß es gut war. Es wurde Abend, und es wurde Morgen: dritter Tag.

Dann sprach Gott: „Lichter sollen am Himmelsgewölbe sein, um Tag und Nacht zu scheiden. Sie sollen Zeichen sein und zur Bestimmung von Festzeiten, von Tagen und Jahren dienen; sie sollen Lichter am Himmelsgewölbe sein, die über die Erde hin leuchten." So geschah es. Gott machte die beiden großen Lichter, das größere, das über den Tag herrscht, das kleinere, das über die Nacht herrscht, auch die Sterne. Gott setzte die Lichter an das Himmelsgewölbe, damit sie über die Erde hin leuchten, über Tag und Nacht herrschen und das Licht von der Finsternis scheiden. Gott sah, daß es gut war. Es wurde Abend, und es wurde Morgen: vierter Tag.

Dann sprach Gott: „Das Wasser wimmle von lebendigen Wesen, und Vögel sollen über dem Land am Himmelsgewölbe dahinfliegen." Gott schuf alle Arten von großen Seetieren und anderen Lebewesen, von denen das Wasser wimmelt, und alle Arten von gefiederten Vögeln. Gott sah, daß es gut war. Gott segnete sie und sprach: „Seid fruchtbar, und vermehrt euch, und bevölkert das Wasser im Meer, und die Vögel sollen sich auf dem Land vermehren." Es wurde Abend, und es wurde Morgen: fünfter Tag.

Dann sprach Gott: „Das Land bringe alle Arten von lebendigen Wesen hervor, von Vieh, von Kriechtieren und von Tieren des Feldes." So geschah es. Gott machte alle Arten von Tieren des Feldes, alle Arten von Vieh und alle Arten von Kriechtieren auf dem Erdboden. Gott sah, daß es gut war.

Dann sprach Gott: „Laßt uns Menschen machen als unser Abbild, uns ähnlich. Sie sollen herrschen über die Fische des Meeres, über die Vögel des Himmels, über das Vieh, über die ganze Erde und über alle Kriechtiere auf dem Land." Gott schuf also den Menschen als sein Abbild; als Abbild Gottes schuf er ihn. Als Mann und Frau schuf er sie. Gott segnete sie, und Gott sprach zu ihnen: „Seid fruchtbar, und vermehrt euch, bevölkert die Erde, unterwerft sie euch, und herrscht über die Fische des Meeres, über die Vögel des Himmels und über alle Tiere, die sich auf dem Land regen." Dann sprach Gott: „Hiermit übergebe ich euch alle Pflanzen auf der ganzen Erde, die Samen tragen, und alle Bäume mit samenhaltigen Früchten. Euch sollen sie zur Nahrung dienen. Allen Tieren des Feldes, allen Vögeln des Himmels und allem, was sich auf der Erde regt, was Lebensatem in sich hat, gebe ich alle grünen Pflanzen zur Nahrung." So geschah es. Gott sah alles an, was er gemacht hatte: Es war sehr gut. Es wurde Abend, und es wurde Morgen: der sechste Tag.
So wurden Himmel und Erde vollendet und ihr ganzes Gefüge. Am siebten Tag vollendete Gott das Werk, das er geschaffen hatte, und er ruhte am siebten Tag, nachdem er sein ganzes Werk vollbracht hatte. Und Gott segnete den siebten Tag und erklärte ihn für heilig; denn an ihm ruhte Gott, nachdem er das ganze Werk der Schöpfung vollendet hatte.
Das ist die Entstehungsgeschichte von Himmel und Erde, als sie erschaffen wurden.

Ein älterer Text:

Zur Zeit, als Gott, der Herr, Erde und Himmel machte, gab es auf der Erde noch keine Feldsträucher und wuchsen noch keine Feldpflanzen; denn Gott, der Herr, hatte es auf die Erde noch nicht regnen lassen, und es gab noch keinen Menschen, der den Ackerboden bestellt; aber Feuchtigkeit stieg aus der Erde auf und tränkte die ganze Fläche des Ackerbodens.
Da formte Gott, der Herr, den Menschen aus Erde vom Ackerboden und blies in seine Nase den Lebensatem. So wurde der Mensch zu einem lebendigen Wesen.
Dann legte Gott, der Herr, in Eden, im Osten, einen Garten an und setzte dorthin den Menschen, den er geformt hatte. Gott, der Herr, ließ aus dem Ackerboden allerlei Bäume wachsen, verlockend anzusehen und mit köstlichen Früchten, in der Mitte des Gartens aber den Baum des Lebens und den Baum der Erkenntnis von Gut und Böse.

Gott, der Herr, nahm also den Menschen und setzte ihn in den Garten von Eden, damit er ihn bebaue und hüte. Dann gebot Gott, der Herr, dem Menschen: „Von allen Bäumen des Gartens darfst du essen, doch vom Baum der Erkenntnis von Gut und Böse darfst du nicht essen; denn sobald du davon ißt, wirst du sterben."
Dann sprach Gott, der Herr: „Es ist nicht gut, daß der Mensch allein bleibt. Ich will ihm eine Hilfe machen, die ihm entspricht."
Gott, der Herr, formte aus dem Ackerboden alle Tiere des Feldes und alle Vögel des Himmels und führte sie dem Menschen zu, um zu sehen, wie er sie benennen würde. Und wie der Mensch jedes lebendige Wesen benannte, so sollte es heißen. Der Mensch gab Namen allem Vieh, den Vögeln des Himmels und allen Tieren des Feldes. Aber eine Hilfe, die dem Menschen entsprach, fand er nicht.
Da ließ Gott, der Herr, einen tiefen Schlaf auf den Menschen fallen, so daß er einschlief, nahm eine seiner Rippen und verschloß ihre Stelle mit Fleisch. Gott, der Herr, baute aus der Rippe, die er vom Menschen genommen hatte, eine Frau und führte sie dem Menschen zu. Und der Mensch sprach:
„Das endlich ist Bein von meinem Bein
und Fleisch von meinem Fleisch.
Frau soll sie heißen;
denn vom Mann ist sie genommen."
Darum verläßt der Mann Vater und Mutter und bindet sich an seine Frau, und sie werden ein Fleisch. Beide, Adam und seine Frau, waren nackt, aber sie schämten sich nicht voreinander.
(Gen 1; 2)

Der Fall des Menschen

Die Schlange war schlauer als alle Tiere des Feldes, die Gott, der Herr, gemacht hatte. Sie sagte zu der Frau: „Hat Gott wirklich gesagt: Ihr dürft von keinem Baum des Gartens essen?" Die Frau entgegnete der Schlange: „Von den Früchten der Bäume im Garten dürfen wir essen; nur von den Früchten des Baumes, der in der Mitte des Gartens steht, hat Gott gesagt: Davon dürft ihr nicht essen, und daran dürft ihr nicht rühren, sonst werdet ihr sterben."
Darauf sagte die Schlange zur Frau: „Nein, ihr werdet nicht sterben.

Gott weiß vielmehr: Sobald ihr davon eßt, gehen euch die Augen auf; ihr werdet wie Gott und erkennt Gut und Böse." Da sah die Frau, daß es köstlich wäre, von dem Baum zu essen, daß der Baum eine Augenweide war und dazu verlockte, klug zu werden. Sie nahm von seinen Früchten und aß; sie gab auch ihrem Mann, der bei ihr war, und auch er aß.
Da gingen beiden die Augen auf, und sie erkannten, daß sie nackt waren. Sie hefteten Feigenblätter zusammen und machten sich einen Schurz.
Als sie Gott, den Herrn, im Garten gegen den Tagwind einherschreiten hörten, versteckten sich Adam und seine Frau vor Gott, dem Herrn, unter den Bäumen des Gartens. Gott, der Herr, rief Adam zu und sprach: „Wo bist du?" Er antwortete: „Ich habe dich im Garten kommen hören; da geriet ich in Furcht, weil ich nackt bin und versteckte mich." Darauf fragte Gott: „Wer hat dir gesagt, daß du nackt bist? Hast du von dem Baum gegessen, von dem zu essen ich dir verboten habe?" Adam antwortete: „Die Frau, die du mir beigesellt hast, sie hat mir von dem Baum gegeben, und so habe ich gegessen." Gott, der Herr, sprach zu der Frau: „Was hast du da getan?" Die Frau antwortete: „Die Schlange hat mich verführt, und so habe ich gegessen."
Da sprach Gott, der Herr, zur Schlange:
„Weil du das getan hast, bist du verflucht
unter allem Vieh und allen Tieren des Feldes.
Auf dem Bauch sollst du kriechen
und Staub fressen alle Tage deines Lebens.
Feindschaft setze ich zwischen dich und die Frau,
zwischen deinen Nachwuchs und ihren Nachwuchs.
Er trifft dich am Kopf,
und du triffst ihn an der Ferse."
Zur Frau sprach er:
„Viel Mühsal bereite ich dir, sooft du schwanger wirst.
Unter Schmerzen gebierst du Kinder.
Du hast Verlangen nach deinem Mann;
er aber wird über dich herrschen."
Zu Adam sprach er: „Weil du auf deine Frau gehört und von dem Baum gegessen hast, von dem zu essen ich dir verboten hatte:
So ist verflucht der Ackerboden deinetwegen.
Unter Mühsal wirst du von ihm essen
alle Tage deines Lebens.

Dornen und Disteln läßt er dir wachsen,
und die Pflanzen des Feldes mußt du essen.
Im Schweiße deines Angesichts
sollst du dein Brot essen,
bis du zurückkehrst zum Ackerboden;
von ihm bist du ja genommen.
Denn Staub bist du, zum Staub mußt du zurück."

Adam nannte seine Frau Eva (Leben), denn sie wurde die Mutter aller Lebendigen. Gott, der Herr, machte Adam und seiner Frau Röcke aus Fellen und bekleidete sie damit. Dann sprach Gott, der Herr: „Seht, der Mensch ist geworden wie wir; er erkennt Gut und Böse. Daß er jetzt nicht die Hand ausstreckt, auch vom Baum des Lebens nimmt, davon ißt und ewig lebt!" Gott, der Herr, schickte ihn aus dem Garten von Eden weg, damit er den Ackerboden bestellte, von dem er genommen war.
(Gen 3)

Kain und Abel

Adam erkannte Eva, seine Frau; sie wurde schwanger und gebar Kain. Da sagte sie: „Ich habe einen Mann vom Herrn erworben." Sie gebar ein zweites Mal, nämlich Abel, seinen Bruder. Abel wurde Schafhirt und Kain Ackerbauer.

Nach einiger Zeit brachte Kain dem Herrn ein Opfer von den Früchten des Feldes dar; auch Abel brachte eines dar von den Erstlingen seiner Herde und von ihrem Fett. Der Herr schaute auf Abel und sein Opfer, aber auf Kain und sein Opfer schaute er nicht. Da überlief es Kain ganz heiß, und sein Blick senkte sich. Der Herr sprach zu Kain: „Warum überläuft es dich heiß, und warum senkt sich dein Blick? Nicht wahr, wenn du recht tust, darfst du aufblicken; wenn du nicht recht tust, lauert an der Tür die Sünde als Dämon. Auf dich hat er es abgesehen, doch du werde Herr über ihn!"

Hierauf sagte Kain zu seinem Bruder Abel: „Gehen wir aufs Feld!" Als sie auf dem Feld waren, griff Kain seinen Bruder Abel an und erschlug ihn.

Da sprach der Herr zu Kain: „Wo ist dein Bruder Abel?" Er entgegnete: „Ich weiß es nicht. Bin ich der Hüter meines Bruders?" Der Herr sprach: „Was hast du getan? Das Blut deines Bruders schreit zu mir vom Ackerboden. So bist du verflucht, verbannt vom Ackerboden, der seinen Mund aufgesperrt hat, um aus deiner Hand das Blut deines Bruders aufzunehmen. Wenn du den Ackerboden bestellst, wird er dir keinen Ertrag mehr bringen. Rastlos und ruhelos wirst du auf der Erde sein."

Kain antwortete dem Herrn: „Zu groß ist meine Schuld, als daß ich sie tragen könnte. Du hast mich heute vom Ackerland verjagt, und ich muß mich vor deinem Angesicht verbergen; rastlos und ruhelos werde ich auf der Erde sein, und wer mich findet, wird mich erschlagen." Der Herr aber sprach zu ihm: „Darum soll jeder, der Kain erschlägt, siebenfacher Rache verfallen." Darauf machte der Herr dem Kain ein Zeichen, damit ihn keiner erschlage, der ihn finde."

(Gen 4)

Noach und die Sintflut

Der Herr sah, daß auf der Erde die Schlechtigkeit des Menschen zunahm und daß alles Sinnen und Trachten seines Herzens immer böse war. Da reute es den Herrn, auf der Erde den Menschen gemacht zu haben, und es tat seinem Herzen weh. Der Herr sagte: „Ich will den Menschen, den ich erschaffen habe, vom Erdboden vertilgen, auch das Vieh, die Kriechtiere und die Vögel des Himmels, denn es reut mich, sie gemacht zu haben." Nur Noach fand Gnade in den Augen des Herrn.

Darauf sprach der Herr zu Noach: „Geh in die Arche, du und dein ganzes Haus, denn ich habe gesehen, daß du unter deinen Zeitgenossen vor mir gerecht bist. Von allen reinen Tieren nimm dir je sieben Paare mit, und von allen unreinen Tieren je ein Paar, auch von den Vögeln des Himmels je sieben Männchen und Weibchen, um Nachwuchs auf der ganzen Erde am Leben zu erhalten! Denn noch sieben Tage dauert es, dann lasse ich es vierzig Tage und vierzig Nächte lang auf die Erde regnen und tilge vom Erdboden alle Wesen, die ich gemacht habe."

Noach tat alles, was ihm der Herr aufgetragen hatte. Die Flut auf der Erde dauerte vierzig Tage. Das Wasser stieg und hob die Arche immer höher über die Erde. Das Wasser schwoll an und stieg immer mehr auf der Erde, die Arche aber trieb auf dem Wasser dahin.

Da verendeten alle Wesen aus Fleisch, die sich auf der Erde geregt hatten, Vögel, Vieh und sonstige Tiere, alles, wovon die Erde gewimmelt

hatte, und auch alle Menschen. Alles, was auf der Erde durch die Nase Lebensgeist atmete, kam um. Übrig blieb nur Noach und was mit ihm in der Arche war.
Dann ließ der Regen nach, und das Wasser verlief sich allmählich von der Erde. Nach vierzig Tagen öffnete Noach das Fenster der Arche und ließ einen Raben hinaus. Der flog aus und ein, bis das Wasser auf der Erde vertrocknet war. Dann ließ er eine Taube hinaus, um zu sehen, ob das Wasser auf der Erde abgenommen habe. Die Taube fand keinen Halt für ihre Füße und kehrte zu ihm in die Arche zurück, weil noch Wasser über der ganzen Erde stand. Er streckte seine Hand aus und nahm die Taube wieder zu sich in die Arche. Dann wartete er noch weitere sieben Tage und ließ wieder die Taube aus der Arche. Gegen Abend kam die Taube zu ihm zurück, und siehe da: In ihrem Schnabel hatte sie einen frischen Olivenzweig. Jetzt wußte Noach, daß nur noch wenig Wasser auf der Erde stand. Er wartete weitere sieben Tage und ließ die Taube noch einmal hinaus. Nun kehrte sie nicht mehr zu ihm zurück. Da entfernte Noach das Verdeck der Arche, blickte hinaus, und siehe: Die Erdoberfläche war trocken. Am siebenundzwanzigsten Tag des zweiten Monats war die Erde trocken.
Dann baute Noach dem Herrn einen Altar, nahm von allen reinen Tieren und von allen reinen Vögeln und brachte auf dem Altar Brandopfer dar. Der Herr roch den beruhigenden Duft und sprach bei sich: „Ich will die Erde wegen des Menschen nicht noch einmal verfluchen; denn das Trachten des Menschen ist böse von Jugend an. Ich will künftig nicht mehr alles Lebendige vernichten, wie ich es getan habe. Solange die Erde besteht, sollen nicht aufhören Aussaat und Ernte, Kälte und Hitze, Sommer und Winter, Tag und Nacht."
(Gen 6-8)

Der Turmbau zu Babel

Alle Menschen hatten die gleiche Sprache und gebrauchten die gleichen Worte. Als sie von Osten aufbrachen, fanden sie eine Ebene im Land Schinar und siedelten sich dort an. Sie sagten zueinander: „Auf, formen wir Lehmziegel, und brennen wir sie zu Backsteinen." So dienten ihnen gebrannte Ziegel als Steine und Erdpech als Mörtel. Dann sagten sie: „Auf, bauen wir uns eine Stadt und einen Turm mit einer Spitze bis

zum Himmel, und machen wir uns damit einen Namen, dann werden wir uns nicht über die ganze Erde zerstreuen."
Da stieg der Herr herab, um sich Stadt und Turm anzusehen, die die Menschenkinder bauten. Er sprach: „Seht nur, *ein* Volk sind sie, und *eine* Sprache haben sie alle. Und das ist erst der Anfang ihres Tuns. Jetzt wird ihnen nichts mehr unerreichbar sein, was sie sich auch vornehmen. Auf, steigen wir hinab, und verwirren wir dort ihre Sprache, so daß keiner mehr die Sprache des anderen versteht." Der Herr zerstreute sie von dort aus über die ganze Erde, und sie hörten auf, an der Stadt zu bauen. Darum nannte man die Stadt Babel (Wirrsal), denn dort hat der Herr die Sprache aller Welt verwirrt, und von dort aus hat er die Menschen über die ganze Erde zerstreut.
(Gen 11)

Ijob

Im Buch Ijob geht es um eine Frage, die die Menschen immer beschäftigt hat: „Welchen Sinn hat das Leid?"
Leid als Folge der Sünde kannte das Volk Israel schon. Die drei Freunde von Ijob sehen nur diesen Zusammenhang. Ijob ist aber nicht böse, sondern gerecht vor Gott, dennoch muß er leiden. Die Reden des Elihu deuten an, daß man Unglück und Leid auch als einen Weg zu Läuterung und Reinigung verstehen kann. Für die Frau des Ijob ist unverdientes Unglück Grund genug, daß man sich von Gott lossagt.
In der Ijob-Dichtung ringt Ijob leidenschaftlich mit Gott. Gott selbst greift in das Gespräch ein, seine Rede bringt jedoch keine Lösung des Rätsels. Verstandesgründe helfen nicht weiter. Er gibt aber Trost dadurch, daß er sich selbst zeigt. Ijob erfährt, daß in allem, was ihm widerfährt, Gott nahe ist. Er hat durch die Wunder der Schöpfung seine Macht gezeigt, aber er bleibt für den Menschen unbegreiflich. Ijob ist überwältigt von Gottes Macht. Er erkennt den Willen Gottes an, den er nicht verstehen kann. Ijob verstummt und vertraut. Zuletzt schenkt Gott Ijob sein früheres Glück zurück und überhäuft ihn mit Segen.
Es ist leicht zu erkennen, daß das Buch aus Prosateilen und gedichtartigen Formen besteht. Die Prosa-Erzählung ist der Rahmen, in welchen die Reden hineingestellt werden.

Ijobs Rechtlichkeit

Im Lande Uz lebte ein Mann mit Namen Ijob. Dieser Mann war untadelig und rechtschaffen; er fürchtete Gott und mied das Böse. Sieben Söhne und drei Töchter wurden ihm geboren. Er besaß siebentausend Stück Kleinvieh, dreitausend Kamele, fünfhundert Joch Rinder und fünfhundert Esel, dazu zahlreiches Gesinde. An Ansehen übertraf dieser Mann alle Bewohner des Ortes. Reihum hielten seine Söhne ein Gastmahl, ein jeder an seinem Tag in seinem Haus. Dann schickten sie hin und luden auch ihre Schwestern ein, mit ihnen zu essen und zu trinken. Wenn die Tage des Gastmahls vorbei waren, schickte Ijob hin und entsühnte sie. Früh am Morgen stand er auf und brachte so viele Brandopfer dar, wie er Kinder hatte. Denn Ijob sagte: „Vielleicht haben meine Kinder gesündigt und Gott gelästert in ihrem Herzen." So tat Ijob jedesmal.
(Ijob 1)

Der Verlust des Reichtums

Nun geschah es eines Tages, da kamen die Gottessöhne, um vor den Herrn hinzutreten; unter ihnen kam auch der Satan. Der Herr sprach zum Satan: „Woher kommst du?" Der Satan antwortete dem Herrn und sprach: „Die Erde habe ich durchstreift, hin und her." Der Herr sprach zum Satan: „Hast du auf meinen Knecht Ijob geachtet? Seinesgleichen gibt es nicht auf der Erde; so untadelig und rechtschaffen, er fürchtet Gott und meidet das Böse." Der Satan antwortete dem Herrn und sagte: „Geschieht es ohne Grund, daß Ijob Gott fürchtet? Bist du es nicht, der ihn, sein Haus und all das Seine ringsum beschützt? Das Tun seiner Hände hast du gesegnet; sein Besitz hat sich weit ausgebreitet im Land. Aber streck nur deine Hand gegen ihn aus und rühr an all das, was sein ist; wahrhaftig, er wird dir ins Angesicht fluchen."
Der Herr sprach zum Satan: „Gut, all sein Besitz ist in deiner Hand, nur gegen ihn selbst streck deine Hand nicht aus!" Darauf ging der Satan weg vom Angesicht des Herrn.
Nun geschah es eines Tages, daß seine Söhne und Töchter im Haus ihres erstgeborenen Bruders aßen und Wein tranken. Da kam ein Bote zu Ijob und meldete: „Die Rinder waren beim Pflügen, und die Esel weideten

daneben. Da fielen Sabäer ein, nahmen sie weg und erschlugen die Knechte mit scharfem Schwert. Ich ganz allein bin entronnen, um es dir zu berichten." Noch ist dieser am Reden, da kommt schon ein anderer und sagt: „Feuer Gottes fiel vom Himmel, schlug brennend ein in die Schafe und Knechte und verzehrte sie. Ich ganz allein bin entronnen, um es dir zu berichten." Noch ist dieser am Reden, da kommt schon ein anderer und sagt: „Die Chaldäer stellten drei Rotten auf, fielen über die Kamele her, nahmen sie weg und erschlugen die Knechte mit scharfem Schwert. Ich ganz allein bin entronnen, um es dir zu berichten." Noch ist dieser am Reden, da kommt schon ein anderer und sagt: „Deine Söhne und Töchter aßen und tranken Wein im Haus ihres erstgeborenen Bruders. Da kam ein gewaltiger Wind über die Wüste und packte das Haus an allen vier Ecken; es stürzte über die jungen Leute, und sie starben. Ich ganz allein bin entronnen, um es dir zu berichten."
Nun stand Ijob auf, zerriß sein Gewand, schor sich das Haupt, fiel auf die Erde und betete an. Dann sagte er:
„Nackt kam ich hervor aus dem Schoß meiner Mutter;
nackt kehre ich dahin zurück.
Der Herr hat gegeben, der Herr hat genommen;
gelobt sei der Name des Herrn!"
Bei alldem sündigte Ijob nicht und äußerte nichts Ungehöriges gegen Gott.
(Ijob 1)

Der Verlust der Gesundheit

Nun geschah es eines Tages, da kamen die Gottessöhne, um vor den Herrn hinzutreten; unter ihnen kam auch der Satan, um vor den Herrn hinzutreten. Da sprach der Herr zum Satan: „Woher kommst du?" Der Satan antwortete dem Herrn: „Die Erde habe ich durchstreift, hin und her." Der Herr sprach zum Satan: „Hast du auf meinen Knecht Ijob geachtet? Seinesgleichen gibt es nicht auf der Erde, so untadelig und rechtschaffen, er fürchtet Gott und meidet das Böse. Noch immer hält er fest an seiner Frömmigkeit, obwohl du mich gegen ihn aufgereizt hast, ihn ohne Grund zu verderben."
Der Satan antwortete dem Herrn und sagte: „Haut um Haut! Alles, was der Mensch besitzt, gibt er hin für sein Leben. Doch streck deine Hand

aus und rühr an sein Gebein und Fleisch; wahrhaftig, er wird dir ins Angesicht fluchen!"
Da sprach der Herr zum Satan: „Gut, er ist in deiner Hand. Nur schone sein Leben!" Der Satan ging weg vom Angesicht Gottes und schlug Ijob mit bösartigem Geschwür von der Fußsohle bis zum Scheitel.
Ijob setzte sich mitten in die Asche und nahm eine Scherbe, um sich damit zu schaben. Da sagte seine Frau zu ihm: „Hältst du immer noch fest an deiner Frömmigkeit? Lästere Gott und stirb!"
Er aber sprach zu ihr: „Wie eine Törin redet, so redest du. Nehmen wir das Gute an von Gott, sollen wir dann nicht auch das Böse annehmen?"
Bei all dem sündigte Ijob nicht mit seinen Lippen.
(Ijob 2)

Der Besuch der Freunde

Die drei Freunde Ijobs hörten von all dem Bösen, das über ihn gekommen war. Und sie kamen, jeder aus seiner Heimat: Elifas, Bildad und Zofar. Sie vereinbarten, hinzugehen, um ihm ihre Teilnahme zu bezeigen und um ihn zu trösten.
Als sie von fern aufblickten, erkannten sie ihn nicht; sie schrien auf und weinten. Jeder zerriß sein Gewand; sie streuten Asche über ihr Haupt gegen den Himmel. Sie saßen bei ihm auf der Erde sieben Tage und sieben Nächte; keiner sprach ein Wort zu ihm. Denn sie sahen, daß sein Schmerz sehr groß war.
(Ijob 2)

Ijobs Klage

Ijob ergriff das Wort und sprach:
„Ausgelöscht sei der Tag, an dem ich geboren bin,
die Nacht, die sprach: Ein Mann ist empfangen.
Jener Tag werde Finsternis,
nie frage Gott von oben nach ihm,
nicht leuchte über ihm des Tages Licht.
Warum schenkt er dem Elenden Licht
und Leben denen, die verbittert sind?

Sie warten auf den Tod, der nicht kommt,
sie suchen ihn mehr als verborgene Schätze.
Bevor ich noch esse, kommt mir das Seufzen,
wie Wasser strömen meine Klagen hin.
Was mich erschreckte, das kam über mich,
wovor mir bangte, das traf mich auch."
(Ijob 3)

Die Reden der Freunde

Da antwortete Elifas von Teman und sprach:
„Sieh, viele hast du unterwiesen
und erschlaffte Hände stark gemacht.
Dem Strauchelnden halfen deine Worte auf,
wankenden Knien gabst du Halt.
Nun kommt es über dich, da gibst du auf,
nun faßt es dich an, da bist du verstört.
Ist deine Gottesfurcht nicht deine Zuversicht,
dein lauterer Lebensweg nicht deine Hoffnung?
Bedenke doch! Wer geht ohne Schuld zugrunde?
Wo werden Redliche im Stich gelassen?
Wohin ich schaue: Wer Unrecht pflügt,
wer Unheil sät, der erntet es auch.
Ich aber, ich würde Gott befragen
und Gott meine Sache vorlegen,
der Großes und Unergründliches tut,
Wunder, die niemand zählen kann.
Er spendet Regen über die Erde hin
und sendet Wasser auf die weiten Fluren,
um Niedere hoch zu erheben,
damit Trauernde glücklich werden.
Ja, wohl dem Mann, den Gott zurechtweist!
Die Zucht des Allmächtigen verschmähe nicht!
Denn er verwundet, und er verbindet,
er schlägt, doch seine Hände heilen auch.
Ja, das haben wir erforscht, so ist es.
Wir haben es gehört, nimm auch du es an!"

Da sagte Bildat von Schuach und sprach:
„Wie lange noch willst du derlei reden?
Nur heftiger Wind sind die Worte deines Mundes.
Beugt etwa Gott das Recht,
oder beugt der Allmächtige die Gerechtigkeit?
Haben deine Kinder gefehlt gegen ihn,
gab er sie der Gewalt ihres Frevels preis.
Wenn du mit Eifer Gott suchst,
an den Allmächtigen dich flehend wendest,
wenn du rein bist und recht,
dann wird er über dich wachen,
dein Heim herstellen, wie es dir zusteht.
Und war dein Anfang auch gering,
dein Ende wird gewaltig groß."

Und Zofar von Naama sprach:
„Dein Geschwätz läßt Männer schweigen,
du darfst spotten, ohne daß einer dich beschämt.
Du sagtest: Rein ist meine Lehre,
und lauter war ich stets in deinen Augen.
O daß Gott doch selber spräche,
seine Lippen öffnete gegen dich!
Wisse, daß Gott dich zur Rechenschaft zieht in deiner Schuld!"
(Ijob 4; 5; 8; 11)

Ijobs Antwort

„Käme doch, was ich begehre,
und gäbe Gott, was ich erhoffe.
Und wollte Gott mich doch zermalmen,
seine Hand erheben, um mich abzuschneiden.
Das wäre noch ein Trost für mich;
ich hüpfte auf im Leid, mit dem er mich nicht schont.
Denn ich habe die Worte des Heiligen nicht verleugnet.
Was ist meine Kraft, daß ich aushalten könnte,
wann kommt mein Ende, daß ich mich gedulde?

Des Freundes Liebe gehört dem Verzagten,
auch wenn er den Allmächtigen nicht mehr fürchtet.
Meine Brüder sind trügerisch wie ein Bach,
wie Wasserläufe, die verrinnen.
So seid ihr jetzt ein Nein geworden:
ihr schaut das Entsetzliche und schaudert.
Habt endlich die Güte, wendet euch mir zu,
ich lüge euch nicht ins Gesicht.
Was ihr wißt, weiß ich auch;
ich falle nicht ab im Vergleich mit euch.
Doch ich will zum Allmächtigen reden,
mit Gott zu rechten ist mein Wunsch.
Eure Merksätze sind Sprüche aus Staub,
eure Schilde Schilde aus Lehm.
Schweigt vor mir, damit ich reden kann!
Dann komme auf mich, was mag!
Er mag mich töten, ich harre auf ihn;
doch meine Wege verteidige ich vor ihm.
Schon das wird mir zum Heile dienen,
kein Ruchloser kommt ja vor sein Angesicht.
Hört nun genau auf meine Rede,
was ich erkläre vor euren Ohren!
Seht, ich bringe den Rechtsfall vor;
ich weiß, ich bin im Recht.
Wer ist es, der mit mir streitet?
Gut, dann will ich schweigen und verscheiden."
(Ijob 6; 13)

Zweite Rede des Zofar und Ijobs Antwort

Da antwortete Zofar und sprach:
„Darum drängt mich meine Erregung zur Antwort,
und deswegen stürmt es in mir.
Schmähende Rüge muß ich hören,
doch der Geist meiner Einsicht läßt mich entgegnen:

Weißt du das nicht von Urzeit her,
seit Gott Menschen auf die Erde gesetzt hat:
daß kurz nur währt der Frevler Jubel,
einen Augenblick nur des Ruchlosen Freude?"

Ijob antwortete:
„Hört, hört doch auf mein Wort,
das wäre mir schon Trost von euch!
Ertragt mich, so daß ich reden kann.
Habe ich geredet, dann könnt ihr spotten.
Richt' ich an Menschen meine Klage,
hab' ich nicht Grund zur Ungeduld?

Warum bleiben Frevler am Leben,
werden alt und stark an Kraft?
Ihre Nachkommen stehen fest vor ihnen,
ihre Sprößlinge vor ihren Augen.
Ihre Häuser sind in Frieden, ohne Schreck,
die Rute Gottes trifft sie nicht,
die Kühe kalben und verwerfen nicht.

Wie Schafe treiben sie ihre Kinder aus,
ihre Kleinen tanzen und springen.
Sie singen zur Pauke und Harfe,
erfreuen sich am Klang der Flöte,
verbrauchen ihre Tage im Glück
und fahren voll Ruhe ins Totenreich.
Und doch sagten sie zu Gott: Weiche von uns!
Deine Wege wollen wir nicht kennen.

So wahr Gott lebt, der mir mein Recht entzog,
der Allmächtige, der meine Seele quälte:
Solang noch Atem in mir ist
und Gottes Hauch in meiner Nase,
soll Unrecht nicht von meinen Lippen kommen,
noch meine Zunge Falsches reden.
Fern sei es mir, euch recht zu geben,
ich gebe, bis ich sterbe, meine Unschuld nicht preis.

An meinem Rechtsein halt' ich fest und lass' es nicht;
mein Herz schilt keinen meiner Tage."
(Ijob 20; 21; 27)

Die Reden des Elihu

Nun hörten jene drei Männer auf, Ijob zu entgegnen, weil er gerecht war in seinen Augen. Da entbrannte der Zorn des Elihu. Gegen Ijob entbrannte sein Zorn, weil er sich vor Gott für gerecht hielt. Auch gegen seine drei Freunde entbrannte sein Zorn, weil sie keine Antwort mehr fanden, um Ijob schuldig zu sprechen. Elihu aber hatte Ijob gegenüber mit Worten gezögert, weil jene älter waren als er. Doch als Elihu sah, daß die drei Männer keine Antwort mehr wußten, entbrannte sein Zorn. Da ergriff Elihu, der Sohn Barachels, der Busiter, das Wort und sprach:

„Noch bin ich jung an Jahren,
doch ihr seid hochbetagt.
Ich dachte: Mag erst das Alter reden,
der Jahre Fülle Weisheit künden.
Die alt an Jahren sind, nicht immer sind sie weise,
noch Greise stets des Rechten kundig.

Darum sage ich: Hört mich an!
Seht, gewartet habe ich auf eure Worte,
gelauscht auf eure klugen Sprüche,
bis ihr die rechten Worte fändet.
Ich bin euch aufmerksam gefolgt,
doch seht, keiner hat Ijob widerlegt,
keiner von euch ihm zu entgegnen vermocht.

Hältst du das für ein Rechtsverfahren?
Du behauptest bloß: Gerecht bin ich vor Gott.
Du sagst: Was nützt es mir,
was habe ich davon, daß ich nicht sündige?
Schau den Himmel an und sieh,
blick zu den Wolken auf hoch über dir!
Wenn du gesündigt hast, was tust du ihm,

sind zahlreich deine Frevel, was schadest du ihm?
Tust du recht, was gibst du ihm,
oder was empfängt er aus deiner Hand?
Wart ein wenig, ich will es dir künden,
ich hab' für Gott noch mehr zu sagen.
Ich rufe mein Wissen weit hinaus,
meinem Schöpfer verschaff' ich Recht.
Denn Gott ist gewaltig, doch verwirft er nicht,
gewaltig an Kraft und an Weisheit.
Den Frevler läßt er nicht am Leben,
doch dem Gebeugten schafft er Recht.
Den Geplagten rettet Gott durch seine Plage
und öffnet durch Bedrängnis sein Ohr.
Auch dich entreißt er dem Rachen der Bedrängnis,
in Weite stehst du, nicht in Enge,
voll ist deine Tafel von fetten Speisen.
Doch wenn du wie ein Frevler richtest,
wird Recht und Gericht dich treffen.
Hüte dich und wende dich nicht zum Bösen!
Denn darum wirst du durch Leid geprüft.

Sieh, groß ist Gott in seiner Macht.
Wer ist ein Lehrer wie er?
Wer will ihm weisen seinen Weg?
Wer kann ihm sagen: Du tust Unrecht?
Denk daran, hoch sein Werk zu preisen,
von dem die Menschen Lieder singen.
Alle Welt schaut es voll Staunen,
von ferne nur erblickt es der Mensch."
(Ijob 32; 35; 36)

Gottes Fragen und Ijobs Antwort

Da antwortete der Herr dem Ijob aus dem Wettersturm und sprach:
„Auf, gürte deine Lenden wie ein Mann:
Ich will dich fragen, du belehre mich!
Wo warst du, als ich die Erde gegründet?

Sag es denn, wenn du Bescheid weißt!
Wer setzte ihre Maße? Du weißt es ja.
Wer hat die Meßschnur über ihr gespannt?
Wohin sind ihre Pfeiler eingesenkt?
Oder wer hat ihren Eckstein gelegt,
als alle Morgensterne jauchzten?
Wer verschloß das Meer mit Toren,
als schäumend es dem Mutterschoß entquoll,
als Wolken ich zum Kleid ihm machte,
ihm zur Windel dunklen Dunst?
Als ich ihm ausbrach meine Grenze,
ihm Tor und Riegel setzte
und sprach: Bis hierher darfst du und nicht weiter.
Hast du je in deinem Leben dem Morgen geboten,
dem Frührot seinen Ort bestimmt,
daß es der Erde Säume fasse
und daß die Frevler von ihr abgeschüttelt werden?
Bist du zu den Quellen des Meeres gekommen,
hast du des Urgrunds Tiefe durchwandert?
Haben dir sich die Tore des Todes geöffnet,
hast du der Finsternis Tore geschaut?
Hast du der Erde Breiten überblickt?
Sag es, wenn du alles weißt!

Wo ist der Weg zur Wohnstatt des Lichts?
Die Finsternis, wo hat sie ihren Ort,
daß du sie einführst in ihren Bereich,
die Pfade zu ihrem Haus sie führst?
Du weißt es ja; du warst ja damals schon geboren,
und deiner Tage Zahl ist groß.

Mit dem Allmächtigen will der Tadler rechten?
Der Gott anklagt, antworte drauf!"

Da antwortete Ijob dem Herrn und sprach:

„Siehe, ich bin zu gering. Was kann ich dir erwidern?
Ich lege meine Hand auf meinen Mund.

Hör doch, ich will nun reden,
ich will dich fragen, du belehre mich!
Vom Hörensagen nur hatte ich von dir vernommen;
jetzt aber hat mein Auge dich geschaut.
Darum widerrufe ich und atme auf
in Staub und Asche."
(Ijob 38; 40; 42)

Ijobs Rechtfertigung

Als der Herr diese Worte zu Ijob gesprochen hatte, sagte der Herr zu Elifas: „Mein Zorn ist entbrannt gegen dich und deine beiden Gefährten, denn ihr habt nicht recht von mir geredet wie mein Knecht Ijob. So nehmt nun sieben Jungtiere und sieben Widder, geht hin zu meinem Knecht Ijob und bringt ein Brandopfer für euch dar! Mein Knecht Ijob aber soll für euch Fürbitte einlegen; nur auf ihn nehme ich Rücksicht, daß ich euch nichts Schlimmeres antue. Denn ihr habt nicht recht von mir geredet wie mein Knecht Ijob." Da gingen Elifas, Bildad und Zofar hin und taten, was der Herr ihnen gesagt hatte. Und der Herr nahm Rücksicht auf Ijob.
Der Herr wendete das Geschick des Ijob, als er für seinen Nächsten Fürbitte einlegte; und der Herr mehrte den Besitz des Ijob auf das Doppelte. Da kamen zu ihm alle seine Brüder, alle seine Schwestern und alle seine früheren Bekannten und speisten mit ihm in seinem Haus. Sie bezeigten ihm ihr Mitleid und trösteten ihn wegen all des Unglücks, das der Herr über ihn gebracht hatte. Ein jeder schenkte ihm eine Kesita und einen goldenen Ring.
Der Herr aber segnete die spätere Lebenszeit des Ijob mehr als seine frühere. Auch bekam er sieben Söhne und drei Töchter. Man fand im ganzen Land keine schöneren Frauen als die Töchter Ijobs; ihr Vater gab ihnen ein Erbteil unter ihren Brüdern. Er sah seine Kinder und Kindeskinder, vier Geschlechter. Dann starb Ijob, hochbetagt und satt an Lebenstagen.
(Ijob 42)

Jona

Das Buch Jona überliefert uns keine Sammlung von Aussprüchen des Propheten, sondern es handelt sich um eine Lehr-Erzählung über einen Mann, den Gott als Bußprediger in Dienst nehmen will. Der unbekannte Erzähler hat ihm den Namen Jona gegeben. Wenn man die Geschichte deuten will, darf man nicht fragen, *was* geschah damals, sondern *welchen Sinn* hat die Geschichte.

Die Jona-Geschichte will zeigen, daß Gottes Güte allen Völkern gilt, nicht nur dem Volk Israel. Deshalb werden die Matrosen wie auch die Leute von Ninive vorteilhaft beschrieben, während Jona, der ein Vertreter des auserwählten Volkes Israel ist, kritisiert wird.

Jonas Berufung und Flucht

Das Wort des Herrn erging an Jona: „Mach dich auf den Weg und geh nach Ninive, in die große Stadt, und droh ihr das Strafgericht an! Denn die Kunde von ihrer Schlechtigkeit ist bis zu mir heraufgedrungen."

Jona machte sich auf den Weg; doch er wollte nach Tarschisch fliehen, weit weg vom Herrn. Er ging also nach Jafo hinab und fand dort ein Schiff, das nach Tarschisch fuhr. Er bezahlte das Fahrgeld und ging an Bord, um nach Tarschisch mitzufahren, weit weg vom Herrn.

Aber der Herr ließ auf dem Meer einen heftigen Wind losbrechen; es entstand ein gewaltiger Seesturm, und das Schiff drohte auseinanderzubrechen. Die Seeleute bekamen Angst, und jeder schrie zu seinem Gott um Hilfe. Sie warfen sogar die Ladung ins Meer, damit das Schiff leichter wurde.

Jona war in den untersten Raum des Schiffes hinabgestiegen, hatte sich hingelegt und schlief fest. Der Kapitän ging zu ihm und sagte: „Wie kannst du schlafen? Steh auf, ruf deinen Gott an, vielleicht denkt dieser Gott an uns, so daß wir nicht untergehen." Dann sagten sie zueinander: „Kommt, wir wollen das Los werfen, um zu erfahren, wer an diesem unserem Unheil schuld ist." Sie warfen das Los, und es fiel auf Jona. Da fragten sie ihn: „Sag uns, was treibst du für ein Gewerbe, und woher kommst du, aus welchem Land und welchem Volk?" Er antwortete ihnen: „Ich bin ein Hebräer und verehre Jahwe, den Gott des Him-

mels, der das Meer und das Festland gemacht hat." Da bekamen die Männer große Angst und sagten zu ihm: „Warum hast du das getan?" Denn sie erfuhren, daß er vor Jahwe auf der Flucht war; er hatte es ihnen erzählt. Und sie sagten zu ihm: „Was sollen wir mit dir machen, damit das Meer sich beruhigt und uns verschont?" Denn das Meer wurde immer stürmischer. Jona antwortete ihnen: „Nehmt mich und werft mich ins Meer, damit das Meer sich beruhigt und euch verschont. Denn ich weiß, daß dieser gewaltige Sturm durch meine Schuld über euch gekommen ist."
Die Männer aber ruderten mit aller Kraft, um wieder an Land zu kommen; doch sie richteten nichts aus, denn das Meer stürmte immer heftiger gegen sie an. Da riefen sie zu Jahwe: „Ach Herr, laß uns nicht untergehen wegen dieses Mannes und rechne uns, was wir jetzt tun, nicht als Vergehen an unschuldigem Blut an! Denn wie du wolltest, Herr, so hast du gehandelt." Dann nahmen sie Jona und warfen ihn ins Meer, und das Meer hörte auf zu toben. Da ergriff die Männer große Furcht vor Jahwe, und sie schlachteten für den Herrn ein Opfer und machten ihm viele Gelübde.
Der Herr aber schickte einen großen Fisch, der Jona verschlang. Jona war drei Tage und drei Nächte im Bauch des Fisches, und er betete im Bauch des Fisches zum Herrn, seinem Gott.
Da befahl der Herr dem Fisch, Jona ans Land zu speien.
(Jona 1; 2)

Jona in Ninive

Das Wort des Herrn erging zum zweitenmal an Jona: „Mach dich auf den Weg und geh nach Ninive, in die große Stadt, und droh ihr all das an, was ich dir sagen werde." Jona machte sich auf den Weg und ging nach Ninive, wie der Herr es ihm befohlen hatte. Ninive war eine große Stadt vor Gott; man brauchte drei Tage, um sie zu durchqueren. Jona begann in die Stadt hineinzugehen; er ging einen Tag lang und rief: „Noch vierzig Tage, und Ninive ist zerstört!" Und die Leute von Ninive glaubten Gott. Sie riefen ein Fasten aus, und alle, groß und klein, zogen Bußgewänder an. Als die Nachricht davon den König von Ninive erreichte, stand er von seinem Thron auf, legte seinen Königsmantel ab, hüllte sich in ein Bußgewand und setzte sich in die Asche. Er ließ in Ninive ausrufen: „Befehl des Königs und seiner Großen: Alle Menschen

und Tiere, Rinder, Schafe und Ziegen, sollen nichts essen, nicht weiden und kein Wasser trinken. Sie sollen sich in Bußgewänder hüllen, Menschen und Tiere. Sie sollen laut zu Gott rufen, und jeder soll umkehren und sich von seinen bösen Taten abwenden und von dem Unrecht, das an seinen Händen klebt. Wer weiß, vielleicht reut es Gott, und er läßt ab von seinem glühenden Zorn, so daß wir nicht zugrunde gehen." Und Gott sah ihr Verhalten; er sah, daß sie umkehrten und sich von ihren bösen Taten abwandten. Da reute Gott das Unheil, daß er ihnen angedroht hatte, und er führte die Drohung nicht aus.
(Jona 3)

Belehrung des Propheten

Das mißfiel Jona ganz und gar, und er wurde zornig. Er betete zum Herrn und sagte: „Ach Herr, habe ich das nicht schon gesagt, als ich noch daheim war? Eben darum wollte ich ja nach Tarschisch fliehen; denn ich wußte, daß du ein gnädiger und barmherziger Gott bist, langmütig und reich an Huld, und daß deine Drohungen dich reuen. Darum nimm mir jetzt lieber das Leben." Da erwiderte der Herr: „Ist es recht von dir, zornig zu sein?"
Da verließ Jona die Stadt und setzte sich östlich vor der Stadt nieder. Er machte sich dort ein Laubdach und setzte sich in seinen Schatten, um abzuwarten, was mit der Stadt geschah. Da ließ Gott, der Herr, einen Rizinusstrauch über Jona emporwachsen, der seinem Kopf Schatten geben und seinen Ärger vertreiben sollte. Jona freute sich sehr über den Rizinusstrauch. Als aber am nächsten Tag die Morgenröte heraufzog, schickte Gott einen Wurm, der den Rizinusstrauch annagte, so daß er verdorrte. Und als die Sonne aufging, schickte Gott einen heißen Ostwind. Die Sonne stach Jona auf den Kopf, so daß er fast ohnmächtig wurde. Da wünschte er sich den Tod und sagte: „Es ist besser für mich zu sterben als zu leben." Gott aber fragte Jona: „Ist es recht von dir, wegen des Rizinusstrauchs zornig zu sein?" Er antwortete: „Ja, es ist recht, daß ich zornig bin und mir den Tod wünsche." Darauf sagte der Herr: „Dir ist es leid um den Rizinusstrauch, für den du nicht gearbeitet und den du nicht großgezogen hast. Über Nacht war er da, über Nacht ist er eingegangen. Mir aber sollte es nicht leid sein um Ninive, die große Stadt, in der mehr als hundertzwanzigtausend Menschen leben, die nicht einmal rechts und links unterscheiden können – und außerdem soviel Vieh?"
(Jona 4)

Aus dem Neuen Testament

PALÄSTINA
ZUR ZEIT JESU

Jesus kommt in die Welt

Jesu Tod am Kreuz und seine Auferstehung waren von Anfang an die wichtigste Botschaft der ersten Christen. Überall, wo sie hinkamen, erzählten sie davon. Sie stellten diese Ereignisse in den Mittelpunkt ihres Gottesdienstes. Von diesem Osterglauben her fragten die urchristlichen Gemeinden zurück, was Jesus gesagt und getan hat. Und diejenigen, die Jesus noch erlebt hatten, erzählten den anderen von ihm.
Erst später stellte man sich die Frage, woher Jesus kam und was man von seiner Geburt und Kindheit erzählt. Damals gab es keine Behörden, die das registrierten, so daß man auf mündliche Überlieferung angewiesen war.
Markus denkt darüber noch nicht nach. Erst Matthäus und Lukas setzen die Kindheitsgeschichten von Jesus vor ihre Evangelien. Deshalb sprechen wir heute auch oft von der „Vorgeschichte" des Matthäus und Lukas. Darin meditieren die Evangelisten über das Geheimnis Gottes und der Menschwerdung in Jesus Christus.
Dasselbe tut auch der Evangelist Johannes im Prolog (Vorwort) zu seinem Evangelium.

Aus dem Lukasevangelium

Die Verheißung der Geburt des Täufers

Zur Zeit des Herodes, des Königs von Judäa, lebte ein Priester namens Zacharias, der zur Priesterklasse Abija gehörte. Seine Frau stammte aus dem Geschlecht Aarons; sie hieß Elisabet. Beide lebten so, wie es in den Augen Gottes recht ist, und hielten sich in allem streng an die Gebote und Vorschriften des Herrn. Sie hatten keine Kinder, denn Elisabet war unfruchtbar, und beide waren schon im vorgerückten Alter. Eines Tages, als seine Priesterklasse wieder an der Reihe war und er beim Gottesdienst mitzuwirken hatte, wurde, wie nach der Priesterordnung üblich, das Los geworfen, und Zacharias fiel die Aufgabe zu, im Tempel des Herrn das Rauchopfer darzubringen. Während er nun zur festgelegten Zeit das Opfer darbrachte, stand das ganze Volk draußen und betete. Da erschien dem Zacharias ein Engel des Herrn; er stand auf der rechten Seite des Rauchopferaltars. Als Zacharias ihn sah, erschrak er, und es befiel ihn Furcht. Der Engel aber sagte zu ihm: „Fürchte dich nicht, Zacharias! Dein Gebet ist erhört worden. Deine Frau Elisabet wird dir einen Sohn gebären; dem sollst du den Namen Johannes geben. Große Freude wird dich erfüllen, und auch viele andere werden sich über seine Geburt freuen. Denn er wird groß sein vor dem Herrn. Wein und andere berauschende Getränke wird er nicht trinken, und schon im Mutterleib wird er vom Heiligen Geist erfüllt sein. Viele Israeliten wird er zum Herrn, ihrem Gott, bekehren. Er wird mit dem Geist und mit der Kraft des Elija dem Herrn vorangehen, um das Herz der Väter wieder den Kindern zuzuwenden und die Ungehorsamen zur Gerechtigkeit zu führen und so das Volk für den Herrn bereit zu machen."

Zacharias sagte zu dem Engel: „Woran soll ich erkennen, daß das wahr ist? Ich bin ein alter Mann, und auch meine Frau ist in vorgerücktem Alter." Der Engel erwiderte ihm: „Ich bin Gabriel, der vor Gott steht, und ich bin gesandt worden, um mit dir zu reden und dir diese frohe Botschaft zu bringen. Aber weil du meinen Worten nicht geglaubt hast, die in Erfüllung gehen, wenn die Zeit dafür da ist, sollst du stumm sein und nicht mehr reden können, bis zu dem Tag, an dem all das eintrifft."

Inzwischen wartete das Volk auf Zacharias und wunderte sich, daß er so lange im Tempel blieb. Als er dann herauskam, konnte er nicht mit ihnen sprechen. Da merkten sie, daß er im Tempel eine Erscheinung gehabt hatte. Er gab ihnen nur Zeichen mit der Hand und blieb stumm.

Als die Tage seines Dienstes (im Tempel) zu Ende waren, kehrte er nach Hause zurück. Bald darauf empfing seine Frau Elisabet einen Sohn und lebte fünf Monate lang zurückgezogen. Sie sagte: „Der Herr hat mir geholfen; er hat in diesen Tagen gnädig auf mich geschaut und mich von der Schande befreit, mit der ich in den Augen der Menschen beladen war."

(Lk 1)

Die Verheißung der Geburt Jesu

Im sechsten Monat wurde der Engel Gabriel von Gott in eine Stadt in Galiläa namens Nazaret zu einer Jungfrau gesandt. Sie war mit einem Mann namens Josef verlobt, der aus dem Haus David stammte. Der Name der Jungfrau war Maria. Der Engel trat bei ihr ein und sagte: „Sei gegrüßt, du Begnadete, der Herr ist mit dir." Sie erschrak über die Anrede und überlegte, was dieser Gruß zu bedeuten habe. Da sagte der Engel zu ihr: „Fürchte dich nicht, Maria; denn du hast bei Gott Gnade gefunden. Du wirst ein Kind empfangen, einen Sohn wirst du gebären: dem sollst du den Namen Jesus geben. Er wird groß sein und Sohn des Höchsten genannt werden. Gott, der Herr, wird ihm den Thron seines Vaters David geben. Er wird über das Haus Jakob in Ewigkeit herrschen, und seine Herrschaft wird kein Ende haben." Maria sagte zu dem Engel: „Wie soll das geschehen, da ich keinen Mann erkenne?" Der Engel antwortete ihr: „Der Heilige Geist wird über dich kommen, und die Kraft des Höchsten wird dich überschatten. Deshalb wird auch das Kind heilig und Sohn Gottes genannt werden. Auch Elisabet, deine Verwandte, hat noch in ihrem Alter einen Sohn empfangen; obwohl sie als unfruchtbar galt, ist sie jetzt schon im sechsten Monat. Denn für Gott ist nichts unmöglich." Da sagte Maria: „Ich bin die Magd des Herrn; mir geschehe, wie du es gesagt hast." Danach verließ sie der Engel.
(Lk 1)

Der Besuch Marias bei Elisabet

Nach einigen Tagen machte sich Maria auf den Weg und eilte in eine Stadt im Bergland von Judäa. Sie ging in das Haus des Zacharias und begrüßte Elisabet. Als Elisabet den Gruß Marias hörte, hüpfte das Kind in ihrem Leib. Da wurde Elisabet vom Heiligen Geist erfüllt und rief mit lauter Stimme: „Gesegnet bist du mehr als alle anderen Frauen, und gesegnet ist die Frucht deines Leibes. Wer bin ich, daß die Mutter meines Herrn zu mir kommt? In dem Augenblick, als ich deinen Gruß hörte, hüpfte das Kind vor Freude in meinem Leib. Selig ist die, die geglaubt hat, daß sich erfüllt, was der Herr ihr sagen ließ."

Nazaret mit der neuen Verkündigungskirche (in Bildmitte)

Da sagte Maria:
„Meine Seele preist die Größe des Herrn,
und mein Geist jubelt über Gott, meinen Retter.
Denn auf die Niedrigkeit seiner Magd hat er geschaut.
Siehe, von nun an preisen mich selig alle Geschlechter!
Denn der Mächtige hat Großes an mir getan,
und sein Name ist heilig.
Er erbarmt sich von Geschlecht zu Geschlecht
über alle, die ihn fürchten.
Er vollbringt mit seinem Arm machtvolle Taten:
Er zerstreut, die im Herzen voll Hochmut sind;
er stürzt die Mächtigen vom Thron
und erhöht die Niedrigen.
Die Hungernden beschenkt er mit seinen Gaben
und läßt die Reichen leer ausgehen.
Er nimmt sich seines Knechtes Israel an
und denkt an sein Erbarmen,
das er unsern Vätern verheißen hat,
Abraham und seinen Nachkommen auf ewig."
(Lk 1)

Betlehem mit dem Hirtenfeld

Die Geburt des Täufers

Für Elisabet kam die Zeit der Niederkunft, und sie brachte einen Sohn zur Welt. Ihre Nachbarn und Verwandten hörten, welch großes Erbarmen der Herr ihr erwiesen hatte, und freuten sich mit ihr. Am achten Tag kamen sie zur Beschneidung des Kindes und wollten ihm den Namen seines Vaters Zacharias geben. Seine Mutter aber widersprach ihnen und sagte: „Nein, er soll Johannes heißen." Sie antworteten ihr: „Es gibt doch niemand in deiner Verwandtschaft, der so heißt." Da fragten sie seinen Vater durch Zeichen, welchen Namen das Kind haben solle. Er verlangte ein Schreibtäfelchen und schrieb zum Erstaunen aller darauf: „Sein Name ist Johannes." Im gleichen Augenblick konnte er Mund und Zunge wieder gebrauchen, und er redete und pries Gott. Und alle, die in jener Gegend wohnten, erschraken, und man sprach von all diesen Dingen im ganzen Bergland Judäa. Alle, die davon hörten, machten sich Gedanken darüber und sagten: „Was wird wohl aus diesem Kind werden?" Denn es war deutlich, daß die Hand des Herrn mit ihm war.

Sein Vater Zacharias wurde vom Heiligen Geist erfüllt und begann prophetisch zu reden:
„Gepriesen sei der Herr, der Gott Israels!
Denn er hat sein Volk besucht und ihm Erlösung
geschaffen;
er hat uns einen starken Retter erweckt
im Hause seines Knechtes David.
So hat er verheißen von alters her
durch den Mund seiner heiligen Propheten.
Er hat uns errettet vor unseren Feinden
und aus der Hand aller, die uns hassen;
er hat das Erbarmen mit den Vätern an uns vollendet
und an seinen heiligen Bund gedacht,
an den Eid, den er unserm Vater Abraham
geschworen hat;
er hat uns geschenkt, daß wir, aus Feindeshand befreit,
ihm furchtlos dienen
in Heiligkeit und Gerechtigkeit
vor seinem Angesicht all unsre Tage.
Und du, Kind, wirst Prophet des Höchsten heißen;
denn du wirst dem Herrn vorangehen und
ihm den Weg bereiten.
Du wirst sein Volk mit der Erfahrung des
Heils beschenken
in der Vergebung der Sünden.
Durch die barmherzige Liebe unseres Gottes
wird uns besuchen das aufstrahlende Licht
aus der Höhe,
um allen zu leuchten, die in Finsternis
sitzen und im Schatten des Todes,
und unsere Schritte lenken auf den Weg des Friedens."
Das Kind wuchs heran, und sein Geist wurde stark. Und Johannes lebte in der Wüste bis zu dem Tag, an dem er den Auftrag erhielt, in Israel aufzutreten.
(Lk 1)

Die Geburt Jesu

In jenen Tagen erließ Kaiser Augustus den Befehl, alle Bewohner des Reiches in Steuerlisten einzutragen. Dies geschah zum erstenmal; damals war Quirinius Statthalter von Syrien. Da ging jeder in seine Stadt, um sich eintragen zu lassen.
So zog auch Josef von der Stadt Nazaret in Galiläa hinauf nach Judäa in die Stadt Davids, die Betlehem heißt; denn er war aus dem Haus und Geschlecht Davids. Er wollte sich eintragen lassen mit Maria, seiner Verlobten, die ein Kind erwartete. Als sie dort waren, kam für Maria die Zeit ihrer Niederkunft, und sie gebar ihren Sohn, den Erstgeborenen. Sie wickelte ihn in Windeln und legte ihn in eine Krippe, weil in der Herberge kein Platz für sie war.

Geburtskirche in Betlehem

In jener Gegend lagerten Hirten auf freiem Feld und hielten Nachtwache bei ihrer Herde. Da trat der Engel des Herrn zu ihnen, und der Glanz des Herrn umstrahlte sie. Sie fürchteten sich sehr, der Engel aber sagte zu ihnen: „Fürchtet euch nicht, denn ich verkünde euch eine große Freude, die dem ganzen Volk zuteil werden soll: Heute ist euch

in der Stadt Davids der Retter geboren; er ist der Messias, der Herr. Und das soll euch als Zeichen dienen: Ihr werdet ein Kind finden, das, in Windeln gewickelt, in einer Krippe liegt."
Und plötzlich war bei dem Engel ein großes himmlisches Heer, das Gott lobte und sprach:
„Verherrlicht ist Gott in der Höhe,
und auf Erden ist Friede
bei den Menschen seiner Gnade."
Als die Engel sie verlassen hatten und in den Himmel zurückgekehrt waren, sagten die Hirten zueinander: „Kommt, wir gehen nach Betlehem, um das Ereignis zu sehen, das uns der Herr verkünden ließ."
So eilten sie hin und fanden Maria und Josef und das Kind, das in der Krippe lag. Als sie es sahen, erzählten sie, was ihnen über dieses Kind gesagt worden war. Und alle, die es hörten, staunten über die Worte der Hirten. Maria aber bewahrte alles, was geschehen war, in ihrem Herzen und dachte darüber nach.
Die Hirten kehrten zurück, rühmten Gott und priesen ihn für das, was sie gehört und gesehen hatten; denn alles war so gewesen, wie es ihnen gesagt worden war.
(Lk 2)

Die Darstellung Jesu im Tempel

Als acht Tage vorüber waren und das Kind beschnitten werden sollte, gab man ihm den Namen Jesus, den der Engel genannt hatte, noch ehe das Kind im Schoß seiner Mutter empfangen wurde.
Dann kam für sie der Tag der vom Gesetz des Mose vorgeschriebenen Reinigung. Sie brachten das Kind nach Jerusalem hinauf, um es dem Herrn zu weihen.
In Jerusalem lebte damals ein Mann namens Simeon. Er war gerecht und fromm und wartete auf die Rettung Israels. Jetzt wurde er vom Geist in den Tempel geführt; und als die Eltern Jesus hereinbrachten, nahm Simeon das Kind in seine Arme und pries Gott mit den Worten:
„Nun läßt du, Herr, deinen Knecht,
wie du gesagt hast, in Frieden scheiden.
Denn meine Augen haben das Heil gesehen,
das du vor allen Völkern bereitet hast,

ein Licht, das die Heiden erleuchtet,
und Herrlichkeit für dein Volk Israel."
Sein Vater und seine Mutter staunten über die Worte. Und Simeon segnete sie und sagte zu Maria: „Dieser ist dazu bestimmt, daß in Israel viele durch ihn zu Fall kommen und viele aufgerichtet werden, und er wird ein Zeichen sein, dem widersprochen wird."
(Lk 2)

Der zwölfjährige Jesus im Tempel

Die Eltern Jesu gingen jedes Jahr zum Paschafest nach Jerusalem. Als er zwölf Jahre alt geworden war, zogen sie wieder hinauf.
Nachdem die Festtage zu Ende waren, machten sie sich auf den Heimweg. Der junge Jesus aber blieb in Jerusalem, ohne daß seine Eltern es merkten. Sie meinten, er sei irgendwo in der Pilgergruppe, und reisten eine Tagesstrecke weit; dann suchten sie ihn bei den Verwandten und Bekannten. Als sie ihn dort nicht fanden, kehrten sie nach Jerusalem zurück und suchten ihn dort. Nach drei Tagen fanden sie ihn im Tempel; er saß mitten unter den Lehrern, hörte ihnen zu und stellte Fragen. Alle, die ihn hörten, waren erstaunt über sein Verständnis und über seine Antworten. Als seine Eltern ihn sahen, waren sie sehr betroffen, und seine Mutter sagte zu ihm: „Kind, wie konntest du uns das antun? Dein Vater und ich haben dich voll Angst gesucht."
Da sagte er zu ihnen: „Warum habt ihr mich gesucht? Wußtet ihr nicht, daß ich in dem sein muß, was meinem Vater gehört?" Doch sie verstanden nicht, was er damit sagen wollte.
Dann kehrte er mit ihnen nach Nazaret zurück und war ihnen gehorsam. Seine Mutter bewahrte alles, was geschehen war, in ihrem Herzen. Jesus aber wuchs heran, und seine Weisheit nahm zu; und er fand Gefallen bei Gott und den Menschen.
(Lk 2)

Aus dem Matthäusevangelium

Die Sterndeuter aus dem Osten

Als Jesus zur Zeit des Königs Herodes in Betlehem in Judäa geboren worden war, kamen Sterndeuter aus dem Osten nach Jerusalem und fragten: „Wo ist der neugeborene König der Juden? Wir haben seinen Stern aufgehen sehen und sind gekommen, um ihm zu huldigen."
Als König Herodes das hörte, erschrak er und mit ihm ganz Jerusalem. Er ließ alle Hohenpriester und Schriftgelehrten des Volkes zusammenkommen und erkundigte sich bei ihnen, wo der Messias geboren werden solle. Sie antworteten ihm: „In Betlehem in Judäa; denn so steht es bei dem Propheten:
Du, Betlehem im Gebiet von Juda,
bist keineswegs die unbedeutendste
unter den führenden Städten von Juda;
denn aus dir wird ein Fürst hervorgehen,
der Hirt meines Volkes Israel."

Unter vielen Formen der Verehrung erinnert dieser Ort an das Geheimnis der Geburt Jesu. Zeichen dafür ist der silberne Stern in der Geburtskirche.

Danach rief Herodes die Sterndeuter zu sich und ließ sich von ihnen genau sagen, wann der Stern erschienen war. Dann schickte er sie nach Betlehem und sagte: „Geht und forscht sorgfältig nach, wo das Kind ist; und wenn ihr es gefunden habt, berichtet mir, damit auch ich hingehe und ihm huldige." Sie machten sich auf den Weg. Und der Stern, den sie hatten aufgehen sehen, zog vor ihnen her bis zu dem Ort, wo das Kind war; dort blieb er stehen.
Als sie den Stern sahen, wurden sie von sehr großer Freude erfüllt. Sie gingen in das Haus und sahen das Kind und Maria, seine Mutter; da fielen sie nieder und huldigten ihm. Dann holten sie ihre Schätze hervor und brachten ihm Gold, Weihrauch und Myrrhe als Gaben dar.
Weil ihnen aber im Traum geboten wurde, nicht zu Herodes zurückzukehren, zogen sie auf einem anderen Weg heim in ihr Land.
(Mt 2)

Die Flucht nach Ägypten

Als die Sterndeuter wieder gegangen waren, erschien dem Josef im Traum ein Engel des Herrn und sagte: „Steh auf, nimm das Kind und seine Mutter und flieh nach Ägypten; dort bleibe, bis ich dir etwas anderes auftrage; denn Herodes wird das Kind suchen, um es zu töten."
Da stand Josef in der Nacht auf und floh mit dem Kind und dessen Mutter nach Ägypten. Dort blieb er bis zum Tod des Herodes. Denn es sollte sich erfüllen, was der Herr durch den Propheten gesagt hat: „Aus Ägypten habe ich meinen Sohn gerufen."
(Mt 2)

Der Kindermord in Betlehem

Als Herodes merkte, daß ihn die Sterndeuter getäuscht hatten, wurde er sehr zornig, und er ließ in Betlehem und der ganzen Umgebung alle Knaben bis zum Alter von zwei Jahren töten, genau der Zeit entsprechend, die er von den Sterndeutern erfahren hatte. Damals erfüllte sich, was durch den Propheten Jeremia gesagt worden ist:
„Ein Geschrei war in Rama zu hören,
lautes Weinen und Klagen:

Rahel weinte um ihre Kinder
und wollte sich nicht trösten lassen,
denn sie waren dahin."
(Mt 2)

Die Rückkehr aus Ägypten

Als Herodes gestorben war, erschien dem Josef in Ägypten ein Engel des Herrn im Traum und sagte: „Steh auf, nimm das Kind und seine Mutter und zieh in das Land Israel; denn die Leute, die dem Kind nach dem Leben getrachtet haben, sind tot."
Da stand er auf und zog mit dem Kind und dessen Mutter in das Land Israel.
Als er aber hörte, daß in Judäa Archelaus anstelle seines Vaters Herodes regierte, fürchtete er sich, dorthin zu gehen. Und weil er im Traum einen Befehl erhalten hatte, zog er in das Gebiet von Galiläa und ließ sich in einer Stadt namens Nazaret nieder.
(Mt 2)

Aus dem Johannesevangelium

Lied vom Geheimnis Jesu

Im Anfang war das Wort,
und das Wort war bei Gott,
und das Wort war Gott.
Im Anfang war es bei Gott.
Alles ist durch das Wort geworden,
und ohne das Wort wurde nichts, was geworden ist.
In ihm war das Leben,
und das Leben war das Licht der Menschen.
Und das Licht leuchtet in der Finsternis,
und die Finsternis hat es nicht erfaßt.
Es trat ein Mensch auf, der von Gott gesandt war; sein Name war Jo-

hannes. Er kam als Zeuge, um Zeugnis abzulegen für das Licht, damit alle durch ihn zum Glauben kommen. Er war nicht selbst das Licht, er sollte nur Zeugnis ablegen für das Licht.
Das wahre Licht, das jeden Menschen erleuchtet,
kam in die Welt.
Er war in der Welt,
und die Welt ist durch ihn geworden,
aber die Welt erkannte ihn nicht.
Er kam in sein Eigentum,
aber die Seinen nahmen ihn nicht auf.
Allen aber, die ihn aufnahmen,
gab er Macht, Kinder Gottes zu werden,
allen, die an seinen Namen glauben,
die nicht aus dem Blut,
nicht aus dem Willen des Fleisches,
nicht aus dem Willen des Mannes,
sondern aus Gott geboren sind.
Und das Wort ist Fleisch geworden
und hat unter uns gewohnt,
und wir haben seine Herrlichkeit gesehen,
die Herrlichkeit des einzigen Sohnes vom Vater,
voll Gnade und Wahrheit.
(Joh 1)

Das Zeugnis des Johannes

Johannes legte Zeugnis für ihn ab und rief: Dieser war es, über den ich gesagt habe: Er, der nach mir kommt, ist mir voraus, weil er vor mir war.
Aus seiner Fülle haben wir alle empfangen, Gnade über Gnade.
Denn das Gesetz wurde durch Mose gegeben, die Gnade und die Wahrheit kamen durch Jesus Christus. Niemand hat Gott je gesehen. Der Einzige, der Gott ist und am Herzen des Vaters ruht, er hat Kunde gebracht.
(Joh 1)

Von den Anfängen Jesu

In Galiläa, im Norden Palästinas, begann Jesus sein öffentliches Wirken. Hier sammelte er Menschen um sich und berief seine ersten Jünger.
Als Kind frommer jüdischer Eltern lebte und betete er wie alle gläubigen Juden damals. Er besuchte die Synagoge, betete täglich das „Höre Israel" (Sch'ma Israel) und las die Hebräische Bibel. Auf seinen Wegen durch die galiläische Heimat besuchte er auch in den Dörfern und Städten die Synagogen und ergriff im Gottesdienst das Wort. Er wurde „Rabbi" genannt, d. h. „Lehrer", „Meister". Das Ansehen eines Rabbis erlangte man entweder aufgrund einer gediegenen Bildung in einer pharisäischen Gemeinschaft oder durch sichere Bibelkenntnis und ein überzeugendes frommes Leben. Es gab aber keine Instanz, die den Titel „Rabbi" verlieh. Jesus sprach wie einer, der „Macht" hatte. Seine Rede war kraftvoll, lebendig und erregte eher Anstoß.
Auch in seiner Heimatgemeinde Nazaret staunten alle über seine Weisheit. Aber die Leute, die Jesus und seine Familie von Kindheit her kannten, wollten ihn nicht akzeptieren. Sie konnten nicht glauben, daß in ihm Gottes Verheißungen aus dem Alten Testamtent in Erfüllung gehen. So wurden sie sehr zornig und versuchten sogar, ihn zu töten. Da verließ Jesus Nazaret und zog in seine Lieblingsstadt Kafarnaum.
Zur Zeit Jesu lebte in Israel etwa eine Million Menschen. Die Römer hatten das Land erobert und hielten es seit 63 v. Chr. besetzt. Sie setzten Statthalter als Vertreter des römischen Kaisers ein. Daneben durften Könige, die aus dem jüdischen Volk kamen, das Land regieren. König Herodes regierte von 37 - 4 v. Chr. als treuer Freund Roms in ganz Judäa. Nach seinem Tod wurde das Land in vier Teile geteilt und seinen Söhnen übergeben.
Als Jesus öffentlich auftrat, regierte in Galiläa Herodes Antipas, ein Sohn von Herodes dem Großen. Er hatte die Stadt Tiberias am See Gennesaret gegründet. Unter seiner Herrschaft wurde Johannes der Täufer hingerichtet.

Jesu Auftrag und Anspruch

Johannes der Täufer

Es war im fünfzehnten Jahr der Regierung des Kaisers Tiberius; Pontius Pilatus war Statthalter von Judäa, Herodes Herrscher von Galiläa; Hohepriester waren Hannas und Kajafas. Da erging in der Wüste das Wort Gottes an Johannes, den Sohn des Zacharias. Und er zog in die Gegend am Jordan und verkündigte überall dort Umkehr und Taufe zur Vergebung der Sünden. (So erfüllte sich,) was im Buch der Reden des Propheten Jesaja steht:

„Eine Stimme ruft in der Wüste:
Bereitet dem Herrn den Weg!
Ebnet ihm die Straßen!
Jede Schlucht soll aufgefüllt werden,
jeder Berg und Hügel sich senken.
Was krumm ist, soll gerade werden,
was uneben ist, soll zum ebenen Weg werden.
Und alle Menschen werden das Heil sehen, das von Gott kommt."

Das Volk zog in Scharen zu ihm hinaus, um sich von ihm taufen zu lassen. Da sagte er zu ihnen: „Ihr Schlangenbrut, wer hat euch denn gelehrt, daß ihr dem kommenden Gericht entrinnen könnt? Bringt Früchte hervor, die eure Umkehr zeigen, und fangt nicht an zu sagen: Wir haben ja Abraham zum Vater. Denn ich sage euch: Gott kann aus diesen Steinen Kinder Abrahams machen. Schon ist die Axt an die Wurzel der Bäume gelegt; jeder Baum, der keine guten Früchte hervorbringt, wird umgehauen und ins Feuer geworfen."
Da fragten ihn die Leute: „Was sollen wir also tun?" Er antwortete ihnen: „Wer zwei Gewänder hat, der gebe eines davon dem, der keines hat, und wer zu essen hat, der handle ebenso."
Es kamen auch Zöllner zu ihm, um sich taufen zu lassen, und fragten: „Meister, was sollen wir tun?" Er sagte zu ihnen: „Verlangt nicht mehr, als festgesetzt ist."
Auch Soldaten fragten ihn: „Was sollen denn wir tun?" Und er sagte zu

ihnen: „Mißhandelt niemand, erpreßt niemand, begnügt euch mit eurem Sold!“
Das Volk war voll Erwartung, und alle überlegten im stillen, ob Johannes nicht vielleicht selbst der Messias sei. Doch Johannes gab ihnen allen zur Antwort: „Ich taufe euch nur mit Wasser. Es kommt aber einer, der stärker ist als ich, und ich bin es nicht wert, ihm die Schuhe aufzuschnüren. Er wird euch mit dem Heiligen Geist und mit Feuer taufen. Schon hält er die Schaufel in der Hand, um die Spreu vom Weizen zu trennen und den Weizen in seine Scheune zu bringen; die Spreu aber wird er in nie erlöschendem Feuer verbrennen.“ Mit diesen und vielen anderen Worten ermahnte er das Volk in seiner Predigt.
Johannes tadelte auch den Tetrarchen Herodes wegen der Sache mit Herodias, der Frau seines Bruders, und wegen all der anderen Schandtaten, die er verübt hatte.
Deshalb ließ Herodes Johannes ins Gefängnis werfen und lud so noch mehr Schuld auf sich.
(Lk 3)

Die Taufe Jesu

Zu dieser Zeit kam Jesus von Galiläa an den Jordan zu Johannes, um sich von ihm taufen zu lassen. Johannes aber wollte es nicht zulassen und sagte zu ihm: „Ich müßte von dir getauft werden, und du kommst zu mir?“ Jesus antwortete ihm: „Laß es nur zu! Denn nur so können wir die Gerechtigkeit, die Gott fordert, ganz erfüllen.“ Da gab Johannes nach.
Kaum war Jesus getauft und aus dem Wasser gestiegen, da öffnete sich der Himmel, und er sah den Geist Gottes wie eine Taube auf sich herabkommen. Und eine Stimme aus dem Himmel sprach: „Das ist mein geliebter Sohn, an dem ich Gefallen gefunden habe.“
(Mt 3)

Die Versuchung Jesu

Erfüllt vom Heiligen Geist, verließ Jesus die Jordangegend. Darauf führte ihn der Geist vierzig Tage lang in der Wüste umher, und dabei wurde

Jesus vom Teufel in Versuchung geführt. Die ganze Zeit über aß er nichts; als aber die vierzig Tage vorüber waren, hatte er Hunger.
Da sagte der Teufel zu ihm: „Wenn du Gottes Sohn bist, so befiehl diesem Stein, zu Brot zu werden." Jesus antwortete ihm: „In der Schrift heißt es: Der Mensch lebt nicht nur von Brot."
Da führte ihn der Teufel auf einen Berg hinauf und zeigte ihm in einem einzigen Augenblick alle Reiche der Erde. Und er sagte zu ihm: „All die Macht und Herrlichkeit dieser Reiche will ich dir geben; denn sie sind mir überlassen, und ich gebe sie, wem ich will. Wenn du vor mir niederfällst und mich anbetest, wird dir alles gehören." Jesus antwortete ihm: „In der Schrift steht: Vor dem Herrn, deinem Gott, sollst du dich niederwerfen und ihm allein dienen."
Darauf führte ihn der Teufel nach Jerusalem, stellte ihn oben auf den Tempel und sagte zu ihm: „Wenn du Gottes Sohn bist, so stürz dich von hier hinab; denn es heißt in der Schrift:
Seinen Engeln befiehlt er, dich zu behüten
und: Sie werden dich auf ihren Händen tragen,
damit dein Fuß nicht an einen Stein stößt."
Da antwortete ihm Jesus: „Die Schrift sagt: Du sollst den Herrn, deinen Gott, nicht auf die Probe stellen." Nach diesen Versuchungen ließ der Teufel für eine gewisse Zeit von ihm ab.
(Lk 4)

Die Ablehnung Jesu in seiner Heimat

Jesus kehrte, erfüllt von der Kraft des Geistes, nach Galiläa zurück. Und die Kunde von ihm verbreitete sich in der ganzen Gegend. Er lehrte in ihren Synagogen und wurde von allen gepriesen.
So kam er auch nach Nazaret, wo er aufgewachsen war, und ging, wie gewohnt, am Sabbat in die Synagoge. Als er aufstand, um aus der Schrift vorzulesen, reichte man ihm das Buch des Propheten Jesaja. Er schlug das Buch auf und fand die Stelle, wo es heißt:

„Der Geist des Herrn ruht auf mir;
denn der Herr hat mich gesalbt.
Er hat mich gesandt,
damit ich den Armen eine gute Nachricht bringe;

damit ich den Gefangenen die Entlassung verkünde
und den Blinden das Augenlicht;
damit ich die Zerschlagenen in Freiheit setze
und ein Gnadenjahr des Herrn ausrufe."

Dann schloß er das Buch, gab es dem Synagogendiener und setzte sich. Die Augen aller in der Synagoge waren auf ihn gerichtet. Da begann er, ihnen darzulegen: „Heute hat sich das Schriftwort, das ihr eben gehört habt, erfüllt." Seine Rede fand bei allen Beifall. Sie staunten darüber, wie begnadet er redete, und sagten: „Ist das nicht der Sohn Josefs?"

Wüste Juda

Da entgegnete er ihnen: „Sicher werdet ihr mir das Sprichwort vorhalten: Arzt, heile dich selbst! Wenn du in Kafarnaum so große Dinge getan hast, wie wir gehört haben, dann tu sie auch hier in deiner Heimat!" Und er setzte hinzu: „Amen, das sage ich euch: Kein Prophet wird in seiner Heimat anerkannt. Wahrhaftig, das sage ich euch: In Israel gab es viele Witwen in den Tagen des Elija, als der Himmel für drei Jahre und sechs Monate verschlossen war und eine große Hungersnot über das ganze Land kam. Aber zu keiner von ihnen wurde Elija gesandt,

nur zu einer Witwe in Sarepta bei Sidon. Und viele Aussätzige gab es in Israel zur Zeit des Propheten Elischa. Aber keiner von ihnen wurde geheilt, nur der Syrer Naaman."
Als die Leute in der Synagoge das hörten, gerieten sie alle in Wut. Sie sprangen auf und trieben Jesus zur Stadt hinaus. Sie brachten ihn an den Abhang des Berges, auf dem ihre Stadt erbaut war, und wollten ihn hinabstürzen. Er aber schritt mitten durch die Menge hindurch und ging weg.
(Lk 4)

Jesus und seine Jünger

Die Menschen um Jesus kamen aus allen Bevölkerungsgruppen. Jesus machte keine Unterschiede und setzte sich mit allen an einen Tisch. So finden wir in seinem Jüngerkreis Leute aus allen Schichten des jüdischen Volkes: Arme und Reiche, Schriftgelehrte und Ungebildete, angesehene Bürger und ausgestoßene Sünder. Damals gab es in Palästina einige Gruppierungen, die eine besondere Rolle spielten.
Die *Pharisäer* bildeten eine Gruppe gesetzestreuer Juden, deren Anfänge in die Zeit der Makkabäer, um 150 v. Chr., zurückreichen. Sie waren im Volk geachtet, weil sie sehr fromm waren und sich bemühten, alle Vorschriften genau einzuhalten. So gaben sie den Zehnten von ihren Ernteerträgen für den Tempel ab und fasteten zweimal in der Woche. Pharisäer bedeutet „Abgesonderter"; d. h. sie hielten sich von denen fern, die die Gebote nicht beachteten. Meistens waren dies die armen Leute im Volk, die nicht lesen und deshalb den vielen Vorschriften nicht nachkommen konnten. Die Pharisäer betrachteten sie als „Sünder". In den Synagogen leiteten die Pharisäer den Gottesdienst und hatten einen großen Einfluß beim Volk.
Einige von ihnen waren Lehrer. Sie befaßten sich besonders mit der heiligen Schrift. Das Neue Testament nennt sie auch *Schriftgelehrte*. Von ihren Schülern wurden sie Rabbi (Meister) genannt. Auch Jesus wurde von seinen Jüngern mit dem Titel „Rabbi" angesprochen.
Politische Macht besaßen die Pharisäer und Schriftgelehrten nicht, da sie mit den heidnischen Römern nicht gemeinsame Sache machen wollten.
Von den *Essenern* sprechen die Evangelien nicht ausdrücklich. Sie lebten in der Erwartung des Weltenendes in klosterähnlichen Gemeinschaften (Qumran am Toten Meer). Ihre Gedanken hatten wohl auch auf Johannes den Täufer Einfluß.

Die *Sadduzäer* kamen meistens aus den reichen Bürger- und Priesterfamilien. Ihr Einfluß auf religiösem und politischem Gebiet war zur Zeit Jesu sehr groß. Sie standen der römischen Herrschaft sehr nahe. Viele von ihnen waren im Hohen Rat, dem höchsten Gericht von Jerusalem. Im Gegensatz zu den Pharisäern glaubten sie nicht an eine Auferstehung der Toten.
Eine Gruppe, die sich überhaupt nicht mit der römischen Herrschaft im Land abfinden konnte, waren die *Zeloten* (Eiferer, Fanatiker). Die hohen Steuerabgaben ließen viele Bauern und Handwerker verarmen. Ihre Söhne wanderten vielfach zu denen ab, die mit Schwert und Gewalt die Lage Israels ändern wollten. Entschieden weigerten sie sich, dem Kaiser Steuern zu zahlen. Auch das Kommen der Gottesherrschaft gedachten sie mit Gewalt herbeiführen zu können. Simon, ein Mitglied der „Zwölf", scheint aus dieser Gruppe gekommen zu sein.
Zwischen Galiläa und Judäa liegt Samaria. Hier lebten die *Samariter*, ein Mischvolk, das aus der Verbindung der Israeliten mit den heidnischen Assyrern hervorgegangen war. Die Juden nahmen den Samaritern übel, daß sie heidnische Frauen heirateten und deren Sitten übernommen hatten. Deshalb durften sie nicht in Jerusalem am Gottesdienst im Tempel teilnehmen. So kam es, daß sie auf dem Berg Garizim ein eigenes Heiligtum bauten und dort zu Gott beteten. Juden und Samariter waren z. Zt. Jesu so verfeindet, daß kein Jude, wenn er von Galiläa nach Jerusalem ging, den kürzeren Weg durch Samaria nahm, sondern lieber dem Jordan entlang über Jericho eine Woche lang nach Jerusalem unterwegs war.
Die *Zöllner* hatten die Aufgabe, an den Grenzen des Landes den Zoll zu kassieren. Die Römer unterhielten in Palästina ein gutes Straßennetz und sorgten für Ruhe im Land. Für diese Zwecke mußte viel Geld durch hohe Steuerabgaben aufgebracht werden. Die Abgaben ließen die römischen Herren durch jüdische Zolleinnehmer eintreiben. Jeder Zöllner konnte von den Römern einen Grenzbezirk pachten, für den er jährlich einen bestimmten Pachtzins zu zahlen hatte. Oft verlangten die Zöllner von den Reisenden mehr Geld, als ihnen erlaubt war. Daher galten die Zöllner bei den anderen Juden als Räuber und Diebe. Obendrein arbeiteten sie für den römischen Kaiser, der ein Heide war. Deshalb wurden sie wie religiöse Außenseiter und Sünder behandelt.

Wie die Menschen zu Jesus fanden und wie er mit ihnen umging, zeigen viele Geschichten in der Bibel.

Das Zeugnis des Täufers für Jesus

Johannes sah Jesus auf sich zukommen und sagte: „Seht, das Lamm Gottes, das die Sünde der Welt hinwegnimmt. Er ist es, von dem ich gesagt habe: Nach mir kommt ein Mann, der mir voraus ist, weil er vor mir war. Auch ich kannte ihn nicht; aber ich bin gekommen und taufe mit Wasser, um Israel mit ihm bekanntzumachen." Und Johan-

nes bezeugte: „Ich sah, daß der Geist vom Himmel herabkam wie eine Taube und auf ihm blieb. Auch ich kannte ihn nicht; aber er, der mich gesandt hat, mit Wasser zu taufen, er hat mir gesagt: Auf wen du den Geist herabkommen siehst und auf wem er bleibt, der ist es, der mit dem Heiligen Geist tauft. Das habe ich gesehen, und ich bezeuge: Er ist der Sohn Gottes."
(Joh 1)

Die ersten Jünger

Am Tag darauf stand Johannes wieder dort, und zwei seiner Jünger standen bei ihm. Als Jesus vorüberging, richtete Johannes seinen Blick auf ihn und sagte: „Seht, das Lamm Gottes!" Die beiden Jünger hörten, was er sagte, und folgten Jesus. Jesus aber wandte sich um, und als er sah, daß sie ihm folgten, fragte er sie: „Was wollt ihr?" Sie sagten zu ihm: „Rabbi" – das heißt übersetzt: Meister –, „wo wohnst Du?" Er antwortete: „Kommt und seht!" Da gingen sie mit und sahen, wo er wohnte, und blieben jenen Tag bei ihm; es war um die zehnte Stunde.
(Joh 1)

Die Berufung und Nachfolge der ersten Jünger

Als Jesus am See von Galiläa entlangging, sah er Simon und Andreas, den Bruder des Simon, die auf dem See ihr Netz auswarfen; sie waren nämlich Fischer. Da sagte er zu ihnen: „Kommt her, folgt mir nach! Ich werde euch zu Menschenfischern machen." Sogleich ließen sie ihre Netze liegen und folgten ihm. Als er ein Stück weiterging, sah er Jakobus, den Sohn des Zebedäus, und seinen Bruder Johannes; sie waren im Boot und richteten ihre Netze her. Sofort rief er sie, und sie ließen ihren Vater Zebedäus mit seinen Tagelöhnern im Boot zurück und folgten Jesus nach.
(Mk 1)

Die Berufung des Levi

Als Jesus von dort wegging, sah er einen Zöllner namens Levi am Zoll sitzen und sagte zu ihm: „Folge mir nach!“ Da stand Levi auf, verließ alles und folgte ihm.
Und er gab für Jesus in seinem Haus ein großes Festmahl. Viele Zöllner und andere Gäste waren mit ihnen bei Tisch. Da sagten die Pharisäer und ihre Schriftgelehrten voll Unwillen zu seinen Jüngern: „Wie könnt ihr zusammen mit Zöllnern und Sündern essen und trinken?“
Jesus antwortete ihnen: „Nicht die Gesunden brauchen den Arzt, sondern die Kranken. Ich bin gekommen, um die Sünder zur Umkehr zu rufen, nicht die Gerechten.“
(Lk 5)

Die Wahl der zwölf Apostel

In diesen Tagen ging er auf einen Berg, um zu beten. Und er verbrachte die ganze Nacht im Gebet zu Gott. Als es Tag wurde, rief er seine Jünger zu sich und wählte aus ihnen zwölf aus; sie nannte er auch Apostel. Es waren Simon, dem er den Namen Petrus gab, und sein Bruder Andreas, dazu Jakobus und Johannes, Philippus und Bartholomäus, Matthäus und Thomas, Jakobus, der Sohn des Alphäus, und Simon, genannt der Zelot, Judas, der Sohn des Jakobus, und Judas Iskariot, der zum Verräter wurde.
(Lk 6)

Die Aussendung der Zwölf

Dann rief er die Zwölf zu sich und gab ihnen die Kraft und die Vollmacht, alle Dämonen auszutreiben und die Kranken gesund zu machen. Und er sandte sie aus mit dem Auftrag, das Reich Gottes zu verkünden und zu heilen. Er sagte zu ihnen: „Nehmt nichts mit auf den Weg, keinen Wanderstab und keine Vorratstasche, kein Brot, kein Geld und kein zweites Hemd. Bleibt in dem Haus, in dem ihr einkehrt, bis ihr den Ort wieder verlaßt. Wenn euch aber die Leute in einer Stadt nicht aufneh-

men wollen, dann geht weg und schüttelt den Staub von euren Füßen, zum Zeugnis gegen sie."
Die Zwölf machten sich auf den Weg und wanderten von Dorf zu Dorf.
Sie verkündeten das Evangelium und heilten überall die Kranken.
(Lk 9)

Jesus verkündet Gottes Herrschaft

Jesus redete vom Reich Gottes, das nahegekommen ist. Markus hat diese zentrale Botschaft Jesu in seinem Evangelium so zusammengefaßt: „Die Zeit ist erfüllt, das Reich Gottes ist nahe. Kehrt um, und glaubt an das Evangelium."

Schon die Propheten sprachen von Gottes Königsherrschaft. Gott, der selbst kommen und sein Volk retten wird, war ihre Hoffnung. Die Juden warteten sehnsüchtig darauf, daß der verheißene Messias ein Reich der Gerechtigkeit und des Friedens schaffen wird.

Jesus griff diese Hoffnung auf. Er ließ die Menschen seiner Umgebung erfahren, daß mit ihm die Zeit der Freude bereits angebrochen ist. Er sprach von der kommenden großen Ernte. Er nannte seine Jünger glücklich, weil sie sehen und hören konnten, was Könige und Propheten nicht erleben durften. Mit Jesus hatte die ersehnte Gottesherrschaft schon begonnen. Aber er machte auch deutlich, daß Gottes Reich nur durch Gott selbst vollendet wird.

Damals glaubten viele fromme Juden, mit guten Werken und Gebeten – oder aber mit Schwert und Gewalt das Reich Gottes herbeizwingen zu können. Für Pharisäer und Sadduzäer war klar, daß nur Fromme und Gerechte einen Anspruch auf Gottes Reich haben. Wer nicht alle Vorschriften und Gebote genau erfüllte, galt ihnen als Sünder und war verloren. Jesus sagte in aller Öffentlichkeit, daß Gott ganz anders denkt. Er erklärte dem Volk, daß Gott alle Menschen liebt. Er ließ sie erfahren, daß das Reich Gottes schon begonnen hat. Deshalb kann sich der Sünder zu Gott bekehren.

Jesus erzählte den Menschen viele Geschichten von der Güte und Gerechtigkeit Gottes. Mit immer neuen Bildern und Vergleichen wollte er sie wach machen für Gottes gute Herrschaft. Die Menschen sollten verstehen, warum er sie beten gelehrt hatte: Vater unser, dein Reich komme bald.

Worte von der Gottesherrschaft

Die Botschaft vom Reich Gottes

Nachdem man Johannes ins Gefängnis geworfen hatte, ging Jesus wieder nach Galiläa; er verkündete das Evangelium Gottes und sprach: „Die Zeit ist erfüllt, das Reich Gottes ist nahe. Kehrt um, und glaubt an das Evangelium!“
(Mk 1)

Von den Zeichen der Zeit

Außerdem sagte Jesus zu den Leuten: „Sobald ihr im Westen Wolken aufsteigen seht, sagt ihr: Es gibt Regen. Und es kommt so. Und wenn der Südwind weht, dann sagt ihr: Es wird heiß. Und es trifft ein. Ihr Heuchler! Das Aussehen der Erde und des Himmels könnt ihr deuten. Warum könnt ihr dann die Zeichen dieser Zeit nicht deuten? Warum findet ihr nicht schon von selbst das rechte Urteil?“
(Lk 12)

Die große Ernte

Jesus zog durch alle Städte und Dörfer, lehrte in ihren Synagogen, verkündete das Evangelium vom Reich und heilte alle Krankheiten und Leiden.
Als er die vielen Menschen sah, hatte er Mitleid mit ihnen; denn sie waren müde und erschöpft wie Schafe, die keinen Hirten haben.
Da sagte er zu seinen Jüngern: „Die Ernte ist groß, aber es gibt nur wenig Arbeiter. Bittet also den Herrn der Ernte, Arbeiter für seine Ernte auszusenden.“
(Mt 9)

Mehr als Jona

Als immer mehr Menschen zu ihm kamen, sagte er: „Diese Generation ist böse. Sie fordert ein Zeichen; aber es wird ihr kein anderes gegeben werden als das Zeichen des Jona. Denn wie Jona für die Einwohner von Ninive ein Zeichen war, so wird es auch der Menschensohn für diese Generation sein. Die Königin des Südens wird beim Gericht gegen die Männer dieser Generation auftreten und sie verurteilen; denn sie kam vom Ende der Erde, um die Weisheit Salomos zu hören. Hier aber ist einer, der mehr ist als Salomo. Die Männer von Ninive werden beim Gericht gegen diese Generation auftreten und sie verurteilen; denn sie haben sich nach der Predigt des Jona bekehrt. Hier aber ist einer, der mehr ist als Jona."
(Lk 11)

Von der Versöhnung

„Wenn du mit deinem Gegner vor Gericht gehst, bemüh dich noch auf dem Weg, dich mit ihm zu einigen. Sonst wird er dich vor den Richter schleppen, und der Richter wird dich dem Gerichtsdiener übergeben, und der Gerichtsdiener wird dich ins Gefängnis werfen. Ich sage dir: Du kommst von dort nicht heraus, bis du auch den letzten Pfennig bezahlt hast."
(Lk 12)

Von der engen und von der verschlossenen Tür

„Bemüht euch mit allen Kräften, durch die enge Tür zu gelangen; denn viele, sage ich euch, werden versuchen hineinzukommen, aber es wird ihnen nicht gelingen.
Wenn der Herr des Hauses aufsteht und die Tür verschließt, dann steht ihr draußen, klopft an die Tür und ruft: Herr, mach uns auf! Er aber wird euch antworten: Ich weiß nicht, woher ihr seid. Dann werdet ihr sagen: Wir haben doch mit dir gegessen und getrunken, und du hast auf unseren Straßen gelehrt. Er aber wird erwidern: Ich sage euch, ich weiß nicht, woher ihr seid. Weg von mir, ihr habt alle Unrecht getan! Da

werdet ihr heulen und mit den Zähnen knirschen, wenn ihr seht, daß Abraham, Isaak und Jakob und alle Propheten im Reich Gottes sind, ihr selbst aber ausgeschlossen seid. Und man wird von Osten und Westen und von Norden und Süden kommen und im Reich Gottes zu Tisch sitzen. Dann werden manche von den Letzten die Ersten sein und manche von den Ersten die Letzten."
(Lk 13)

Jesus verkündet Gott als guten Vater

Vom verlorenen Sohn und seinem barmherzigen Vater

Weiter sagte Jesus: „Ein Mann hatte zwei Söhne. Der jüngere von ihnen sagte zu seinem Vater: Vater, gib mir das Erbteil, das mir zusteht! Da teilte der Vater das Vermögen auf.
Nach einigen Tagen packte der jüngere Sohn alles zusammen und zog in ein fernes Land. Dort führte er ein zügelloses Leben und verschleuderte sein Vermögen. Als er alles durchgebracht hatte, kam eine große Hungersnot über das Land, und es ging ihm sehr schlecht.
Da ging er zu einem Bürger des Landes und drängte sich ihm auf; der schickte ihn aufs Feld zum Schweinehüten. Er hätte gern seinen Hunger mit den Futterschoten gestillt, die die Schweine fraßen; aber niemand gab ihm davon. Da ging er in sich und sagte: Wie viele Tagelöhner meines Vaters haben mehr als genug zu essen, und ich komme hier vor Hunger um. Ich will aufbrechen und zu meinem Vater gehen und zu ihm sagen: Vater, ich habe mich gegen den Himmel und gegen dich versündigt. Ich bin nicht mehr wert, dein Sohn zu sein; mach mich zu einem deiner Tagelöhner. Dann brach er auf und ging zu seinem Vater.
Der Vater sah ihn schon von weitem kommen, und er hatte Mitleid mit ihm. Er lief dem Sohn entgegen, fiel ihm um den Hals und küßte ihn.
Da sagte der Sohn: Vater, ich habe mich gegen den Himmel und gegen dich versündigt; ich bin nicht mehr wert, dein Sohn zu sein.
Der Vater aber sagte zu seinen Knechten: Holt schnell das beste Gewand und zieht es ihm an, steckt ihm einen Ring an die Hand und zieht ihm Schuhe an. Bringt das Mastkalb her und schlachtet es; wir

wollen essen und fröhlich sein. Denn mein Sohn war tot und lebt wieder; er war verloren und ist wiedergefunden worden. Und sie begannen, ein fröhliches Fest zu feiern.
Sein ältester Sohn war unterdessen auf dem Feld. Als er heimging und in die Nähe des Hauses kam, hörte er Musik und Tanz. Da rief er einen der Knechte und fragte, was das bedeuten solle. Der Knecht antwortete: Dein Bruder ist gekommen, und dein Vater hat das Mastkalb schlachten lassen, weil er ihn heil und gesund wiederbekommen hat. Da wurde er zornig und wollte nicht hineingehen.
Sein Vater aber kam heraus und redete ihm gut zu. Doch er erwiderte dem Vater: So viele Jahre schon diene ich dir, und nie habe ich gegen deinen Willen gehandelt; mir aber hast du nie auch nur einen Ziegenbock geschenkt, damit ich mit meinen Freunden ein Fest feiern konnte. Kaum aber ist der hier gekommen, dein Sohn, der dein Vermögen mit Dirnen durchgebracht hat, da hast du für ihn das Mastkalb geschlachtet.
Der Vater antwortete ihm: Mein Kind, du bist immer bei mir, und alles, was mein ist, ist auch dein. Aber jetzt müssen wir uns doch freuen und ein Fest feiern; denn dein Bruder war tot und lebt wieder; er war verloren und ist wiedergefunden worden."
(Lk 15)

Das Vaterunser

„Wenn ihr betet, macht es nicht wie die Heuchler. Sie stellen sich beim Gebet gern in die Synagogen und an die Straßenecken, damit sie von den Leuten gesehen werden. Amen, das sage ich euch: Sie haben ihren Lohn bereits erhalten.
Du aber geh in deine Kammer, wenn du betest, und schließ die Tür zu; dann bete zu deinem Vater, der im Verborgenen ist. Dein Vater, der auch das Verborgene sieht, wird es dir vergelten.
Wenn ihr betet, sollt ihr nicht plappern wie die Heiden, die meinen, sie werden nur erhört, wenn sie viele Worte machen. Macht es nicht wie sie; denn euer Vater weiß, was ihr braucht, noch ehe ihr ihn bittet.
So sollt ihr beten:
Unser Vater im Himmel,
dein Name werde geheiligt,

dein Reich komme,
dein Wille geschehe
wie im Himmel, so auf der Erde.
Gib uns heute das Brot, das wir brauchen.
Und erlaß uns unsere Schulden,
wie auch wir sie unseren Schuldnern erlassen haben.
Und führe uns nicht in Versuchung,
sondern rette uns vor dem Bösen.

Denn wenn ihr den Menschen ihre Verfehlungen vergebt, dann wird euer himmlischer Vater auch euch vergeben. Wenn ihr aber den Menschen nicht vergebt, dann wird euch euer Vater eure Verfehlungen auch nicht vergeben.
(Mt 6)

Von der falschen und von der rechten Sorge

„Niemand kann zwei Herren dienen; er wird entweder den einen hassen und den anderen lieben, oder er wird zu dem einen halten und den anderen verachten. Ihr könnt nicht beiden dienen: Gott und dem Mammon.
Deswegen sage ich euch: Sorgt euch nicht um euer Leben und darum, daß ihr etwas zu essen habt, noch um euren Leib und darum, daß ihr etwas anzuziehen habt. Ist nicht das Leben wichtiger als die Nahrung und der Leib wichtiger als die Kleidung?
Seht euch die Vögel des Himmels an: Sie säen nicht, sie ernten nicht und sammeln keine Vorräte in Scheunen; euer himmlischer Vater ernährt sie. Seid ihr nicht viel mehr wert als sie? Wer von euch kann mit all seiner Sorge sein Leben auch nur um eine kleine Zeitspanne verlängern?
Und was sorgt ihr euch um eure Kleidung? Lernt von den Lilien, die auf dem Feld wachsen: Sie arbeiten nicht und spinnen nicht. Doch ich sage euch: Selbst Salomo war in all seiner Pracht nicht gekleidet wie eine von ihnen. Wenn aber Gott schon das Gras so prächtig kleidet, das heute auf dem Feld steht und morgen ins Feuer geworfen wird, um wieviel mehr dann euch, ihr Kleingläubigen.
Macht euch also keine Sorgen und fragt nicht: Was sollen wir essen? Was sollen wir trinken? Was sollen wir anziehen? Denn um all das geht es den Heiden. Euer himmlischer Vater weiß, daß ihr das alles braucht.

Euch aber muß es zuerst um sein Reich und um seine Gerechtigkeit gehen; dann wird euch alles andere dazugegeben.
Sorgt euch also nicht um morgen; denn der morgige Tag wird für sich selbst sorgen. Jeder Tag hat genug eigene Plage."
(Mt 6)

Von den Spatzen

„Verkauft man nicht zwei Spatzen für ein paar Pfennig? Und doch fällt keiner von ihnen zur Erde ohne den Willen eures Vaters. Bei euch aber sind sogar die Haare auf dem Kopf alle gezählt. Fürchtet euch also nicht! Ihr seid mehr wert als viele Spatzen."
(Mt 10)

Vom Vertrauen beim Beten

„Darum sage ich euch: Bittet, dann wird euch gegeben; sucht, dann werdet ihr finden; klopft an, dann wird euch geöffnet. Denn wer bittet, der empfängt; wer sucht, der findet; und wer anklopft, dem wird geöffnet. Oder ist unter euch ein Vater, der seinem Sohn eine Schlange gibt, wenn er um einen Fisch bittet, oder einen Skorpion, wenn er um ein Ei bittet? Wenn nun schon ihr, die ihr böse seid, euren Kindern gebt, was gut ist, wieviel mehr wird der Vater im Himmel den Heiligen Geist denen geben, die ihn bitten."
(Lk 11)

Die Seligpreisung der Jünger

In jener Zeit sprach Jesus: „Ich preise dich, Vater, Herr des Himmels und der Erde, weil du all das den Weisen und Klugen verborgen, den Unmündigen aber offenbart hast. Ja, Vater, so hat es dir gefallen. Mir ist von meinem Vater alles übergeben worden; niemand kennt den Sohn, nur der Vater, und niemand kennt den Vater, nur der Sohn und der, dem es der Sohn offenbaren will."
(Mt 11)

Bilder und Gleichnisse von der Gottesherrschaft

Vom Senfkorn und vom Sauerteig

Jesus erzählte ihnen ein weiteres Gleichnis und sagte: „Mit dem Himmelreich ist es wie mit einem Senfkorn, das ein Mann auf seinen Acker säte. Es ist das kleinste von allen Samenkörnern; sobald es aber hochgewachsen ist, ist es größer als die anderen Gewächse und wird zu einem Baum, so daß die Vögel des Himmels kommen und in seinen Zweigen nisten."
Und er erzählte ihnen noch ein Gleichnis: „Mit dem Himmelreich ist es wie mit dem Sauerteig, den eine Frau unter einen großen Trog Mehl mischte, bis das Ganze durchsäuert war."
(Mt 13)

Vom Unkraut unter dem Weizen

Jesus erzählte ihnen noch ein anderes Gleichnis: „Mit dem Himmelreich ist es wie mit einem Mann, der guten Samen auf seinen Acker säte. Während nun die Leute schliefen, kam sein Feind, säte Unkraut unter den Weizen und ging wieder weg. Als die Saat aufging und sich die Ähren bildeten, kam auch das Unkraut zum Vorschein. Da gingen die Knechte zu dem Gutsherrn und sagten: Herr, hast du nicht guten Samen auf deinen Acker gesät? Woher kommt dann das Unkraut?
Er antwortete: Das hat ein Feind von mir getan.
Da sagten die Knechte zu ihm: Sollen wir gehen und es ausreißen?
Er entgegnete: Nein, sonst reißt ihr zusammen mit dem Unkraut auch den Weizen aus. Laßt beides wachsen bis zur Ernte. Wenn dann die Zeit der Ernte da ist, werde ich den Arbeitern sagen: Sammelt zuerst das Unkraut und bindet es in Bündel, um es zu verbrennen; den Weizen aber bringt in meine Scheune."
(Mt 13)

Vom Sämann

„Hört! Ein Sämann ging aufs Feld, um zu säen. Als er säte, fiel ein Teil der Körner auf den Weg, und die Vögel kamen und fraßen sie. Ein anderer Teil fiel auf felsigen Boden, wo es nur wenig Erde gab, und ging sofort auf, weil das Erdreich nicht tief war; als aber die Sonne hochstieg, wurde die Saat versengt und verdorrte, weil sie keine Wurzeln hatte. Wieder ein anderer Teil fiel in die Dornen, und die Dornen wuchsen und erstickten die Saat, und sie brachte keine Frucht. Ein anderer Teil schließlich fiel auf guten Boden und brachte Frucht; die Saat ging auf und wuchs empor und trug dreißigfach, ja sechzigfach und hundertfach."
Und Jesus sprach: „Wer Ohren hat zum Hören, der höre!"
(Mk 4)

Die Deutung des Gleichnisses vom Sämann

Als er mit seinen Begleitern und den Zwölf allein war, fragten sie ihn nach dem Sinn seiner Gleichnisse. Da sagte er zu ihnen: „Wenn ihr schon dieses Gleichnis nicht versteht, wie wollt ihr dann all die anderen Gleichnisse verstehen?
Der Sämann sät das Wort. Auf den Weg fällt das Wort bei denen, die es zwar hören, aber sofort kommt der Satan und nimmt das Wort weg, das in sie gesät wurde.
Ähnlich ist es bei den Menschen, bei denen das Wort auf felsigen Boden fällt: Sobald sie es hören, nehmen sie es freudig auf; aber sie haben keine Wurzeln, sondern sind unbeständig, und wenn sie dann um des Wortes willen bedrängt oder verfolgt werden, kommen sie sofort zu Fall.
Bei anderen fällt das Wort in die Dornen: Sie hören zwar, aber die Sorgen der Welt, der trügerische Reichtum und die Gier nach all den anderen Dingen machen sich breit und ersticken es, und es bringt keine Frucht.
Auf guten Boden ist das Wort bei denen gesät, die es hören und aufnehmen und Frucht bringen, dreißigfach, ja sechzigfach und hundertfach."
(Mk 4)

Vom verlorenen Schaf und von der verlorenen Drachme

Alle Zöllner und Sünder kamen zu ihm, um ihn zu hören. Die Pharisäer und die Schriftgelehrten empörten sich darüber und sagten: „Er gibt sich mit Sündern ab und ißt sogar mit ihnen."
Da erzählte er ihnen ein Gleichnis und sagte: „Wenn einer von euch hundert Schafe hat und eins davon verliert, läßt er dann nicht die neunundneunzig in der Steppe zurück und geht dem verlorenen nach, bis er es findet? Und wenn er es gefunden hat, nimmt er es voll Freude auf die Schultern, und wenn er nach Hause kommt, ruft er seine Freunde und Nachbarn zusammen und sagt zu ihnen: Freut euch mit mir; ich habe mein Schaf wiedergefunden, das verloren war.
Ich sage euch: Ebenso wird auch im Himmel mehr Freude herrschen über einen einzigen Sünder, der umkehrt, als über neunundneunzig Gerechte, die es nicht nötig haben, umzukehren.

Hirt in Juda

Oder wenn eine Frau zehn Drachmen hat und eine davon verliert, zündet sie dann nicht eine Lampe an, fegt das ganze Haus und sucht unermüdlich, bis sie das Geldstück findet? Und wenn sie es gefunden hat, ruft sie ihre Freundinnen und Nachbarinnen zusammen und sagt: Freut

euch mit mir; ich habe die Drachme wiedergefunden, die ich verloren hatte. Ich sage euch: Ebenso herrscht auch bei den Engeln Gottes Freude über einen einzigen Sünder, der umkehrt."
(Lk 15)

Vom Pharisäer und vom Zöllner

Einigen, die von ihrer eigenen Gerechtigkeit überzeugt waren und die anderen verachteten, erzählte Jesus dieses Beispiel:
„Zwei Männer gingen zum Tempel hinauf, um zu beten; der eine war ein Pharisäer, der andere ein Zöllner. Der Pharisäer stellte sich hin und sprach leise dieses Gebet: Gott, ich danke dir, daß ich nicht wie die anderen Menschen bin, die Räuber, Betrüger, Ehebrecher oder auch wie dieser Zöllner dort. Ich faste zweimal in der Woche und gebe dem Tempel den zehnten Teil meines ganzen Einkommens.
Der Zöllner aber blieb ganz hinten stehen und wagte nicht einmal, seine Augen zum Himmel zu erheben, sondern schlug sich an die Brust und betete: Gott, sei mir Sünder gnädig!
Ich sage euch: Dieser kehrte als Gerechter nach Hause zurück, der andere nicht. Denn wer sich selbst erhöht, wird erniedrigt, wer sich aber selbst erniedrigt, wird erhöht werden."
(Lk 18)

Von der falschen Selbstsicherheit des reichen Mannes

Jesus erzählte den Leuten folgendes Beispiel: „Auf den Feldern eines reichen Mannes stand eine gute Ernte. Da überlegte er hin und her: Was soll ich tun? Ich weiß nicht, wo ich meine Ernte unterbringen soll. Schließlich sagte er: So will ich es machen: Ich werde meine Scheunen abreißen und größere bauen; dort werde ich mein ganzes Getreide und meine Vorräte unterbringen. Dann kann ich zu mir selber sagen: Nun hast du einen großen Vorrat, der für viele Jahre reicht. Ruh dich aus, iß und trink und freu dich des Lebens! Da sprach Gott zu ihm: Du Narr! Noch in dieser Nacht wird man dein Leben von dir zurückfordern. Wem wird dann all das gehören, was du angehäuft hast?

So geht es jedem, der nur für sich selbst Schätze sammelt, aber vor Gott nicht reich ist.“
(Lk 12)

Vom unbarmherzigen Schuldner

Petrus kam zu Jesus und fragte: „Herr, wie oft muß ich meinem Bruder vergeben, wenn er sich gegen mich versündigt? Siebenmal?“ Jesus sagte zu ihm: „Nicht siebenmal, sondern siebenundsiebzigmal.
Mit dem Himmelreich ist es deshalb wie mit einem König, der beschloß, von seinen Dienern Rechenschaft zu verlangen. Als er nun mit der Abrechnung begann, brachte man einen zu ihm, der ihm zehntausend Talente schuldig war. Weil er aber das Geld nicht zurückzahlen konnte, befahl der Herr, ihn mit Frau und Kindern und allem, was er besaß, zu verkaufen und so die Schuld zu begleichen. Da fiel der Diener vor ihm auf die Knie und bat: Hab Geduld mit mir, ich werde dir alles bezahlen! Der Herr hatte Mitleid mit dem Diener, ließ ihn gehen und schenkte ihm die Schuld.
Als nun der Diener hinausging, traf er einen anderen Diener, der ihm hundert Denare schuldig war. Er packte ihn, würgte ihn und rief: Bezahl, was du mir schuldig bist!
Da fiel der andere vor ihm nieder und flehte: Hab Geduld mit mir, ich werde es dir zurückzahlen! Er aber wollte nicht, sondern ging weg und ließ ihn ins Gefängnis werfen; bis er die Schuld bezahlt habe. Als die übrigen Diener das sahen, waren sie sehr betrübt; sie gingen zu ihrem Herrn und berichteten ihm alles, was geschehen war. Da ließ ihn sein Herr rufen und sagte zu ihm: Du elender Diener! Deine ganze Schuld habe ich dir erlassen, weil du mich so angefleht hast. Hättest nicht auch du mit jenem, der gemeinsam mit dir in meinem Dienst steht, Erbarmen haben müssen, so wie ich mit dir Erbarmen hatte? Und in seinem Zorn übergab ihn der Herr den Folterknechten, bis er die ganze Schuld bezahlt habe.
Ebenso wird mein himmlischer Vater jeden von euch behandeln, der seinem Bruder nicht von ganzem Herzen vergibt.“
(Mt 18)

Vom Weltgericht

„Wenn der Menschensohn in seiner Herrlichkeit kommt und alle Engel mit ihm, dann wird er sich auf den Thron seiner Herrlichkeit setzen. Und alle Völker werden vor ihm zusammengerufen werden, und er wird sie voneinander scheiden, wie der Hirt die Schafe von den Böcken scheidet. Er wird die Schafe zu seiner Rechten versammeln, die Böcke aber zur Linken.

Dann wird der König denen auf der rechten Seite sagen: Kommt her, die ihr von meinem Vater gesegnet seid, nehmt das Reich in Besitz, das seit Erschaffung der Welt euch bestimmt ist! Denn ich war hungrig, und ihr habt mir zu essen gegeben; ich war durstig, und ihr habt mir zu trinken gegeben; ich war fremd und obdachlos, und ihr habt mich aufgenommen; ich war nackt, und ihr habt mir Kleidung gegeben; ich war krank, und ihr habt mich besucht; ich war im Gefängnis, und ihr seid zu mir gekommen.

Dann werden ihm die Gerechten antworten: Herr, wann haben wir dich hungrig gesehen und dir zu essen gegeben oder durstig und dir zu trinken gegeben? Und wann haben wir dich fremd und obdachlos gesehen und aufgenommen oder nackt und dir Kleidung gegeben? Und wann haben wir dich krank oder im Gefängnis gesehen und sind zu dir gekommen?

Darauf wird der König ihnen antworten: Amen, ich sage euch: Was ihr für einen meiner geringsten Brüder getan habt, das habt ihr mir getan.

Dann wird er sich auch an die auf der linken Seite wenden und zu ihnen sagen: Weg von mir, ihr Verfluchten, in das ewige Feuer, das für den Teufel und seine Engel bestimmt ist! Denn ich war hungrig, und ihr habt mir nichts zu essen gegeben; ich war durstig, und ihr habt mir nichts zu trinken gegeben; ich war fremd und obdachlos, und ihr habt mich nicht aufgenommen; ich war nackt, und ihr habt mir keine Kleidung gegeben; ich war krank und im Gefängnis, und ihr habt mich nicht besucht.

Dann werden auch sie antworten: Herr, wann haben wir dich hungrig oder durstig oder obdachlos oder nackt oder krank oder im Gefängnis gesehen und haben dir nicht geholfen?

Darauf wird er ihnen antworten: Amen, ich sage euch: Was ihr für einen dieser Geringsten nicht getan habt, das habt ihr auch mir nicht getan.

Und sie werden weggehen und die ewige Strafe erhalten, die Gerechten aber das ewige Leben."
(Mt 25)

Vom Festmahl

Jesus sagte: „Ein Mann veranstaltete ein großes Festmahl und lud viele dazu ein. Als das Fest beginnen sollte, schickte er seinen Diener und ließ den Gästen, die er eingeladen hatte, sagen: Kommt, es steht alles bereit! Aber einer nach dem anderen ließ sich entschuldigen.
Der erste ließ ihm sagen: Ich habe einen Acker gekauft und muß jetzt gehen und ihn besichtigen. Bitte, entschuldige mich!
Ein anderer sagte: Ich habe fünf Ochsengespanne gekauft und bin auf dem Weg, sie mir genauer anzusehen. Bitte, entschuldige mich!
Wieder ein anderer sagte: Ich habe geheiratet und kann deshalb nicht kommen.
Der Diener kehrte zurück und berichtete alles seinem Herrn. Da wurde der Herr zornig und sagte zu seinem Diener: Geh schnell auf die Straßen und Gassen der Stadt und hol die Armen und die Krüppel, die Blinden und die Lahmen herbei!
Bald darauf meldete der Diener: Herr, dein Auftrag ist ausgeführt; aber es ist immer noch Platz. Da sagte der Herr zu dem Diener: Dann geh auf die Landstraßen und vor die Stadt hinaus und nötige die Leute zu kommen, damit mein Haus voll wird. Das aber sage ich euch: Keiner von denen, die eingeladen waren, wird an meinem Mahl teilnehmen."
(Lk 14)

Zeichen der Gottesherrschaft

Jesus hat nicht nur von Gottes Herrschaft erzählt, sondern sie auch durch sein Handeln gegenwärtig gesetzt. Viele, die Jesus begegneten, erfuhren seine heilende Nähe und seine machtvollen Taten. Er machte die Kranken gesund und half den Armen und Ausgestoßenen.
Wir haben heute andere Krankheiten als die Menschen zur Zeit Jesu. Heutzutage gibt es bei vielen schlimmen Erkrankungen Möglichkeiten ärztli-

cher Behandlung. Damals waren viele ansteckenden Krankheiten unheilbar. Menschen, die davon betroffen waren, wurden aus ihrer Familie und aus der Gesellschaft ausgeschlossen. Besonders schlimm war das bei den Aussätzigen. Sie mußten vor der Stadt leben, weit weg von ihrem Familienverband. Die Begegnung mit Jesus brachte den Kranken Gesundheit und damit auch eine neue Eingliederung in die Gemeinschaft. Wenn Jesus Dämonen austrieb, erkannten viele: Gottes Herrschaft ist schon mitten unter uns.

Die Menschen erfuhren mit Staunen, daß Jesu Wort ihnen die Vergebung ihrer Sünden schenkte. Sie merkten, daß sie frei wurden, wenn sie ihm nur vertrauten. Die Begegnung mit ihm machte Lahme gehend, Blinde sehend, Aussätzige rein. Alle wunderten sich, weil sie so etwas noch nie erlebt hatten. Viele reagierten mit Unverständnis, wenn sie sahen, daß Jesus sich auch mit den Sündern an einen Tisch setzte. Aber Jesus kümmerte sich nicht darum. Er sprach nicht nur davon, daß Gott alle Menschen liebt. Jesus tat auch das, wovon er redete. Er suchte die Gemeinschaft mit den Armen und Schwachen, er gab ihnen Ansehen und trat entschieden für sie ein – letztlich sogar mit seinem Leben. Auch in Jesu Tischgemeinschaft mit den Zöllnern und Sündern war Gottes Herrschaft zu spüren.

Bei vielen Taten Jesu sprechen wir heute von Wundern. Das Neue Testament geht mit dem Wort „Wunder" sparsam um. Es redet lieber von den Machttaten Jesu. Mit ihnen wollte Jesus nicht die Massen faszinieren, wie dies ein Zauberer tut, sondern auf das Reich Gottes hinweisen und die Menschen zum Glauben führen. Deshalb nennt das Johannesevangelium die Taten Jesu auch Zeichen der guten Herrschaft Gottes.

Das Reich Gottes ist da

Jesus trieb einen Dämon aus, der stumm war. Als der Dämon den Stummen verlassen hatte, konnte der Mann reden. Alle Leute staunten. Einige von ihnen aber sagten: „Mit Hilfe von Beelzebul, dem Anführer der Dämonen, treibt er die Dämonen aus." Andere wollten ihn auf die Probe stellen und forderten von ihm ein Zeichen vom Himmel. Doch er wußte, was sie dachten, und sagte zu ihnen: „Jedes Reich, das in sich gespalten ist, wird veröden, und ein Haus ums andere stürzt ein. Wenn also der Satan mit sich selbst im Streit liegt, wie kann sein Reich dann Bestand haben? Ihr sagt doch, daß ich die Dämonen mit Hilfe von Beelzebul austreibe. Wenn ich die Dämonen durch Beelzebul austreibe, durch wen treiben dann eure Anhänger sie aus? Sie selbst also sprechen euch das Urteil. Wenn ich aber die Dämonen durch den Finger Gottes austreibe, dann ist doch das Reich Gottes schon zu euch gekommen."
(Lk 11)

Der Besessene in der Synagoge von Kafarnaum

Sie kamen nach Kafarnaum. Am folgenden Sabbat ging er in die Synagoge und lehrte. Und die Menschen waren sehr betroffen über seine Lehre; denn er lehrte wie einer, der göttliche Vollmacht hat, nicht wie die Schriftgelehrten.
In ihrer Synagoge saß ein Mann, der von einem unreinen Geist besessen war. Der begann zu schreien: „Was haben wir mit dir zu tun, Jesus von Nazaret? Bist du gekommen, um uns ins Verderben zu stürzen? Ich weiß, wer du bist: der Heilige Gottes." Da befahl ihm Jesus streng: „Schweig und verlaß ihn!" Der unreine Geist riß den Mann hin und her und verließ ihn mit lautem Geschrei. Da erschraken alle, und einer fragte den andern: „Was hat das zu bedeuten? Hier wird mit Vollmacht eine ganz neue Lehre verkündet. Sogar die unreinen Geister gehorchen seinem Befehl."
Und sein Ruf verbreitete sich rasch im ganzen Gebiet von Galiläa.
(Mk 1)

Ruine der Synagoge von Kafarnaum

Der Gelähmte in Kafarnaum

Als Jesus einige Tage später nach Kafarnaum zurückkam, wurde bekannt, daß er (wieder) zu Hause war. Und es versammelten sich so viele Menschen, daß nicht einmal mehr vor der Tür Platz war. Und er verkündete ihnen das Wort. Da brachte man einen Gelähmten zu ihm; er wurde von vier Männern getragen. Weil sie ihn aber wegen der vielen Leute nicht bis zu Jesus bringen konnten, deckten sie dort, wo Jesus war, das Dach ab, schlugen (die Decke) durch und ließen den Gelähmten auf seiner Tragbahre durch die Öffnung hinab.
Als Jesus ihren Glauben sah, sagte er zu dem Gelähmten: „Mein Sohn, deine Sünden sind dir vergeben!" Einige Schriftgelehrte aber, die dort saßen, dachten im stillen: „Wie kann dieser Mensch so reden? Er lästert Gott. Wer kann Sünden vergeben außer dem einen Gott?" Jesus erkannte sofort, was sie dachten, und sagte zu ihnen: „Was für Gedanken habt ihr im Herzen? Ist es leichter, zu dem Gelähmten zu sagen: Deine Sünden sind dir vergeben!, oder zu sagen: Steh auf, nimm deine Tragbahre, und geh umher? Ihr sollt aber erkennen, daß der Menschensohn die Vollmacht hat, hier auf der Erde Sünden zu vergeben." Und er sagte zu dem Gelähmten: „Ich sage dir: Steh auf, nimm deine Tragbahre, und geh nach Hause!" Der Mann stand sofort auf, nahm seine Tragbahre und ging vor aller Augen weg. Da gerieten alle außer sich; sie priesen Gott und sagten: „So etwas haben wir noch nie gesehen."
(Mk 2)

Die zehn Aussätzigen

Auf dem Weg nach Jerusalem zog Jesus durch das Grenzgebiet von Samarien und Galiläa. Als er in ein Dorf hineingehen wollte, kamen ihm zehn Aussätzige entgegen. Sie blieben in der Ferne stehen und riefen: „Jesus, Meister, hab Erbarmen mit uns!"
Als er sie sah, sagte er zu ihnen: „Geht, zeigt euch den Priestern!" Und während sie zu den Priestern gingen, wurden sie rein.
Einer von ihnen aber kehrte um, als er sah, daß er geheilt war; und er lobte Gott mit lauter Stimme. Er warf sich vor den Füßen Jesu zu Boden und dankte ihm. Dieser Mann war aus Samarien.

Da sagte Jesus: „Es sind doch alle zehn rein geworden. Wo sind die übrigen neun? Ist denn keiner umgekehrt, um Gott zu ehren, außer diesem Fremden?" Und er sagte zu ihm: „Steh auf und geh! Dein Glaube hat dir geholfen.
(Lk 17)

palästinensisches Dorf

Der Hauptmann von Kafarnaum

Als Jesus nach Kafarnaum kam, trat ein Hauptmann an ihn heran und bat ihn: „Herr, mein Diener liegt gelähmt zu Hause und hat große Schmerzen." Jesus sagte zu ihm: „Ich will kommen und ihn gesund machen."
Da antwortete der Hauptmann: „Herr, ich bin es nicht wert, daß du mein Haus betrittst; sprich nur ein Wort, dann wird mein Diener gesund. Auch ich muß Befehlen gehorchen, und ich habe selber Soldaten unter mir; sage ich nun zu einem: Geh!, so geht er, und zu einem andern: Komm!, so kommt er, und zu einem Diener: Tu das!, so tut er es." Jesus war erstaunt, als er das hörte, und sagte zu denen, die ihm nachfolgten: „Amen, das sage ich euch: Einen solchen Glauben habe ich in Israel noch bei niemand gefunden.
Ich sage euch: Viele werden von Osten und Westen kommen und mit Abraham, Isaak und Jakob im Himmelreich zu Tisch sitzen; die aber,

für die das Reich bestimmt war, werden hinausgeworfen in die äußerste Finsternis; dort werden sie heulen und mit den Zähnen knirschen."
Und zum Hauptmann sagte Jesus: „Geh! Es soll geschehen, wie du geglaubt hast." Und in derselben Stunde wurde der Diener gesund.
(Mt 8)

Der Sturm auf dem See

Jesus stieg in das Boot, und seine Jünger folgten ihm. Plötzlich brach auf dem See ein gewaltiger Sturm los, so daß das Boot von den Wellen überflutet wurde. Jesus aber schlief. Da traten die Jünger zu ihm und weckten ihn; sie riefen: „Herr, rette uns, wir gehen zugrunde!"
Er sagte zu ihnen: „Warum habt ihr solche Angst, ihr Kleingläubigen?" Dann stand er auf, drohte den Winden und dem See, und es trat völlige Stille ein. Die Leute aber staunten und sagten: „Was ist das für ein Mensch, daß ihm sogar die Winde und der See gehorchen?"
(Mt 8)

Die Speisung der Fünftausend

Die Apostel versammelten sich wieder bei Jesus und berichteten ihm alles, was sie getan und gelehrt hatten. Da sagte er zu ihnen: „Kommt mit an einen einsamen Ort, wo wir allein sind, und ruht ein wenig aus." Denn sie fanden nicht einmal Zeit zum Essen, so zahlreich waren die Leute, die kamen und gingen.
Sie fuhren also mit dem Boot in eine einsame Gegend, um allein zu sein. Aber man sah sie abfahren, und viele erfuhren davon; sie liefen zu Fuß aus allen Städten dorthin und kamen noch vor ihnen an. Als er ausstieg und die vielen Menschen sah, hatte er Mitleid mit ihnen; denn sie waren wie Schafe, die keinen Hirten haben. Und er lehrte sie lange.
Gegen Abend kamen seine Jünger zu ihm und sagten: „Der Ort ist abgelegen, und es ist schon spät. Schick sie weg, damit sie in die umliegenden Gehöfte und Dörfer gehen und sich etwas zu essen kaufen können." Er erwiderte: „Gebt ihr ihnen zu essen!" Sie sagten zu ihm: „Sollen wir weggehen, für zweihundert Denare Brot kaufen und es ihnen geben, damit sie zu essen haben?" Er sagte zu ihnen: „Wie viele

Fischer am See Gennesaret

Brote habt ihr? Geht und seht nach!" Sie sahen nach und berichteten: „Fünf Brote, und außerdem zwei Fische." Dann befahl er ihnen, den Leuten zu sagen, sie sollten sich in Gruppen ins grüne Gras setzen. Und sie setzten sich in Gruppen zu hundert und zu fünfzig.
Darauf nahm er die fünf Brote und die zwei Fische, blickte zum Himmel auf, sprach den Lobpreis, brach die Brote und gab sie den Jüngern, damit sie sie an die Leute austeilten. Auch die zwei Fische ließ er unter allen verteilen. Und alle aßen und wurden satt. Als die Jünger die Reste

Ausgrabungen am Teich Betesda

der Brote und auch der Fische einsammelten, wurden zwölf Körbe voll. Es waren fünftausend Männer, die von den Broten gegessen hatten.
(Mk 6)

Die Hochzeit zu Kana

Am dritten Tag fand in Kana in Galiläa eine Hochzeit statt, und die Mutter Jesu war dabei. Auch Jesus und seine Jünger waren zur Hochzeit eingeladen. Als der Wein ausging, sagte die Mutter Jesu zu ihm: „Sie haben keinen Wein mehr." Jesus erwiderte ihr: „Was willst du von mir, Frau? Meine Stunde ist noch nicht gekommen." Seine Mutter sagte zu den Dienern: „Was er euch sagt, das tut!"
Es standen dort sechs steinerne Wasserkrüge, wie es der Reinigungsvorschrift der Juden entsprach; jeder faßte ungefähr hundert Liter. Jesus sagte zu den Dienern: „Füllt die Krüge mit Wasser!" Und sie füllten sie bis zum Rand. Er sagte zu ihnen: „Schöpft jetzt, und bringt es dem, der für das Festmahl verantwortlich ist." Sie brachten es ihm.
Er kostete das Wasser, das zu Wein geworden war. Er wußte nicht, woher der Wein kam; die Diener aber, die das Wasser geschöpft hatten, wußten es. Da ließ er den Bräutigam rufen und sagte zu ihm: „Jeder setzt zuerst den guten Wein vor und erst, wenn die Gäste zuviel getrunken haben, den weniger guten. Du jedoch hast den guten Wein bis jetzt zurückgehalten."
So tat Jesus sein erstes Zeichen, in Kana in Galiläa, und offenbarte seine Herrlichkeit, und seine Jünger glaubten an ihn.
(Joh 2)

Der Gelähmte am Teich Betesda

Zu einem Fest der Juden ging Jesus hinauf nach Jerusalem. In Jerusalem gibt es beim Schaftor einen Teich, zu dem fünf Säulenhallen gehören; dieser Teich heißt hebräisch Betesda. In diesen Hallen lagen viele Kranke. Dort lag auch ein Mann, der schon achtunddreißig Jahre krank war. Als Jesus ihn dort liegen sah und erkannte, daß er schon lange krank war, fragte er ihn: „Willst du gesund werden?"
Der Kranke antwortete ihm: „Herr, ich habe keinen Menschen, der mich

in den Teich trägt, sobald das Wasser aufwallt. Während ich mich hinschleppe, steigt schon ein anderer vor mir hinein."
Da sagte Jesus zu ihm: „Steh auf, nimm deine Bahre und geh!"
Sofort wurde der Mann gesund, nahm seine Bahre und ging. Dieser Tag war aber ein Sabbat.
Da sagten die Juden zu dem Geheilten: „Es ist Sabbat, du darfst deine Bahre nicht tragen." Er erwiderte: „Der Mann, der mich gesund gemacht hat, sagte zu mir: Nimm deine Bahre und geh!" Sie fragten ihn: „Wer ist das denn, der zu dir gesagt hat: Nimm deine Bahre und geh?"
Der Geheilte wußte aber nicht, wer es war; denn als sich dort eine Menschenmenge gebildet hatte, war Jesus weggegangen. Später traf ihn Jesus im Tempel und sagte zu ihm: „Jetzt bist du gesund; sündige nicht mehr, damit dir nicht noch Schlimmeres zustößt!"
Der Mann ging fort und teilte den Juden mit, daß es Jesus war, der ihn gesund gemacht hatte. Daraufhin verfolgten die Juden Jesus, weil er das an einem Sabbat getan hatte.
Jesus aber entgegnete ihnen: „Mein Vater ist noch immer am Werk, und auch ich bin am Werk." Darum waren die Juden noch mehr darauf aus, ihn zu töten, weil er nicht nur den Sabbat brach, sondern auch Gott seinen Vater nannte und sich damit Gott gleichstellte.
(Joh 5)

Der Blindgeborene am Teich Schiloach

Unterwegs sah Jesus einen Mann, der seit seiner Geburt blind war. Da fragten ihn seine Jünger: „Rabbi, wer hat gesündigt? Er selbst? Oder haben seine Eltern gesündigt, so daß er blind geboren wurde?"
Jesus antwortete: „Weder er noch seine Eltern haben gesündigt, sondern das Wirken Gottes soll an ihm offenbar werden. Wir müssen, solange es Tag ist, die Werke dessen tun, der mich gesandt hat; es kommt die Nacht, in der niemand mehr etwas tun kann. Solange ich in der Welt bin, bin ich das Licht der Welt."
Als er dies gesagt hatte, spuckte er auf die Erde; dann machte er mit dem Speichel einen Teig, strich ihn dem Blinden auf die Augen und sagte zu ihm: „Geh und wasch dich in dem Teich Schiloach." Er ging fort und wusch sich. Und als er zurückkam, konnte er sehen.
Da brachten sie den Mann, der blind gewesen war, zu den Pha-

risäern. Es war aber Sabbat an dem Tag, als Jesus den Teig gemacht und ihm die Augen geöffnet hatte. Auch die Pharisäer fragten ihn, wie er sehend geworden sei. Der Mann antwortete ihnen: „Er legte mir einen Teig auf die Augen; dann wusch ich mich, und jetzt kann ich sehen."

Einige der Pharisäer meinten: „Dieser Mensch kann nicht von Gott sein, weil er den Sabbat nicht hält." Andere aber sagten: „Wie kann ein Sünder solche Zeichen tun?" So entstand eine Spaltung unter ihnen. Da fragten sie den Blinden noch einmal: „Was sagst du selbst über ihn? Er hat doch deine Augen geöffnet."

Der Mann antwortete: „Er ist ein Prophet."

Die Juden aber wollten nicht glauben, daß er blind gewesen und sehend geworden war. Daher riefen sie die Eltern des Geheilten und fragten sie: „Ist das euer Sohn, von dem ihr behauptet, daß er blind geboren wurde? Wie kommt es, daß er jetzt sehen kann?"

Seine Eltern antworteten: „Wir wissen, daß er unser Sohn ist und daß er blind geboren wurde. Wie es kommt, daß er jetzt sehen kann, das wissen wir nicht. Und wer seine Augen geöffnet hat, das wissen wir auch nicht. Fragt doch ihn selbst, er ist alt genug und kann selbst für sich sprechen." Da riefen die Pharisäer den Mann, der blind gewesen war, zum zweitenmal und sagten zu ihm: „Gib Gott die Ehre! Wir wissen, daß dieser Mensch ein Sünder ist."

Er antwortete: „Ob er ein Sünder ist, weiß ich nicht. Nur das eine weiß ich, daß ich blind war und jetzt sehen kann."

Sie fragten ihn: „Was hat er mit dir gemacht? Wie hat er deine Augen geöffnet?"

Er antwortete ihnen: „Ich habe es euch bereits gesagt, aber ihr habt nicht gehört. Warum wollt ihr es noch einmal hören? Wollt auch ihr seine Jünger werden?"

Da beschimpften sie ihn: „Du bist ein Jünger dieses Menschen; wir aber sind Jünger des Mose. Wir wissen, daß zu Mose Gott gesprochen hat; aber von dem da wissen wir nicht, woher er kommt." Der Mann antwortete ihnen: „Darin liegt ja das Erstaunliche, daß ihr nicht wißt, woher er kommt; dabei hat er doch meine Augen geöffnet. Wir wissen, daß Gott einen Sünder nicht erhört; wer aber Gott fürchtet und seinen Willen tut, den erhört er. Noch nie hat man gehört, daß jemand die Augen eines Blindgeborenen geöffnet hat. Wenn dieser Mensch nicht von Gott wäre, dann hätte er gewiß nichts ausrichten können." Sie entgegneten ihm: „Du

bist ganz und gar in Sünden geboren, und du willst uns belehren?" Und sie stießen ihn hinaus.
Jesus hörte, daß sie ihn hinausgestoßen hatten; und als er ihn traf, sagte er zu ihm: „Glaubst du an den Menschensohn?" Der Mann antwortete: „Wer ist das, Herr? (Sag es mir,) damit ich an ihn glaube!" Jesus sagte zu ihm: „Du siehst ihn vor dir; er, der mit dir redet, ist es." Er aber sagte: „Ich glaube, Herr!" Und er warf sich vor ihm nieder.
(Joh 9)

Die Auferweckung des Lazarus

Lazarus aus Betanien war krank. Seine Schwestern Maria und Marta sandten Jesus die Nachricht: „Herr, dein Freund ist krank." Als Jesus hörte, daß Lazarus krank war, blieb er noch zwei Tage an dem Ort, wo er sich aufhielt.
Danach sagte er zu den Jüngern: „Laßt uns wieder nach Judäa gehen. Lazarus, unser Freund, schläft; aber ich gehe hin, um ihn aufzuwecken." Da sagten die Jünger zu ihm: „Herr, wenn er schläft, dann wird er gesund werden." Jesus hatte aber von seinem Tod gesprochen, während sie meinten, er spreche von dem gewöhnlichen Schlaf.
Darauf sagte Jesus ihnen unverhüllt: „Lazarus ist gestorben. Und ich freue mich für euch, daß ich nicht dort war; denn ihr sollt glauben."
Als Jesus ankam, fand er Lazarus schon vier Tage im Grab liegen. Betanien war nahe bei Jerusalem, etwa fünfzehn Stadien entfernt. Viele Juden waren zu Maria und Marta gekommen, um sie wegen ihres Bruders zu trösten.
Als Marta hörte, daß Jesus komme, ging sie ihm entgegen, Maria aber blieb im Haus. Marta sagte zu Jesus: „Herr, wärest du hier gewesen, dann wäre mein Bruder nicht gestorben. Aber auch jetzt weiß ich: Alles, worum du Gott bittest, wird Gott dir geben." Jesus sagte zu ihr: „Dein Bruder wird auferstehen." Marta sagte zu ihm: „Ich weiß, daß er auferstehen wird bei der Auferstehung am Letzten Tag."
Jesus erwiderte ihr: „Ich bin die Auferstehung und das Leben. Wer an mich glaubt, wird leben, auch wenn er stirbt, und jeder, der lebt und an mich glaubt, wird auf ewig nicht sterben. Glaubst du das?" Marta antwortete ihm: „Ja, Herr, ich glaube, daß du der Messias bist, der Sohn Gottes, der in die Welt kommen soll."

Nach diesen Worten ging sie weg, rief heimlich ihre Schwester Maria und sagte zu ihr: „Der Meister ist da und läßt dich rufen." Als Maria das hörte, stand sie sofort auf und ging zu ihm. Als sie dorthin kam, wo Jesus war, und ihn sah, fiel sie ihm zu Füßen und sagte zu ihm: „Herr, wärest du hier gewesen, dann wäre mein Bruder nicht gestorben."

Als Jesus sah, wie sie weinte und wie auch die Juden weinten, die mit ihr gekommen waren, wurde er im Innersten erregt und erschüttert. Er sagte: „Wo habt ihr ihn bestattet?" Sie antworteten ihm: „Herr, komm und sieh!" Da kamen Jesus die Tränen. Die Juden sagten: „Seht, wie lieb er ihn hatte!" Einige aber sagten: „Wenn er dem Blinden die Augen geöffnet hat, hätte er dann nicht auch verhindern können, daß dieser hier starb?" Da wurde Jesus wiederum innerlich erregt, und er ging zum Grab. Es war eine Höhle, die mit einem Stein verschlossen war.

Jesus sagte: „Nehmt den Stein weg!" Marta entgegnete ihm: „Herr, er riecht aber schon, denn es ist bereits der vierte Tag." Jesus sagte zu ihr: „Habe ich dir nicht gesagt: Wenn du glaubst, wirst du die Herrlichkeit Gottes sehen?" Da nahmen sie den Stein weg.

Jesus aber erhob seine Augen und sprach: „Vater, ich danke dir, daß du mich erhört hast. Ich wußte, daß du mich immer erhörst; aber wegen der Menge, die um mich herum steht, habe ich es gesagt; denn sie sollen glauben, daß du mich gesandt hast." Nachdem er dies gesagt hatte, rief er mit lauter Stimme: „Lazarus, komm heraus!" Da kam der Verstorbene heraus.

Viele Juden, die zu Maria gekommen waren und gesehen hatten , was Jesus getan hatte, kamen zum Glauben.

(Joh 11)

Die Auferweckung eines jungen Mannes in Nain

Jesus ging in eine Stadt namens Nain; seine Jünger und eine große Menschenmenge folgten ihm. Als er in die Nähe des Stadttores kam, trug man gerade einen Toten heraus. Es war der einzige Sohn seiner Mutter, einer Witwe. Und viele Leute aus der Stadt begleiteten sie. Als der Herr die Frau sah, hatte er Mitleid mit ihr und sagte zu ihr: „Weine nicht." Dann ging er zu der Bahre hin und faßte sie an. Die

Träger blieben stehen, und er sagte: „Junger Mann, ich befehle dir: Steh auf!“ Da richtete sich der Tote auf und begann zu sprechen, und Jesus gab ihn seiner Mutter zurück.
Alle wurden von Furcht ergriffen; sie priesen Gott und sagten: „Ein großer Prophet ist unter uns aufgetreten; Gott hat sich seines Volkes angenommen. Und die Kunde davon verbreitete sich überall in Judäa und im ganzen Gebiet ringsum.
(Lk 7)

Leben im Zeichen der Gottesherrschaft

Jesus lehrt eine neue Art zu leben

Jesus hat mit seiner Botschaft von der Gottesherrschaft das Leben seiner Jünger verändert. Er zeigte, daß mit dem Tod nicht alles vorbei ist, sondern daß Gott neues Leben schenkt. Wer daran glaubt, der muß im Leben nicht mehr alles haben, was es gibt. Sogar Krankheit, Armut und Leid können dann einen Sinn bekommen. Davon erzählt die Bergpredigt.

Das Leben unter der Gottesherrschaft gibt den Menschen ein neues Selbstvertrauen. Nun wissen sie: Wenn wir Gott und unsere Mitmenschen von ganzem Herzen lieben, dann werden wir Gottes Gebote erfüllen. Die Pharisäer und Schriftgelehrten waren da anderer Meinung. Sie befürchteten, daß die Menschen Gottes Gebot vernachlässigen würden, wenn man sie nicht ständig daran erinnerte. Deshalb verlangten sie die Beachtung von unendlich vielen Vorschriften. Um zum Beispiel die gottgewollte Ruhe am Sabbat zu schützen, war es nicht nur verboten, mehr als hundert Schritte zu gehen, sondern sogar am Sabbat Kranke zu heilen. Wie eine Last lagen solche Vorschriften auf den Schultern des Volkes. Jesus sagte, daß unter der Herrschaft Gottes diese Menschensatzungen nicht so wichtig sind wie Gottes Gebot.

Jesus und Zachäus

Dann kam er nach Jericho und ging durch die Stadt. Dort wohnte ein Mann namens Zachäus; er war der oberste Zollpächter und war sehr reich. Er wollte gern sehen, wer dieser Jesus sei, doch die Menschenmenge versperrte ihm die Sicht; denn er war klein. Darum lief er voraus und stieg auf einen Maulbeerfeigenbaum, um Jesus zu sehen, der dort vorbeikommen mußte.

Als Jesus an die Stelle kam, schaute er hinauf und sagte zu ihm: „Zachäus, komm schnell herunter! Denn ich muß heute in deinem Haus

zu Gast sein." Da stieg er schnell herunter und nahm Jesus freudig bei sich auf. Als die Leute das sahen, empörten sie sich und sagten: „Er ist bei einem Sünder eingekehrt."
Zachäus aber wandte sich an den Herrn und sagte: „Herr, die Hälfte meines Vermögens will ich den Armen geben, und wenn ich von jemand zuviel gefordert habe, gebe ich ihm das Vierfache zurück."
Da sagte Jesus zu ihm: „Heute ist diesem Haus das Heil geschenkt worden, weil auch dieser Mann ein Sohn Abrahams ist. Denn der Menschensohn ist gekommen, um zu suchen und zu retten, was verloren ist."
(Lk 19)

Frauen in Jesu Nachfolge

In der folgenden Zeit wanderte er von Stadt zu Stadt und von Dorf zu Dorf und verkündete das Evangelium vom Reich Gottes. Die Zwölf begleiteten ihn, außerdem einige Frauen, die er von bösen Geistern und von Krankheiten geheilt hatte: Maria Magdalena, aus der sieben Dämonen ausgefahren waren, Johanna, die Frau des Chuzas, eines Beamten des Herodes, Susanna und viele andere. Sie alle unterstützten Jesus und die Jünger mit dem, was sie besaßen.
(Lk 8)

Maria und Marta

Sie zogen zusammen weiter, und er kam in ein Dorf. Eine Frau namens Marta nahm ihn freundlich auf.
Sie hatte eine Schwester, die Maria hieß. Maria setzte sich dem Herrn zu Füßen und hörte seinen Worten zu. Marta aber war ganz davon in Anspruch genommen, für ihn zu sorgen. Da kam sie zu ihm und sagte: „Herr, kümmert es dich nicht, daß meine Schwester die ganze Arbeit mir überläßt? Sag ihr doch, sie soll mir helfen!"
Der Herr antwortete: „Marta, Marta, du machst dir viele Sorgen und Mühen. Aber nur eines ist notwendig. Maria hat das Bessere erwählt, das soll ihr nicht genommen werden."
(Lk 10)

Die wahren Verwandten

Als Jesus noch mit den Leuten redete, standen seine Mutter und seine Brüder vor dem Haus und wollten mit ihm sprechen. Da sagte jemand zu ihm: „Deine Mutter und deine Brüder stehen draußen und wollen mit dir sprechen." Dem, der ihm das gesagt hatte, erwiderte er: „Wer ist meine Mutter, und wer sind meine Brüder?" Und er streckte die Hand über seine Jünger aus und sagte: „Das hier sind meine Mutter und meine Brüder. Denn wer den Willen meines himmlischen Vaters erfüllt, der ist für mich Bruder und Schwester und Mutter."
(Mt 12)

Die Frage nach dem wichtigsten Gebot

Ein Schriftgelehrter hatte ihrem Streit zugehört; und da er bemerkt hatte, wie treffend Jesus ihnen antwortete, ging er zu ihm hin und fragte ihn: „Welches Gebot ist das erste von allen?" Jesus antwortete: „Das erste ist: Höre, Israel, der Herr, unser Gott, ist der einzige Herr. Darum sollst du den Herrn, deinen Gott, lieben mit ganzem Herzen und ganzer Seele, mit all deinen Gedanken und all deiner Kraft. Als zweites kommt hinzu: Du sollst deinen Nächsten lieben wie dich selbst. Kein anderes Gebot ist größer als diese beiden." Da sagte der Schriftgelehrte zu ihm: „Sehr gut, Meister! Ganz richtig hast du gesagt: Er allein ist der Herr, und es gibt keinen anderen außer ihm, und ihn mit ganzem Herzen, ganzem Verstand und ganzer Kraft zu lieben und den Nächsten zu lieben wie sich selbst, ist weit mehr als alle Brandopfer und anderen Opfer." Jesus sah, daß er mit Verständnis geantwortet hatte, und sagte zu ihm: „Du bist nicht fern vom Reich Gottes." Und keiner wagte mehr, Jesus eine Frage zu stellen.
(Mk 12)

Vom barmherzigen Samariter

Ein Gesetzeslehrer stand auf, um Jesus auf die Probe zu stellen. Er fragte ihn: „Meister, was muß ich tun, um das ewige Leben zu gewinnen?" Jesus sagte zu ihm: „Was steht im Gesetz? Was liest du dort?" Er antwortete: „Du sollst den Herrn, deinen Gott, lieben mit ganzem Herzen

Weg von Jerusalem nach Jericho, an der Felswand das St. Georgskloster

und ganzer Seele, mit deiner ganzen Kraft und all deinen Gedanken, und: Deinen Nächsten sollst du lieben wie dich selbst."
Jesus sagte zu ihm: „Du hast richtig geantwortet. Handle danach, und du wirst leben."
Der Gesetzeslehrer wollte seine Frage rechtfertigen und sagte zu Jesus: „Und wer ist mein Nächster?"
Darauf antwortete ihm Jesus: „Ein Mann ging von Jerusalem nach Jericho hinab und wurde von Räubern überfallen. Sie plünderten ihn aus und schlugen ihn nieder; dann gingen sie weg und ließen ihn halbtot liegen. Zufällig kam ein Priester denselben Weg herab; er sah ihn und ging weiter. Auch ein Levit kam zu der Stelle; er sah ihn und ging weiter. Dann kam ein Mann aus Samarien, der auf der Reise war. Als er ihn sah, hatte er Mitleid, ging zu ihm hin, goß Öl und Wein auf seine Wunden und verband sie. Dann hob er ihn auf sein Reittier, brachte ihn zu einer Herberge und sorgte für ihn. Am anderen Morgen holte er zwei Denare hervor, gab sie dem Wirt und sagte: Sorge für ihn, und wenn du mehr für ihn brauchst, werde ich es dir bezahlen, wenn ich wiederkomme.
Was meinst du: Wer von diesen dreien hat sich als der Nächste dessen erwiesen, der von den Räubern überfallen wurde?" Der Gesetzeslehrer antwortete: „Der, der barmherzig an ihm gehandelt hat." Da sagte Jesus zu ihm: „Dann geh und handle genauso!"
(Lk 10)

Von der Nachfolge

Als sie auf ihrem Weg weiterzogen, redete ein Mann Jesus an und sagte: „Ich will dir folgen, wohin du auch gehst." Jesus antwortete ihm: „Die Füchse haben ihre Höhlen und die Vögel ihre Nester; der Menschensohn aber hat keinen Ort, wo er sein Haupt hinlegen kann." Zu einem anderen sagte er: „Folge mir nach!" Der erwiderte: „Laß mich zuerst heimgehen und meinen Vater begraben." Jesus sagte zu ihm: „Laß die Toten die Toten begraben; du aber geh und verkünde das Reich Gottes!" Wieder ein anderer sagte: „Ich will dir nachfolgen, Herr. Zuvor aber laß mich von meiner Familie Abschied nehmen." Jesus erwiderte ihm: „Keiner, der die Hand an den Pflug gelegt hat und nochmals zurückblickt, taugt für das Reich Gottes."
(Lk 9)

Der reiche junge Mann

Einer von den führenden Männern fragte ihn: „Guter Meister, was muß ich tun, um das ewige Leben zu gewinnen?" Jesus antwortete: „Warum nennst du mich gut? Niemand ist gut außer dem einen Gott. Du kennst doch die Gebote: Du sollst nicht die Ehe brechen, du sollst nicht töten, du sollst nicht stehlen, du sollst nicht falsch aussagen; ehre deinen Vater und deine Mutter!" Er erwiderte: „Alle diese Gebote habe ich von Jugend an befolgt."
Als Jesus das hörte, sagte er: „Eines fehlt dir noch: Verkauf alles, was du hast, verteil das Geld an die Armen, und du wirst einen bleibenden Schatz im Himmel haben; dann komm und folge mir nach!"
Der Mann aber wurde sehr traurig, als er das hörte; denn er war überaus reich. Jesus sah ihn an und sagte: „Wie schwer ist es für Leute, die viel besitzen, in das Reich Gottes zu kommen! Denn eher geht ein Kamel durch ein Nadelöhr, als daß ein Reicher in das Reich Gottes gelangt."
Die Leute, die das hörten, fragten: „Wer kann dann noch gerettet werden?"
Er erwiderte: „Was für Menschen unmöglich ist, ist für Gott möglich."
Da sagte Petrus: „Du weißt, wir haben unser Eigentum verlassen und sind dir nachgefolgt." Jesus antwortete ihnen: „Amen, ich sage euch: Jeder, der um des Reiches Gottes willen Haus oder Frau, Geschwister, Eltern oder Kinder verlassen hat, wird dafür schon in dieser Zeit das Vielfache erhalten und in der kommenden Welt das ewige Leben."
(Lk 18)

Aus der Bergpredigt

Die Seligpreisungen

Als Jesus die vielen Menschen sah, stieg er auf einen Berg. Er setzte sich, und seine Jünger traten zu ihm. Dann begann er zu reden und lehrte sie. Er sagte:
„Selig, die arm sind vor Gott;
denn ihnen gehört das Himmelreich.
Selig die Trauernden;

denn sie werden getröstet werden.
Selig, die keine Gewalt anwenden;
denn sie werden das Land erben.
Selig, die hungern und dürsten nach der Gerechtigkeit;
denn sie werden satt werden.
Selig die Barmherzigen;
denn sie werden Erbarmen finden.
Selig, die ein reines Herz haben;
denn sie werden Gott schauen.
Selig, die Frieden stiften;
denn sie werden Söhne Gottes genannt werden.
Selig, die um der Gerechtigkeit willen verfolgt werden;
denn ihnen gehört das Himmelreich.

Selig seid ihr, wenn ihr um meinetwillen beschimpft und verfolgt und auf alle mögliche Weise verleumdet werdet. Freut euch und jubelt: Euer Lohn im Himmel wird groß sein. Denn so wurden schon vor euch die Propheten verfolgt."
(Mt 5)

Vom Salz der Erde und vom Licht der Welt

„Ihr seid das Salz der Erde. Wenn das Salz seinen Geschmack verliert, womit kann man es wieder salzig machen? Es taugt zu nichts mehr, es wird weggeworfen und von den Leuten zertreten.
Ihr seid das Licht der Welt. Eine Stadt, die auf einem Berg liegt, kann nicht verborgen bleiben. Man zündet auch nicht ein Licht an und stülpt ein Gefäß darüber, sondern man stellt es auf den Leuchter; dann leuchtet es allen im Haus.
So soll euer Licht vor den Menschen leuchten, damit sie eure guten Werke sehen und euren Vater im Himmel preisen."
(Mt 5)

Von der neuen Gerechtigkeit

„Denkt nicht, ich sei gekommen, um das Gesetz und die Propheten aufzuheben. Ich bin nicht gekommen, um aufzuheben, sondern um zu erfüllen.

Am See Gennesaret, Westufer

Darum sage ich euch: Wenn eure Gerechtigkeit nicht weit größer ist als die der Schriftgelehrten und der Pharisäer, werdet ihr nicht in das Himmelreich kommen.
Ihr habt gehört, daß zu den Alten gesagt worden ist: Du sollst nicht töten; wer aber jemand tötet, soll dem Gericht verfallen sein. Ich aber sage euch: Jeder, der seinem Bruder auch nur zürnt, soll dem Gericht verfallen sein; und wer zu seinem Bruder sagt: Du Dummkopf, soll dem Spruch des Hohen Rates verfallen sein; wer aber zu ihm sagt: Du gottloser Narr!, soll dem Feuer der Hölle verfallen sein.
Wenn du deine Opfergabe zum Altar bringst und dir dabei einfällt, daß dein Bruder etwas gegen dich hat, so laß deine Gabe dort vor dem Altar liegen; geh und versöhne dich zuerst mit deinem Bruder, dann komm und opfere deine Gabe.
Schließ ohne Zögern Frieden mit deinem Gegner, solange du mit ihm noch auf dem Weg zum Gericht bist. Sonst wird dich dein Gegner vor den Richter bringen, und der Richter wird dich dem Gerichtsdiener übergeben, und du wirst ins Gefängnis geworfen.
Ihr habt gehört, daß gesagt worden ist: Du sollst nicht die Ehe brechen. Ich aber sage euch: Wer eine Frau auch nur lüstern ansieht, hat in seinem Herzen schon Ehebruch mit ihr begangen.

Weg vom Berg der Seligpreisungen zum See Gennesaret

Ferner ist gesagt worden: Wer seine Frau aus der Ehe entläßt, muß ihr eine Scheidungsurkunde geben. Ich aber sage euch: Wer seine Frau entläßt, obwohl kein Fall von Unzucht vorliegt, liefert sie dem Ehebruch aus; und wer eine Frau heiratet, die aus der Ehe entlassen worden ist, begeht Ehebruch.
Ihr habt gehört, daß zu den Alten gesagt worden ist: Du sollst keinen Meineid schwören, und: Du sollst halten, was du dem Herrn geschworen hast. Ich aber sage euch: Schwört überhaupt nicht. Euer Ja sei ein Ja, euer Nein ein Nein, alles andere stammt vom Bösen.
Ihr habt gehört, daß gesagt worden ist: Auge um Auge und Zahn um Zahn. Ich aber sage euch: Leistet dem, der euch etwas Böses antut, keinen Widerstand, sondern wenn dich einer auf die rechte Wange schlägt, dann halt ihm auch die andere hin. Und wenn dich einer vor Gericht bringen will, um dir das Hemd wegzunehmen, dann laß ihm auch den Mantel. Und wenn dich einer zwingen will, eine Meile mit ihm zu gehen, dann geh zwei mit ihm. Wer dich bittet, dem gib, und wer von dir borgen will, den weise nicht ab.

Ihr habt gehört, daß gesagt worden ist: Du sollst deinen Nächsten lieben und deinen Feind hassen. Ich aber sage euch: Liebt eure Feinde und betet für die, die euch verfolgen, damit ihr Söhne eures Vaters im Himmel werdet; denn er läßt seine Sonne aufgehen über Bösen und Guten, und er läßt regnen über Gerechte und Ungerechte. Wenn ihr nämlich nur die liebt, die euch lieben, welchen Lohn könnt ihr dafür erwarten? Tun das nicht auch die Zöllner? Und wenn ihr nur eure Brüder grüßt, was tut ihr damit Besonderes? Tun das nicht auch die Heiden?
Ihr sollt also vollkommen sein, wie es auch euer himmlischer Vater ist."
(Mt 5)

Vom Almosen

„Hütet euch, eure Gerechtigkeit vor den Menschen zur Schau zu stellen; sonst habt ihr keinen Lohn von eurem Vater im Himmel zu erwarten. Wenn du Almosen gibst, laß es also nicht von dir herposaunen, wie es die Heuchler in den Synagogen und auf den Gassen tun, um von den Leuten gelobt zu werden. Amen, das sage ich euch: Sie haben ihren Lohn bereits erhalten.
Wenn du Almosen gibst, soll deine linke Hand nicht wissen, was deine rechte tut. Dein Almosen soll verborgen bleiben, und dein Vater, der auch das Verborgene sieht, wird es dir vergelten."
(Mt 6)

Vom Fasten

„Wenn ihr fastet, macht kein finsteres Gesicht wie die Heuchler. Sie geben sich ein trübseliges Aussehen, damit die Leute merken, daß sie fasten. Amen, das sage ich euch: Sie haben ihren Lohn bereits erhalten.
Du aber salbe dein Haar, wenn du fastest, und wasche dein Gesicht, damit die Leute nicht merken, daß du fastest, sondern nur dein Vater, der auch das Verborgene sieht; und dein Vater, der das Verborgene sieht, wird es dir vergelten."
(Mt 6)

Vom Richten

„Richtet nicht, damit ihr nicht gerichtet werdet! Denn wie ihr richtet, so werdet ihr gerichtet werden, und nach dem Maß, mit dem ihr meßt und zuteilt, wird euch zugeteilt werden.
Warum siehst du den Splitter im Auge deines Bruders, aber den Balken in deinem Auge bemerkst du nicht? Wie kannst du zu deinem Bruder sagen: Laß mich den Splitter aus deinem Auge herausziehen! – und dabei steckt in deinem Auge ein Balken? Du Heuchler! Zieh zuerst den Balken aus deinem Auge; dann kannst du versuchen, den Splitter aus dem Auge deines Bruders herauszuziehen."
(Mt 7)

Die Goldene Regel

„Alles, was ihr also von anderen erwartet, das tut auch ihnen! Darin besteht das Gesetz und die Propheten."
(Mt 7)

Von den zwei Wegen

„Geht durch das enge Tor! Denn das Tor ist weit, das ins Verderben führt, und der Weg dahin ist breit, und viele gehen auf ihm. Aber das Tor, das zum Leben führt, ist eng, und der Weg dahin ist schmal, und nur wenige finden ihn.
Nicht jeder, der zu mir sagt: Herr! Herr!, wird in das Himmelreich kommen, sondern nur, wer den Willen meines Vaters im Himmel erfüllt. Viele werden an jenem Tag zu mir sagen: Herr, Herr, sind wir nicht in deinem Namen als Propheten aufgetreten, und haben wir nicht mit deinem Namen Dämonen ausgetrieben und mit deinem Namen viele Wunder vollbracht? Dann werde ich ihnen antworten: Ich kenne euch nicht. Weg von mir, ihr Übertreter des Gesetzes."
(Mt 7)

Gleichnisworte und Weisungen

Vom Alten und vom Neuen

„Niemand setzt ein Stück neuen Stoff auf ein altes Kleid; denn der neue Stoff reißt doch wieder ab, und es entsteht ein noch größerer Riß.
Auch füllt man nicht neuen Wein in alte Schläuche. Sonst reißen die Schläuche, der Wein läuft aus, und die Schläuche sind unbrauchbar. Neuen Wein füllt man in neue Schläuche, dann bleibt beides erhalten."
(Mt 9)

Vom Licht auf dem Leuchter

„Zündet man etwa ein Licht an und stülpt ein Gefäß darüber oder stellt es unter das Bett? Stellt man es nicht auf den Leuchter?"
(Mk 4)

Vom Herrschen und vom Dienen

„Ihr wißt, daß die, die als Herrscher gelten, ihre Völker unterdrücken und die Mächtigen ihre Macht über die Menschen mißbrauchen.
Bei euch aber soll es nicht so sein, sondern wer bei euch groß sein will, der soll euer Diener sein, und wer bei euch der Erste sein will, soll der Sklave aller sein. Denn auch der Menschensohn ist nicht gekommen, um sich dienen zu lassen, sondern um zu dienen und sein Leben hinzugeben als Lösegeld für viele."
(Mk 10)

Vom wahren Schatz

„Verkauft eure Habe und gebt den Erlös den Armen! Macht euch Geldbeutel, die nicht zerreißen. Verschafft euch einen Schatz, der nicht abnimmt, droben im Himmel, wo kein Dieb ihn findet und die

Motten ihn nicht fressen. Denn wo euer Schatz ist, da ist auch euer Herz."
(Lk 12)

Jesus und die Pharisäer

Das Abreißen der Ähren am Sabbat

An einem Sabbat ging er durch die Kornfelder, und unterwegs rissen seine Jünger Ähren ab.
Da sagten die Pharisäer zu ihm: „Sieh dir an, was sie tun! Das ist doch am Sabbat verboten."
Er antwortete: „Habt ihr nie gelesen, was David getan hat, als er und seine Begleiter hungrig waren und nichts zu essen hatten? Wie er zur Zeit des Hohenpriesters Abjatar in das Haus Gottes ging und die heiligen Brote aß, die außer den Priestern niemand essen darf, und auch seinen Begleitern davon gab?"
Und Jesus fügte hinzu: „Der Sabbat ist für den Menschen da, nicht der Mensch für den Sabbat."
(Mk 2)

Die Heilung eines Mannes am Sabbat

Als er ein andermal in eine Synagoge ging, saß dort ein Mann, dessen Hand verdorrt war. Und sie gaben acht, ob Jesus ihn am Sabbat heilen werde; sie suchten nämlich einen Grund zur Anklage gegen ihn.
Da sagte er zu dem Mann mit der verdorrten Hand: „Steh auf und stell dich in die Mitte!" Und zu den anderen sagte er: „Was ist am Sabbat erlaubt: Gutes zu tun oder Böses, ein Leben zu retten oder es zu vernichten?"
Sie aber schwiegen. Und er sah sie der Reihe nach an, voll Zorn und Trauer über ihr verstocktes Herz, und sagte dann zu dem Mann: „Streck deine Hand aus!" Er streckte sie aus, und seine Hand war wieder gesund. Da gingen die Pharisäer hinaus und faßten zusam-

men mit den Anhängern des Herodes den Beschluß, Jesus umzubringen.
(Mk 3)

Von Reinheit und Unreinheit

Die Pharisäer und einige Schriftgelehrte, die aus Jerusalem gekommen waren, hielten sich bei Jesus auf. Sie sahen, daß einige seiner Jünger ihr Brot mit unreinen, das heißt mit ungewaschenen Händen aßen. Die Pharisäer essen nämlich wie alle Juden nur, wenn sie vorher mit einer Handvoll Wasser die Hände gewaschen haben, wie es die Überlieferung der Alten vorschreibt. Auch wenn sie vom Markt kommen, essen sie nicht, ohne sich vorher zu waschen. Noch viele andere überlieferte Vorschriften halten sie ein, wie das Abspülen von Bechern, Krügen und Kesseln.
Die Pharisäer und die Schriftgelehrten fragten ihn also: „Warum halten sich deine Jünger nicht an die Überlieferung der Alten, sondern essen ihr Brot mit unreinen Händen?"
Er antwortete ihnen: „Der Prophet Jesaja hatte recht mit dem, was er über euch Heuchler sagte:
Dieses Volk ehrt mich mit den Lippen,
sein Herz aber ist weit weg von mir.
Es ist sinnlos, wie sie mich verehren;
was sie lehren, sind Satzungen von Menschen.
Ihr gebt Gottes Gebot preis und haltet euch an die Überlieferung der Menschen."
Und weiter sagte Jesus: „Sehr geschickt setzt ihr Gottes Gebot außer Kraft und haltet euch an eure eigene Überlieferung. Mose hat zum Beispiel gesagt: Ehre deinen Vater und deine Mutter und: Wer Vater oder Mutter verflucht, soll mit dem Tod bestraft werden. Ihr aber lehrt: Es ist erlaubt, daß einer zu seinem Vater oder seiner Mutter sagt: Was ich dir schulde, ist Korban, das heißt: eine Opfergabe. Damit hindert ihr ihn daran, noch etwas für Vater oder Mutter zu tun. So setzt ihr durch eure eigene Überlieferung Gottes Wort außer Kraft. Und ähnlich handelt ihr in vielen Fällen."
Dann rief er die Leute wieder zu sich und sagte: „Hört mir alle zu und begreift, was ich sage: Nichts, was von außen in den Menschen hinein-

kommt, kann ihn unrein machen, sondern was aus dem Menschen herauskommt, das macht ihn unrein."
Er verließ die Menge und ging in ein Haus. Da fragten ihn seine Jünger nach dem Sinn dieses rätselhaften Wortes. Er antwortete ihnen: „Begreift auch ihr nicht? Seht ihr nicht ein, daß das, was von außen in den Menschen hineinkommt, ihn nicht unrein machen kann? Denn es gelangt ja nicht in sein Herz, sondern in den Magen und wird wieder ausgeschieden." Damit erklärte Jesus alle Speisen für rein. Weiter sagte er: „Was aus dem Menschen herauskommt, das macht ihn unrein. Denn von innen, aus dem Herzen des Menschen, kommen die bösen Gedanken, Unzucht, Diebstahl, Mord, Ehebruch, Habgier, Bosheit, Hinterlist, Ausschweifung, Neid, Verleumdung, Hochmut und Unvernunft. All dieses Böse kommt von innen und macht den Menschen unrein."
(Mk 7)

Silberdenar des Kaisers Tiberius (14–37)

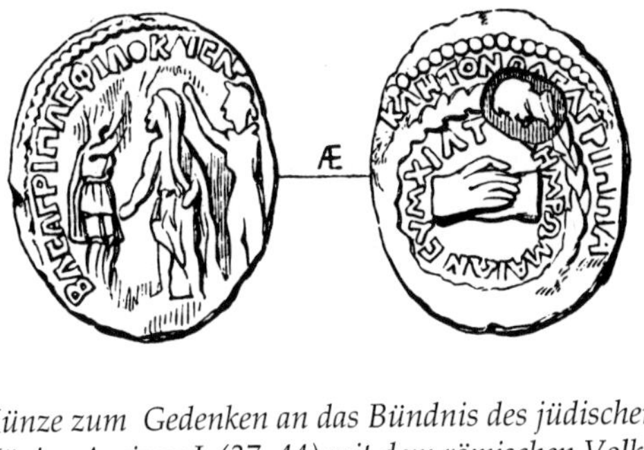

Münze zum Gedenken an das Bündnis des jüdischen Königs Agrippa I. (37–44) mit dem römischen Volk.

Die Frage nach der kaiserlichen Steuer

Einige Pharisäer und einige Anhänger des Herodes wurden zu Jesus geschickt, um ihn mit einer Frage in eine Falle zu locken.
Sie kamen zu ihm und sagten: „Meister, wir wissen, daß du immer die Wahrheit sagst und dabei auf niemand Rücksicht nimmst; denn du siehst nicht auf die Person, sondern lehrst wirklich den Weg Gottes. Ist es erlaubt, dem Kaiser Steuer zu zahlen oder nicht? Sollen wir sie zahlen oder nicht zahlen?"
Er aber durchschaute ihre Heuchelei und sagte zu ihnen: „Warum stellt ihr mir eine Falle? Bringt mir einen Denar, ich will ihn sehen."
Man brachte ihm einen. Da fragte er sie: „Wessen Bild und Aufschrift ist das?" Sie antworteten ihm: „Des Kaisers." Da sagte Jesus zu ihnen: „So gebt dem Kaiser, was dem Kaiser gehört, und Gott, was Gott gehört!"
Und sie waren sehr erstaunt über ihn.
(Mk 12)

Jesus und die Ehebrecherin

Am frühen Morgen begab sich Jesus in den Tempel. Alles Volk kam zu ihm. Er setzte sich und lehrte es. Da brachten die Schriftgelehrten und die Pharisäer eine Frau, die beim Ehebruch ertappt worden war.
Sie stellten sie in die Mitte und sagten zu ihm: „Meister, diese Frau wurde beim Ehebruch auf frischer Tat ertappt. Mose hat uns im Gesetz vorgeschrieben, solche Frauen zu steinigen. Nun, was sagst du?"
Mit dieser Frage wollten sie ihn auf die Probe stellen, um einen Grund zu haben, ihn zu verklagen. Jesus aber bückte sich und schrieb mit dem Finger auf die Erde. Als sie hartnäckig weiterfragten, richtete er sich auf und sagte zu ihnen: „Wer von euch ohne Sünde ist, werfe als erster einen Stein auf sie." Und er bückte sich wieder und schrieb auf die Erde. Als sie seine Antwort gehört hatten, ging einer nach dem anderen fort, zuerst die Ältesten. Jesus blieb allein zurück mit der Frau, die noch in der Mitte stand.
Er richtete sich auf und sagte zu ihr: „Frau, wo sind sie geblieben? Hat dich keiner verurteilt?" Sie antwortete: „Keiner, Herr." Da sagte Jesus zu ihr: „Auch ich verurteile dich nicht. Geh und sündige von jetzt an nicht mehr!"
(Joh 8)

Jesu Leiden und Auferstehung

Jahr für Jahr machten sich die Juden auf den Weg nach Jerusalem. Dort feierten sie das Paschafest. Im Tempel brachten sie Opfer dar und nahmen an den heiligen Handlungen teil. An keinem anderen Ort fühlten sie sich Gott so nahe. Deshalb ging auch Jesus mit seinen Jüngern nach Jerusalem.

Dieser Weg zum Paschafest wurde für Jesus zum Verhängnis. Denn die Führer des Volkes waren mit seiner Art, den Willen Gottes zu erfüllen, nicht einverstanden. Deshalb verklagten sie ihn vor dem Hohen Rat, dem der Hohepriester vorstand. Der Hohe Rat entschied in allen Glaubens- und Gesetzesfragen Israels. Er verurteilte Jesus zum Tod.

Als Besatzungsmacht hatten die Römer den Juden verboten, Hinrichtungen selbst vorzunehmen. Nur die Römer durften ein Todesurteil vollstrecken. Eine religiöse Begründung für ein Todesurteil erkannten die Römer aber nicht an. Deshalb mußten die Führer des Volkes einen politischen Grund finden, der auch für Rom strafwürdig war. Sie behaupteten: Dieser Jesus hat gesagt, er sei der König der Juden. Das durften die Römer nicht durchgehen lassen. Denn nur einer war für sie König: der Kaiser in Rom. Darum ließ Pilatus, der römische Statthalter in Jerusalem, Jesus kreuzigen.

War damit der Weg Jesu und die Gottesherrschaft zuende? Die Jünger erinnerten sich an Jesu Wort: „Der Menschensohn muß vieles erleiden und von den Ältesten, den Hohenpriestern und den Schriftgelehrten verworfen werden; er wird getötet werden, aber am dritten Tag wird er auferstehen" (Lk 9,22).

Die Erzählungen von der Erscheinung des Auferstandenen – vom 1. Korintherbrief bis zum Johannesevangelium – sind ein vielstimmiges Zeugnis dafür, daß Gott seinen Sohn nicht im Tod gelassen hat. Gottes Herrschaft ist stärker als der Tod.

Die Vorbereitung der Jünger auf Jesu Leiden

Das Petrusbekenntnis

Als Jesus in das Gebiet von Cäsarea Philippi kam, fragte er seine Jünger: „Für wen halten die Leute den Menschensohn?" Sie sagten: „Die einen für Johannes den Täufer, andere für Elija, wieder andere für Jeremia oder sonst einen Propheten." Da sagte er zu ihnen: „Ihr aber, für wen haltet ihr mich?" Simon Petrus antwortete: „Du bist der Messias, der Sohn des lebendigen Gottes."

Jesus sagte zu ihm: „Selig bist du, Simon Barjona; denn nicht Fleisch und Blut haben dir das offenbart, sondern mein Vater im Himmel. Ich aber sage dir: Du bist Petrus, und auf diesen Felsen werde ich meine Kirche bauen, und die Mächte der Unterwelt werden sie nicht überwältigen. Ich werde dir die Schlüssel des Himmelreiches geben; was du auf Erden binden wirst, das wird auch im Himmel gebunden sein, und was du auf Erden lösen wirst, das wird auch im Himmel gelöst sein." Dann befahl er den Jüngern, niemand zu sagen, daß er der Messias sei.

(Mt 16)

Die Ankündigung von Jesu Leiden und Auferstehung

Von da an begann Jesus, seinen Jüngern zu erklären, er müsse nach Jerusalem gehen und von den Ältesten, Hohenpriestern und Schriftgelehrten vieles erleiden; er werde getötet werden, aber am dritten Tag werde er auferstehen.

Da nahm ihn Petrus beiseite und machte ihm Vorwürfe; er sagte: „Das soll Gott verhüten, Herr! Das darf nicht mit dir geschehen!" Jesus aber wandte sich um und sagte zu Petrus: „Weg mit dir, Satan, geh mir aus den Augen! Du willst mich zu Fall bringen; denn du hast nicht das im Sinn, was Gott will, sondern was die Menschen wollen."

(Mt 16)

Vom Ernst der Nachfolge

Darauf sagte Jesus zu seinen Jüngern: „Wer mein Jünger sein will, der verleugne sich selbst, nehme sein Kreuz auf sich und folge mir nach. Denn wer sein Leben retten will, wird es verlieren; wer aber sein Leben um meinetwillen verliert, wird es gewinnen.
Was nützt es einem Menschen, wenn er die ganze Welt gewinnt, dabei aber sein Leben einbüßt? Um welchen Preis kann ein Mensch sein Leben zurückkaufen?“
(Mt 16)

Die Verklärung Jesu

Sechs Tage danach nahm Jesus Petrus, Jakobus und dessen Bruder Johannes beiseite und führte sie auf einen hohen Berg. Und er wurde vor ihren Augen verwandelt; sein Gesicht leuchtete wie die Sonne, und seine Kleider wurden blendend weiß wie das Licht. Da erschienen plötzlich vor ihren Augen Mose und Elija und redeten mit Jesus. Und Petrus sagte zu ihm: „Herr, es ist gut, daß wir hier sind. Wenn du willst, werde ich hier drei Hütten bauen, eine für dich, eine für Mose und eine für Elija.“ Noch während er redete, warf eine leuchtende Wolke ihren Schatten auf sie, und aus der Wolke rief eine Stimme: „Das ist mein geliebter Sohn, an dem ich Gefallen gefunden habe; auf ihn sollt ihr hören.“ Als die Jünger das hörten, bekamen sie große Angst und warfen sich mit dem Gesicht zu Boden. Da trat Jesus zu ihnen, faßte sie an und sagte: „Steht auf, habt keine Angst!“ Und als sie aufblickten, sahen sie nur noch Jesus.
Während sie den Berg hinabstiegen, gebot ihnen Jesus: „Erzählt niemand von dem, was ihr gesehen habt, bis der Menschensohn von den Toten auferstanden ist.“
(Mt 17)

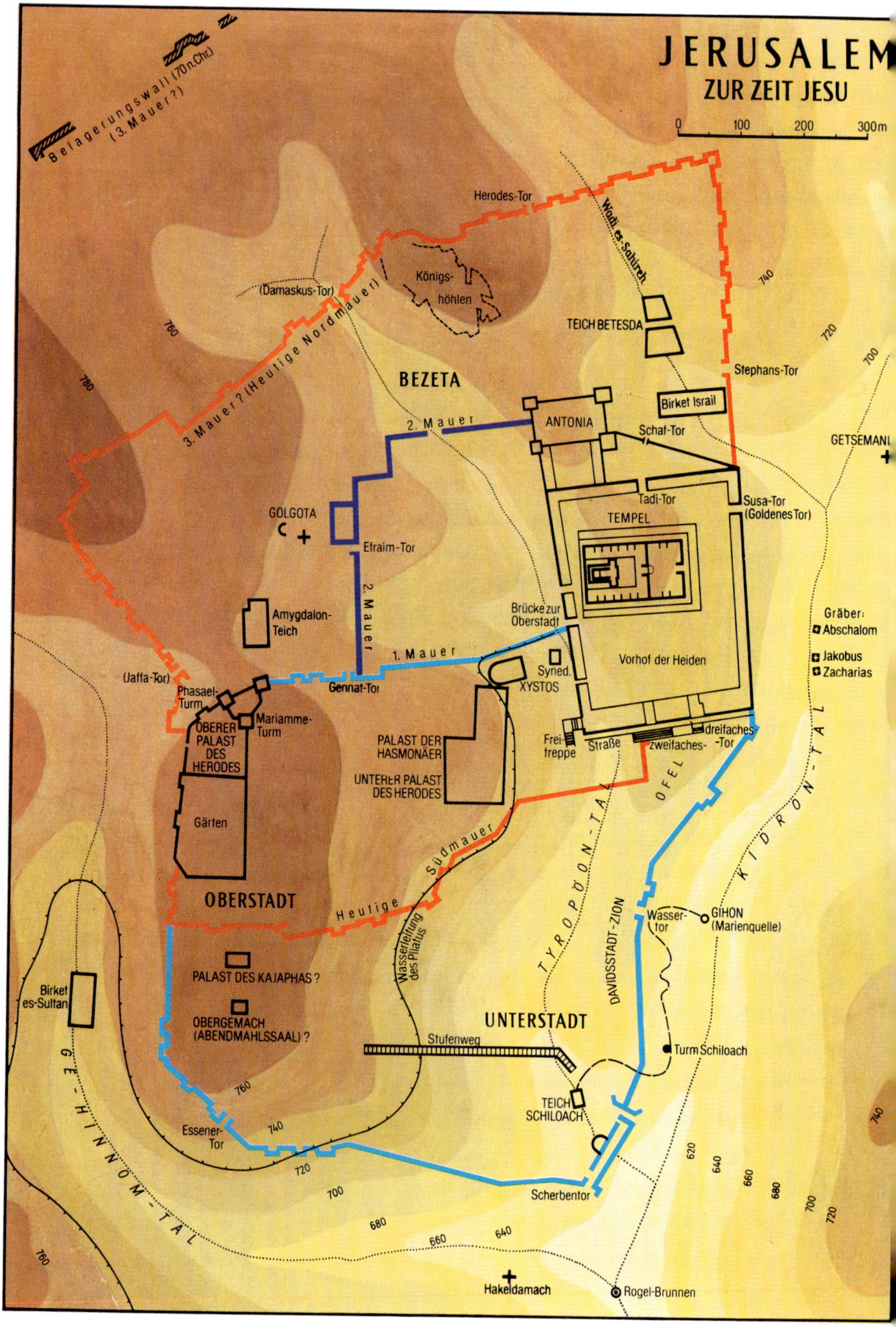
JERUSALEM
ZUR ZEIT JESU
0 100 200 300m
Belagerungswall (70n.Chr.) (3. Mauer?)
Herodes-Tor
Wadi es-Sahireh
(Damaskus-Tor)
Königs-höhlen
TEICH BETESDA
3. Mauer? (Heutige Nordmauer)
BEZETA
Stephans-Tor
Birket Israil
ANTONIA
2. Mauer
Schaf-Tor
GETSEMANI
Tadi-Tor
TEMPEL
Susa-Tor (Goldenes Tor)
GOLGOTA
Efraim-Tor
2. Mauer
Amygdalon-Teich
Brücke zur Oberstadt
Gräber:
Abschalom
Jakobus
Zacharias
1. Mauer
Syned.
XYSTOS
Vorhof der Heiden
(Jaffa-Tor)
Phasael-Turm
Gennat-Tor
Mariamme-Turm
OBERER PALAST DES HERODES
PALAST DER HASMONÄER
Frei-treppe
Straße
zweifaches-
dreifaches -Tor
OFEL
KIDRON-TAL
UNTERER PALAST DES HERODES
Gärten
Südmauer
Heutige
OBERSTADT
TYROPÖON-TAL
DAVIDSSTADT-ZION
Wasserleitung des Pilatus
Wasser-tor
GIHON (Marienquelle)
PALAST DES KAJAPHAS ?
Birket es-Sultan
OBERGEMACH (ABENDMAHLSSAAL) ?
UNTERSTADT
Stufenweg
Turm Schiloach
GE-HINNOM-TAL
TEICH SCHILOACH
Essener-Tor
Scherbentor
Hakeldamach
Rogel-Brunnen
780
760
740
720
700
680
660
640
620

Das Leiden des Herrn

Der Einzug in Jerusalem

Als Jesus und seine Jünger in die Nähe von Jerusalem kamen, nach Betfage und Betanien am Ölberg, schickte er zwei seiner Jünger voraus. Er sagte zu ihnen: „Geht in das Dorf, das vor uns liegt; gleich wenn ihr hineinkommt, werdet ihr einen jungen Esel angebunden finden, auf dem noch nie ein Mensch gesessen hat. Bindet ihn los und bringt ihn her! Und wenn jemand zu euch sagt: Was tut ihr da?, dann antwortet: Der Herr braucht ihn; er läßt ihn bald wieder zurückbringen."
Da machten sie sich auf den Weg und fanden außen an einer Tür an der Straße einen jungen Esel angebunden, und sie banden ihn los. Einige, die dabeistanden, sagten zu ihnen: „Wie kommt ihr dazu, den Esel loszubinden?"
Sie gaben ihnen zur Antwort, was Jesus gesagt hatte, und man ließ sie gewähren. Sie brachten den jungen Esel zu Jesus, legten ihre Kleider auf das Tier, und er setzte sich darauf. Und viele breiteten ihre Kleider auf der Straße aus; andere rissen auf den Feldern Zweige von den Büschen ab und streuten sie auf den Weg. Die Leute, die vor ihm hergingen und die ihm folgten, riefen:
„Hosanna!
Gesegnet sei er, der kommt im Namen des Herrn.
Gesegnet sei das Reich unseres Vaters David, das nun kommt.
Hosanna in der Höhe!"
Und er zog nach Jerusalem hinein, in den Tempel; nachdem er sich alles angesehen hatte, ging er spät am Abend mit den Zwölf nach Betanien hinaus.
(Mk 11)

Die Tempelreinigung

Dann kamen sie nach Jerusalem. Jesus ging in den Tempel und begann, die Händler und Käufer aus dem Tempel hinauszutreiben; er stieß die Tische der Geldwechsler und die Stände der Taubenhändler um und ließ nicht zu, daß jemand irgend etwas durch den Tempelbezirk trug.

Weg vom Ölberg nach Jerusalem. Blick zur Goldenen Pforte und zum Felsendom.

Er belehrte sie und sagte: „Heißt es nicht in der Schrift: Mein Haus soll ein Haus des Gebetes für alle Völker sein? Ihr aber habt daraus eine Räuberhöhle gemacht.“
Die Hohenpriester und die Schriftgelehrten hörten davon und suchten nach einer Möglichkeit, ihn umzubringen. Denn sie fürchteten ihn, weil alle Leute von seiner Lehre sehr beeindruckt waren. Als es Abend wurde, verließ Jesus mit seinen Jüngern die Stadt.
(Mk 11)

Modell des herodianischen Tempels. Im Mittelpunkt die große Fassade; sie bildet den Ostteil des Tempelgebäudes.

Der Beschluß des Hohen Rates

Es war zwei Tage vor dem Pascha und dem Fest der ungesäuerten Brote. Die Hohenpriester und die Schriftgelehrten suchten nach einer Möglichkeit, Jesus mit List in ihre Gewalt zu bringen, um ihn zu töten. Sie sagten aber: „Ja nicht am Fest, damit es im Volk keinen Aufruhr gibt!"
(Mk 14)

Die Salbung in Betanien

Als Jesus in Betanien im Haus Simons des Aussätzigen bei Tisch war, kam eine Frau mit einem Alabastergefäß voll echtem, kostbarem Nardenöl, zerbrach es und goß das Öl über sein Haar. Einige aber wurden unwillig und sagten zueinander: „Wozu diese Verschwendung? Man hätte das Öl um mehr als dreihundert Denare verkaufen und das Geld den Armen geben können." Und sie machten der Frau heftige Vorwürfe. Jesus aber sagte: „Hört auf damit! Warum laßt ihr sie nicht in Ruhe? Sie hat ein gutes Werk an mir getan. Denn die Armen habt ihr immer bei euch, und ihr könnt ihnen Gutes tun, sooft ihr wollt; mich aber habt ihr nicht immer. Sie hat getan, was sie konnte. Sie hat im voraus meinen Leib für das Begräbnis gesalbt. Amen, ich sage euch: Überall auf der Welt, wo das Evangelium verkündet wird, wird man sich an sie erinnern und erzählen, was sie getan hat."
(Mk 14)

Der Verrat durch Judas

Judas Iskariot, einer der Zwölf, ging zu den Hohenpriestern. Er wollte Jesus an sie ausliefern. Als sie das hörten, freuten sie sich und versprachen, ihm Geld dafür zu geben. Von da an suchte er nach einer günstigen Gelegenheit, ihn auszuliefern.
(Mk 14)

Die Vorbereitung des Paschamahles

Am ersten Tag des Festes der Ungesäuerten Brote, an dem man das Paschalamm schlachtete, sagten die Jünger zu Jesus: „Wo sollen wir das Paschamahl für dich vorbereiten?"
Da schickte er zwei seiner Jünger voraus und sagte zu ihnen: „Geht in die Stadt; dort wird euch ein Mann begegnen, der einen Wasserkrug trägt. Folgt ihm, bis er in ein Haus hineingeht; dann sagt zu dem Herrn des Hauses: Der Meister läßt dich fragen: Wo ist der Raum, in dem ich mit meinen Jüngern das Paschalamm essen kann? Und der Hausherr wird euch einen großen Raum im Obergeschoß zeigen, der schon für das Festmahl hergerichtet und mit Polstern ausgestattet ist. Dort bereitet alles für uns vor!"
Die Jünger machten sich auf den Weg und kamen in die Stadt. Sie fanden alles so, wie er es ihnen gesagt hatte, und bereiteten das Paschamahl vor.
(Mk 14)

Das Abendmahl

Als es Abend wurde, kam Jesus mit den Zwölf. Während sie nun bei Tisch waren und aßen, sagte er: „Amen, ich sage euch: Einer von euch wird mich verraten und ausliefern, einer von denen, die zusammen mit mir essen."
Da wurden sie traurig, und einer nach dem anderen fragte ihn: „Doch nicht etwa ich?" Er sagte zu ihnen: „Einer von euch Zwölf, der mit mir aus derselben Schüssel ißt. Der Menschensohn muß zwar seinen Weg gehen, wie die Schrift über ihn sagt; doch weh dem Menschen, durch den der Menschensohn verraten wird. Für ihn wäre es besser, wenn er nie geboren wäre."
Während des Mahls nahm er das Brot und sprach den Lobpreis; dann brach er das Brot, reichte es ihnen und sagte: „Nehmt, das ist mein Leib." Dann nahm er den Kelch, sprach das Dankgebet, reichte ihn den Jüngern, und sie tranken alle daraus. Und er sagte zu ihnen: „Das ist mein Blut, das Blut des Bundes, das für viele vergossen wird. Amen, ich sage euch: Ich werde nicht mehr von der Frucht des Weinstocks trinken bis zu dem Tag, an dem ich von neuem davon trinken werde im Reich Gottes."
(Mk 14)

Die Klagemauer, ein Rest der Westmauer des herodianischen Tempels, ist heute das größte Heiligtum der Juden

Die Fußwaschung (nach dem Johannesevangelium)

Jesus stand vom Mahl auf, legte sein Gewand ab und umgürtete sich mit einem Leinentuch. Dann goß er Wasser in eine Schüssel und begann, den Jüngern die Füße zu waschen und mit dem Leinentuch abzutrocknen, mit dem er umgürtet war. Als er zu Simon Petrus kam, sagte dieser zu ihm: „Du, Herr, willst mir die Füße waschen?" Jesus antwortete ihm: „Was ich tue, verstehst du jetzt noch nicht; doch später wirst du es begreifen." Petrus entgegnete ihm: „Niemals sollst du mir die Füße waschen!" Jesus erwiderte ihm: „Wenn ich dich nicht wasche, hast du keinen Anteil an mir." Da sagte Simon Petrus zu ihm: „Herr, dann nicht nur meine Füße, sondern auch die Hände und das Haupt!" Jesus sagte zu ihm: „Wer vom Bad kommt, ist ganz rein und braucht sich nur noch die Füße zu waschen."
Als er ihnen die Füße gewaschen, sein Gewand angelegt und wieder Platz genommen hatte, sagte er zu ihnen: „Begreift ihr, was ich an euch getan habe? Ihr sagt zu mir Meister und Herr, und ihr nennt mich mit Recht so; denn ich bin es. Wenn nun ich, der Herr und Meister, euch die Füße gewaschen habe, dann müßt auch ihr einander die Füße waschen. Ich habe euch ein Beispiel gegeben, damit ihr so handelt, wie ich an euch gehandelt habe."
(Joh 13)

Der Gang zum Ölberg

Nach dem Lobgesang gingen sie zum Ölberg hinaus.
Da sagte Jesus zu ihnen: „Ihr werdet alle (an mir) Anstoß nehmen und zu Fall kommen; denn in der Schrift steht: Ich werde den Hirten erschlagen, dann werden sich die Schafe zerstreuen. Aber nach meiner Auferstehung werde ich euch nach Galiläa vorausgehen."
Da sagte Petrus zu ihm: „Auch wenn alle an dir Anstoß nehmen – ich nicht!" Jesus antwortete ihm: „Amen, ich sage dir: Noch heute nacht, ehe der Hahn zweimal kräht, wirst du mich dreimal verleugnen."
Petrus aber beteuerte: „Und wenn ich mit dir sterben müßte – ich werde dich nie verleugnen!"
Das gleiche sagten auch alle anderen.
(Mk 14)

Das Gebet in Getsemani

Sie kamen zu einem Grundstück, das Getsemani heißt, und er sagte zu seinen Jüngern: „Setzt euch und wartet hier, während ich bete." Und er nahm Petrus, Jakobus und Johannes mit sich.
Da ergriff ihn Furcht und Angst, und er sagte zu ihnen: „Meine Seele ist zu Tode betrübt. Bleibt hier und wacht!" Und er ging ein Stück weiter, warf sich auf die Erde nieder und betete, die Stunde solle, wenn möglich, an ihm vorübergehen. Er sprach: „Abba, Vater, alles ist dir möglich. Nimm diesen Kelch von mir! Aber nicht, was ich will, soll geschehen, sondern was du willst."
Und er ging zurück und fand sie schlafend. Da sagte er zu Petrus: „Simon, du schläfst? Konntest du nicht einmal eine Stunde wach bleiben? Wacht und betet, damit ihr nicht in Versuchung geratet! Der Geist ist willig, aber das Fleisch ist schwach."
Und er ging wieder weg und betete mit den gleichen Worten.
Als er zurückkam, fand er sie wieder schlafend, denn die Augen waren ihnen zugefallen; und sie wußten nicht, was sie ihm antworten sollten.
Und er kam zum drittenmal und sagte zu ihnen: „Schlaft ihr immer noch und ruht euch aus? Es ist genug. Die Stunde ist gekommen; jetzt wird der Menschensohn den Sündern ausgeliefert. Steht auf, wir wollen gehen! Seht, der Verräter, der mich ausliefert, ist da."
(Mk 14)

Die Gefangennahme

Noch während er redete, kam Judas, einer der Zwölf, mit einer Schar von Männern, die mit Schwertern und Knüppeln bewaffnet waren; sie waren von den Hohenpriestern, den Schriftgelehrten und den Ältesten geschickt worden. Der Verräter hatte mit ihnen ein Zeichen vereinbart und gesagt: „Der, den ich küssen werde, der ist es. Nehmt ihn fest, führt ihn ab und laßt ihn nicht entkommen."
Und als er kam, ging er sogleich auf Jesus zu und sagte: „Rabbi!" Und er küßte ihn. Da ergriffen sie ihn und nahmen ihn fest. Einer von denen, die dabeistanden, zog das Schwert, schlug auf den Diener des Hohenpriesters ein und hieb ihm ein Ohr ab.
Da sagte Jesus zu ihnen: „Wie gegen einen Räuber seid ihr mit Schwer-

tern und Knüppeln ausgezogen, um mich festzunehmen. Tag für Tag war ich bei euch im Tempel und lehrte, und ihr habt mich nicht verhaftet; aber (das ist geschehen), damit die Schrift in Erfüllung geht."
Da verließen ihn alle und flohen. Ein junger Mann aber, der nur mit einem leinenen Tuch bekleidet war, wollte ihm nachgehen. Da packten sie ihn; er aber ließ das Tuch fallen und lief nackt davon.
(Mk 14)

Das Verhör vor dem Hohen Rat

Darauf führten sie Jesus zum Hohenpriester, und es versammelten sich alle Hohenpriester und Ältesten und Schriftgelehrten. Petrus aber war Jesus von weitem bis in den Hof des hohenpriesterlichen Palastes gefolgt; nun saß er dort bei den Dienern und wärmte sich am Feuer.
Die Hohenpriester und der ganze Hohe Rat bemühten sich um Zeugenaussagen gegen Jesus, um ihn zum Tod verurteilen zu können; sie fanden aber nichts. Viele machten zwar falsche Aussagen über ihn, aber die Aussagen stimmten nicht überein. Einige der falschen Zeugen, die gegen ihn auftraten, behaupteten: „Wir haben ihn sagen hören: Ich werde diesen von Menschen erbauten Tempel niederreißen und in drei Tagen einen anderen errichten, der nicht von Menschenhand gemacht ist." Aber auch in diesem Fall stimmten die Aussagen nicht überein.
Da stand der Hohepriester auf, trat in die Mitte und fragte Jesus: „Willst du denn nichts sagen zu dem, was diese Leute gegen dich vorbringen?" Er aber schwieg und gab keine Antwort.
Da wandte sich der Hohepriester nochmals an ihn und fragte: „Bist du der Messias, der Sohn des Hochgelobten?" Jesus sagte: „Ich bin es. Und ihr werdet den Menschensohn zur Rechten der Macht sitzen und mit den Wolken des Himmels kommen sehen."
Da zerriß der Hohepriester sein Gewand und rief: „Wozu brauchen wir noch Zeugen? Ihr habt die Gotteslästerung gehört. Was ist eure Meinung?" Und sie fällten einstimmig das Urteil: „Er ist schuldig und muß sterben."
Und einige spuckten ihn an, verhüllten sein Gesicht, schlugen ihn und riefen: „Zeig, daß du ein Prophet bist!" Auch die Diener schlugen ihn ins Gesicht.
(Mk 14)

Ölbaum im Garten Getsemani

Die Verleugnung durch Petrus

Als Petrus unten im Hof war, kam eine von den Mägden des Hohenpriesters. Sie sah, wie Petrus sich wärmte, blickte ihn an und sagte: „Auch du warst mit diesem Jesus aus Nazaret zusammen."
Doch er leugnete es und sagte: „Ich weiß nicht und verstehe nicht, wovon du redest."
Dann ging er in den Vorhof hinaus.

Straße zur Zeit Jesu, die von der Oberstadt des Südwesthügels ins Kidrontal führt

Als die Magd ihn dort bemerkte, sagte sie zu denen, die dabeistanden, noch einmal: „Der gehört zu ihnen."
Er aber leugnete es wieder ab.
Wenig später sagten die Leute, die dort standen, von neuem zu Petrus: „Du gehörst wirklich zu ihnen; du bist doch auch ein Galiläer."
Da fing er an zu fluchen und schwor: „Ich kenne diesen Menschen nicht, von dem ihr redet."
Gleich darauf krähte der Hahn zum zweitenmal, und Petrus erinnerte sich, daß Jesus zu ihm gesagt hatte: „Ehe der Hahn zweimal kräht, wirst du mich dreimal verleugnen." Und er begann zu weinen.
(Mk 14)

Die Verhandlung vor Pilatus

Gleich in der Frühe faßten die Hohenpriester, die Ältesten und die Schriftgelehrten, also der ganze Hohe Rat, über Jesus einen Beschluß: Sie ließen ihn fesseln und abführen und lieferten ihn Pilatus aus.
Pilatus fragte ihn: „Bist du der König der Juden?" Er antwortete ihm: „Du sagst es." Die Hohenpriester brachten viele Anklagen gegen ihn vor. Da wandte sich Pilatus wieder an ihn und fragte: „Willst du denn nichts dazu sagen? Sieh doch, wie viele Anklagen sie gegen dich vorbringen!" Jesus aber gab keine Antwort mehr, so daß Pilatus sich wunderte. Jeweils zum Fest ließ Pilatus einen Gefangenen frei, den sie sich ausbitten durften. Damals saß gerade ein Mann namens Barabbas im Gefängnis, zusammen mit anderen Aufrührern, die bei einem Aufstand einen Mord begangen hatten. Die Volksmenge zog zu Pilatus hinauf und bat ihn, ihnen die gleiche Gunst zu gewähren wie sonst. Pilatus fragte sie: „Wollt ihr, daß ich den König der Juden freilasse?" Er merkte nämlich, daß die Hohenpriester Jesus nur aus Neid an ihn ausgeliefert hatten. Die Hohenpriester aber wiegelten die Menge auf, lieber die Freilassung des Barabbas zu fordern.
Pilatus wandte sich von neuem an sie und fragte: „Was soll ich dann mit dem tun, den ihr den König der Juden nennt?" Da schrien sie: „Kreuzige ihn!"
Pilatus entgegnete: „Was hat er denn für ein Verbrechen begangen?"
Sie schrien noch lauter: „Kreuzige ihn!"
Darauf ließ Pilatus, um die Menge zufriedenzustellen, Barabbas frei und gab den Befehl, Jesus zu geißeln und zu kreuzigen.
(Mk 15)

Die Verspottung Jesu durch die Soldaten

Die Soldaten führten ihn in den Palast hinein, das heißt in das Prätorium, und riefen die ganze Kohorte zusammen. Dann legten sie ihm einen Purpurmantel um und flochten einen Dornenkranz; den setzten sie ihm auf und grüßten ihn: „Heil dir, König der Juden!" Sie schlugen ihm mit einem Stock auf den Kopf und spuckten ihn an, knieten vor ihm nieder und huldigten ihm.
Nachdem sie so ihren Spott mit ihm getrieben hatten, nahmen sie ihm den Purpurmantel ab und zogen ihm seine eigenen Kleider wieder an.
(Mk 15)

Die Kreuzigung

Dann führten sie Jesus hinaus, um ihn zu kreuzigen. Einen Mann, der gerade vom Feld kam, Simon von Zyrene, den Vater des Alexander und des Rufus, zwangen sie, sein Kreuz zu tragen.
Und sie brachten Jesus an einen Ort namens Golgota, das heißt übersetzt: Schädelhöhe. Dort reichten sie ihm Wein, der mit Myrrhe gewürzt war; er aber nahm ihn nicht. Dann kreuzigten sie ihn. Sie warfen das Los und verteilten seine Kleider unter sich und gaben jedem, was ihm zufiel. Es war die dritte Stunde, als sie ihn kreuzigten. Und eine Aufschrift auf einer Tafel gab seine Schuld an: Der König der Juden. Zusammen mit ihm kreuzigten sie zwei Räuber, den einen rechts von ihm, den andern links.
Die Leute, die vorbeikamen, verhöhnten ihn, schüttelten den Kopf und riefen: „Ach, du willst den Tempel niederreißen und in drei Tagen wieder aufbauen? Hilf dir doch selbst und steig herab vom Kreuz!"
Auch die Hohenpriester und die Schriftgelehrten verhöhnten ihn und sagten zueinander: „Anderen hat er geholfen, sich selbst kann er nicht helfen. Der Messias, der König von Israel! Er soll doch jetzt vom Kreuz herabsteigen, damit wir sehen und glauben!" Auch die beiden Männer, die mit ihm zusammen gekreuzigt wurden, beschimpften ihn.
(Mk 15)

Felsengrab mit Rollstein in Jerusalem

Der Tod Jesu

Als die sechste Stunde kam, brach über das ganze Land eine Finsternis herein. Sie dauerte bis zur neunten Stunde. Und in der neunten Stunde rief Jesus mit lauter Stimme: „Eloï, Eloï, lema sabachtani?" Das heißt übersetzt: Mein Gott, mein Gott, warum hast du mich verlassen?
Einige von denen, die dabeistanden und es hörten, sagten: „Hört, er ruft nach Elija!"
Einer lief hin, tauchte einen Schwamm in Essig, steckte ihn auf einen Stock und gab Jesus zu trinken. Dabei sagte er: „Laßt uns doch sehen, ob Elija kommt und ihn herabnimmt."
Jesus aber schrie laut auf. Dann hauchte er den Geist aus.
Da riß der Vorhang im Tempel von oben bis unten entzwei.
Als der Hauptmann, der Jesus gegenüberstand, ihn auf diese Weise sterben sah, sagte er: „Wahrhaftig, dieser Mensch war Gottes Sohn!"
Auch einige Frauen sahen von weitem zu, darunter Maria aus Magdala, Maria, die Mutter von Jakobus dem Kleinen und Joses, sowie Salome; sie waren Jesus schon in Galiläa nachgefolgt und hatten ihm gedient. Noch viele andere Frauen waren dabei, die mit ihm nach Jerusalem hinaufgezogen waren.
(Mk 15)

Das Begräbnis Jesu

Da es Rüsttag war, der Tag vor dem Sabbat, und es schon Abend wurde, ging Josef von Arimathäa, ein vornehmer Ratsherr, der auch auf das Reich Gottes wartete, zu Pilatus und wagte es, um den Leichnam Jesu zu bitten. Pilatus war überrascht, als er hörte, daß Jesus schon tot sei. Er ließ den Hauptmann kommen und fragte ihn, ob Jesus bereits gestorben sei. Als der Hauptmann ihm das bestätigte, überließ er Josef den Leichnam.
Josef kaufte ein Leinentuch, nahm Jesus vom Kreuz, wickelte ihn in das Tuch und legte ihn in das Grab, das in einen Felsen gehauen war. Dann wälzte er einen Stein vor den Eingang des Grabes. Maria aus Magdala aber und Maria, die Mutter des Joses, beobachteten, wohin der Leichnam gelegt wurde.
(Mk 15)

Berichte von der Erscheinung des Auferstandenen

Die Botschaft von der Auferstehung Jesu übersteigt menschliche Vorstellungskraft. Leben hat ja immer etwas mit Werden und Vergehen zu tun. Leben braucht Zeit und Raum. Deshalb fällt es schwer, das Leben des Auferstandenen zu beschreiben. Einerseits ist er unter den Lebenden; er ißt und trinkt wie sie. Andererseits tritt er auf, als gäbe es für ihn keine räumlichen Hindernisse oder Entfernungen.
Das älteste Zeugnis von einer Begegnung mit dem Auferstandenen steht im ersten Korintherbrief des hl. Paulus. Es ist als Glaubensbekenntnis formuliert. Darin wird Petrus als erster genannt, dem Jesus nach seiner Auferstehung erschien. Die späteren Erzählungen in den Evangelien nennen die Frauen als erste Zeugen der Auferstehung. Markus spricht von ihrem Entsetzen über die Botschaft des Engels im leeren Grab; Lukas hebt ihre Freude hervor. Sie beschreiben den Auferstandenen als den, der seine Jünger mit göttlicher Vollmacht in die Welt sendet und der selbst in seiner Himmelfahrt ganz zum Vater geht. Jahrzehnte später entsteht das Johannesevangelium. Es betont, daß Jesus nach seiner Auferstehung ganz anders lebt als in der Zeit seines Wirkens in Israel. Er ist nach seiner Auferstehung auf ganz neue Weise seinen Jüngern nahe.
So unterschiedlich die Hl. Schrift über die Auferstehung berichtet, so einheitlich ist die Botschaft: In der Auferstehung seines Sohnes zeigt Gott, daß seine Herrschaft in der Welt sogar stärker ist als der Tod.

Das früheste Zeugnis – aus dem ersten Korintherbrief

Ich erinnere euch, Brüder, an das Evangelium, das ich euch verkündet habe. Ihr habt es angenommen; es ist der Grund, auf dem ihr steht. Durch dieses Evangelium werdet ihr gerettet, wenn ihr an dem Wortlaut festhaltet, den ich euch verkündet habe. Oder habt ihr den Glauben vielleicht unüberlegt angenommen?
Denn vor allem habe ich euch überliefert, was auch ich empfangen habe: Christus ist für unsere Sünden gestorben, gemäß der Schrift, und ist begraben worden. Er ist am dritten Tag auferweckt worden, gemäß der Schrift, und erschien dem Kephas, dann den Zwölf.
Danach erschien er mehr als fünfhundert Brüdern zugleich; die mei-

sten von ihnen sind noch am Leben, einige sind entschlafen. Danach erschien er dem Jakobus, dann allen Aposteln. Als letztem von allen erschien er auch mir.
(1 Kor 15)

Die Botschaft des Engels am leeren Grab – aus dem Markusevangelium

Als der Sabbat vorüber war, kauften Maria aus Magdala, Maria, die Mutter des Jakobus, und Salome wohlriechende Öle, um damit zum Grab zu gehen und Jesus zu salben.
Am ersten Tag der Woche kamen sie in aller Frühe zum Grab, als eben die Sonne aufging. Sie sagten zueinander: „Wer könnte uns den Stein vom Eingang des Grabes wegwälzen?" Doch als sie aufblickten, sahen sie, daß der Stein schon weggewälzt war; er war sehr groß.
Sie gingen in das Grab hinein und sahen auf der rechten Seite einen jungen Mann sitzen, der mit einem weißen Gewand bekleidet war; da erschraken sie sehr.
Er aber sagte zu ihnen: „Erschreckt nicht! Ihr sucht Jesus von Nazaret, den Gekreuzigten. Er ist auferstanden; er ist nicht hier. Seht, da ist die Stelle, wo man ihn hingelegt hatte. Nun aber geht und sagt seinen Jüngern, vor allem Petrus: Er geht euch voraus nach Galiläa; dort werdet ihr ihn sehen, wie er es euch gesagt hat."
Da verließen sie das Grab und flohen; denn Schrecken und Entsetzen hatte sie gepackt. Und sie sagten niemand etwas davon; denn sie fürchteten sich.
(Mk 16)

Die Botschaft des Engels am leeren Grab – aus dem Matthäusevangelium

Nach dem Sabbat kamen in der Morgendämmerung des ersten Tages der Woche Maria aus Magdala und die andere Maria, um nach dem Grab zu sehen. Plötzlich entstand ein gewaltiges Erdbeben; denn ein Engel des Herrn kam vom Himmel herab, trat an das Grab, wälzte den Stein weg und setzte sich darauf. Seine Gestalt leuchtete wie ein Blitz, und sein Gewand war weiß wie Schnee. Die Wächter begannen vor

Angst zu zittern und fielen wie tot zu Boden. Der Engel aber sagte zu den Frauen: „Fürchtet euch nicht! Ich weiß, ihr sucht Jesus, den Gekreuzigten. Er ist nicht hier; denn er ist auferstanden, wie er gesagt hat. Kommt her und seht euch die Stelle an, wo er lag. Dann geht schnell zu seinen Jüngern und sagt ihnen: Er ist von den Toten auferstanden. Er geht euch voraus nach Galiläa, dort werdet ihr ihn sehen. Ich habe es euch gesagt." Sogleich verließen sie das Grab und eilten voll Furcht und großer Freude zu seinen Jüngern, um ihnen die Botschaft zu verkünden.
(Mt 28)

Der Auftrag des Auferstandenen

Die elf Jünger gingen nach Galiläa auf den Berg, den Jesus ihnen genannt hatte. Und als sie Jesus sahen, fielen sie vor ihm nieder. Einige aber hatten Zweifel. Da trat Jesus auf sie zu und sagte zu ihnen: „Mir ist alle Macht gegeben im Himmel und auf der Erde. Darum geht zu allen Völkern, und macht alle Menschen zu meinen Jüngern; tauft sie auf den Namen des Vaters und des Sohnes und des Heiligen Geistes, und lehrt sie, alles zu befolgen, was ich euch geboten habe. Seid gewiß: Ich bin bei euch alle Tage bis zum Ende der Welt."
(Mt 28)

Die Begegnung mit den Emmausjüngern

Am gleichen Tag waren zwei von den Jüngern auf dem Weg in ein Dorf namens Emmaus, das sechzig Stadien von Jerusalem entfernt ist. Sie sprachen miteinander über all das, was sich ereignet hatte. Während sie redeten und ihre Gedanken austauschten, kam Jesus hinzu und ging mit ihnen. Doch sie waren wie mit Blindheit geschlagen, so daß sie ihn nicht erkannten.
Er fragte sie: „Was sind das für Dinge, über die ihr auf eurem Weg miteinander redet?"
Da blieben sie traurig stehen, und der eine von ihnen – er hieß Kleopas – antwortete ihm: „Bist du so fremd in Jerusalem, daß du als einziger nicht weißt, was in diesen Tagen dort geschehen ist?"
Er fragte sie: „Was denn?"

Sie antworteten ihm: „Das mit Jesus aus Nazaret. Er war ein Prophet; mächtig in Wort und Tat vor Gott und dem ganzen Volk. Doch unsere Hohenpriester und Führer haben ihn zum Tode verurteilt und ans Kreuz schlagen lassen. Wir aber hatten gehofft, daß er der sei, der Israel erlösen werde. Und dazu ist heute schon der dritte Tag, seitdem das alles geschehen ist. Aber nicht nur das: Auch einige Frauen aus unserem Kreis haben uns in große Aufregung versetzt. Sie waren in der Frühe beim Grab, fanden aber seinen Leichnam nicht. Als sie zurückkamen, erzählten sie, es seien ihnen Engel erschienen und hätten gesagt, er lebe. Einige von uns gingen dann zum Grab und fanden alles so, wie die Frauen gesagt hatten; ihn selbst aber sahen sie nicht."

Da sagte er zu ihnen: „Begreift ihr denn nicht? Wie schwer fällt es euch, alles zu glauben, was die Propheten gesagt haben! Mußte nicht der Messias all das erleiden, um so in seine Herrlichkeit zu gelangen?" Und er legte ihnen dar, ausgehend von Mose und allen Propheten, was in der gesamten Schrift über ihn geschrieben steht.

So erreichten sie das Dorf, zu dem sie unterwegs waren. Jesus tat, als wolle er weitergehen, aber sie drängten ihn und sagten: „Bleib doch bei uns; denn es wird bald Abend, der Tag hat sich schon geneigt." Da ging er mit hinein, um bei ihnen zu bleiben.

Und als er mit ihnen bei Tisch war, nahm er das Brot, sprach den Lobpreis, brach das Brot und gab es ihnen. Da gingen ihnen die Augen auf, und sie erkannten ihn; dann sahen sie ihn nicht mehr.

Und sie sagten zueinander: „Brannte uns nicht das Herz in der Brust, als er unterwegs mit uns redete und uns den Sinn der Schrift erschloß?"

Noch in derselben Stunde brachen sie auf und kehrten nach Jerusalem zurück, und sie fanden die Elf und die anderen Jünger versammelt. Diese sagten: „Der Herr ist wirklich auferstanden und ist dem Simon erschienen."

Da erzählten auch sie, was sie unterwegs erlebt und wie sie ihn erkannt hatten, als er das Brot brach.

(Lk 24)

Die Erscheinung des Auferstandenen in Jerusalem

Während sie noch darüber redeten, trat er selbst in ihre Mitte und sagte zu ihnen: „Friede sei mit euch!" Sie erschraken und hatten große Angst, denn sie meinten, einen Geist zu sehen. Da sagte er zu ihnen: „Was seid ihr so bestürzt? Warum laßt ihr in eurem Herzen solche Zweifel aufkommen? Seht meine Hände und meine Füße an: Ich bin es selbst. Faßt mich doch an und begreift: Kein Geist hat Fleisch und Knochen, wie ihr es bei mir seht." Bei diesen Worten zeigte er ihnen seine Hände und Füße. Sie staunten, konnten es aber vor Freude immer noch nicht glauben. Da sagte er zu ihnen: „Habt ihr etwas zu essen hier?" Sie gaben ihm ein Stück gebratenen Fisch; er nahm es und aß es vor ihren Augen.

Dann sprach er zu ihnen: „Das sind die Worte, die ich zu euch gesagt habe, als ich noch bei euch war: Alles muß in Erfüllung gehen, was im Gesetz des Mose, bei den Propheten und in den Psalmen über mich gesagt ist." Darauf öffnete er ihnen die Augen für das Verständnis der Schrift. Er sagte zu ihnen: „So steht es in der Schrift: Der Messias wird leiden und am dritten Tag von den Toten auferstehen, und in seinem Namen wird man allen Völkern, angefangen in Jerusalem, verkünden, sie sollen umkehren, damit ihre Sünden vergeben werden. Ihr seid Zeugen dafür. Und ich werde die Gabe, die mein Vater verheißen hat, zu euch herabsenden. Bleibt in der Stadt, bis ihr mit der Kraft aus der Höhe erfüllt werdet."

Dann führte er sie hinaus in die Nähe von Betanien. Dort erhob er seine Hände und segnete sie. Und während er sie segnete, verließ er sie und wurde zum Himmel emporgehoben; sie aber fielen vor ihm nieder. Dann kehrten sie in großer Freude nach Jerusalem zurück. Und sie waren immer im Tempel und priesen Gott.

(Lk 24)

Die Erscheinung Jesu vor Maria aus Magdala

Maria aber stand draußen vor dem Grab und weinte. Während sie weinte, beugte sie sich in die Grabkammer hinein. Da sah sie zwei Engel in weißen Gewändern sitzen, den einen dort, wo der Kopf, den anderen dort, wo die Füße des Leichnams Jesu gelegen hatten.

Die Engel sagten zu ihr: „Frau, warum weinst du?" Sie antwortete ihnen: „Man hat meinen Herrn weggenommen, und ich weiß nicht, wohin man ihn gelegt hat." Als sie das gesagt hatte, wandte sie sich um und sah Jesus dastehen, wußte aber nicht, daß es Jesus war. Jesus sagte zu ihr: „Frau, warum weinst du? Wen suchst du?"
Sie meinte, es sei der Gärtner, und sagte zu ihm: „Herr, wenn du ihn weggebracht hast, sag mir, wohin du ihn gelegt hast. Dann will ich ihn holen."
Jesus sagte zu ihr: „Maria!"
Da wandte sie sich ihm zu und sagte auf hebräisch zu ihm: „Rabbuni!", das heißt: Meister!
Jesus sagte zu ihr: „Halte mich nicht fest; denn ich bin noch nicht zum Vater hinaufgegangen. Geh aber zu meinen Brüdern und sag ihnen: Ich gehe hinauf zu meinem Vater und zu eurem Vater, zu meinem Gott und zu eurem Gott."
Maria von Magdala ging zu den Jüngern und verkündete ihnen: „Ich habe den Herrn gesehen." Und sie richtete aus, was er ihr gesagt hatte.
(Joh 20)

Die Beauftragung der Jünger

Am Abend dieses ersten Tages der Woche, als die Jünger aus Furcht vor den Juden die Türen verschlossen hatten, kam Jesus, trat in ihre Mitte und sagte zu ihnen: „Friede sei mit euch!"
Nach diesen Worten zeigte er ihnen seine Hände und seine Seite. Da freuten sich die Jünger, daß sie den Herrn sahen. Jesus sagte noch einmal zu ihnen: „Friede sei mit euch! Wie mich der Vater gesandt hat, so sende ich euch."
Nachdem er das gesagt hatte, hauchte er sie an und sprach zu ihnen: „Empfangt den Heiligen Geist. Wem ihr die Sünden vergebt, dem sind sie vergeben; wem ihr die Vergebung verweigert, dem ist sie verweigert."
(Joh 20)

Jesus und Thomas

Thomas, genannt Didymus (Zwilling) war nicht bei ihnen, als Jesus kam. Die anderen Jünger sagten zu ihm: „Wir haben den Herrn gese-

hen." Er entgegnete ihnen: „Wenn ich nicht die Male der Nägel an seinen Händen sehe und wenn ich meinen Finger nicht in die Male der Nägel und meine Hand nicht in seine Seite lege, glaube ich nicht."
Acht Tage darauf waren seine Jünger wieder versammelt, und Thomas war dabei. Die Türen waren verschlossen. Da kam Jesus, trat in ihre Mitte und sagte: „Friede sei mit euch!"
Dann sagte er zu Thomas: „Streck deinen Finger aus – hier sind meine Hände! Streck deine Hand aus und lege sie in meine Seite, und sei nicht ungläubig, sondern gläubig!"
Thomas antwortete ihm: „Mein Herr und mein Gott!"
Jesus sagte zu ihm: „Weil du mich gesehen hast, glaubst du. Selig sind, die nicht sehen und doch glauben!"
(Joh 20)

Das Wort des Auferstandenen an Petrus

Danach offenbarte sich Jesus den Jüngern noch einmal.
Als sie gegessen hatten, sagte Jesus zu Simon Petrus: „Simon, Sohn des Johannes, liebst du mich mehr als diese?" Er antwortete ihm: „Ja, Herr, du weißt, daß ich dich liebe." Jesus sagte zu ihm: „Weide meine Lämmer!" Zum zweitenmal fragte er ihn: „Simon, Sohn des Johannes, liebst du mich?" Er antwortete ihm: „Ja, Herr, du weißt, daß ich dich liebe." Jesus sagte zu ihm: „Weide meine Schafe!" Zum drittenmal fragte er ihn: „Simon, Sohn des Johannes, liebst du mich?" Da wurde Petrus traurig, weil Jesus ihn zum drittenmal gefragt hatte: „Hast du mich lieb?" Er gab ihm zur Antwort: „Herr, du weißt alles; du weißt, daß ich dich liebhabe." Jesus sagte zu ihm: „Weide meine Schafe!"
(Joh 21)

Aus dem Leben der ersten Christen

Nach Jesu Tod und Auferstehung fiel es den Jüngern nicht leicht, seinen Weg weiterzugehen. Von Anfang an mußten sie damit rechnen, sein Schicksal zu teilen.
Spätestens am Pfingsttag erkannten sie jedoch: Nur der Weg, den Jesus uns vorausging, läßt die Gottesherrschaft aufleuchten. Die Apostelgeschichte, die der Evangelist Lukas verfaßt hat, beschreibt den Weg der ersten Christen. Mit der Kraft des Heiligen Geistes erkannten sie, was vor Gott richtig ist. Manche von ihnen hielten daran fest, auch wenn sie verfolgt und vertrieben wurden, z. B. Stephanus, Petrus, Barnabas, Paulus und Silas. Sie nutzten jede neue Vertreibung, um die Botschaft von der Gottesherrschaft weiterzusagen, die in Christus sichtbar geworden ist.

Die Gemeinde in Jerusalem

Das Pfingstereignis

Als der Pfingsttag gekommen war, befanden sich alle am gleichen Ort. Da kam plötzlich vom Himmel her ein Brausen, wie wenn ein heftiger Sturm daherfährt, und erfüllte das ganze Haus, in dem sie waren. Und es erschienen ihnen Zungen wie von Feuer, die sich verteilten, auf jeden von ihnen ließ sich eine nieder. Alle wurden mit dem Heiligen Geist erfüllt und begannen, in fremden Sprachen zu reden, wie der Geist ihnen eingab.
In Jerusalem aber wohnten Juden, fromme Männer aus allen Völkern unter dem Himmel. Als sich das Getöse erhob, strömte die Menge zusammen und war ganz bestürzt; denn jeder hörte sie in seiner Sprache reden.
Sie gerieten außer sich vor Staunen und sagten: „Sind das nicht alles Galiläer, die hier reden? Wieso kann sie jeder von uns in seiner Mutter-

sprache hören: Parther, Meder und Elamiter, Bewohner von Mesopotamien, Judäa und Kappadozien, von Pontus und Asien, von Phrygien und Pamphylien, von Ägypten und dem Gebiet Libyens nach Zyrene hin, auch die Römer, die sich hier aufhalten. Juden und Proselyten, Kreter und Araber, wir hören sie in unseren Sprachen Gottes große Taten verkünden."
Alle gerieten außer sich und waren ratlos. Die einen sagten zueinander: „Was hat das zu bedeuten?" Andere aber spotteten: „Sie sind vom süßen Wein betrunken."
(Apg 2)

Jerusalem mit dem Felsendom

Die Pfingstpredigt des Petrus

Da trat Petrus auf, zusammen mit den Elf; er erhob seine Stimme und begann zu reden: „Ihr Juden und alle Bewohner Jerusalems! Dies sollt ihr wissen, achtet auf meine Worte! Diese Männer sind nicht betrunken, wie ihr meint; es ist ja erst die dritte Stunde am Morgen, sondern jetzt geschieht, was durch den Propheten Joël gesagt worden ist.

Israeliten, hört diese Worte: Jesus, den Nazoräer, den Gott vor euch beglaubigt hat durch machtvolle Taten, Wunder und Zeichen, die er durch ihn in eurer Mitte getan hat, wie ihr selbst wißt – ihn, der nach Gottes beschlossenem Willen und Vorauswissen hingegeben wurde, habt ihr durch die Hand von Gesetzlosen ans Kreuz geschlagen und umgebracht. Gott aber hat ihn von den Wehen des Todes befreit und auferweckt; denn es war unmöglich, daß er vom Tod festgehalten wurde. Diesen Jesus hat Gott auferweckt, dafür sind wir alle Zeugen. Nachdem er durch die rechte Hand Gottes erhöht worden war und vom Vater den verheißenen Heiligen Geist empfangen hatte, hat er ihn ausgegossen, wie ihr seht und hört. Mit Gewißheit erkenne also das ganze Haus Israel: Gott hat ihn zum Herrn und Messias gemacht, diesen Jesus, den ihr gekreuzigt habt."
(Apg 2)

Erste Bekehrungen

Als sie das hörten, traf es sie mitten ins Herz, und sie sagten zu Petrus und den übrigen Aposteln: „Was sollen wir tun, Brüder?"
Petrus antwortete ihnen: „Kehrt um, und jeder von euch lasse sich auf den Namen Jesu Christi taufen zur Vergebung seiner Sünden; dann werdet ihr die Gabe des Heiligen Geistes empfangen. Denn euch und euren Kindern gilt die Verheißung und all denen in der Ferne, die der Herr, unser Gott, herbeirufen wird."
Die nun, die sein Wort annahmen, ließen sich taufen. An diesem Tag wurden (ihrer Gemeinschaft) etwa dreitausend Menschen hinzugefügt. Sie hielten an der Lehre der Apostel fest und an der Gemeinschaft, am Brechen des Brotes und an den Gebeten.
(Apg 2)

Das Leben der jungen Gemeinde

Alle wurden von Furcht ergriffen; denn durch die Apostel geschahen viele Wunder und Zeichen.
Und alle, die gläubig geworden waren, bildeten eine Gemeinschaft und hatten alles gemeinsam. Sie verkauften Hab und Gut und gaben davon allen, jedem so viel, wie er nötig hatte.

Tag für Tag verharrten sie einmütig im Tempel, brachen in ihren Häusern das Brot und hielten miteinander Mahl in Freude und Einfalt des Herzens. Sie lobten Gott und waren beim ganzen Volk beliebt. Und der Herr fügte täglich ihrer Gemeinschaft die hinzu, die gerettet werden sollten. (Apg 2)

Die Heilung des Gelähmten im Tempel

Petrus und Johannes gingen um die neunte Stunde zum Gebet in den Tempel hinauf. Da wurde ein Mann herbeigetragen, der von Geburt an gelähmt war. Man setzte ihn täglich an das Tor des Tempels, das man die Schöne Pforte nennt; dort sollte er bei denen, die in den Tempel gingen, um Almosen betteln.
Als er nun Petrus und Johannes in den Tempel gehen sah, bat er sie um ein Almosen. Petrus und Johannes blickten ihn an, und Petrus sagte: „Sieh uns an!“
Da wandte er sich ihnen zu und erwartete, etwas von ihnen zu bekommen. Petrus aber sagte: „Silber und Gold besitze ich nicht. Doch was ich habe, das gebe ich dir: Im Namen Jesu Christi, des Nazoräers, geh umher!“ Und er faßte ihn an der rechten Hand und richtete ihn auf. Sogleich kam Kraft in seine Füße und Gelenke; er sprang auf, konnte stehen und ging umher. Dann ging er mit ihnen in den Tempel, lief und sprang umher und lobte Gott. Alle Leute sahen ihn umhergehen und Gott loben.
Sie erkannten ihn als den, der gewöhnlich an der Schönen Pforte des Tempels saß und bettelte. Und sie waren voll Verwunderung und Staunen über das, was mit ihm geschehen war.
Da er sich Petrus und Johannes anschloß, lief das ganze Volk bei ihnen in der sogenannten Halle Salomons zusammen, außer sich vor Staunen. (Apg 3)

Die Rede des Petrus auf dem Tempelplatz

Als Petrus das sah, wandte er sich an das Volk:

„Israeliten, was wundert ihr euch darüber? Was starrt ihr uns an, als hätten wir aus eigener Kraft oder Frömmigkeit bewirkt, daß dieser

gehen kann? Der Gott Abrahams, Isaaks und Jakobs, der Gott unserer Väter, hat seinen Knecht Jesus verherrlicht, den ihr verraten und vor Pilatus verleugnet habt, obwohl dieser entschieden hatte, ihn freizulassen. Ihr aber habt den Heiligen und Gerechten verleugnet und die Freilassung eines Mörders gefordert. Den Urheber des Lebens habt ihr getötet, aber Gott hat ihn von den Toten erweckt. Dafür sind wir Zeugen.
Und weil er an seinen Namen geglaubt hat, hat dieser Name den Mann hier, den ihr seht und kennt, zu Kräften gebracht; der Glaube, der durch ihn kommt, hat ihm vor euer aller Augen die volle Gesundheit geschenkt.
Nun, Brüder, ich weiß, ihr habt aus Unwissenheit gehandelt, wie eure Führer. Gott aber hat auf diese Weise erfüllt, was er durch den Mund aller Propheten im voraus verkündigt hat: daß sein Messias leiden werde. Also kehrt um und tut Buße, damit eure Sünden getilgt werden."
(Apg 3)

Petrus und Johannes vor dem Hohen Rat

Während sie zum Volk redeten, traten die Priester, der Tempelhauptmann und die Sadduzäer zu ihnen. Sie waren aufgebracht, weil die Apostel das Volk lehrten und in Jesus die Auferstehung von den Toten verkündeten. Sie nahmen sie fest und hielten sie bis zum nächsten Morgen in Haft. Es war nämlich schon Abend. Viele aber, die das Wort gehört hatten, wurden gläubig; und die Zahl der Männer stieg auf etwa fünftausend.
Am anderen Morgen versammelten sich ihre Führer sowie die Ältesten und die Schriftgelehrten in Jerusalem, dazu Hannas, der Hohepriester, Kajaphas, Johannes, Alexander und alle, die aus dem Geschlecht der Hohenpriester stammten. Sie stellten die beiden in die Mitte und fragten sie: „Mit welcher Kraft oder in wessen Namen habt ihr das getan?"
Da sagte Petrus zu ihnen, erfüllt vom Heiligen Geist: „Ihr Führer des Volkes und ihr Ältesten! Wenn wir heute wegen einer guten Tat an einem kranken Menschen darüber vernommen werden, durch wen er geheilt worden ist, so sollt ihr alle und das ganze Volk Israel wissen: im Namen Jesu Christi, des Nazoräers, den ihr gekreuzigt habt und den Gott von den Toten auferweckt hat. Durch ihn steht dieser Mann gesund

vor euch. Er (Jesus) ist der Stein, der von euch Bauleuten verworfen wurde, der aber zum Eckstein geworden ist. Und durch keinen anderen ist das Heil zu finden. Denn es ist uns Menschen kein anderer Name unter dem Himmel gegeben, durch den wir gerettet werden sollen."
Als sie den Freimut des Petrus und des Johannes sahen und merkten, daß es ungelehrte und einfache Leute waren, wunderten sie sich. Sie erkannten sie als Jünger Jesu, sahen aber auch, daß der Geheilte bei ihnen stand; so konnten sie nichts dagegen sagen. Sie befahlen ihnen, den Hohen Rat zu verlassen; dann berieten sie miteinander und sagten: „Was sollen wir mit diesen Leuten anfangen? Das offensichtlich ein Wunder durch sie geschehen ist, ist allen Einwohnern von Jerusalem bekannt; wir können es nicht abstreiten. Damit aber die Sache nicht weiter im Volk verbreitet wird, wollen wir ihnen bei Strafe verbieten, je wieder in diesem Namen zu irgendeinem Menschen zu sprechen."
Und sie riefen sie herein und verboten ihnen, jemals wieder im Namen Jesu zu predigen und zu lehren. Doch Petrus und Johannes antworteten ihnen: „Ob es vor Gott recht ist, mehr auf euch zu hören als auf Gott, das entscheidet selbst. Wir können unmöglich schweigen über das, was wir gesehen und gehört haben." Jene aber drohten ihnen noch mehr und ließen sie dann gehen; denn sie sahen keine Möglichkeit, sie zu bestrafen, mit Rücksicht auf das Volk, da alle Gott wegen des Geschehenen priesen. Denn der Mann, an dem das Wunder der Heilung geschah, war über vierzig Jahre alt.
(Apg 4)

Die Wahl der Sieben

Als die Zahl der Jünger zunahm, begehrten die Hellenisten gegen die Hebräer auf, weil ihre Witwen bei der täglichen Versorgung übersehen wurden. Da riefen die Zwölf die ganze Schar der Jünger zusammen und erklärten: „Es ist nicht recht, daß wir das Wort Gottes vernachlässigen und uns dem Dienst an den Tischen widmen. Brüder, wählt aus eurer Mitte sieben Männer von gutem Ruf und voll Geist und Weisheit; ihnen werden wir diese Aufgabe übertragen. Wir aber wollen beim Gebet und beim Dienst am Wort bleiben." Der Vorschlag fand den Beifall der ganzen Gemeinde, und sie wählten Stephanus und sechs andere Männer. Sie

ließen sie vor die Apostel hintreten, und diese beteten und legten ihnen die Hände auf.
Und das Wort Gottes breitete sich aus, und die Zahl der Jünger in Jerusalem wurde immer größer; auch eine große Anzahl von den Priestern nahm gehorsam den Glauben an.
(Apg 6)

Christen in ganz Judäa und Samarien

Die Steinigung des Stephanus

Stephanus aber, voll Gnade und Kraft, tat Wunder und große Zeichen unter dem Volk. Doch einige Leute begannen mit ihm zu streiten; aber sie konnten der Weisheit und dem Geist, mit dem er sprach, nicht widerstehen. Da stifteten sie Männer zu der Aussage an: „Wir haben gehört, wie er gegen Mose und Gott lästerte." Sie hetzten das Volk, die Ältesten und die Schriftgelehrten auf, drangen auf ihn ein, packten ihn und schleppten ihn vor den Hohen Rat.
Und sie brachten falsche Zeugen bei, die sagten: „Dieser Mensch hört nicht auf, gegen diesen heiligen Ort und das Gesetz zu reden. Wir haben ihn nämlich sagen hören: Dieser Jesus, der Nazoräer, wird diesen Ort zerstören und die Bräuche ändern, die uns Mose überliefert hat."
Und als alle, die im Hohen Rat saßen, auf ihn blickten, erschien ihnen sein Gesicht wie das Gesicht eines Engels.
Er aber, erfüllt vom Heiligen Geist, blickte zum Himmel empor, sah die Herrlichkeit Gottes und Jesus zur Rechten Gottes stehen und rief: „Ich sehe den Himmel offen und den Menschensohn zur Rechten Gottes stehen!"
Da erhoben sie ein lautes Geschrei, hielten sich die Ohren zu, stürmten gemeinsam auf ihn los, trieben ihn zur Stadt hinaus und steinigten ihn. Die Zeugen legten ihre Kleider zu Füßen eines jungen Mannes nieder, der Saulus hieß.
So steinigten sie Stephanus; er aber betete und rief: „Herr Jesus, nimm meinen Geist auf!" Dann sank er in die Knie und schrie laut: „Herr, rechne ihnen diese Sünde nicht an!" Nach diesen Worten starb er. Fromme Männer bestatteten Stephanus und hielten eine große Totenklage für ihn.

An jenem Tag brach eine schwere Verfolgung über die Kirche in Jerusalem herein. Saulus versuchte, die Kirche zu vernichten; er drang in die Häuser ein, schleppte Männer und Frauen fort und lieferte sie ins Gefängnis ein. Da zerstreuten sich alle Christen mit Ausnahme der Apostel über das ganze Gebiet von Judäa und Samarien.
(Apg 6-8)

Samarien bekehrt sich

Die Gläubigen, die zerstreut worden waren, zogen umher und verkündeten das Wort. Philippus aber kam in die Hauptstadt Samariens hinab und verkündigte dort Christus. Und die Menge achtete einmütig auf die Worte des Philippus; sie hörten zu und sahen die Wunder, die er tat. Denn aus vielen Besessenen fuhren unter lautem Geschrei die unreinen Geister aus; auch viele Lahme und Krüppel wurden geheilt. So herrschte große Freude in jener Stadt.
Als die Apostel in Jerusalem hörten, daß Samarien das Wort Gottes angenommen hatte, schickten sie Petrus und Johannes dorthin. Diese zogen hinab und beteten für sie, sie möchten den Heiligen Geist empfangen. Denn er war noch auf keinen von ihnen herabgekommen; sie waren nur auf den Namen Jesu, des Herrn, getauft. Dann legten sie ihnen die Hände auf, und sie empfingen den Heiligen Geist.
(Apg 8)

Die Taufe des Äthiopiers

Ein Engel des Herrn sagte zu Philippus: „Steh auf und zieh nach Süden auf der Straße, die von Jerusalem nach Gaza hinabführt. Sie führt durch eine einsame Gegend."
Und er brach auf. Nun war da ein Äthiopier, ein Kämmerer, Hofbeamter der Kandake, der Königin der Äthiopier, der ihren ganzen Schatz verwaltete. Dieser war nach Jerusalem gekommen, um Gott anzubeten, und fuhr jetzt heimwärts. Er saß auf seinem Wagen und las den Propheten Jesaja. Und der Geist sagte zu Philippus: „Geh und folge diesem Wagen."
Philippus lief hin und hörte ihn den Propheten Jesaja lesen. Da sagte er: „Verstehst du auch, was du liest?"

Jener antwortete: „Wie könnte ich es, wenn mich niemand anleitet?" Und er bat den Philippus, einzusteigen und neben ihm Platz zu nehmen. Der Abschnitt der Schrift, den er las, lautete:
„Wie ein Schaf wurde er zum Schlachten geführt;
und wie ein Lamm, das verstummt, wenn man es schert,
so tat er seinen Mund nicht auf.
In der Erniedrigung wurde seine Verurteilung aufgehoben.
Seine Nachkommen, wer kann sie zählen?
Denn sein Leben wurde von der Erde fortgenommen."
Der Kämmerer wandte sich an Philippus und sagte: „Ich bitte dich, von wem sagt der Prophet das? Von sich selbst oder von einem anderen?"
Da begann Philippus zu reden, und ausgehend von diesem Schriftwort verkündete er ihm das Evangelium von Jesus. Als sie nun weiterzogen, kamen sie zu einer Wasserstelle.
Da sagte der Kämmerer: „Hier ist Wasser. Was steht meiner Taufe noch im Weg?" Er ließ den Wagen halten, und beide, Philippus und der Kämmerer, stiegen in das Wasser hinab, und er taufte ihn.
(Apg 8)

Die Vision des Hauptmanns Kornelius in Cäsarea

In Cäsarea lebte ein Mann namens Kornelius, Hauptmann in der sogenannten Italischen Kohorte. Er lebte mit seinem ganzen Haus fromm und gottesfürchtig, gab dem Volk reichlich Almosen und betete beständig zu Gott.
Er sah um die neunte Tagesstunde in einer Vision deutlich, wie ein Engel Gottes bei ihm eintrat und zu ihm sagte: „Kornelius!" Kornelius blickte ihn an und fragte erschrocken: „Was ist, Herr?"
Er sagte zu ihm: „Deine Gebete und Almosen sind zu Gott gelangt, und er hat sich an sie erinnert. Schick jetzt einige Männer nach Joppe, und laß einen gewissen Simon herbeiholen, der den Beinamen Petrus hat. Er ist zu Gast bei einem Gerber Namens Simon, der ein Haus am Meer hat." Kornelius rief zwei seiner Haussklaven und einen frommen Soldaten aus seinem Gefolge. Er erzählte ihnen alles und schickte sie nach Joppe.
(Apg 10)

Die Vision des Petrus in Joppe

Am folgenden Tag, als jene unterwegs waren und sich der Stadt näherten, stieg Petrus auf das Dach, um zu beten; es war um die sechste Stunde. Da wurde er hungrig und wollte essen. Während man etwas zubereitete, kam eine Verzückung über ihn.
Er sah den Himmel offen und eine Art Schale herabkommen; die aussah wie ein großes Leinentuch, das an den vier Ecken auf die Erde heruntergelassen wurde. Darin lagen alle möglichen Vierfüßler, Kriechtiere der Erde und Vögel des Himmels. Und eine Stimme rief ihm zu: „Steh auf, Petrus, schlachte und iß!"
Petrus aber antwortete: „Niemals, Herr! Noch nie habe ich etwas Unheiliges und Unreines gegessen."
Da richtete sich die Stimme ein zweites Mal an ihn: „Was Gott für rein erklärt, nenne du nicht unrein!"
Das geschah dreimal, dann wurde die Schale plötzlich in den Himmel hinaufgezogen.
Während Petrus noch über die Vision nachdachte, sagte der Geist zu ihm: „Da sind zwei Männer und suchen dich. Steh auf, geh hinunter und zieh ohne Bedenken mit ihnen; denn ich habe sie geschickt."
Petrus stieg zu den Männern des Kornelius hinab und sagte: „Ich bin der, den ihr sucht. Aus welchem Grund seid ihr hier?"
Sie antworteten: „Der Hauptmann Kornelius, ein gerechter und gottesfürchtiger Mann, der beim ganzen Volk der Juden in gutem Ruf steht, hat von einem heiligen Engel die Weisung erhalten, dich in sein Haus holen zu lassen und zu hören, was du ihm zu sagen hast." Da ließ er sie eintreten und bewirtete sie.
(Apg 10)

Die Taufe des Kornelius

Tags darauf machte sich Petrus mit ihnen auf den Weg, und einige Brüder aus Joppe begleiteten ihn. Am folgenden Tag kamen sie nach Cäsarea.
Kornelius erwartete sie schon und hatte seine Verwandten und seine nächsten Freunde zusammengerufen. Als nun Petrus ankam, ging ihm Kornelius entgegen und warf sich ehrfürchtig vor ihm nieder. Petrus aber richtete ihn auf und sagte: „Steh auf! Auch ich bin nur ein Mensch."

Während er sich mit ihm unterhielt, ging er hinein und fand dort viele Menschen versammelt. Da sagte er zu ihnen: „Ihr wißt, daß es einem Juden nicht erlaubt ist, mit einem Nichtjuden zu verkehren oder sein Haus zu betreten; mir aber hat Gott gezeigt, daß man keinen Menschen unheilig oder unrein nennen darf. Darum bin ich auch ohne Widerspruch gekommen, als nach mir geschickt wurde. Nun frage ich: Warum habt ihr mich holen lassen?"
Da sagte Kornelius: „Vor vier Tagen um diese Zeit war ich zum Gebet der neunten Stunde in meinem Haus; da stand plötzlich ein Mann in einem leuchtenden Gewand vor mir und sagte: Kornelius, dein Gebet wurde erhört, und deine Almosen wurden vor Gott in Erinnerung gebracht. Schick jemand nach Joppe und laß Simon, der den Beinamen Petrus hat, holen; er ist Gast im Haus des Gerbers Simon am Meer. Sofort habe ich nach dir geschickt, und es ist gut, daß du gekommen bist. Jetzt sind wir alle hier vor Gott zugegen, um all das anzuhören, was dir vom Herrn aufgetragen worden ist."
Da begann Petrus zu reden und sagte: „Wahrhaftig, jetzt begreife ich, daß Gott nicht auf die Person sieht, sondern daß ihm in jedem Volk willkommen ist, wer ihn fürchtet und tut, was recht ist. Er hat das Wort den Israeliten gesandt, indem er den Frieden verkündete durch Jesus Christus; dieser ist der Herr aller.
Ihr wißt, was im ganzen Land der Juden geschehen ist, angefangen in Galiläa, nach der Taufe, die Johannes verkündet hat: wie Gott Jesus von Nazaret gesalbt hat mit dem Heiligen Geist und Kraft, wie dieser umherzog, Gutes tat und alle heilte, die in der Gewalt des Teufels waren; denn Gott war mit ihm. Und wir sind Zeugen für alles, was er im Land der Juden und in Jerusalem getan hat.
Ihn haben sie an den Pfahl gehängt und getötet. Gott aber hat ihn am dritten Tag auferweckt und hat ihn erscheinen lassen, zwar nicht dem ganzen Volk, wohl aber den von Gott vorherbestimmten Zeugen: uns, die wir mit ihm nach seiner Auferstehung von den Toten gegessen und getrunken haben. Und er hat uns geboten, dem Volk zu verkündigen und zu bezeugen: Das ist der von Gott eingesetzte Richter der Lebenden und der Toten. Von ihm bezeugen alle Propheten, daß jeder, der an ihn glaubt, durch seinen Namen die Vergebung der Sünden empfängt."
Noch während Petrus dies sagte, kam der Heilige Geist auf alle herab, die das Wort hörten. Die gläubig gewordenen Juden, die mit Petrus gekommen waren, konnten es nicht fassen, daß auch auf die Heiden die

Gabe des Heiligen Geistes ausgegossen wurde. Denn sie hörten sie in Zungen reden und Gott preisen. Petrus aber sagte: „Kann jemand denen das Wasser zur Taufe verweigern, die ebenso wie wir den Heiligen Geist empfangen haben?" Und er ordnete an, sie im Namen Jesu Christi zu taufen. Danach baten sie ihn, einige Tage zu bleiben.
(Apg 10)

Mission in Kleinasien: Paulus und Barnabas

Die Bekehrung des Saulus

Saulus wütete immer noch mit Drohung und Mord gegen die Jünger des Herrn. Er ging zum Hohenpriester und erbat sich von ihm Briefe an die Synagogen in Damaskus, um die Anhänger des neuen Weges, Männer und Frauen, die er dort finde, zu fesseln und nach Jerusalem zu bringen. Unterwegs aber, als er sich bereits Damaskus näherte, geschah es, daß ihn plötzlich ein Licht vom Himmel umstrahlte. Er stürzte zu Boden und hörte, wie eine Stimme zu ihm sagte: „Saul, Saul, warum verfolgst du mich?"
Er antwortete: „Wer bist du, Herr?"
Dieser sagte: „Ich bin Jesus, den du verfolgst. Steh auf und geh in die Stadt; dort wird dir gesagt werden, was du tun sollst."
Seine Begleiter standen sprachlos da; sie hörten zwar die Stimme, sahen aber niemand.
Saulus erhob sich vom Boden. Als er aber die Augen öffnete, sah er nichts. Sie nahmen ihn bei der Hand und führten ihn nach Damaskus hinein. Und er war drei Tage blind, und er aß nicht und trank nicht.
In Damaskus lebte ein Jünger namens Hananias. Zu ihm sagte der Herr in einer Vision: „Hananias!"
Er antwortete: „Hier bin ich, Herr."
Der Herr sagte zu ihm: „Steh auf und geh zur sogenannten Geraden Straße, und frag im Haus des Judas nach einem Mann namens Saulus aus Tarsus. Er betet gerade und hat in einer Vision gesehen, wie ein Mann namens Hananias hereinkommt und ihm die Hände auflegt, damit er wieder sieht." Hananias antwortete: „Herr, ich habe von vielen

gehört, wieviel Böses dieser Mann deinen Heiligen in Jerusalem angetan hat. Auch hier hat er Vollmacht von den Hohenpriestern, alle zu verhaften, die deinen Namen anrufen."
Der Herr aber sprach zu ihm: „Geh nur! Denn dieser Mann ist mein auserwähltes Werkzeug: Er soll meinen Namen vor Völker und Könige und die Söhne Israels tragen. Ich werde ihm auch zeigen, wieviel er für meinen Namen leiden muß." Da ging Hananias hin und trat in das Haus ein; er legte Saulus die Hände auf und sagte: „Bruder Saul, der Herr hat mich gesandt, Jesus, der dir auf dem Weg hierher erschienen ist; du sollst wieder sehen und mit dem Heiligen Geist erfüllt werden."
Sofort fiel es wie Schuppen von seinen Augen, und er sah wieder; er stand auf und ließ sich taufen. Und nachdem er etwas gegessen hatte, kam er wieder zu Kräften.
Einige Tage blieb er bei den Jüngern in Damaskus; und sogleich verkündete er Jesus in den Synagogen und sagte: „Er ist der Sohn Gottes." Alle, die es hörten, gerieten in Aufregung und sagten: „Ist das nicht der Mann, der in Jerusalem alle vernichten wollte, die diesen Namen anrufen? Und ist er nicht auch hierher gekommen, um sie zu fesseln und vor die Hohenpriester zu führen?" Saulus aber trat um so kraftvoller auf und brachte die Juden in Damaskus in Verwirrung, weil er ihnen bewies, daß Jesus der Messias ist.
(Apg 9)

Die Flucht des Saulus aus Damaskus

So verging einige Zeit, da beschlossen die Juden, ihn zu töten. Doch ihr Plan wurde dem Saulus bekannt. Sie bewachten sogar Tag und Nacht die Stadttore, um ihn zu beseitigen. Aber seine Jünger nahmen ihn und ließen ihn bei Nacht in einem Korb die Stadtmauer hinab.
Als er nach Jerusalem kam, versuchte er, sich den Jüngern anzuschließen. Aber alle fürchteten sich vor ihm und konnten nicht glauben, daß er ein Jünger war. Barnabas jedoch nahm sich seiner an und brachte ihn zu den Aposteln. Er erzählte ihnen, wie Saulus auf dem Weg den Herrn gesehen habe und daß dieser mit ihm gesprochen habe und wie er in Damaskus mutig und offen im Namen Jesu aufgetreten sei.
So ging er bei ihnen in Jerusalem ein und aus, trat unerschrocken im Namen des Herrn auf und führte auch Streitgespräche mit den Helleni-

sten. Diese aber planten, ihn zu töten. Als die Brüder das merkten, brachten sie ihn nach Cäsarea hinab und schickten ihn von dort nach Tarsus.
(Apg 9)

Die Entstehung einer christlichen Gemeinde in Antiochia

Bei der Verfolgung, die wegen Stephanus entstanden war, kamen die Versprengten bis nach Phönizien, Zypern und Antiochia; doch verkündeten sie das Wort nur den Juden. Einige aber von ihnen, die aus Zypern und Zyrene stammten, verkündeten, als sie nach Antiochia kamen, auch den Griechen das Evangelium von Jesus, dem Herrn. Die Hand des Herrn war mit ihnen, und viele wurden gläubig und bekehrten sich zum Herrn. Die Nachricht davon kam der Gemeinde von Jerusalem zu Ohren, und sie schickten Barnabas nach Antiochia. Als er ankam und die Gnade Gottes sah, freute er sich und ermahnte alle, dem Herrn treu zu bleiben, wie sie es sich vorgenommen hatten. Denn er war ein trefflicher Mann, erfüllt vom Heiligen Geist und von Glauben. So wurde für den Herrn eine beträchtliche Zahl hinzugewonnen. Barnabas aber zog nach Tarsus, um Saulus aufzusuchen. Er fand ihn und nahm ihn nach Antiochia mit. Dort wirkten sie miteinander ein volles Jahr in der Gemeinde und unterrichteten eine große Zahl von Menschen. In Antiochia nannte man die Jünger zum erstenmal Christen.
(Apg 11)

Die Aussendung von Barnabas und Saulus nach Kleinasien

In der Gemeinde von Antiochia gab es Propheten und Lehrer: Barnabas und Simeon, genannt Niger, Luzius von Zyrene, Manaën, ein Jugendgefährte des Tetrarchen Herodes, und Saulus. Als sie zu Ehren des Herrn Gottesdienst feierten und fasteten, sprach der Heilige Geist: „Wählt mir Barnabas und Saulus zu dem Werk aus, zu dem ich sie mir berufen habe." Da fasteten und beteten sie, legten ihnen die Hände auf und ließen sie ziehen.
Vom Heiligen Geist ausgesandt, zogen sie nach Seleuzia hinab und segelten von da nach Zypern. Als sie in Salamis angekommen waren,

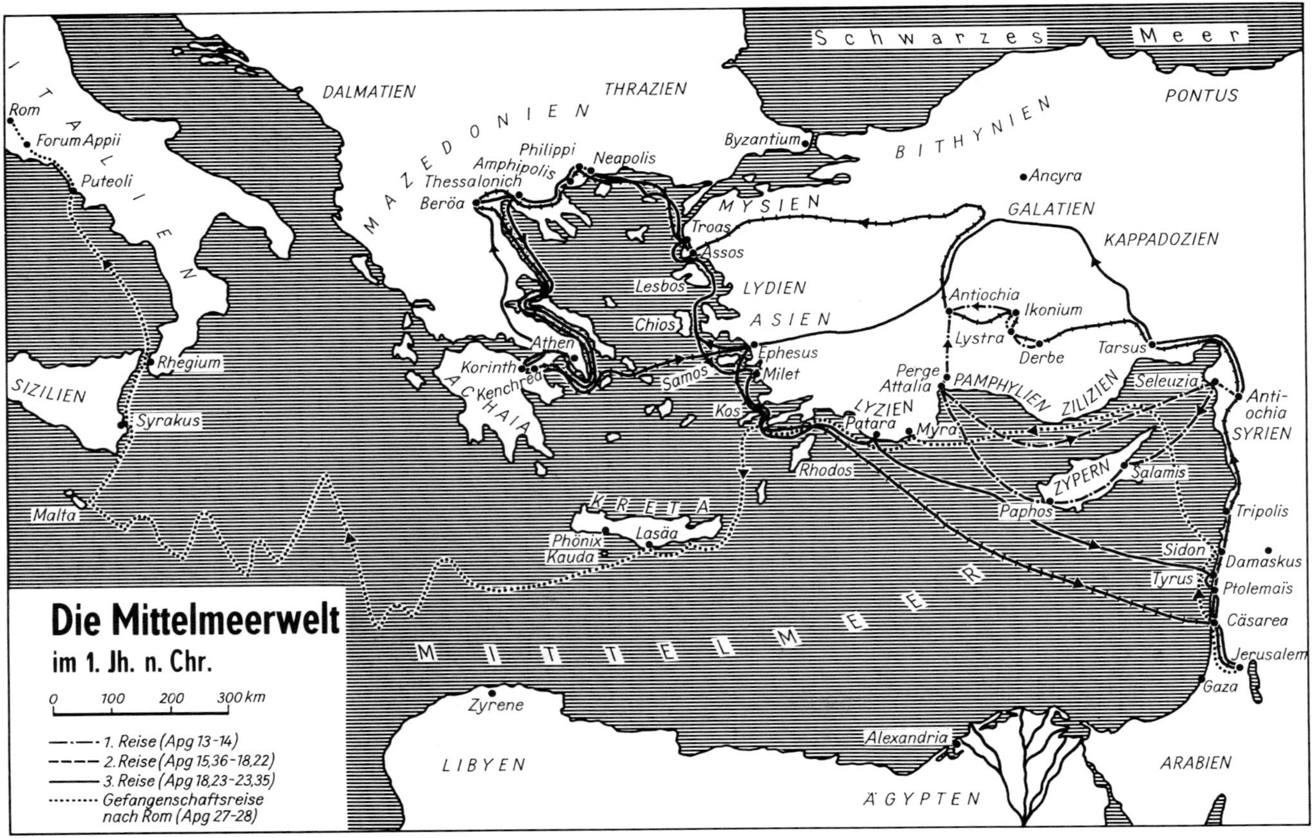

Die Reisen des Apostels Paulus

verkündeten sie das Wort Gottes in den Synagogen der Juden. Johannes hatten sie als Helfer bei sich. Sie durchzogen die ganze Insel bis Paphos. Von Paphos fuhr Saulus, der auch Paulus genannt wird, mit seinen Begleitern ab und kam nach Perge in Pamphylien. Johannes aber trennte sich von ihnen und kehrte nach Jerusalem zurück.
Sie selbst wanderten von Perge weiter und kamen nach Antiochia in Pisidien. Dort gingen sie am Sabbat in die Synagoge und setzten sich. Nach der Lesung aus dem Gesetz und den Propheten schickten die Synagogenvorsteher zu ihnen und ließen ihnen sagen: „Brüder, wenn ihr ein Wort des Trostes für das Volk habt, so redet."
(Apg 13)

Die Predigt des Paulus in der Synagoge von Antiochia in Pisidien

Da stand Paulus auf, gab mit der Hand ein Zeichen und sagte: „Ihr Israeliten und ihr Gottesfürchtigen, hört! Der Gott dieses Volkes Israel hat unsere Väter erwählt und das Volk in der Fremde erhöht, in Ägypten; er hat sie mit hoch erhobenem Arm von dort herausgeführt und fast vierzig Jahre durch die Wüste getragen. Sieben Völker hat er im Land Kanaan vernichtet und ihr Land ihnen zum Besitz gegeben, für etwa vierhundertfünfzig Jahre. Danach hat er ihnen Richter gegeben bis zum Propheten Samuel. Dann verlangten sie einen König, und Gott gab ihnen Saul, den Sohn des Kisch, einen Mann aus dem Stamm Benjamin, für vierzig Jahre. Nachdem er ihn verworfen hatte, erhob er David zu ihrem König, von dem er bezeugte: Ich habe David, den Sohn des Isai, als einen Mann nach meinem Herzen gefunden, der alles, was ich will, vollbringen wird. Aus seinem Geschlecht hat Gott dem Volk Israel, der Verheißung gemäß, Jesus als Retter geschickt. Vor dessen Auftreten hat Johannes dem ganzen Volk Israel Umkehr und Taufe verkündigt.
Als Johannes aber seinen Lauf vollendet hatte, sagte er: Ich bin nicht der, für den ihr mich haltet; aber seht, nach mir kommt einer, dem die Sandalen von den Füßen zu lösen ich nicht wert bin.
Brüder, ihr Söhne aus Abrahams Geschlecht und ihr Gottesfürchtigen! Uns wurde das Wort dieses Heils gesandt. Denn die Einwohner von Jerusalem und ihre Führer haben Jesus nicht erkannt, aber sie haben die Worte der Propheten, die an jedem Sabbat vorgelesen werden, erfüllt

und haben ihn verurteilt. Obwohl sie nichts fanden, wofür er den Tod verdient hätte, forderten sie von Pilatus seine Hinrichtung. Als sie alles vollbracht hatten, was in der Schrift über ihn gesagt ist, nahmen sie ihn vom Kreuzesholz und legten ihn ins Grab. Gott aber hat ihn von den Toten auferweckt, und er ist viele Tage hindurch denen erschienen, die mit ihm zusammen von Galiläa nach Jerusalem hinaufgezogen waren und die jetzt vor dem Volk seine Zeugen sind."
Als sie hinausgingen, bat man sie, am nächsten Sabbat über diese Worte zu ihnen zu sprechen. Und als die Versammlung sich aufgelöst hatte, schlossen sich viele Juden und fromme Proselyten Paulus und Barnabas an. Diese redeten mit ihnen und ermahnten sie, der Gnade Gottes treu zu bleiben.
(Apg 13)

Der Entschluß des Paulus, den Heiden zu predigen

Am folgenden Sabbat versammelte sich fast die ganze Stadt, um das Wort des Herrn zu hören. Als die Juden die Scharen sahen, wurden sie eifersüchtig, widersprachen den Worten des Paulus und stießen Lästerungen aus.
Paulus und Barnabas aber erklärten freimütig: „Euch mußte das Wort Gottes zuerst verkündet werden. Da ihr es aber zurückstoßt und euch des ewigen Lebens unwürdig zeigt, wenden wir uns jetzt an die Heiden."
Als die Heiden das hörten, freuten sie sich und priesen das Wort des Herrn; und alle wurden gläubig, die für das ewige Leben bestimmt waren.
Das Wort des Herrn aber verbreitete sich in der ganzen Gegend.
(Apg 13)

Die Vertreibung des Paulus aus Antiochia

Die Juden aber vertrieben Paulus und Barnabas aus ihrem Gebiet. Diese aber schüttelten gegen sie den Staub von ihren Füßen und zogen nach Ikonium. Von dort flohen sie in die Städte von Lykaonien, Lystra, Derbe und in deren Umgebung. Dort verkündeten sie das Evangelium.
(Apg 13; 14)

Paulus und Barnabas in Lystra

In Lystra war ein Mann, der von Geburt an gelähmt war; er saß ohne Kraft in den Füßen da und hatte nie gehen können. Er hörte der Predigt des Paulus zu. Dieser blickte ihm fest ins Auge; und da er sah, daß der Mann darauf vertraute, gerettet zu werden, rief er laut: „Steh auf! Stell dich aufrecht auf deine Füße!" Da sprang der Mann auf und ging umher. Als die Menge sah, was Paulus getan hatte, fing sie an zu schreien und rief auf lykaonisch: „Die Götter sind in Menschengestalt zu uns herabgestiegen." Und sie nannten den Barnabas Zeus, den Paulus aber Hermes, weil er der Wortführer war. Der Priester des „Zeus vor der Stadt" brachte Stiere und Kränze an die Tore und wollte zusammen mit der Volksmenge ein Opfer darbringen.
Als die Apostel Barnabas und Paulus davon hörten, zerrissen sie ihre Kleider, sprangen unter das Volk und riefen: „Männer, was tut ihr? Auch wir sind nur Menschen, von gleicher Art wie ihr; wir bringen euch das Evangelium, damit ihr euch von diesen nichtigen Götzen zu dem lebendigen Gott bekehrt, der den Himmel, die Erde und das Meer geschaffen hat und alles, was dazugehört. Er ließ in den vergangenen Zeiten alle Völker ihre Wege gehen. Und doch hat er sich nicht unbezeugt gelassen. Er tat Gutes, gab euch vom Himmel her Regen und fruchtbare Zeiten; mit Nahrung und mit Freude erfüllte er euer Herz." Doch selbst mit diesen Worten konnten sie die Volksmenge kaum davon abbringen, ihnen zu opfern.
Von Antiochia und Ikonion aber kamen Juden und überredeten die Volksmenge. Und sie steinigten den Paulus und schleiften ihn zur Stadt hinaus, in der Meinung, er sei tot. Als aber die Jünger ihn umringten, stand er auf und ging in die Stadt. Am anderen Tag zog er mit Barnabas nach Derbe weiter.
(Apg 14)

Rückkehr nach Syrien

Als sie dieser Stadt das Evangelium verkündet und viele Jünger gewonnen hatten, kehrten sie (noch einmal) nach Lystra, Ikonium und Antiochia zurück. In jeder Gemeinde bestellten sie durch Handauflegung Älteste.

Nachdem sie durch Pisidien gezogen waren, kamen sie nach Pamphylien, verkündeten in Perge das Wort und gingen dann nach Attalia hinab. Von dort fuhren sie mit dem Schiff nach Antiochia (zurück).
(Apg 14)

Das Apostelkonzil in Jerusalem

Es kamen einige Leute von Judäa herab und lehrten die Brüder: „Wenn ihr euch nicht nach dem Brauch des Mose beschneiden laßt, könnt ihr nicht gerettet werden."
Nach großer Aufregung und heftigen Auseinandersetzungen zwischen ihnen und Paulus und Barnabas beschloß man, Paulus und Barnabas und einige andere von ihnen sollten wegen dieser Streitfrage zu den Aposteln und Ältesten nach Jerusalem hinaufgehen. Sie wurden von der Gemeinde feierlich verabschiedet und zogen durch Phönizien und Samarien; dabei berichteten sie den Brüdern von der Bekehrung der Heiden und bereiteten damit allen große Freude. Bei ihrer Ankunft in Jerusalem wurden sie von der Gemeinde und von den Aposteln und den Ältesten empfangen. Sie erzählten alles, was Gott mit ihnen zusammen getan hatte. Da erhoben sich einige aus dem Kreis der Pharisäer, die gläubig geworden waren, und sagten: „Man muß sie beschneiden und von ihnen fordern, am Gesetz des Mose festzuhalten."
Die Apostel und die Ältesten traten zusammen, um die Frage zu prüfen. Als ein heftiger Streit entstand, erhob sich Petrus und sagte zu ihnen: „Brüder, wie ihr wißt, hat Gott schon längst hier bei euch die Entscheidung getroffen, daß die Heiden durch meinen Mund das Wort des Evangeliums hören und zum Glauben gelangen sollen. Und Gott, der die Herzen kennt, bestätigte dies, indem er ihnen ebenso wie uns den Heiligen Geist gab. Er machte keinerlei Unterschied zwischen uns und ihnen; denn er hat ihre Herzen durch den Glauben gereinigt. Warum stellt ihr also jetzt Gott auf die Probe und legt den Jüngern ein Joch auf den Nacken, das weder unsere Väter noch wir tragen konnten? Wir glauben im Gegenteil, durch die Gnade Jesu, des Herrn, gerettet zu werden, auf die gleiche Weise wie jene."
Da schwieg die ganze Versammlung. Und sie hörten Barnabas und Paulus zu, wie sie erzählten, welch große Zeichen und Wunder Gott durch sie unter den Heiden getan hatte.

Als sie geendet hatten, nahm Jakobus das Wort und sagte: „Brüder, hört mich an! Simon hat berichtet, daß Gott selbst zuerst eingegriffen hat, um aus den Heiden ein Volk für seinen Namen zu gewinnen. Damit stimmen die Worte der Propheten überein. Darum halte ich es für richtig, den Heiden, die sich zu Gott bekehren, keine Lasten aufzubürden; man weise sie nur an, Verunreinigung durch Götzenopferfleisch und Unzucht zu meiden und weder Ersticktes noch Blut zu essen."
Da beschlossen die Apostel und Ältesten zusammen mit der ganzen Gemeinde, Männer aus ihrer Mitte auszuwählen und sie zusammen mit Paulus und Barnabas nach Antiochia zu senden.
Und sie zogen hinab nach Antiochia, riefen die Gemeinde zusammen, und übergaben ihr die Botschaft. Die Brüder freuten sich über die Ermunterung.
(Apg 15)

Mission in Europa: Paulus und Silas

Die zweite Missionsreise des Paulus

Nach einiger Zeit sagte Paulus: „Wir wollen wieder aufbrechen und sehen, wie es den Brüdern in all den Städten geht, in denen wir das Wort des Herrn verkündet haben." Er wählte sich Silas und reiste ab, nachdem die Brüder ihn der Gnade des Herrn empfohlen hatten.
Er kam auch nach Derbe und nach Lystra. Dort war ein Jünger namens Timotheus, der Sohn einer gläubig gewordenen Jüdin und eines Griechen. Er war Paulus von den Brüdern in Lystra und Ikonion empfohlen worden.
Weil ihnen aber vom Heiligen Geist verwehrt wurde, das Wort in der Provinz Asien zu verkünden, reisten sie durch Phrygien und das galatische Land. Sie zogen an Mysien entlang und versuchten, Bithynien zu erreichen; doch auch das erlaubte ihnen der Geist Jesu nicht. So durchwanderten sie Mysien und kamen nach Troas hinab. Dort hatte Paulus in der Nacht eine Vision. Ein Mazedonier stand da und bat ihn: „Komm herüber nach Mazedonien, und hilf uns!" Auf diese Vision hin wollten wir sofort nach Mazedonien abfahren; denn wir waren überzeugt, daß uns Gott dazu berufen hatte, dort das Evangelium zu verkünden.

So brachen wir von Troas auf und fuhren auf dem kürzesten Weg nach Samothrake und am folgenden Tag nach Neapolis. Von dort gingen wir nach Philippi, in eine Stadt im ersten Bezirk von Mazedonien.
(Apg 15; 16)

Das Wirken des Paulus in Philippi

In Philippi hielten wir uns einige Tage auf. Am Sabbat gingen wir durch das Stadttor hinaus an den Fluß, wo wir eine Gebetsstätte vermuteten. Wir setzten uns und sprachen zu den Frauen, die sich eingefunden hatten. Eine Frau namens Lydia, eine Purpurhändlerin aus der Stadt Thyatira, hörte zu; sie war eine Gottesfürchtige, und der Herr öffnete ihr das Herz, so daß sie den Worten des Paulus aufmerksam lauschte. Als sie und alle, die zu ihrem Haus gehörten, getauft waren, bat sie: „Wenn ihr überzeugt seid, daß ich fest an den Herrn glaube, kommt in mein Haus und bleibt da." Und sie drängte uns.
Als wir einmal auf dem Weg zur Gebetsstätte waren, begegnete uns eine Magd, die einen Wahrsagegeist hatte und mit der Wahrsagerei ihren Herren großen Gewinn einbrachte. Sie lief Paulus und uns nach und schrie: „Diese Menschen sind Diener des höchsten Gottes; sie verkünden euch den Weg des Heils." Das tat sie viele Tage lang. Da wurde Paulus ärgerlich, wandte sich um und sagte zu dem Geist: „Ich befehle dir im Namen Jesu Christi: Verlaß diese Frau!" Und im gleichen Augenblick verließ er sie.
(Apg 16)

Verhaftung und Befreiung von Paulus und Silas

Als aber ihre Herren sahen, daß sie keinen Gewinn mehr erwarten konnten, ergriffen sie Paulus und Silas, schleppten sie auf den Markt vor die Stadtbehörden, führten sie den obersten Beamten vor und sagten: „Diese Männer bringen Unruhe in unsere Stadt. Es sind Juden; sie verkünden Sitten und Bräuche, die wir als Römer weder annehmen können noch ausüben dürfen." Da erhob sich das Volk gegen sie, und die obersten Beamten ließen ihnen die Kleider vom Leib reißen und befahlen, sie mit Ruten zu schlagen. Sie ließen ihnen viele Schläge geben

und sie ins Gefängnis bringen; dem Gefängniswärter befahlen sie, sie in sicherem Gewahrsam zu halten. Auf diesen Befehl hin warf er sie in das innere Gefängnis und schloß zur Sicherheit ihre Füße in den Block.
Um Mitternacht beteten Paulus und Silas und sangen Gott Loblieder; und die Gefangenen hörten ihnen zu. Plötzlich begann ein gewaltiges Erdbeben, so daß die Grundmauern des Gefängnisses wankten. Mit einem Schlag sprangen die Türen auf, und allen fielen die Fesseln ab.
Als der Gefängniswärter aufwachte und alle Türen des Kerkers offen sah, zog er sein Schwert, um sich zu töten; denn er meinte, die Gefangenen seien entflohen. Da rief Paulus laut: „Tu dir nichts an! Wir sind alle noch da."
Jener rief nach Licht, stürzte hinein und fiel Paulus und Silas zitternd zu Füßen. Er führte sie hinaus und sagte: „Ihr Herren, was muß ich tun, um gerettet zu werden?"
Sie antworteten: „Glaube an den Herrn Jesus, und du wirst gerettet werden, du und dein Haus. Und sie verkündeten ihm und allen in seinem Haus das Wort Gottes.
Er nahm sie in jener Nachtstunde bei sich auf, wusch ihre Striemen und ließ sich sogleich mit allen seinen Angehörigen taufen. Dann führte er sie in seine Wohnung hinauf, ließ ihnen den Tisch decken und war mit seinem ganzen Haus voll Freude, weil er zum Glauben an Gott gekommen war.
Als es Tag wurde, schickten die obersten Beamten die Amtsgehilfen und ließen sagen: „Laß jene Männer frei!" Der Gefängniswärter überbrachte Paulus die Nachricht: „Die obersten Beamten haben hergeschickt und befohlen, euch freizulassen; geht also, zieht in Frieden!"
Paulus aber sagte zu ihnen: „Sie haben uns ohne Urteil öffentlich auspeitschen lassen, obgleich wir römische Bürger sind, und haben uns ins Gefängnis geworfen. Und jetzt möchten sie uns heimlich fortschicken? Nein! Sie sollen selbst kommen und uns hinausführen."
Die Amtsgehilfen meldeten es den obersten Beamten. Diese erschraken, als sie hörten, es seien römische Bürger. Und sie kamen, um sie zu beschwichtigen, führten sie hinaus und baten sie, die Stadt zu verlassen.
Vom Gefängnis aus gingen die beiden zu Lydia. Dort fanden sie die Brüder, sprachen ihnen Mut zu und zogen dann weiter.
(Apg 16)

Über Thessalonich nach Athen

Auf dem Weg über Amphipolis und Apollonia kamen sie nach Thessalonich. Einige Juden ließen sich überzeugen und schlossen sich Paulus und Silas an, außerdem eine große Schar gottesfürchtiger Griechen, darunter nicht wenige Frauen aus vornehmen Kreisen.
Die Juden wurden eifersüchtig und wiegelten das Volk gegen sie auf. Noch in der Nacht schickten die Brüder Paulus und Silas weiter nach Beröa. Dann brachten die Begleiter des Paulus ihn nach Athen. Paulus sah die Stadt voll von Götzenbildern.
(Apg 17)

Die Predigt des Paulus auf dem Areopag

Da stellte sich Paulus in die Mitte des Areopags und sagte: „Athener, nach allem, was ich sehe, seid ihr besonders fromme Menschen. Denn als ich umherging und mir eure Heiligtümer ansah, fand ich auch einen Altar mit der Aufschrift: EINEM UNBEKANNTEN GOTT. Was ihr verehrt, ohne es zu kennen, das verkünde ich euch. Gott, der die Welt erschaffen hat und alles in ihr, er, der Herr über Himmel und Erde, wohnt nicht in Tempeln, die von Menschenhand gemacht sind. Er läßt sich auch nicht von Menschen bedienen, als brauche er etwas: er, der allen das Leben, den Atem und alles gibt. Er hat aus einem einzigen Menschen das ganze Menschengeschlecht erschaffen, damit es die ganze Erde bewohne. Er hat für sie bestimmte Zeiten und die Grenzen ihrer Wohnsitze festgesetzt. Sie sollten Gott suchen, ob sie ihn ertasten und finden könnten; denn keinem von uns ist er fern. Denn in ihm leben wir, bewegen wir uns und sind wir, wie auch einige von euren Dichtern gesagt haben: Wir sind von seiner Art. Da wir also von Gottes Art sind, dürfen wir nicht meinen, das Göttliche sei wie ein goldenes oder silbernes oder steinernes Gebilde menschlicher Kunst und Erfindung. Gott, der über die Zeiten der Unwissenheit hinweggesehen hat, läßt jetzt den Menschen verkünden, daß überall alle umkehren sollen. Denn er hat einen Tag festgesetzt, an dem er den Erdkreis in Gerechtigkeit richten wird, durch einen Mann, den er dazu bestimmt und vor allen Menschen dadurch ausgewiesen hat, daß er ihn von den Toten auferweckte."

Als sie von der Auferstehung der Toten hörten, spotteten die einen, andere aber sagten: „Darüber wollen wir dich ein andermal hören."
(Apg 17)

Über Korinth nach Ephesus

Hierauf verließ Paulus Athen und ging nach Korinth. Viele Korinther, die (Paulus) hörten, wurden gläubig und ließen sich taufen. Der Herr aber sagte nachts in einer Vision zu Paulus: „Fürchte dich nicht! Rede nur, schweige nicht! Denn ich bin mit dir, niemand wird dir etwas antun. Viel Volk nämlich gehört mir in dieser Stadt." So blieb Paulus ein Jahr und sechs Monate und lehrte bei ihnen das Wort Gottes.
Dann verabschiedete sich Paulus von den Brüdern und segelte zusammen mit Priszilla und Aquila nach Syrien ab. Sie gelangten nach Ephesus.
(Apg 18)

Aufruhr der Silberschmiede in Ephesus

Um jene Zeit aber wurde der (neue) Weg Anlaß zu einem schweren Aufruhr. Denn ein Silberschmied namens Demetrius, der silberne Artemistempel herstellte und den Künstlern viel zu verdienen gab, rief diese und die anderen damit beschäftigten Arbeiter zusammen und sagte: „Männer, ihr wißt, daß wir unseren Wohlstand diesem Gewerbe verdanken. Nun seht und hört ihr, daß dieser Paulus nicht nur in Ephesus, sondern fast in der ganzen Provinz Asien viele Leute verführt und aufgehetzt hat mit seiner Behauptung, die mit Händen gemachten Götter seien keine Götter. So kommt nicht nur unser Geschäft in Verruf, sondern auch dem Heiligtum der großen Göttin Artemis droht Gefahr, nichts mehr zu gelten, ja, sie selbst, die von der ganzen Provinz Asien und von der ganzen Welt verehrt wird, wird ihre Hoheit verlieren."
Als sie das hörten, wurden sie wütend und schrien: „Groß ist die Artemis von Ephesus!"
Die ganze Stadt geriet in Aufruhr; alles stürmte ins Theater, und sie schleppten die Mazedonier Gaius und Aristarch, Reisegefährten des Paulus, mit sich. Als aber Paulus in die Volksversammlung gehen wollte,

hielten ihn die Jünger zurück. Auch einige hohe Beamte der Provinz Asien, die mit ihm befreundet waren, schickten zu ihm und rieten ihm, nicht ins Theater zu gehen.

Die Göttin Artemis von Ephesus

Dort schrien die einen dies, die andern das; denn in der Versammlung herrschte ein großes Durcheinander, und die meisten wußten gar nicht, weshalb man überhaupt zusammengekommen war.
Die Juden schickten Alexander nach vorn, und aus der Menge gab man ihm noch Hinweise. Alexander gab mit der Hand ein Zeichen und wollte vor der Volksversammlung eine Verteidigungsrede halten. Doch als sie merkten, daß er ein Jude war, schrien sie alle fast zwei Stunden lang wie aus einem Mund: „Groß ist die Artemis von Ephesus!"

Der Stadtschreiber aber brachte die Menge zur Ruhe und sagte: „Männer von Ephesus! Wer wüßte nicht, daß die Stadt der Epheser die Tempelhüterin der Großen Artemis und ihres vom Himmel gefallenen Bildes ist? Dies ist unbestreitbar; ihr müßt also Ruhe bewahren und dürft nichts Unüberlegtes tun. Ihr habt diese Männer hergeschleppt, die weder Tempelräuber noch Lästerer unserer Göttin sind. Wenn also Demetrius und seine Zunftgenossen eine Klage gegen irgend jemanden haben, so gibt es dafür Gerichtstage und Prokonsule, dort mögen sie einander verklagen. Wenn ihr aber noch etwas anderes vorzubringen habt, so kann das in der gesetzmäßigen Volksversammlung geklärt werden. Sonst sind wir in Gefahr, daß man uns nach dem heutigen Vorfall des Aufruhrs anklagt, weil kein Grund vorliegt, mit dem wir diesen Volksaufstand rechtfertigen können." Nach diesen Worten löste er die Versammlung auf.
Nach diesen Ereignissen nahm sich Paulus vor, über Mazedonien und Achaia nach Jerusalem zu reisen.
(Apg 19)

Von Jerusalem nach Rom

Die Verhaftung des Paulus in Jerusalem

In Jerusalem sahen Juden aus der Provinz Asien den Paulus im Tempel. Sie brachten das ganze Volk in Aufruhr, ergriffen ihn und schrien: „Israeliten! Kommt zu Hilfe! Das ist der Mensch, der in aller Welt Lehren verbreitet, die sich gegen das Volk und das Gesetz und gegen diesen Ort richten; er hat sogar Griechen in den Tempel mitgenommen und diesen heiligen Ort entweiht!"
Sie hatten nämlich kurz zuvor den Epheser Trophimus mit ihm zusammen in der Stadt gesehen und meinten, Paulus habe ihn in den Tempel mitgenommen.
Da geriet die ganze Stadt in Aufregung, und das Volk lief zusammen. Sie ergriffen Paulus und zerrten ihn aus dem Tempel, und sofort wurden die Tore geschlossen. Schon wollten sie ihn umbringen, da brachte man dem Obersten der Kohorte die Meldung hinauf: „Ganz Jerusalem

ist in Aufruhr!“ Er eilte sofort mit Soldaten und Hauptleuten zu ihnen hinunter. Als die den Obersten und die Soldaten sahen, hörten sie auf, Paulus zu schlagen.
Der Oberst trat hinzu, verhaftete ihn, ließ ihn mit zwei Ketten fesseln und fragte, wer er sei und was er getan habe. In der Menge schrien die einen dies, die andern das. Da er bei dem Lärm nichts Sicheres ermitteln konnte, befahl er, ihn in die Kaserne zu führen. Als Paulus an die Freitreppe kam, mußten ihn die Soldaten wegen des Andrangs der Menge tragen. Denn das Volk lief hinterher und schrie: „Weg mit ihm!“
Als man Paulus in die Kaserne bringen wollte, sagte er zum Obersten: „Darf ich ein Wort mit dir reden?“ Der antwortete: „Du verstehst Griechisch? Dann bist du also nicht der Ägypter, der vor einiger Zeit die viertausend Sikarier aufgewiegelt und in die Wüste hinausgeführt hat?“ Paulus antwortete: „Ich bin ein Jude aus Tarsus in Zilizien, Bürger einer nicht unbedeutenden Stadt. Ich bitte dich, gestatte mir, zum Volk zu sprechen.“
Als der Oberst es erlaubte, stellte sich Paulus auf die Freitreppe und gab dem Volk mit der Hand ein Zeichen. Alles wurde still, und er redete sie in hebräischer Sprache an: „Brüder und Väter! Hört, was ich euch zu meiner Verteidigung zu sagen habe.“
Als sie hörten, daß er in hebräischer Sprache zu ihnen redete, waren sie noch ruhiger. Und er sagte: „Ich bin eine Jude, geboren in Tarsus in Zilizien, hier in dieser Stadt erzogen, zu Füßen Gamaliels genau nach dem Gesetz der Väter ausgebildet, ein Eiferer für Gott, wie ihr alle es heute seid. Als ich nun unterwegs war und mich Damaskus näherte, da umstrahlte mich plötzlich ein helles Licht. Ich stürzte zu Boden und hörte eine Stimme zu mir sagen: Saul, Saul, warum verfolgst du mich? Ich bin Jesus, den du verfolgst. Ich sagte: Herr, was soll ich tun? Der Herr antwortete: Steh auf, und geh nach Damaskus. Ich will dich in die Ferne zu den Heiden senden!“
Bis zu diesem Wort hörten sie ihm zu, dann fingen sie an zu schreien: „Weg mit so einem Menschen! Er darf nicht am Leben bleiben.“ Sie lärmten, zerrissen ihre Kleider und warfen Staub in die Luft. Da befahl der Oberst, ihn in die Kaserne zu führen, und ordnete an, ihn unter Geißelschlägen zu verhören. Auf diese Weise wollte er herausfinden, warum sie derart gegen ihn tobten. Als sie ihn aber für die Geißelung festbanden, sagte Paulus zu dem Hauptmann, der dabeistand: „Dürft ihr jemand, der das römische Bürgerrecht besitzt, geißeln, noch dazu

ohne Verurteilung?“ Als der Hauptmann das hörte, ging er zum Obersten, meldete es und sagte: „Was hast du vor? Der Mann ist ein Römer.“
Der Oberst kam zu Paulus und fragte ihn: „Sag mir, bist du ein Römer?“
Er antwortete: „Ja.“
Da antwortete der Oberst: „Ich habe für dieses Bürgerrecht ein Vermögen gezahlt.“
Paulus sagte: „Ich bin sogar als Römer geboren.“
Sofort ließen die, die ihn verhören sollten, von ihm ab. Und der Oberst erschrak, als er erfuhr, daß es ein Römer war, den er hatte fesseln lassen.
(Apg 21; 22)

Paulus vor dem Hohen Rat

Weil der Oberst genau wissen wollte, was die Juden Paulus vorwarfen, ließ er ihn am nächsten Tag aus dem Gefängnis holen und befahl, die Hohenpriester und der ganze Hohe Rat sollten sich versammeln. Und er ließ Paulus hinunterführen und ihnen gegenüberstellen.
Paulus schaute mit festem Blick auf den Hohen Rat und sagte: „Brüder! Bis zum heutigen Tag lebe ich vor Gott mit völlig reinem Gewissen.“
Der Hohepriester Hananias aber befahl denen, die bei ihm standen, ihn auf den Mund zu schlagen. Da sagte Paulus zu ihm: „Dich wird Gott schlagen, du übertünchte Wand! Du sitzt hier, um mich nach dem Gesetz zu richten, und entgegen dem Gesetz befiehlst du, mich zu schlagen?“
Die Umstehenden sagten: „Du wagst es, den Hohenpriester Gottes zu schmähen?“ Paulus antwortete: „Ich wußte nicht, Brüder, daß er der Hohepriester ist. Denn es heißt in der Schrift: Einen Fürsten deines Volkes sollst du nicht verfluchen.“
Da Paulus aber wußte, daß der eine Teil zu den Sadduzäern, der andere zu den Pharisäern gehörte, rief er vor dem Hohen Rat aus: „Brüder, ich bin Pharisäer und ein Sohn von Pharisäern; wegen der Hoffnung und wegen der Auferstehung von den Toten stehe ich vor Gericht.“
Als er das sagte, brach ein Streit zwischen den Pharisäern und den Sadduzäern aus, und die Versammlung spaltete sich. Die Sadduzäer behaupten nämlich, es gebe weder eine Auferstehung noch einen Engel noch Geister, die Pharisäer dagegen bekennen sich zu alldem. Es erhob

sich ein lautes Geschrei, und einige Schriftgelehrte aus dem Kreis der Pharisäer standen auf und verfochten ihre Ansicht. Sie sagten: „Wir finden nichts Schlimmes an diesem Menschen. Vielleicht hat doch ein Geist oder ein Engel zu ihm gesprochen."
Als der Streit heftiger wurde, befürchtete der Oberst, sie könnten Paulus zerreißen. Daher ließ er die Wachtruppe herabkommen, ihn mit Gewalt aus ihrer Mitte herausholen und in die Kaserne bringen.
In der folgenden Nacht aber trat der Herr zu Paulus und sagte: „Hab Mut! Denn so wie du in Jerusalem meine Sache bezeugt hast, sollst du auch in Rom Zeugnis ablegen."
(Apg 22; 23)

Die Überführung des Paulus nach Cäsarea

Nach Tagesanbruch rotteten sich die Juden zusammen und schworen einen heiligen Eid, weder zu essen noch zu trinken, bis sie Paulus getötet hätten. Der Neffe des Paulus, der Sohn seiner Schwester, erfuhr jedoch von dem Anschlag. Er ging in die Kaserne und verständigte Paulus. Paulus ließ einen der Hauptleute rufen und sagte: „Bring diesen jungen Mann zum Obersten, denn er hat ihm etwas zu sagen."
Der Oberst befahl dem jungen Mann: „Sag niemand etwas darüber."
Er rief zwei von den Hauptleuten und gab ihnen den Befehl: „Haltet Soldaten zum Marsch nach Cäsarea bereit, außerdem Reiter und Tragtiere. Man soll Paulus aufsitzen lassen und sicher zum Statthalter Felix bringen."
(Apg 23)

Paulus vor dem römischen Statthalter Felix

Nach fünf Tagen kam der Hohepriester Hananias mit einigen Ältesten und dem Anwalt Tertullus herab, und sie brachten beim Statthalter ihre Klage gegen Paulus vor. Er wurde herbeigeholt, und Tertullus erhob Anklage mit folgenden Worten:
„Tiefen Frieden genießen wir durch dich, und durch deine Umsicht hat sich für dieses Volk vieles gebessert. Das erkennen wir immer und überall mit großer Dankbarkeit an, erlauchter Felix. Um dich aber nicht län-

ger bemühen zu müssen, bitte ich dich, uns in deiner Milde kurz anzuhören.
Wir finden nämlich, dieser Mann ist eine Pest, ein Unruhestifter bei allen Juden in der Welt und ein Rädelsführer der Nazoräersekte. Er hat sogar versucht, den Tempel zu entweihen. Wir haben ihn festgenommen. Wenn du ihn verhörst, wirst du selbst alles ermitteln können, wessen wir ihn anklagen."
Und die Juden unterstützten ihn, indem sie behaupteten, so sei es.
Auf einen Wink des Statthalters erwiderte Paulus: „Da ich dich seit vielen Jahren als Richter für dieses Volk kenne, verteidige ich meine Sache voll Zuversicht.

Im alten Hafen von Cäsarea

Wie du feststellen kannst, sind erst zwölf Tage vergangen, seit ich nach Jerusalem hinaufgezogen bin, um Gott anzubeten. Sie haben mich weder im Tempel noch in den Synagogen, noch anderswo in der Stadt dabei angetroffen, daß ich ein Streitgespräch mit jemand geführt oder einen Aufruhr im Volk erregt hätte. Sie können dir auch nichts von dem beweisen, was sie mir jetzt vorwerfen.
Das allerdings bekenne ich dir: Dem (neuen) Weg entsprechend, den sie eine Sekte nennen, diene ich dem Gott meiner Väter. Ich glaube an alles, was im Gesetz und in den Propheten steht, und ich habe dieselbe Hoffnung auf Gott, die auch diese hier hegen: daß es eine Auferstehung der

Gerechten und Ungerechten geben wird. Deshalb bemühe auch ich mich, vor Gott und den Menschen immer ein reines Gewissen zu haben. Nach mehreren Jahren bin ich nun zu meinem Volk gekommen, um Spenden zu überbringen und zu opfern. Als ich mich zu diesem Zweck im Tempel hatte weihen lassen, trafen mich – nicht mit einer Volksmenge und nicht bei einem Tumult – einige Juden aus der Provinz Asien; sie müßten vor dir erscheinen und Anklage erheben, wenn sie etwas gegen mich vorzubringen haben. Oder diese hier sollen doch selbst sagen, was für ein Vergehen sie herausgefunden haben, als ich vor dem Hohen Rat stand, es sei denn der eine Satz, den ich in ihrer Mitte ausgerufen habe: Wegen der Auferstehung von den Toten stehe ich heute vor eurem Gericht." – Felix, der den (neuen) Weg genau kannte, vertagte den Fall mit den Worten: „Sobald der Oberst Lysias herabkommt, werde ich eure Sache entscheiden." Den Hauptmann wies er an, Paulus weiter in Gewahrsam zu halten, jedoch in leichter Haft, und niemand von den Seinen daran zu hindern, für ihn zu sorgen.
(Apg 24)

Die Berufung des Paulus an den Kaiser

Nach zwei Jahren aber wurde Porcius Festus Nachfolger des Felix; und weil Felix den Juden einen Gefallen erweisen wollte, ließ er Paulus in der Haft zurück.
Als Festus in der Provinz eingetroffen war, zog er drei Tage später von Cäsarea nach Jerusalem hinauf. Da erstatteten die Hohenpriester und die Vornehmsten der Juden Anzeige bei ihm gegen Paulus. Sie ersuchten ihn, gegen Paulus vorzugehen, und baten ihn um den Gefallen, Paulus nach Jerusalem bringen zu lassen. Sie wollten ihn nämlich unterwegs aus einem Hinterhalt heraus ermorden.
Festus jedoch antwortete, Paulus bleibe in Cäsarea in Haft und er selbst wolle in Kürze abreisen. „Die unter euch, die dafür zuständig sind", sagte er, „können mit hinabkommen, und wenn gegen den Mann etwas vorliegt, sollen sie gegen ihn Anklage erheben."
Er hielt sich nicht länger als acht oder zehn Tage bei ihnen auf, dann reiste er nach Cäsarea hinab. Am folgenden Tag setzte er sich auf den Richterstuhl und ließ Paulus vorführen. Als dieser erschien, umringten ihn die Juden, die von Jerusalem herabgekommen waren, und brachten

viele schwere Beschuldigungen vor, konnten sie aber nicht beweisen. Paulus verteidigte sich: „Ich habe mich weder gegen das Gesetz der Juden noch gegen den Tempel, noch gegen den Kaiser vergangen."
Festus jedoch wollte den Juden einen Gefallen erweisen und antwortete dem Paulus: „Willst du nach Jerusalem hinaufgehen und dich dort unter meinem Vorsitz dieser Sache wegen richten lassen?"
Paulus sagte: „Ich stehe vor dem Richterstuhl des Kaisers, und da muß ich gerichtet werden. Den Juden habe ich kein Unrecht getan, wie auch du sehr wohl weißt. Wenn ich wirklich im Unrecht bin und etwas getan habe, worauf die Todesstrafe steht, weigere ich mich nicht zu sterben. Wenn aber ihre Anklage gegen mich unbegründet ist, kann mich niemand ihnen ausliefern. Ich lege Berufung beim Kaiser ein!"
Da besprach sich Festus mit seinen Ratgebern und antwortete: „An den Kaiser hast du appelliert; zum Kaiser sollst du gehen!"
(Apg 24; 25)

Die Seereise des gefangenen Paulus nach Rom

Als unsere Abfahrt nach Italien feststand, wurden Paulus und einige andere Gefangene einem Hauptmann der kaiserlichen Kohorte namens Julius übergeben. Am anderen Tage liefen wir in Sidon ein. Von dort fuhren wir weiter und umsegelten, weil wir Gegenwind hatten, Zypern und erreichten Myra in Lyzien.
Dort fand der Hauptmann ein alexandrinisches Schiff, das nach Italien fuhr, und brachte uns an Bord. Viele Tage lang kamen wir nur langsam voran, und mit Mühe erreichten wir die Höhe von Knidos. Da uns der Wind nicht herankommen ließ, umsegelten wir Kreta bei Salmone, fuhren unter großer Mühe an Kreta entlang und erreichten einen Ort namens Kalói Liménes, in dessen Nähe die Stadt Lasäa liegt.
Da inzwischen längere Zeit vergangen und die Schiffahrt bereits unsicher geworden war – sogar das Fasten war schon vorüber –, warnte Paulus und sagte: „Männer, ich sehe, die Fahrt wird mit Gefahr und großem Schaden verbunden sein, nicht nur für die Ladung und das Schiff, sondern auch für unser Leben."
Der Hauptmann aber vertraute dem Steuermann und dem Kapitän mehr als den Worten des Paulus. Da der Hafen zum Überwintern unge-

eignet war, beschloß die Mehrheit, weiterzufahren, um nach Möglichkeit Phönix zu erreichen, einen nach Südwesten und Nordwesten offenen Hafen von Kreta; dort wollten sie überwintern.
Als leichter Südwind aufkam, meinten sie, ihr Vorhaben sei schon geglückt; sie lichteten den Anker und fuhren dicht an Kreta entlang.
(Apg 27)

Der Seesturm

Doch kurz darauf brach von der Insel her ein Orkan los, Eurakylon genannt. Das Schiff wurde mitgerissen, und weil es nicht mehr gegen den Wind gedreht werden konnte, gaben wir auf und ließen uns treiben.
Während wir unter einer kleinen Insel namens Kauda hinfuhren, konnten wir das Beiboot nur mit Mühe in die Gewalt bekommen. Die Matrosen hoben es hoch, dann sicherten sie das Schiff, indem sie Taue darum herumspannten. Weil sie fürchteten, in die Syrte zu geraten, ließen sie den Treibanker hinab und trieben dahin. Da wir vom Sturm hart bedrängt wurden, erleichterten sie am nächsten Tag das Schiff, und am dritten Tag warfen sie eigenhändig die Schiffsausrüstung über Bord. Mehrere Tage hindurch zeigten sich weder Sonne noch Sterne, und der heftige Sturm hielt an. Schließlich schwand uns alle Hoffnung auf Rettung. Niemand wollte mehr essen; da trat Paulus in ihre Mitte und sagte: „Männer, man hätte auf mich hören und von Kreta nicht abfahren sollen, dann wäre uns dieses Unglück und der Schaden erspart geblieben. Doch jetzt ermahne ich euch: Verliert nicht den Mut! Niemand von euch wird sein Leben verlieren, nur das Schiff wird untergehen. Denn in dieser Nacht ist ein Engel des Gottes, dem ich gehöre und dem ich diene, zu mir gekommen und hat gesagt: Fürchte dich nicht, Paulus! Du mußt vor den Kaiser treten. Und Gott hat dir alle geschenkt, die mit dir fahren. Habt also Mut, Männer! Denn ich vertraue auf Gott, daß es so kommen wird, wie mir gesagt worden ist. Wir müssen allerdings an einer Insel stranden."
(Apg 27)

Der Schiffbruch vor Malta

Als wir schon die vierzehnte Nacht auf der Adria trieben, merkten die Matrosen um Mitternacht, daß sich ihnen Land näherte. Sie warfen das Lot hinab und maßen zwanzig Faden; kurz danach loteten sie nochmals und maßen fünfzehn Faden. Aus Furcht, wir könnten auf Klippen laufen, warfen sie vom Heck aus vier Anker und wünschten den Tag herbei. Als aber die Matrosen unter dem Vorwand, sie wollten vom Bug aus Anker auswerfen, vom Schiff zu fliehen versuchten und das Beiboot ins Meer hinunterließen, sagte Paulus zum Hauptmann und zu den Soldaten: „Wenn sie nicht auf dem Schiff bleiben, könnt ihr nicht gerettet werden." Da kappten die Soldaten die Taue des Beibootes und ließen es forttreiben. Bis in die Morgendämmerung hinein ermunterte Paulus alle, etwas zu essen, und sagte: „Heute ist schon der vierzehnte Tag, daß ihr ausharrt ohne auch nur die geringste Nahrung zu euch zu nehmen. Deshalb rate

Kolosseum in Rom. In ihm starben während der Christenverfolgung viele Märtyrer.

ich euch: Eßt etwas; das ist gut für eure Rettung. Denn keinem von euch wird auch nur ein Haar von seinem Kopf verlorengehen."
Nach diesen Worten nahm er Brot, dankte Gott vor den Augen aller, brach es und begann zu essen.
Da faßten alle Mut und aßen ebenfalls. Wir waren im ganzem zweihundertsechsundsiebzig Menschen an Bord. Nachdem sie sich satt gegessen hatten, warfen sie das Getreide ins Meer, um das Schiff zu erleichtern.
Als es nun Tag wurde, entdeckten die Matrosen eine Bucht mit flachem Strand; auf ihn wollten sie, wenn möglich, das Schiff auflaufen lassen; das Land selbst war ihnen unbekannt.
Sie machten die Anker los und ließen sie im Meer zurück. Zugleich lösten sie die Haltetaue der Steuerruder, hißten das Vorsegel und hielten mit dem Wind auf den Strand zu. Als sie aber auf eine Sandbank gerieten, strandeten sie mit dem Schiff; der Bug bohrte sich ein und saß unbeweglich fest; das Heck aber begann in der Brandung zu zerbrechen.
Da beschlossen die Soldaten, die Gefangenen zu töten, damit keiner schwimmend entkommen könne. Der Hauptmann aber wollte Paulus retten und hinderte sie an ihrem Vorhaben. Er befahl, daß zuerst alle, die schwimmen konnten, über Bord springen und an Land gehen sollten, dann die übrigen, teils auf Planken, teils auf anderen Schiffstrümmern.
So kam es, daß alle ans Land gerettet wurden. Als wir gerettet waren, erfuhren wir, daß die Insel Malta heißt.
(Apg 27; 28)

Von Malta nach Rom

Drei Monate später fuhren wir mit einem alexandrinischen Schiff ab, das auf der Insel überwintert hatte. So kamen wir nach Puteoli. Hier trafen wir Brüder; sie baten uns, sieben Tage bei ihnen zu bleiben. Und so kamen wir nach Rom.
Paulus erhielt die Erlaubnis, für sich allein zu wohnen, zusammen mit dem Soldaten, der ihn bewachte. Er blieb zwei volle Jahre in seiner Mietwohnung und empfing alle, die zu ihm kamen. Er verkündete das Reich Gottes und trug ungehindert und mit allem Freimut die Lehre über Jesus Christus, den Herrn, vor.
(Apg 28)

Die Briefe der Apostel

Den Evangelien und der Apostelgeschichte folgen im Neuen Testament die Briefe der Apostel, zuerst die Paulusbriefe: seine Hauptbriefe an die Christen in Rom, Korinth und Galatien, dann die Briefe, die er aus der Gefangenschaft an die Gemeinden in Ephesus, Philippi und an die Kolosser geschrieben hat. Die beiden Thessalonicherbriefe sind die frühesten Schriften des hl. Paulus, die uns erhalten geblieben sind. Es folgen die Pastoralbriefe. Sie werden so genannt, weil sie sich mit Problemen der Seelsorge befassen und an Seelsorger geschrieben wurden, an Timotheus und Titus. Der kurze Philemonbrief widmet sich der Frage, ob und wie man Sklaven besitzen darf. An ihm läßt sich der damalige Briefstil leicht erkennen.

Nicht alle Paulusbriefe wurden von ihm selbst verfaßt. Aber sie wurden in seinem Geist geschrieben. Der Brief an die Hebräer stammt von einem seiner Schüler.

Nach den Paulusbriefen folgen noch sieben Briefe anderer Apostel. Sie werden Jakobus, Petrus und Johannes sowie Judas Thaddäus zugeordnet. Alle Apostelbriefe bestätigen, daß das Leben in der Gottesherrschaft möglich ist. Sie erläutern die Botschaft Jesu für Menschen, die durch das Wort der Apostel zum Glauben gefunden haben.

Aus den Paulusbriefen

Die Hoffnung auf die Erlösung der Welt

Die Schöpfung ist der Vergänglichkeit unterworfen, nicht aus eigenem Willen, sondern durch den, der sie unterworfen hat; aber zugleich gab er ihr Hoffnung. Auch die Schöpfung soll von der Sklaverei und Verlorenheit befreit werden zur Freiheit und Herrlichkeit der Kinder Gottes. Denn wir wissen, daß die gesamte Schöpfung bis zum heutigen Tag seufzt und in Geburtswehen liegt. Aber auch wir, obwohl wir als Erst-

lingsgabe den Geist haben, seufzen in unserem Herzen und warten darauf, daß wir mit der Erlösung unseres Leibes als Söhne offenbar werden. Denn wir sind gerettet, doch in der Hoffnung. Hoffnung aber, die man schon erfüllt sieht, ist keine Hoffnung. Wie kann man auf etwas hoffen, das man sieht? Hoffen wir aber auf das, war wir nicht sehen, dann harren wir aus in Geduld.
(Röm 8)

Die Gewißheit der Glaubenden

Was kann uns scheiden von der Liebe Christi? Bedrängnis oder Not oder Verfolgung, Hunger oder Kälte, Gefahr oder Schwert? In der Schrift steht: „Um deinetwillen sind wir den ganzen Tag dem Tod ausgesetzt; wir werden behandelt wie Schafe, die man zum Schlachten bestimmt hat." Doch all das überwinden wir durch den, der uns geliebt hat. Denn ich bin gewiß: Weder Tod noch Leben, weder Engel noch Mächte, weder Gegenwärtiges noch Zukünftiges, weder Gewalten der Höhe oder Tiefe noch irgendeine andere Kreatur können uns scheiden von der Liebe Gottes, die offenbar geworden ist in Christus Jesus, unserem Herrn.
(Röm 8)

Der Glaube kommt vom Hören

Jeder, der den Namen des Herrn anruft, wird gerettet werden. Wie sollen sie nun den anrufen, an den sie nicht glauben? Wie sollen sie an den glauben, von dem sie nichts gehört haben? Wie sollen sie hören, wenn niemand verkündigt? Wie soll aber jemand verkündigen, wenn er nicht gesandt ist? Darum heißt es in der Schrift: Wie sind die Freudenboten willkommen, die Gutes verkündigen!
(Röm 10)

Die Weisheit Gottes

O Tiefe des Reichtums, der Weisheit und der Erkenntnis Gottes! Wie unergründlich sind seine Entscheidungen, wie unerforschlich seine Wege!

Denn wer hat die Gedanken des Herrn erkannt? Oder wer ist sein Ratgeber gewesen? Wer hat ihm etwas gegeben, so daß Gott ihm etwas zurückgeben müßte? Denn aus ihm und durch ihn und auf ihn hin ist die ganze Schöpfung. Ihm sei Ehre in Ewigkeit! Amen.
(Röm 11)

Die Gemeinde und ihre Dienste

Angesichts des Erbarmens Gottes ermahne ich euch, meine Brüder, euch selbst als lebendiges und heiliges Opfer darzubringen, das Gott gefällt; das ist für euch der wahre und angemessene Gottesdienst. Gleicht euch nicht dieser Welt an, sondern wandelt euch und erneuert euer Denken, damit ihr prüfen und erkennen könnt, was der Wille Gottes ist: was ihm gefällt, was gut und vollkommen ist.
Aufgrund der Gnade, die mir gegeben ist, sage ich einem jeden von euch: Strebt nicht über das hinaus, was euch zukommt, sondern strebt danach, besonnen zu sein, jeder nach dem Maß des Glaubens, das Gott ihm zugeteilt hat. Denn wie wir an dem einen Leib viele Glieder haben, aber nicht alle Glieder denselben Dienst leisten, so sind wir, die vielen, ein Leib in Christus, als einzelne aber sind wir Glieder, die zueinander gehören. Wir haben unterschiedliche Gaben, je nach der uns verliehenen Gnade. Hat einer die Gabe prophetischer Rede, dann rede er in Übereinstimmung mit dem Glauben; hat einer die Gabe des Dienens, dann diene er. Wer zum Lehren berufen ist, der lehre; wer zum Trösten und Ermahnen berufen ist, der tröste und ermahne. Wer gibt, gebe ohne Hintergedanken; wer Vorsteher ist, setze sich eifrig ein; wer Barmherzigkeit übt, der tue es freudig.
(Röm 12)

Das Leben aus dem Geist Gottes

Eure Liebe sei ohne Heuchelei. Verabscheut das Böse, haltet fest am Guten! Seid einander in brüderlicher Liebe zugetan, übertrefft euch in gegenseitiger Achtung! Laßt nicht nach in eurem Eifer, laßt euch vom Geist entflammen und dient dem Herrn! Seid fröhlich in der Hoffnung, geduldig in der Bedrängnis, beharrlich im Gebet! Helft den Heiligen,

wenn sie in Not sind; gewährt jederzeit Gastfreundschaft! Segnet eure Verfolger; segnet sie, verflucht sie nicht! Freut euch mit den Fröhlichen und weint mit den Weinenden! Seid untereinander eines Sinnes; strebt nicht hoch hinaus, sondern bleibt demütig! Haltet euch nicht selbst für weise! Vergeltet niemand Böses mit Bösem! Seid allen Menschen gegenüber auf Gutes bedacht! Soweit es euch möglich ist, haltet mit allen Menschen Frieden! Rächt euch nicht selber, liebe Brüder, sondern laßt Raum für den Zorn (Gottes); denn in der Schrift steht: Mein ist die Rache, ich werde vergelten, spricht der Herr. Vielmehr: Wenn dein Feind Hunger hat, gib ihm zu essen, wenn er Durst hat, gib ihm zu trinken; tust du das, dann sammelst du glühende Kohlen auf sein Haupt. Laß dich nicht vom Bösen besiegen, sondern besiege das Böse durch das Gute!
(Röm 12)

Der Christ und die staatliche Ordnung

Jeder leiste den Trägern der staatlichen Gewalt den schuldigen Gehorsam. Denn es gibt keine staatliche Gewalt, die nicht von Gott stammt; jede ist von Gott eingesetzt. Wer sich daher der staatlichen Gewalt widersetzt, stellt sich gegen die Ordnung Gottes, und wer sich ihm entgegenstellt, wird dem Gericht verfallen. Vor den Trägern der Macht hat sich nicht die gute, sondern die böse Tat zu fürchten; willst du also ohne Furcht vor der staatlichen Gewalt leben, dann tue das Gute, so daß du ihre Anerkennung findest. Sie steht im Dienst Gottes und verlangt, daß du das Gute tust. Wenn du aber Böses tust, fürchte dich! Denn nicht ohne Grund trägt sie das Schwert. Sie steht im Dienst Gottes und vollstreckt das Urteil an dem, der Böses tut. Deshalb ist es notwendig, Gehorsam zu leisten, nicht allein aus Furcht vor der Strafe, sondern vor allem um des Gewissens willen. Das ist auch der Grund, weshalb ihr Steuern zahlt; denn in Gottes Auftrag handeln jene, die Steuern einzuziehen haben. Gebt allen, was ihr ihnen schuldig seid, sei es Steuer oder Zoll, sei es Furcht oder Ehre.
(Röm 13)

Das grundlegende Gebot

Bleibt niemand etwas schuldig; nur die Liebe schuldet ihr einander immer. Wer den andern liebt, hat das Gesetz erfüllt. Denn die Gebote: Du sollst nicht die Ehe brechen, du sollst nicht töten, du sollst nicht stehlen, du sollst nicht begehren!, und alle anderen Gebote sind in dem einen Satz zusammengefaßt: Du sollst deinen Nächsten lieben wie dich selbst. Die Liebe tut dem Nächsten nichts Böses. Also ist die Liebe die Erfüllung des Gesetzes.
(Röm 13)

Die rechte Feier des Herrenmahles

Das kann ich nicht loben, daß ihr nicht mehr zu eurem Nutzen, sondern zu eurem Schaden zusammenkommt. Zunächst höre ich, daß es Spaltungen unter euch gibt, wenn ihr als Gemeinde zusammenkommt; zum Teil glaube ich das auch. Denn es muß Parteiungen geben unter euch, nur so wird sichtbar, wer unter euch treu und zuverlässig ist. Was ihr bei euren Zusammenkünften tut, ist keine Feier des Herrenmahls mehr, denn jeder verzehrt sogleich seine eigenen Speisen, und dann hungert der eine, während der andere schon betrunken ist. Könnt ihr denn nicht zu Hause essen und trinken? Oder verachtet ihr die Kirche Gottes? Wollt ihr jene demütigen, die nichts haben? Was soll ich dazu sagen? Soll ich euch etwa loben? In diesem Fall kann ich euch nicht loben.
(Fortsetzung in der Zuammenschau von Bibeltexten, S. 379)
(1 Kor 11)

Das Hohelied der Liebe

Wenn ich in den Sprachen der Menschen und Engel redete, hätte aber die Liebe nicht,
wäre ich dröhnendes Erz oder eine lärmende Pauke.
Und wenn ich prophetisch reden könnte
und alle Geheimnisse wüßte
und alle Erkenntnisse hätte;
wenn ich alle Glaubenskraft besäße

und Berge damit versetzen könnte,
hätte aber die Liebe nicht,
wäre ich nichts.
Und wenn ich meine ganze Habe verschenkte
und wenn ich meinen Leib dem Feuer übergäbe,
hätte aber die Liebe nicht,
nützte es mir nichts.

Die Liebe ist langmütig,
die Liebe ist gütig.
Sie ereifert sich nicht,
sie prahlt nicht
und bläht sich nicht auf.
Sie handelt nicht ungehörig,
sucht nicht ihren Vorteil,
läßt sich nicht zum Zorn reizen,
trägt das Böse nicht nach.
Sie freut sich nicht über das Unrecht,
sondern freut sich an der Wahrheit.
Sie erträgt alles,
glaubt alles,
hofft alles,
hält allem stand.

Die Liebe hört niemals auf.
Prophetisches Reden hat ein Ende,
Zungenreden verstummt,
Erkenntnis vergeht.
Denn Stückwerk ist unser Erkennen,
Stückwerk unser prophetisches Reden;
wenn aber das Vollendete kommt,
vergeht alles Stückwerk.
Als ich ein Kind war,
redete ich wie ein Kind,
dachte wie ein Kind
und urteilte wie ein Kind.
Als ich ein Mann wurde,
legte ich ab, was Kind an mir war.

Apollon-Tempel in Korinth (6. Jh. v. Chr.)

Jetzt schauen wir in einen Spiegel
und sehen nur rätselhafte Umrisse,
dann aber schauen wir von Angesicht zu Angesicht.
Jetzt erkenne ich unvollkommen,
dann aber werde ich durch und durch erkennen,
so wie ich auch durch und durch erkannt worden bin.
Für jetzt bleiben Glaube, Hoffnung, Liebe, diese drei;
doch am größten unter ihnen ist die Liebe.
(1 Kor 13)

Lobgebet auf Gottes Treue

Gott ist treu, er bürgt dafür, daß unser Wort euch gegenüber nicht Ja und Nein zugleich ist. Denn Gottes Sohn Jesus Christus, der euch durch uns verkündigt wurde – durch mich, Silvanus und Timotheus –, ist nicht als Ja und Nein zugleich gekommen; in ihm ist das Ja verwirklicht. Er ist das Ja zu allem, was Gott verheißen hat. Darum rufen wir durch ihn zu Gottes Lobpreis auch das Amen. Gott aber, der uns und euch in der Treue zu Christus festigt und der uns alle gesalbt hat, er ist es auch, der uns sein Siegel aufdrückt und als ersten Anteil (am verheißenen Heil) den Geist in unser Herz gegeben hat.
(2 Kor 1)

Die Versöhnung aller Menschen in Christus

Ihr seid alle durch den Glauben Söhne Gottes in Christus Jesus. Denn ihr alle, die ihr auf Christus getauft seid, habt Christus (als Gewand) angelegt. Es gibt nicht mehr Juden und Griechen, nicht Sklaven und Freie, nicht Mann und Frau; denn ihr alle seid »einer« in Christus Jesus.
(Gal 3)

Das Bekenntnis zu Christus

Seid untereinander so gesinnt, wie es dem Leben in Christus entspricht:
Er war Gott gleich,
hielt aber nicht daran fest, wie Gott zu sein,
sondern er entäußerte sich
und wurde wie ein Sklave
und den Menschen gleich.
Sein Leben war das eines Menschen;
er erniedrigte sich
und war gehorsam bis zum Tod,
bis zum Tod am Kreuz.
Darum hat ihn Gott über alle erhöht
und ihm den Namen verliehen, der größer ist als alle Namen,
damit alle im Himmel, auf der Erde und unter der Erde

ihre Knie beugen vor dem Namen Jesu
und jeder Mund bekennt:
„Jesus Christus ist der Herr" –
zur Ehre Gottes, des Vaters.
(Phil 2)

Gebet füreinander

Im übrigen, Brüder, betet für uns, damit das Wort des Herrn sich ausbreitet und verherrlicht wird, ebenso wie bei euch. Betet auch darum, daß wir vor den bösen und schlechten Menschen gerettet werden; denn nicht alle nehmen den Glauben an. Aber der Herr ist treu; er wird euch Kraft geben und euch vor dem Bösen bewahren. Wir vertrauen im Herrn auf euch, daß ihr jetzt und auch in Zukunft tut, was wir anordnen. Der Herr richte euer Herz darauf, daß ihr Gott liebt und unbeirrt auf Christus wartet.
(2 Thess 3)

Der Brief an Philemon

Anschrift und Gruß

Paulus, Gefangener Christi Jesu, und der Bruder Timotheus an unseren geliebten Mitarbeiter Philemon, an die Schwester Aphia, an Archippus, unseren Mitstreiter, und an die Gemeinde in deinem Haus: Gnade sei mit euch und Friede von Gott, unserem Vater, und dem Herrn Jesus Christus.

Dankgebet des Apostels

Ich danke meinem Gott jedesmal, wenn ich in meinen Gebeten an dich denke. Denn ich höre von deinem Glauben an Jesus, den Herrn, und von deiner Liebe zu allen Heiligen. Ich wünsche, daß unser gemeinsamer Glaube in dir wirkt und du all das Gute in uns erkennst, das auf Christus gerichtet ist. Es hat mir viel Freude und Trost bereitet, daß durch dich, Bruder, und durch deine Liebe die Heiligen ermutigt worden sind.

Fürsprache für Onesimus

Obwohl ich durch Christus volle Freiheit habe, dir zu befehlen, was du tun sollst, ziehe ich es um der Liebe willen vor, dich zu bitten. Ich, Paulus, ein alter Mann, der jetzt für Christus Jesus im Kerker liegt, ich bitte für mein Kind Onesimus, dem ich im Gefängnis zum Vater geworden bin. Früher konntest du ihn zu nichts gebrauchen, doch jetzt ist er dir und mir nützlich. Ich schicke ihn zu dir zurück, ihn, das bedeutet mein eigenes Herz. Ich würde ihn gern bei mir behalten, damit er mir an deiner Stelle dient, solange ich um des Evangeliums willen im Gefängnis bin. Aber ohne deine Zustimmung wollte ich nichts tun. Deine gute Tat soll nicht erzwungen, sondern freiwillig sein. Denn vielleicht wurde er nur deshalb eine Weile von dir getrennt, damit du ihn für ewig zurückerhältst, nicht mehr als Sklaven, sondern als weit mehr: als geliebter Bruder. Das ist er jedenfalls für mich, um wieviel mehr dann für dich, als Mensch und auch vor dem Herrn. Wenn du dich mir verbunden fühlst, dann nimm ihn also auf wie mich selbst! Wenn er dich aber geschädigt hat oder dir etwas schuldet, setz das auf meine Rechnung! Ich, Paulus, schreibe mit eigener Hand: Ich werde es bezahlen – um nicht davon zu reden, daß du dich selbst mir schuldest. Ja, Bruder, um des Herrn willen möchte ich von dir einen Nutzen haben. Erfreue mein Herz; wir gehören beide zu Christus.

Grüße und Segen

Ich schreibe dir im Vertrauen auf deinen Gehorsam und weiß, daß du noch mehr tun wirst, als ich gesagt habe. Bereite zugleich eine Unterkunft für mich vor! Denn ich hoffe, daß ich euch durch eure Gebete wiedergeschenkt werde.
Es grüßen dich Epaphras, der mit mir um Christi Jesu willen im Gefängnis ist, sowie Markus, Aristarch, Demas und Lukas, meine Mitarbeiter.
Die Gnade Jesu Christi, des Herrn, sei mit eurem Geist!

Aus den Briefen der anderen Apostel

Warnung an die hartherzigen Reichen

Ihr aber, ihr Reichen, weint nur und klagt über das Elend, das euch treffen wird. Euer Reichtum verfault, und eure Kleider werden von Motten zerfressen. Euer Gold und Silber verrostet; ihr Rost wird als Zeuge gegen euch auftreten und euer Fleisch verzehren wie Feuer. Noch in den letzten Tagen sammelt ihr Schätze. Aber der Lohn der Arbeiter, die eure Felder abgemäht haben, der Lohn, den ihr ihnen vorenthalten habt, schreit zum Himmel; die Klagerufe derer, die eure Ernte eingebracht haben, dringen zu den Ohren des Herrn der himmlischen Heere. Ihr habt auf Erden ein üppiges und ausschweifendes Leben geführt, und noch am Schlachttag habt ihr euer Herz gemästet. Ihr habt den Gerechten verurteilt und umgebracht, er aber leistete euch keinen Widerstand. (Jak 5)

Gebt Rechenschaft von eurer Hoffnung

Wer wird euch Böses zufügen, wenn ihr euch voll Eifer um das Gute bemüht? Aber auch wenn ihr um der Gerechtigkeit willen leiden müßt, seid ihr seligzupreisen. Fürchtet euch nicht vor ihnen, und laßt euch nicht erschrecken, sondern haltet in eurem Herzen Christus, den Herrn, heilig! Seid stets bereit, jedem Rede und Antwort zu stehen, der nach der Hoffnung fragt, die euch erfüllt; aber antwortet bescheiden und ehrfürchtig, denn ihr habt ein reines Gewissen. Dann werden die, die euch beschimpfen, weil ihr in (der Gemeinschaft mit) Christus ein rechtschaffenes Leben führt, sich wegen ihrer Verleumdungen schämen müssen. Es ist besser, für gute Taten zu leiden, wenn es Gottes Wille ist, als für böse.
Denn auch Christus ist der Sünden wegen ein einziges Mal gestorben, er, der Gerechte, für die Ungerechten, um euch zu Gott hinzuführen; dem Fleisch nach wurde er getötet, dem Geist nach lebendig gemacht. So ist er auch zu den Geistern gegangen, die im Gefängnis waren, und hat ihnen gepredigt. Diese waren einst ungehorsam, als Gott in den Tagen Noachs geduldig wartete, während die Arche gebaut wurde; in

ihr wurden nur wenige, nämlich acht Menschen, durch das Wasser gerettet. Dem entspricht die Taufe, die jetzt euch rettet. Sie dient nicht dazu, den Körper von Schmutz zu reinigen, sondern sie ist eine Bitte an Gott um ein reines Gewissen aufgrund der Auferstehung Jesu Christi, der in den Himmel gegangen ist; dort ist er zur Rechten Gottes, und Engel, Gewalten und Mächte sind ihm unterworfen.
(1 Petr 3)

Wir sind nicht klug ausgedachten Geschichten gefolgt

Wir sind nicht irgendwelchen klug ausgedachten Geschichten gefolgt, als wir euch die machtvolle Ankunft Jesu Christi, unsres Herrn, verkündeten, sondern wir waren Augenzeugen seiner Macht und Größe. Er hat von Gott, dem Vater, Ehre und Herrlichkeit empfangen; denn er hörte die Stimme der erhabenen Herrlichkeit, die zu ihm sprach: „Das ist mein geliebter Sohn, an dem ich Gefallen gefundenhabe." Diese Stimme, die vom Himmel kam, haben wir gehört, als wir mit ihm auf dem heiligen Berg waren. Dadurch ist das Wort der Propheten für uns noch sicherer geworden, und ihr tut gut daran, es zu beachten; denn es ist ein Licht, das an einem finsteren Ort scheint, bis der Tag anbricht und der Morgenstern aufgeht in eurem Herzen.
(2 Petr 1)

Die Vollendung des Glaubens in der Liebe

Liebe Brüder, wir wollen einander lieben; denn die Liebe ist aus Gott, und jeder der liebt, stammt von Gott und erkennt Gott. Wer nicht liebt, hat Gott nicht erkannt; denn Gott ist die Liebe. Die Liebe Gottes wurde unter uns dadurch offenbart, daß Gott seinen einzigen Sohn in die Welt gesandt hat, damit wir durch ihn leben. Nicht darin besteht die Liebe, daß wir Gott geliebt haben, sondern daß er uns geliebt und seinen Sohn als Sühne für unsere Sünden gesandt hat. Liebe Brüder, wenn Gott uns so geliebt hat, müssen auch wir einander lieben. Niemand hat Gott je geschaut; wenn wir einander lieben, bleibt Gott in uns, und seine Liebe ist in uns vollendet.
(1 Joh 4)

Die Offenbarung des Johannes

Das letzte Buch der Bibel ist voller Bilder, Beschreibungen und Visionen der künftigen Herrlichkeit des Königreiches Gottes. Es weist auf die wunderbaren Dinge hin, die Gott tun kann, und es versetzt den Leser in eine andere Welt. Höchstwahrscheinlich wurde es zu der Zeit geschrieben, als die Christen von den römischen Kaisern Nero und Domitian verfolgt und eingekerkert wurden. Der Verfasser erzählt seinen christlichen Lesern, daß Christus in großer Herrlichkeit wiederkommen und alle bösen Mächte besiegen wird. Er zeigt ihnen in Bildersprache die Schönheit und die Wunder eines neuen Himmels und einer neuen Erde und endet mit dem Ruf: „Amen! Komm, Herr Jesus!"

Gottes Wohnen unter den Menschen

Dann sah ich einen neuen Himmel und eine neue Erde; denn der erste Himmel und die erste Erde sind vergangen, auch das Meer ist nicht mehr. Ich sah die heilige Stadt, das neue Jerusalem, von Gott her aus dem Himmel herabkommen; sie war bereit wie eine Braut, die sich für ihren Mann geschmückt hat. Da hörte ich eine laute Stimme vom Thron her rufen: „Seht, die Wohnung Gottes unter den Menschen! Er wird in ihrer Mitte wohnen, und sie werden sein Volk sein; und er, Gott, wird bei ihnen sein. Er wird alle Tränen von ihren Augen abwischen: Der Tod wird nicht mehr sein, keine Trauer, keine Klage, keine Mühsal. Denn was früher war, ist vergangen." Er, der auf dem Thron saß, sprach: „Seht, ich mache alles neu."
(Offb 21)

Das neue Jerusalem

Und es kam einer von den sieben Engeln, die die sieben Schalen mit den sieben letzten Plagen getragen hatten. Er sagte zu mir: „Komm, ich will dir die Braut zeigen, die Frau des Lammes."
Da entrückte er mich in der Verzückung auf einen großen, hohen Berg und zeigte mir die heilige Stadt Jerusalem, wie sie von Gott her aus dem Himmel herabkam, erfüllt von der Herrlichkeit Gottes. Sie glänzte wie ein kostbarer Edelstein, wie ein kristallklarer Jaspis. Die Stadt hat eine große und hohe Mauer mit zwölf Toren und zwölf Engeln darauf. Auf die Tore sind Namen geschrieben: die Namen der zwölf Stämme der Söhne Israels. Die Mauer der Stadt hat zwölf Grundsteine, auf ihnen stehen die zwölf Namen der zwölf Apostel des Lammes.
Einen Tempel sah ich nicht in der Stadt. Denn der Herr, ihr Gott, der Herrscher über die ganze Schöpfung, ist ihr Tempel, er und das Lamm. Die Stadt braucht weder Sonne noch Mond, die ihr leuchten. Denn die Herrlichkeit Gottes erleuchtet sie, und ihre Leuchte ist das Lamm. Die Völker werden in diesem Licht einhergehen, und die Könige der Erde werden ihre Pracht in die Stadt bringen. Ihre Tore werden den ganzen Tag nicht geschlossen – Nacht wird es dort nicht geben. Und man wird die Pracht und die Kostbarkeiten der Völker in die Stadt bringen. Aber nichts Unreines wird hineinkommen, keiner, der Greuel verübt und lügt. Nur die, die im Lebensbuch des Lammes eingetragen sind, werden eingelassen.
(Offb 21)

Maranatha – Komm, Herr Jesus!

Und der Engel sagte zu mir: „Diese Worte sind zuverlässig und wahr. Gott, der Herr über den Geist der Propheten, hat seinen Engel gesandt, um seinen Knechten zu zeigen, was bald geschehen muß.
Siehe, ich komme bald. Selig, wer an den prophetischen Worten dieses Buches festhält."
Er, der dies bezeugt, spricht: „Ja, ich komme bald." –
Amen. Komm, Herr Jesus!
Die Gnade des Herrn Jesus sei mit allen!
(Offb 22)

Zusammenschau von Bibeltexten

Normalerweise liest man ein Buch von vorn nach hinten. Die einzelnen Teile stehen nacheinander. Späteres ist nur zu verstehen, wenn man von Anfang an den Gang der Handlung verfolgt. Wenn wir das Neue Testament in der Hand haben, ist uns auch äußerlich der Eindruck eines Buches gegeben, und dieses Buch hat eine Ordnung. Am Anfang steht das Matthäusevangelium, dann folgen Markus, Lukas und Johannes mit ihren Evangelien, es schließt sich die Apostelgeschichte an, die Sammlung der Paulusbriefe in einer bestimmten Reihenfolge, danach kommen die übrigen neutestamentlichen Briefe, den Schluß bildet die Offenbarung des Johannes. Diese Reihenfolge ist in jeder Bibelausgabe, mag sie alt oder ganz modern sein, beibehalten.

Man kann die Hl. Schrift aber auch nebeneinander lesen: Die Stellen, die das gleiche berichten, werden in Spalten nebeneinander geschrieben. Mit dieser Methode fing zum erstenmal ein Bibelerklärer aus Alexandria im 3. Jahrhundert n. Chr. an. Er hieß Ammonios. In seiner Ausgabe des Matthäusevangeliums – es war wirklich seine Ausgabe, denn er mußte sich die Hl. Schrift abschreiben, man konnte sie ja noch nicht gedruckt kaufen – ließ er an der Seite sehr viel Platz und schrieb neben die Stellen, wie sie Matthäus berichtet, die entsprechenden Zeilen aus den anderen Evangelien an den Rand. Später, als die Kunst des Buchdrucks lange erfunden war, kam Johann Jakob Griesbach, ein evangelischer Theologieprofessor aus Jena, am Ende des 18. Jahrhunderts auf die Idee, die Evangelien gleich nebeneinander drucken zu lassen. Das war einfacher, übersichtlicher, vielleicht auch sauberer als die Randnotizen des Ammonios. Diese Anordnung des Drukkes der Evangelien ermöglichte eine Zusammenschau. Zusammenschau heißt auf griechisch „Synopse". Seitdem nennt man eine Ausgabe der Hl. Schrift, welche Texte, die Ähnliches berichten, nebeneinander druckt, eine Synopse.

Beim Nebeneinanderlesen der Evangelien machte man eine merkwürdige Entdeckung: Matthäus, Markus und Lukas haben viele Ähnlichkeiten, während Johannes sein Evangelium ganz anders, ganz eigenwillig schreibt. Daher nennt man die ersten drei Evangelisten – Matthäus, Markus und Lukas – „Synoptiker".

Allerdings findet sich auch bei den „Synoptikern" nicht zu jeder Zeile und zu jedem Bericht eine Parallele, es gibt auch viele Stücke, die nur ein Evangelist in seinem Evangelium darbietet. Die Geschichte von den Emmausjüngern steht zum Beispiel nur bei Lukas.

Wer die Evangelien synoptisch liest, macht ernst mit der Tatsache, daß die Hl. Schrift nicht ein Buch ist, sondern eine Sammlung von Büchern. Für Bibelwissenschaftler ist eine Synopse sehr wichtig.
Auf den folgenden Seiten sind die Texte von der Einsetzung der Eucharistie, vom Tod Jesu, vom leeren Grab und von der Sendung der Jünger zum Nebeneinanderlesen – „synoptisch“ also – gedruckt worden. Wenn man sie aufmerksam gelesen hat, kann man nach den Ähnlichkeiten, den Verschiedenheiten, den Eigenheiten fragen und sich seine Gedanken über die Gründe machen. Eine Synopse gibt uns Stoff zum Nachdenken; manche Probleme der Hl. Schrift bemerkt man erst, wenn man die Bibel nicht von vorn nach hinten, sondern von links nach rechts und von rechts nach links liest.

Die Einsetzung der heiligen Eucharistie

im Evangelium des Matthäus (26,26-29)

Während des Mahls nahm Jesus das Brot und sprach den Lobpreis; dann brach er das Brot, reichte es den Jüngern und sagte: „Nehmt und eßt; das ist mein Leib." Dann nahm er den Kelch, sprach das Dankgebet und reichte ihn den Jüngern mit den Worten: „Trinkt alle daraus; das ist mein Blut, das Blut des Bundes, das für viele vergossen wird zur Vergebung der Sünden. Ich sage euch: Von jetzt an werde ich nicht mehr von der Frucht des Weinstocks trinken, bis zu dem Tag, an dem ich mit euch von neuem davon trinke im Reich meines Vaters."

im Evangelium des Markus (14,22-25)

Während des Mahls nahm er das Brot und sprach den Lobpreis; dann brach er das Brot, reichte es ihnen und sagte: „Nehmt, das ist mein Leib." Dann nahm er den Kelch, sprach das Dankgebet, reichte ihn den Jüngern, und sie tranken alle daraus. Und er sagte zu ihnen: „Das ist mein Blut, das Blut des Bundes, das für viele vergossen wird. Amen, ich sage euch: Ich werde nicht mehr von der Frucht des Weinstocks trinken, bis zu dem Tag, an dem ich von neuem davon trinke im Reich Gottes."

im Evangelium des Lukas
(22,15-20)

Und er sagte zu ihnen: „Ich habe mich sehr danach gesehnt, vor meinem Leiden dieses Paschamahl mit euch zu essen. Denn ich sage euch: Ich werde es nicht mehr essen, bis das Mahl seine Erfüllung findet im Reich Gottes." Und er nahm den Kelch, sprach das Dankgebet und sagte: „Nehmt den Wein und verteilt ihn untereinander! Denn ich sage euch: Von nun an werde ich nicht mehr von der Frucht des Weinstocks trinken, bis das Reich Gottes kommt." Und er nahm Brot, sprach das Dankgebet, brach das Brot und reichte es ihnen mit den Worten: „Das ist mein Leib, der für euch hingegeben wird. Tut dies zu meinem Gedächtnis!" Ebenso nahm er nach dem Mahl den Kelch und sagte: „Dieser Kelch ist der Neue Bund in meinem Blut, das für euch vergossen wird."

im ersten Brief des Paulus an die Korinther
(11,23-26)

Denn ich habe vom Herrn empfangen, was ich euch dann überliefert habe: Jesus, der Herr, nahm in der Nacht, in der er ausgeliefert wurde, Brot, sprach das Dankgebet, brach das Brot und sagte: „Das ist mein Leib für euch. Tut dies zu meinem Gedächtnis!" Ebenso nahm er nach dem Mahl den Kelch und sprach: „Dieser Kelch ist der neue Bund in meinem Blut. Tut dies, sooft ihr daraus trinkt, zu meinem Gedächtnis!"
Denn sooft ihr von diesem Brot eßt und aus dem Kelch trinkt, verkündet ihr den Tod des Herrn, bis er kommt.

Der Tod Jesu

im Evangelium des Matthäus (27,41.44-56)

Die Hohenpriester, die Schriftgelehrten und die Ältesten verhöhnten ihn. Ebenso beschimpften ihn die beiden Räuber, die man zusammen mit ihm gekreuzigt hatte. Von der sechsten bis zur neunten Stunde herrschte eine Finsternis im ganzen Land. Um die neunte Stunde rief Jesus laut: „Eli, Eli, lema sabachtani?“ Das heißt: Mein Gott, mein Gott, warum hast du mich verlassen? Einige von denen, die dabeistanden, sagten: „Er ruft nach Elija.“ Sogleich lief einer von ihnen herbei, tauchte einen Schwamm in Essig, steckte ihn auf einen Stock und gab Jesus zu trinken. Doch die anderen sagten: „Laß das, wir wollen sehen, ob Elija kommt und ihm hilft.“ Jesus aber schrie noch einmal laut auf. Dann hauchte er seinen Geist aus.

Da riß der Vorhang im Tempel von oben bis unten entzwei. Die Erde bebte, und die Felsen spalteten sich. Die Gräber öffneten sich, und viele Heilige, die entschlafen waren, wurden auferweckt. Nach der Auferstehung Jesu verließen sie ihre Gräber, kamen in die heilige Stadt und erschienen vielen.

im Evangelium des Markus (15,31-41)

Die Hohenpriester und die Schriftgelehrten verhöhnten ihn und sagten zueinander: „Anderen hat er geholfen, sich selbst kann er nicht helfen. Der Messias, der König von Israel! Er soll doch jetzt vom Kreuz herabsteigen, damit wir sehen und glauben!“ Auch die beiden Männer, die mit ihm zusammen gekreuzigt wurden, beschimpften ihn.

Als die sechste Stunde kam, brach über das ganze Land eine Finsternis herein, sie dauerte bis zur neunten Stunde. Und in der neunten Stunde rief Jesus mit lauter Stimme: „Eloï, Eloï, lema sabachtani?“ Das heißt übersetzt: Mein Gott, mein Gott, warum hast du mich verlassen? Einige von denen, die dabeistanden und es hörten, sagten: „Hört, er ruft nach Elija!“ Einer lief herbei, tauchte einen Schwamm in Essig, steckte ihn auf einen Stock und gab Jesus zu trinken. Dabei sagte er: „Laßt uns doch sehen, ob Elija kommt und ihn herabnimmt.“ Jesus aber schrie laut auf. Dann hauchte er seinen Geist aus.

Da riß der Vorhang im Tempel von oben bis unten entzwei.

im Evangelium des Lukas
(23,39-49)

Einer der Verbrecher, die neben ihm hingen, lästerte ihn: „Bist du denn nicht der Messias? Dann hilf dir selbst und auch uns!" Der andere aber wies ihn zurecht und sagte: „Nicht einmal du fürchtest Gott? Dich hat doch das gleiche Urteil getroffen. Uns geschieht recht, wir erhalten den Lohn für unsere Taten; dieser aber hat nichts Unrechtes getan." Dann sagte er: „Jesus, denk an mich, wenn du in dein Reich kommst!" Jesus antwortete ihm: „Amen, ich sage dir: Heute noch wirst du mit mir im Paradies sein."
Es war um die sechste Stunde, als eine Finsternis über das ganze Land hereinbrach. Sie dauerte bis zur neunten Stunde. Die Sonne verdunkelte sich. Der Vorhang im Tempel riß mitten entzwei, und Jesus rief laut: „Vater, in deine Hände lege ich meinen Geist." Nach diesen Worten hauchte er den Geist aus.

im Evangelium des Johannes
(19,25-35)

Bei dem Kreuz Jesu standen seine Mutter und die Schwester seiner Mutter, die Frau des Klopas, und Maria von Magdala. Als Jesus seine Mutter sah und bei ihr den Jünger, den er liebte, sagte er zu seiner Mutter: „Frau, siehe, dein Sohn." Dann sagte er zu dem Jünger: „Siehe deine Mutter." Und von jener Stunde an nahm sie der Jünger zu sich.
Danach, als Jesus wußte, daß nun alles vollbracht war, sagte er, damit sich die Schrift erfüllte: „Mich dürstet." Ein Gefäß mit Essig stand da. Sie steckten einen Schwamm mit Essig auf einen Ysopzweig und hielten ihn an seinen Mund. Als Jesus von dem Essig genommen hatte, sprach er: „Es ist vollbracht!" Und er neigte das Haupt und gab seinen Geist auf.

Als der Hauptmann und die Männer, die mit ihm zusammen Jesus bewachten, das Erdbeben bemerkten und sahen, was geschah, erschraken sie sehr und sagten: „Wahrhaftig, das war Gottes Sohn!"
Es waren auch viele Frauen dort und sahen von weitem zu, sie waren Jesus seit der Zeit in Galiläa nachgefolgt und hatten ihm gedient. Zu ihnen gehörten Maria aus Magdala, Maria, die Mutter des Jakobus und des Josef, und die Mutter der Söhne des Zebedäus.

Als der Hauptmann, der Jesus gegenüberstand, ihn auf diese Weise sterben sah, sagte er: „Wahrhaftig, dieser Mensch war Gottes Sohn!"
Auch einige Frauen sahen von weitem zu, darunter Maria aus Magdala, Maria, die Mutter von Jakobus dem Kleinen und Joses, sowie Salome; sie waren Jesus schon in Galiläa nachgefolgt und hatten ihm gedient. Noch viele andere Frauen waren dabei, die mit ihm nach Jerusalem hinaufgezogen waren.

Als der Hauptmann sah, was geschehen war, pries er Gott und sagte: „Das war wirklich ein gerechter Mensch!“ Und alle, die zu diesem Schauspiel herbeigeströmt waren und sahen, was sich ereignet hatte, schlugen sich an die Brust und gingen betroffen weg.
Alle seine Bekannten aber standen in einiger Entfernung, auch die Frauen, die ihm seit der Zeit in Galiläa nachgefolgt waren und die alles mit ansahen.

Weil Rüsttag war und die Körper während des Sabbats nicht am Kreuz bleiben sollten, baten die Juden Pilatus, man möge den Gekreuzigten die Beine zerschlagen und ihre Leichen dann abnehmen; denn dieser Sabbat war ein großer Feiertag. Also kamen die Soldaten und zerschlugen dem ersten die Beine, dann dem anderen, der mit ihm gekreuzigt worden war. Als sie aber zu Jesus kamen und sahen, daß er schon tot war, zerschlugen sie ihm die Beine nicht, sondern einer der Soldaten stieß mit der Lanze in seine Seite, und sogleich floß Blut und Wasser heraus. Und der, der es gesehen hat, hat es bezeugt, und sein Zeugnis ist wahr. Und er weiß, daß er Wahres berichtet, damit auch ihr glaubt.

Das leere Grab

im Evangelium des Matthäus
(28, 1–8)

Nach dem Sabbat kamen in der Morgendämmerung des ersten Tages der Woche Maria aus Magdala und die andere Maria, um nach dem Grab zu sehen. Plötzlich entstand ein gewaltiges Erdbeben; denn ein Engel des Herrn kam vom Himmel herab, trat an das Grab, wälzte den Stein weg und setzte sich darauf. Seine Gestalt leuchtete wie ein Blitz, und sein Gewand war weiß wie Schnee. Die Wächter begannen vor Angst zu zittern und fielen wie tot zu Boden.

im Evangelium des Markus
(16,1-8)

Als der Sabbat vorüber war, kauften Maria aus Magdala, Maria, die Mutter des Jakobus, und Salome wohlriechende Öle, um damit zum Grab zu gehen und Jesus zu salben. Am ersten Tag der Woche kamen sie in aller Frühe zum Grab, als eben die Sonne aufging. Sie sagten zueinander: „Wer könnte uns den Stein vom Eingang des Grabes wegwälzen?" Doch als sie hinblickten, sahen sie, daß der Stein schon weggewälzt war; er war sehr groß. Sie gingen in das Grab hinein und sahen auf der rechten Seite einen jungen Mann sitzen, der mit einem weißen Gewand bekleidet war; da erschraken sie sehr.

im Evangelium des Lukas
(24,1-12)

Am ersten Tag der Woche gingen die Frauen mit den wohlriechenden Salben, die sie zubereitet hatten, in aller Frühe zum Grab. Da sahen sie, daß der Stein vom Grab weggewälzt war; sie gingen hinein, aber den Leichnam Jesu, des Herrn, fanden sie nicht. Während sie ratlos dastanden, traten zwei Männer in leuchtenden Gewändern zu ihnen. Die Frauen erschraken und blickten zu Boden.

im Evangelium des Johannes
(20,1-13)

Am ersten Tag der Woche kam Maria von Magdala frühmorgens, als es noch dunkel war, zum Grab und sah, daß der Stein vom Grab weggenommen war. Da lief sie schnell zu Simon Petrus und dem Jünger, den Jesus liebte, und sagte zu ihnen: „Man hat den Herrn aus dem Grab weggenommen, und wir wissen nicht, wohin man ihn gelegt hat.“ Da gingen Petrus und der andere Jünger hinaus und kamen zum Grab; sie liefen beide zusammen dorthin, aber weil der andere Jünger schneller war als Petrus, kam er als erster ans Grab. Er beugte sich vor und sah die Leinenbinden liegen, ging aber nicht hinein. Da kam auch Simon Petrus, der ihm gefolgt war, und ging in das Grab hinein.

Der Engel aber sagte zu den Frauen: „Fürchtet euch nicht! Ich weiß, ihr sucht Jesus, den Gekreuzigten. Er ist nicht hier; denn er ist auferstanden, wie er gesagt hat. Kommt her und seht euch die Stelle an, wo er lag. Dann geht schnell zu seinen Jüngern und sagt ihnen: Er ist von den Toten auferstanden. Er geht euch voraus nach Galiläa, dort werdet ihr ihn sehen. Ich habe es euch gesagt." Sogleich verließen sie das Grab und eilten voll Furcht und großer Freude zu seinen Jüngern, um ihnen die Botschaft zu verkünden.

Er aber sagte zu ihnen: „Erschreckt nicht! Ihr sucht Jesus von Nazaret, den Gekreuzigten. Er ist auferstanden; er ist nicht hier. Seht, da ist die Stelle, wo man ihn hingelegt hatte. Nun aber geht und sagt seinen Jüngern, vor allem Petrus: Er geht euch voraus nach Galiläa; dort werdet ihr ihn sehen, wie er es euch gesagt hat." Da verließen sie das Grab und flohen; denn Schrecken und Entsetzen hatte sie gepackt. Und sie sagten niemand etwas davon; denn sie fürchteten sich.

Die Männer aber sagten zu ihnen: „Was sucht ihr den Lebenden bei den Toten? Er ist nicht hier, sondern er ist auferstanden. Erinnert euch an das, was er euch gesagt hat, als er noch in Galiläa war: Der Menschensohn muß den Sündern ausgeliefert und gekreuzigt werden und am dritten Tag auferstehen." Da erinnerten sie sich an seine Worte. Und sie kehrten vom Grab in die Stadt zurück und berichteten alles den Elf und den anderen Jüngern. Es waren Maria Magdalene, Johanna und Maria, die Mutter des Jakobus; auch die übrigen Frauen, die bei ihnen waren, erzählten es den Aposteln. Doch die Apostel hielten das alles für Geschwätz und glaubten ihnen nicht. Petrus aber stand auf und lief zum Grab. Er beugte sich vor, sah aber nur die Leinenbinden (dort liegen). Dann ging er nach Hause, voll Verwunderung über das, was geschehen war.

Er sah die Leinenbinden liegen und das Schweißtuch, das auf dem Kopf Jesu gelegen hatte; es lag aber nicht bei den Leinenbinden, sondern zusammengebunden daneben an einer besonderen Stelle. Da ging auch der andere Jünger, der zuerst an das Grab gekommen war, hinein; er sah und glaubte. Denn sie wußten noch nicht aus der Schrift, daß er von den Toten auferstehen mußte. Dann kehrten die Jünger wieder nach Hause zurück.

Die Sendung der Jünger

im Evangelium des Matthäus
(28,16-20)

Die elf Jünger gingen nach Galiläa auf den Berg, den Jesus ihnen genannt hatte. Und als sie Jesus sahen, fielen sie vor ihm nieder. Einige aber hatten Zweifel. Da trat Jesus auf sie zu und sagte zu ihnen: „Mir ist alle Macht gegeben im Himmel und auf der Erde. Darum geht zu allen Völkern, und macht alle Menschen zu meinen Jüngern; tauft sie auf den Namen des Vaters und des Sohnes und des Heiligen Geistes, und lehrt sie, alles zu befolgen, was ich euch geboten habe. Seid gewiß: Ich bin bei euch alle Tage bis zum Ende der Welt."

im Evangelium des Markus
(16,15-18)

Dann sagte er zu ihnen: „Geht hinaus in die ganze Welt, und verkündet das Evangelium allen Geschöpfen! Wer glaubt und sich taufen läßt, wird gerettet; wer aber nicht glaubt, wird verdammt werden. Und durch die, die zum Glauben gekommen sind, werden folgende Zeichen geschehen: In meinem Namen werden sie Dämonen austreiben; sie werden in neuen Sprachen reden; wenn sie Schlangen anfassen oder tödliches Gift trinken, wird es ihnen nicht schaden; und die Kranken, denen sie die Hände auflegen, werden gesund werden."

im Evangelium des Lukas
(24,46-48)

Er sagte zu ihnen: „So steht es in der Schrift: Der Messias wird leiden und am dritten Tag von den Toten auferstehen, und in seinem Namen wird man allen Völkern, angefangen in Jerusalem, verkünden, sie sollen umkehren, damit ihre Sünden vergeben werden. Ihr seid Zeugen dafür."

im Evangelium des Johannes
(20,19-23)

Am Abend dieses ersten Tages der Woche, als die Jünger aus Furcht vor den Juden die Türen verschlossen hatten, kam Jesus, trat in ihre Mitte und sagte zu ihnen: „Friede sei mit euch!" Nach diesen Worten zeigte er ihnen seine Hände und seine Seite. Da freuten sich die Jünger, daß sie den Herrn sahen. Jesus sagte noch einmal zu ihnen: „Friede sei mit euch! Wie mich der Vater gesandt hat, so sende ich euch." Nachdem er das gesagt hatte, hauchte er sie an und sprach zu ihnen: „Empfangt den Heiligen Geist! Wem ihr die Sünden vergebt, dem sind sie vergeben; wem ihr die Vergebung verweigert, dem ist sie verweigert."

Schriftstellenverzeichnis

Altes Testament

Genesis

Exodus

Numeri

Deuteronomium

Josua

Richter

1 Samuel

2 Samuel

1 Könige

Nehemia

1 Makkabäer

2 Makkabäer

Ijob

Psalmen

Jesaja

Neues Testament

Matthäus

Markus

Lukas

Johannes

Apostelgeschichte

Römer

1 Korinther

Geschichtlicher Überblick zur Bibel

Die Zeit der Patriarchen – Die kanaanitische Zeit

etwa 1700 – 1400 v. Chr.:	Abraham wandert von Mesopotamien nach Ägypten und bleibt in Kanaan
In der Bibel:	Erzählungen von Abraham, Isaak, Jakob und seinen 12 Söhnen: Gen 12–54

Zeit v. Chr.	Geschichte des Gottesvolkes	Zeit- und Kulturgeschichte
3000 – 2000		Altes Ägypterreich mit Hauptstadt Memphis: Sumerer, später Akkader in Mesopotamien
etwa 1700 – 1400	Mit Abraham begann die Zeit der Patriarchen, der Stammväter Israels. Nomaden aus dem altbabylonischen Reich zwischen Eufrat und Tigris durchzogen mit ihren Großfamilien, Knechten und Mägden und ihren Viehherden die Königreiche von Assur und Mari. Sie wanderten entlang der syrisch-arabischen Wüste bis Kanaan. Sichem, Bet-El, Mamre, Beerscheba sind Orte, an denen Abraham weilte. Salem und Jericho waren Stadtstaaten auf kanaanäischem Gebiet. Der Weg der Nomaden führte bis nach Ägypten, bevor sich die Sippe wieder dem Land Kanaan zuwandte. Die Arbeit von Semiten in Ägypten, z. B. bei der Errichtung von Pyramiden und in der Landarbeit, ist in Zeichnungen und Listen bezeugt.	Königreiche Assur und Mari in Mesopotamien akkadische Epen von der Weltentstehung (Enuma elisch) und der Sintflut (Gilgamesch) Altbabylonisches Reich, um 1700 Gesetze des Königs Hammurabi in Ägypten herrschen die Pharaonen der Hyksos

Mose Landnahme – Richter – Das alte Israel

nach 1400	„Jakobs Söhne" siedeln sich in Ägypten an
etwa um 1250	Auszug aus Ägypten, Rettung am Schilfmeer und Gesetzgebung am Sinai
um 1230	Zeit der Landnahme unter Mose und Josua
1200 – 1020	Zeit der Richter
In der Bibel:	Erzähltraditionen vom Auszug, von Wüstenwanderung und Bundesschluß in den Büchern Exodus, Numeri und Deuteronomium Erzählungen von der Landnahme im Buch Josua Richterzeit im Buch der Richter und im 1. Samuelbuch

Zeit v. Chr.	Geschichte des Gottesvolkes	Zeit- und Kulturgeschichte
etwa 1400	Die ägyptischen Pharaonen ließen hebräische Stämme in ihr Land einwandern und dort siedeln. Als die Ägypter auch die Herrschaft über die kanaanäischen Stadtstaaten eroberten, wurden die Hebräer in Ägypten versklavt. Unter Pharao Ramses II. mußten sie beim Pyramidenbau helfen – so erzählen Bilder und Texte in Pyramiden. Als die Bedrückung unerträglich wurde, gelang den Hebräern die Flucht aus Ägypten unter der	1370 – 1352 Pharao Echnaton: Alleinverehrung des Sonnengottes Aton 1290 – 1225
etwa 1250	Führung von Mose. Am Schilfmeer erlebten sie ihre Rettung und unwiderrufliche Befreiung aus Ägypten. In der erfahrenen Rettung sahen die Israeliten die Heilstat ihres Gottes, der sie als Volk erwählt hat. Auch das spätere Bundesgesetz des Volkes Israel wird mit der wunderbaren Errettung durch Gott begründet. Während im Zweistromland das assyrische Reich die Vorherrschaft errang, kamen die Israeliten nach Kanaan	Pharao Ramses II., der Pharao des Auszugs aus Ägypten Gebrauch von Eisen verbreitet sich
um 1230	zurück und siedelten sich dort nach Stammesgebieten geordnet unter den Kanaanäern an. Das Heilige Zelt zog mit den Israeliten. Die Israeliten waren unter den Einwohnern Kanaans immer wieder in der Gefahr, ihren Glauben mit den	

Zeit v. Chr.	Geschichte des Gottesvolkes	Zeit- und Kulturgeschichte
1200 – 1020	fremden Vorstellungen und Formen zu vermischen oder sogar aufzugeben. Richter wie Gideon und Priester wie Eli und Samuel führten das Volk im Kampf und in der Verteidigung gegen eindringende Völker. So drangen beispielsweise die Philister, ein Seevolk, von der Mittelmeerküste her über Kanaan hinweg bis nach Ägypten vor. Vom Norden wurden die Assyrer unter Tiglat-Pileser immer mächtiger und zur Bedrohung. Der Priester Eli und nach ihm Samuel hüteten die Lade Gottes für das Volk in Schilo, am Rand des Berglandes von Efraim. Noch hatte das Volk Israel keinen König wie die Völker in der Nachbarschaft.	um 1190 Philister in Palästina 1117 – 1078 Vormacht der Assyrer in Mesopotamien; Tiglat-Pileser I.

Die Könige Saul, David und Salomo im alten Israel

1020 – 1000	Saul, der erste König in Israel
1000 – 961	David macht Jerusalem zur Königsstadt und befestigt sein Großreich
961 – 931	Salomo baut den Tempel in Jerusalem, fördert die Kunst und den Handel und beginnt mit Geschichtsschreibung
In der Bibel:	1. und 2. Samuelbuch, 1. Königsbuch, 1. und 2. Chronikbuch

Zeit v. Chr.	Geschichte des Gottesvolkes	Zeit- und Kulturgeschichte
1020 – 1000	Israel war Gottes Volk, Gottes Eigentum. Das unterschied es von allen Völkern ringsum, auch wenn Israel meinte, daß es nur dann stark wäre, wenn es wie alle Nachbarvölker einen mächtigen König an seiner Spitze hätte. Auf Drängen des Volkes salbte der Prophet, Priester und Richter Samuel einen Mann aus dem Stamm Benjamin zum König: Saul, den Sohn des Kisch. Er sollte das Volk Israel im Kampf anführen und ihm vor den einfallenden Völkern, den Ammonitern	Griechenland: Stadtstaaten entstehen, erste griechische Kolonien an der westlichen Küste des Mittelmeeres

Zeit v. Chr.	Geschichte des Gottesvolkes	Zeit- und Kulturgeschichte
1000 – 961	und den Philistern, Ruhe verschaffen. Erfolgreicher als Saul kämpfte ein Mann aus Juda, David, der Sohn des Isai. Er besiegte die Philister und andere kleine Nachbarvölker und trieb sie aus dem Land Palästina. Jerusalem eroberte er und machte es zur Königsstadt mit einem zentralen Heiligtum. König David holte die Lade Gottes nach Jerusalem und ordnete den Gottesdienst am Heiligen Zelt. Zu seiner Zeit war die Macht der Ägypter und Assyrer schwach, so daß Israel im Mittelmeerraum ein großes Reich bilden konnte. Davids Königsherrschaft galt als Maß und Vorbild für alle späteren Könige. In der Herrschaft des David sah das Gottesvolk später auch den verheißenen und erwarteten Messiaskönig und sein Reich abgebildet.	Assyriens und Ägyptens Schwäche ermöglicht Stärke kleinerer Völker
961 – 931	Salomo, der Sohn Davids, konnte den inneren Aufbau Israels vorantreiben. Unter seiner Herrschaft wurde der erste Tempel in Jerusalem errichtet, blühten Handel und Kulturaustausch mit nahen und fernen Nachbarvölkern auf. Das waren Arabien, Phönizien und Ägypten. Doch gelangten mit Menschen aus diesen Ländern auch fremde Religionen und die Verehrung fremder Götter nach Israel. Zur Zeit Salomos, einer Friedenszeit, begann die Sammlung von Geschichten, die im Volk Israel erzählt wurden. Sie erzählten von Gott, der sein Volk erwählt, befreit und groß gemacht hat. Israels Weisheit bestand und besteht in der Treue zum Bundesgott.	Griechenland: Homers Heldensagen „Ilias" und „Odyssee"

Das geteilte Reich – Israel und Juda

931	Reichsteilung unter den Söhnen Salomos Jerobeam I. im Nordreich, das Israel heißt; Rehabeam im Südreich, das Juda heißt; Hauptstadt Jerusalem in beiden Reichen regieren jeweils 19 Könige bis zum Untergang
722	Untergang des Nordreiches durch die Assyrer
587	Untergang des Südreiches durch die Babylonier
In der Bibel:	1 Kön 12–22; 2 Kön; 2 Chr Amos, Hosea, Jesaja, Micha, Jeremia, Ezechiel

Zeit v. Chr.	Geschichte des Gottesvolkes		Zeit- und Kulturgeschichte
	Nordreich	Südreich	
931	Salomos Sohn Jerobeam I. herrschte im Nordreich. In den Heiligtümern des Nordreiches Bet-El und Dan wurden auch die Götter der Kanaaniter neben dem Gott Israels verehrt. Für Baal wurde sogar ein eigener Tempel gebaut. Die Propheten Elija, Elischa, Amos und Hosea mahnten immer wieder das Volk, seine Könige und Fürsten zum wahren Gottesdienst: Jahwe allein sollten sie verehren und das Recht, besonders für die	Rehabeam bekam das Südreich als Anteil. Trotz des Tempels in Jerusalem kam es auch im Südreich zur Anbetung des kanaanäischen Baal. Da vor allem das Nordreich von den aufstrebenden Assyrern und den kleinen Nachbarreichen bedrängt wurde, konnte sich das Südreich in seinem Herrschaftsbereich behaupten. Als die Macht der Assyrer den Norden zu überrennen begann, mahnten im Südreich die Propheten Micha und	Neuassyrisches Reich Tiglat-Pilesar III. (745–727)
740	Armen, Witwen und Waisen, schützen. Weil Ägypten	Jesaja, der um 740 berufen wurde, zum Vertrauen auf	

Zeit v. Chr.	Geschichte des Gottesvolkes		Zeit- und Kulturgeschichte
	Nordreich	Südreich	
722	an Macht verlor, erstarkten die kleinen Königreiche nördlich von Israel und das Neuassyrische Reich unter dem König Tiglat-Pilesar III. Die Assyrer drangen bis Ägypten vor. Dabei eroberte der assyrische König Salmanassar V. das Nordreich, zerstörte Samaria und verschleppte die Einwohner. Der König von Samaria hatte sich gegen Assur mit Ägypten verbündet. Im ehemaligen Nordreich wurden Fremde angesiedelt. „Israel“ wurde nun als Name für das erwählte Gottesvolk, die 12 Stämme Israels, manchmal auch für das Südreich Juda gebraucht.	Gottes Bund und nicht auf Machtpolitik. Als die Könige von Damaskus und Samaria Jerusalem belagerten, redete Jesaja zum König Ahas (734–728) von einem Zeichen Gottes in der Ansage der Geburt des Immanuel.	Salmanassar V. (727–722) Sargon II. (722–705)
		Das Südreich unter König Hiskija (728–699) entkam zwar der Zerstörung, mußte jedoch an die Assyrer Tribut zahlen und fast alle Städte abgeben. Jerusalem selbst wurde belagert,	Sanherib (704–681) in Ninive um 650 Bibliothek von Assurbanipal (669–627)

Zeit v. Chr.	Geschichte des Gottesvolkes		Zeit- und Kulturgeschichte
	Nordreich	Südreich	
		aber nicht zerstört und blieb ihm. Unter Joschija (641–609) wirkten die Propheten Zefanja und Jeremia, die den König unterstützen, die heidnischen Kulte zu verbieten und das Volk neu auf das wiederentdeckte Gesetz zu verpflichten. Die Geschichtsbücher der	
		Bibel, „Josua“ und „Richter“, „Samuel“ und „Könige“, erhielten eine erste Fassung. Im Nordosten strebten die	Neubabylonisches Reich Nabopolassar (625–605)
609		Neubabylonier an die Macht, eroberten die assyrische Hauptstadt Ninive und drängten die zu Hilfe kommenden Ägypter ab. Joschija fiel, als er sich den Ägyptern entgegenstellte.	612 Zerstörung Ninives Ende des Assyrer-Reiches
		Unter der Herrschaft der Babylonier mahnte Jeremia König und Volk, sich nicht den Babyloniern zu widersetzen, aber sie hörten nicht auf ihn. Völker, die sich	Nebukadnezzar (605–562)

Zeit v. Chr.	Geschichte des Gottesvolkes		Zeit- und Kulturgeschichte
	Nordreich	Südreich	
586		unterwarfen, mußten zwar Abgaben entrichten und bekamen einen neuen König, aber sie durften im Land wohnen bleiben. So aber eroberte der babylonische König Nebukadnezzar Jerusalem und verschleppte König, Priester, Offiziere und Beamte nach Babylon. Nach jahrelanger Belagerung zerstörte er die Stadt, schliff ihre Mauern, raubte den Tempel aus und machte ihn dem Erdboden gleich. Die Bewohner wurden ins Exil weggeführt, nur ein kleiner Rest blieb im Land wohnen. Wenige nur konnten der Gefangenschaft entkommen und sich nach Ägypten retten. Sie haben wahrscheinlich Jeremia mitgeführt.	

Zeit der babylonischen Gefangenschaft

587–538	Judäer nach Babylon verbannt
In der Bibel:	Propheten Ezechiel, Obadja, Jes 40–55 (Deuterojesaja) Danielbuch

Zeit v. Chr.	Geschichte des Gottesvolkes	Zeit- und Kulturgeschichte
587 – 538	In ihrer Gefangenschaft erlebten die Judäer die hohe Kultur in Babylon und die Macht ihrer Unterdrücker. Auch der Kult mußte sie beeindruckt haben. Sie besannen sich auf ihre Glaubensquellen und suchten unter den Bedingungen ihres Exils, Gott aufs neue treu zu dienen. Wie stark der Glaube ihnen half, das Exil zu ertragen, bezeugen Psalmen, tröstende und mahnende Prophetentexte und das Danielbuch. Auch führte die Auseinandersetzung mit den religiösen Bräuchen der Babylonier immer mehr zu der Überzeugung, daß es nur einen Gott gibt, dem allein zu dienen ist.	um 580 Bau des Tempelturmes Etemenanki Nabonid (556-539) Belschazzar als Mitregent (550-545)

Palästina unter persischer Herrschaft

550	Kyrus begründet das persische Großreich
538–332	Die Juden unter der Herrschaft der Perser
um 450	Wirken der Propheten Sacharja, Haggai und Maleachi
In der Bibel:	Erzählungen in den Büchern Esra und Nehemia

Zeit v. Chr.	Geschichte des Gottesvolkes	Zeit- und Kulturgeschichte
	Viele Juden richteten sich in Babylon für längere Zeit ein. Manche gelangten zu Wohlstand. Für die meisten aber war es eine Zeit der Armut und Not. Nur der Glaube an den einen Gott, Jahwe, hielt sie in der Gefangenschaft	562 Tod des Königs Nebukadnezzars Zerfall des neubabylonischen Reiches

Zeit v. Chr.	Geschichte des Gottesvolkes	Zeit- und Kulturgeschichte
	zusammen (Monotheismus). In dieser Zerstreuung besann sich das Volk auf die Anfänge seiner Geschichte, auf Mose, auf das Gesetz und den Bund mit Gott. Der Tempel als Mittelpunkt ihres geistigen Lebens war zerstört. Die gläubigen Juden begriffen jetzt das Gesetz als die Weisung Gottes. Das Einhalten des Sabbatgebotes wurde zur neuen Mitte für sie. Vor allem aber fragten sie danach, was ihr Gott, den sie in der Vergangenheit hilfreich und als einen mitgehenden Gott erfahren hatten, mit dem Ursprung der Welt zu tun hat. Eine jüdische Priestergruppe stellte in einer Art Schöpfungslied erneut fest: Was Gott geschaffen hat, ist gut, sehr gut. Das Böse in der Welt kann nicht von ihm kommen.	
	Unter der Herrschaft der Perser wurde den Juden durch den Erlaß des Königs Kyrus die Rückkehr aus Babylon gestattet. Viele Jahre lang kehrten die Juden in immer neuen Schüben aus Babylon	553 Kyrus von Persien eroberte Medien und 539 Babylonien Kyrus-Edikt
536	zurück: Zunächst 536 unter Serubbabel, der den Tempelbau in Gang brachte. 515	
515	wurde der neue Tempel eingeweiht.	
	Die Propheten Haggai und Sacharja wollten das Volk aufrichten und aufmuntern, in dieser neuen Situation auf Gottes Weisung zu hören (vgl. Sach 8,23).	486 Xerxes I., Sohn des Darius 480 Niederlage bei Salamis Sieg der Griechen über die Perser;
458	Um 458 erfolgte die zweite größere Rückführung unter Esra und Nehemia. Nehemia ordnete den Wiederaufbau der Stadtmauern Jerusalems an. Hier trat der Prophet Maleachi bis zum	Athen und Sparta waren große Stadtstaaten 452 Artaxerxes I. Griechen übernehmen die Führung im Mittelmeer-
450	Jahre 450 v. Chr. auf, der letzte des Alten Bundes.	raum 450 Zeitalter des Perikles
	Die Perser verlangten zwar Heeresnachfolge und Tributzahlungen, ließen aber den Unterworfenen ihre eigenen Herr-	

Zeit v. Chr.	Geschichte des Gottesvolkes	Zeit- und Kulturgeschichte
	scher und ihre Religion. Ihre Herrschaft über die vielen fremden Völker behielten sie im Griff, indem sie das Reich in Verwaltungsbezirke einteilten. Jedem Bezirk stand ein selbständiger Beamter vor. Durch den Bau eines festen Straßennetzes wurde die Verwaltung des Reiches gesichert.	Dichter und Philosoph: Sokrates († 399), Platon († 347)

Palästina unter der Herrschaft der Griechen

332	Alexander der Große erobert Palästina
141 – 37	Zeit der Makkabäer und Hasmonäer
um 200	Übersetzung der Hebräischen Bibel ins Griechische
In der Bibel:	Das erste und zweite Buch der Makkabäer

Zeit v. Chr.	Geschichte des Gottesvolkes	Zeit- und Kulturgeschichte
333	Alexander der Große besiegte 333 bei Issus endgültig die Perser. Er drang bis Indien vor und wollte ein Weltreich errichten. Für kurze Zeit gelang ihm das auch auf wirtschaftlichem Gebiet.	334 Krieg Alexanders d. Großen gegen Persien 333 – 323 Alexander d. Große in Syrien, Ägypten und Palästina.
323	Nach seinem Tod aber teilten seine Feldherren, die Diadochen, sein großes Reich unter sich auf. Palästina kam zusammen mit Ägypten unter die Herrschaft der Ptolemäer. In Ägypten lebten seit der Deportation jüdische Diasporagemeinden. In dieser Zeit prägten griechische Kunst und Lebensweise das Leben in Palästina. Die griechische Sprache wurde Weltsprache.	323 Tod Alexanders d. Großen Ständige Kämpfe zwischen Ptolemäern und Seleukiden 322 Alexandria – das Zentrum der Wissenschaften (Aristoteles, Euklid, Archimedes)
um 200	Um 200 wurden Hauptteile der Hebräischen Bibel ins Griechische übersetzt. Die Legende berichtet, daß 70 Schriftgelehrte an der Übersetzung beteiligt waren. Deshalb spricht man auch von	

Zeit v. Chr.	Geschichte des Gottesvolkes	Zeit- und Kulturgeschichte
320 – 198	der Septuaginta (LXX). Von 320 – ca. 198 war Palästina unter ptolemäischer Herrschaft.	264 – 201 Punische Kriege (Unterwerfung Karthagos unter Rom)
198 168	Ptolemäus wurde 198 durch Antiochus Epiphanes III. in der Schlacht bei Banyas besiegt. Palästina kam unter die Macht der Seleukiden. Antiochus IV. plünderte den Tempel in Jerusalem und verbot den Gottesdienst. Er war ein grausamer Verfolger der glaubenstreuen Juden.	216 Hannibals Sieg bei Cannae Buddhas Lehre gelangt auf Handelswegen nach Europa
166	Als unter seiner Herrschaft von allen Bewohnern das heidnische Opfer verlangt wurde, tötete der Priester Mattatias, aus dem Geschlecht der Hasmonäer, einen Beamten und floh mit seiner Familie in die judäische Wüste. Hier sammelte er Widerstandsgruppen und führte einen erbitterten Kampf gegen die seleukidische Besatzung. Sie zerstörten heidnische Kultstätten, seleukidische Verwaltungsstellen und töteten abtrünnige Judäer.	168 Makkedonien und Kleinasien werden römische Provinzen
166 – 160 165	Nach seinem Tod übernahm sein Sohn Judas, genannt Makkabäus, die Führung. Er erkämpfte 165 Religionsfreiheit für Judäa. Die Juden durften Gott wieder im Tempel durch Gebet und Opfer verehren.	
143	Mit seinem Bruder Simon begann die Dynastie der Hasmonäer. Er schloß ein Bündnis mit Rom und dehnte seine Staatsgebiete bis an die Mittelmeerküste aus. Unter ihm erlangte Palästina 143 seine Unabhängigkeit. So war Simon von 142–134 zugleich Hoherpriester und Fürst in Judäa. Sein Sohn Hyrkan I. vergrößerte das Herrschaftsgebiet der Judäer enorm.	133–121 Landreform der Grachen-Brüder in Rom 110–100 Erster Einfall germanischer Stämme in römische Rechtsgebiete (Cimbern und Teutonen)
103 – 76	Alexander Jannäus, sein Bruder, brachte sogar das machtvolle Gaza in seinen Besitz.	
	In all diesen Auseinandersetzungen gab es eine Gruppe frommer Juden, die Esse-	

Zeit v. Chr.	Geschichte des Gottesvolkes	Zeit- und Kulturgeschichte
	ner, die in der Nähe des Toten Meeres (Qumran) auf Frieden hofften und den Messias erwarteten.	

Palästina unter römischer Herrschaft

63 v. Chr.	Eroberung Jerusalems durch den römischen Feldherrn Pompejus
30 v. Chr. – 14 n. Chr.	Augustus, erster römischer Kaiser
37–- 4 v. Chr.	Herodes der Große Geburt und Wirken Johannes des Täufers Geburt Jesu
In der Bibel:	Kindheitsgeschichte des Matthäus und Lukas

Zeit v. Chr.	Geschichte des Gottesvolkes	Zeit- und Kulturgeschichte
63	Der römische Feldherr Pompejus eroberte 63 Jerusalem. Von 63 – 40 erhielt Hyrkan II. nur noch das Amt des Hohenpriesters; der letzte der makkabäischen	64 Pompejus macht Syrien zur römische Provinz
47	Fürsten. Palästina wurde zusammen mit Syrien römische Provinz; ausgenommen der Zehnstädtebund (Dekapolis), der hellenistisch blieb. Caesar übertrug dem Edomiter Antipater die Regierung. Antipater erhielt das römische Bürgerrecht und wurde Prokurator in Judäa. Er machte seinen Sohn Herodes zum Präfekten von Galiläa, der	60 Triumvirat: Caesar, Pompejus und Crassus regieren; Beschlüsse faßt der Senat 48 Ermordung des Pompejus in Ägypten 44 Caesar von Brutus ermordet; Augustus beendet den Bürgerkrieg
37	mit römischer Hilfe 37 Jerusalem eroberte. Nach dem Tod seines Vaters reiste Herodes nach Rom und ließ sich als rechtmäßiger Nachfolger bestätigen. Der römische Senat ernannte ihn zum König von Judäa. Von jetzt an herrschte er in Judäa und Galiläa. Zu Beginn seiner Herrschaft ließ Hero-	

Zeit v. Chr.	Geschichte des Gottesvolkes	Zeit- und Kulturgeschichte
	des 45 von 71 Mitgliedern des Hohen Rates hinrichten, darunter auch den Hohenpriester Hyrkan. Fortan war das Amt des Hohenpriesters nicht mehr erblich. Ebenso mußten seine Frau Mariamne und deren Mutter Alexandra sterben, weil Herodes immer mißtrauischer wurde. Verbündet mit Rom, unterstand König Herodes unmittelbar dem Kaiser Augustus und dem römischen Senat. So fiel ihm die Aufgabe zu, das Imperium gegen seine östlichen Nachbarn, die Nabatäer, zu verteidigen. Herodes war zeitlebens ein treuer Freund Roms.	
7	Seine Stärke war seine ausgedehnte Bautätigkeit. In Jerusalem begann er den Tempel zu erneuern, der 64 n. Chr. fertiggestellt wurde. Er wollte sich so beim jüdischen Volk beliebt machen. Das zerstörte Samaria baute er in hellenistischem Stil auf und nannte es Sebaste, die griechische Übersetzung des Namens Augustus. An der Mittelmeerküste entstand die Stadt Caesarea. Er schuf eine Kette von modernen Festungen in Hebron und Banyas, sowie das Herodeon bei Jerusalem. Den Kaiser verehrte Herodes wie die Heiden als Gott. Deshalb hielten ihn die Juden für gottlos. Dazu kam, daß er aus einem fremden Volk stammte. Sein Vater war ein Idumäer und seine Mutter eine Nabatäerin. Er blieb den Juden ein Fremder. Herodes wurde immer mißtrauischer und unberechenbarer. Er ließ viele, die seiner Machtgier im Wege standen, hinrichten. Im Jahr 7 wurden durch sein Urteil 6000 Pharisäer getötet, weil sie dem Kaiser den Treueid verweigerten. In seiner Regierungszeit wurde Jesus geboren. Die Bibel erzählt vom Kindermord zu Betlehem.	30 v. Chr. – 14 n. Chr. Augustus regiert als erster römischer Kaiser (Pax Augustana) 11 v. Chr. – 8 n. Chr. Quirinius, römischer Legat von Syrien
4	Herodes starb im Jahre 4.	

Zeit v. Chr.	Geschichte des Gottesvolkes	Zeit- und Kulturgeschichte
	Nach seinem Willen sollten seine Söhne das Reich erben. Kaiser Augustus bestätigte das Testament, und so erhielt Archelaos Judäa mit Idumäa und Samaria; Herodes Antipas Galiläa und Peräa. Philippus bekam Trachonitis, Batanaia und Auranitis zugewiesen. Lysanias erhielt Abilene. – Keiner aber bekam mehr den Königstitel verliehen.	

Die Christen in Palästina

um 7 . v. Chr.	Geburt Jesu
um 30 n. Chr.	Kreuzigung Jesu
in der Bibel:	Die vier Evangelien, Apostelgeschichte

Zeit n. Chr.	Geschichte des Gottesvolkes	Zeit- und Kulturgeschichte
7 v. Chr.	Mit Jesu Geburt begann die Zeitenwende. Das wurde erst viel später so gesehen. Damals gab man die Zeit nach Jahren der Herrschaft großer Männer oder bestimmter Ereignisse an. Z. B. wurde Jesus 746 Jahre nach der Gründung Roms geboren oder im 15. Jahr der Regierung des Kaisers Augustus. Nach jüdischer Zeitrechnung wurde Jesus im 30. Jahr der Regierung des Königs Herodes geboren, nach unserer Zeitrechnung ist das 7 v. Chr.	
	Nach dem Tod Herodes' d. Großen brachen im Land Aufstände aus. Archelaos, beim Kaiser vom Volk verklagt, wurde nach Gallien verbannt. Sein Gebiet wurde einem römischen Prokurator unterstellt. Er residierte vorwiegend in Caesarea am Meer und stationierte im	9 Schlacht im Teutoburger Wald 14 – 37 Kaiser Tiberius, Adoptivsohn des Kaisers Augustus

Zeit n. Chr.	Geschichte des Gottesvolkes	Zeit- und Kulturgeschichte
	ganzen Land Truppen. Zur Zeit der jüdischen Feste wohnte er in Jerusalem in der Burg Antonia.	
26 – 36 um 30	Pontius Pilatus war von 26 – 36 römischer Prokurator von Judäa. In seiner Regierungszeit wurde Jesus gekreuzigt. Nach Ostern bildeten sich bald die ersten christlichen Gemeinden. Sie versammelten sich in den Häusern zum Brotbrechen.	
um 34	Um 34 wurde Paulus Christ. Er ließ sich von Hananias taufen und lebte viele Jahre zurückgezogen. In dieser Zeit regierte Herodes Antipas. Er hatte am See Gennesaret die Stadt Tiberias gegründet. Herodias, seine Frau, verlangte die Enthauptung Johannes des Täufers (vgl. Mt 14,8).	
37	Philippus, ein anderer Sohn Herodes d. Gr., starb kinderlos. Er hatte Caesarea Philippi erbaut. Sein Reich fiel an die römische Provinz Syria. Kaiser Caligula gab dieses Gebiet seinem Jugendfreund Herodes Agrippa I. Er verlieh ihm sogar den Königstitel.	37 – 41 Caligula, römischer Kaiser
	Herodes Antipas bat daraufhin auch um den Königstitel. Caligula lehnte ab und verbannte ihn nach Gallien. Er gab Galiläa und Peräa ebenfalls Herodes Agrippa. Unter seinem Nachfolger, dem Kaiser Claudius, erhielt er auch Judäa, Idumäa und Samaria. Noch einmal war so für kurze Zeit das jüdische Reich geeint. Der König unterstützte den Dienst im Jerusalemer Tempel und förderte die Gemeinde. In Caesarea veranstaltete er prunkvolle Spiele in römischem Stil.	41 – 54 Claudius, römischer Kaiser
44	44 starb Agrippa I. Vermutlich wurde er vergiftet. Danach wurde Palästina endgültig römischen Statthaltern unterstellt, die in Caesarea residierten.	

Die Ausbreitung des Christentums über die Grenzen Palästinas

45–67	Missionsreisen des Paulus
64	Christenverfolgung unter Nero
70	Zerstörung des Tempels
70-100	Entstehung der Evangelien
313	Toleranzedikt von Mailand; Glaubensfreiheit für Christen
In der Bibel:	Briefe des Apostel Paulus, Apostelgeschichte

Zeit n. Chr.	Geschichte des Gottesvolkes	Zeit- und Kulturgeschichte
45	Paulus unternahm zusammen mit Barnabas um 45 seine erste Missionsreise. Er brach von Antiochien in Syrien auf und zog bis nach Kleinasien (vgl. Apg 13–14; 20). Kleine christliche Gemeinden entstanden. In dieser Zeit mußte geprüft werden, ob Heidenchristen zuvor den jüdischen Glauben annehmen müssen.	
49	So kam es zum Apostelkonzil in Jerusalem, das diese Frage verneinte.	
50 – 52	Die zweite Missionsreise führte Paulus nach Griechenland in die Städte Korinth und Philippi.	52 – 60 Antonius Felix römischer Prokurator
54	Aus Korinth schrieb er der Gemeinde in Thessalonich einen Brief (vgl. Apg 15,36; 18,22).	54 – 68 Kaiser Nero
53 – 58	Das Ziel der dritten Missionsreise war Ephesus, das damalige Zentrum der römischen Provinz. Die Bewohner von Ephesus verehrten die Göttin Artemis. Ihr Tempel gehörte zu den sieben „Weltwundern" des Altertums (vgl. Apg 18, 23–33.35). In dieser Zeit schrieb Paulus den Korinthern und anderen Gemeinden Briefe.	
59 – 61	Zurückgekehrt nach Jerusalem, wurde Paulus gefangengenommen und nach Caesarea am Meer gebracht. Als er sich auf sein römisches Bürgerrecht berief, mußte man ihn zum Kaiser nach Rom	60 – 62 Portius Festus, römischer Prokurator
62 – 64	bringen. Diese Reise ist als Gefangenschaftsreise bekannt (vgl. Apg 27–28).	64 Brand Roms

Zeit n. Chr.	Geschichte des Gottesvolkes	Zeit- und Kulturgeschichte
67	In Rom wurden die Christen verfolgt, weil sie den Kaiser nicht als Gott verehren wollten. Kaiser Nero gab den Christen die Schuld am Brand Roms und ließ viele Christen hinrichten. Paulus wurde um 67 enthauptet.	
	In Palästina hatte Kaiser Nero immer mehr gewalttätige Statthalter einsetzen lassen. So kam es, daß viele Juden bereit waren, die Fremdherrschaft der Römer abzuschütteln. Es kam zunächst zu kleineren Aufständen der Zeloten, genannt Eiferer.	
	Im Mai 66 brach in Jerusalem der erste jüdische Krieg gegen Rom aus. Als Jerusalem fast wieder ganz in jüdischer Hand war, rückte im selben Jahr der römische Statthalter Cestius Gallus in Jerusalem ein und schlug den Aufstand nieder.	66–73 Erster jüdischer Krieg 69–79 Vespasian, röm. Kaiser
	Der Tempelberg aber konnte nicht eingenommen werden. Auf ihrem Rückzug gerieten die römischen Truppen in den Hinterhalt aufständischer Gruppen und entkamen nur knapp dem Anschlag. Der Vergeltungsschlag Neros wurde von verschiedenen Seiten her geführt: Von Antiochien rückte Vespasian vor – und von Ägypten kam sein Sohn Titus. In Akko, damals Ptolemais, vereinigte sich das römische Heer und marschierte im Sommer nach Galiläa.	79–81 Titus, röm. Kaiser
67	Hier leistete Josef ben Mattatias als Oberbefehlshaber Widerstand. Er ist der spätere Historiker Flavius Josephus. Sie nahmen ihn gefangen und wollten ihn zu Kaiser Nero nach Rom schicken, was seinen sicheren Tod bedeutet hätte. Flavius Josephus rettete sich, indem er Vespasian prophezeite, er werde römischer Kaiser werden. Dieser glaubte ihm und machte ihn zu seinem Geschichtsschreiber. Die Aufzeichnungen über den jüdischen Krieg haben wir so aus zuverlässiger	

Zeit n. Chr.	Geschichte des Gottesvolkes	Zeit- und Kulturgeschichte
68	Beobachtung.	
	Tiberias und ganz Galiläa wurden erobert; nur Jerusalem blieb vorerst verschont. Dennoch flohen viele Christen	
70	aus Jerusalem, weil ihr Glaubensbekenntnis den Widerstand der jüdischen Gemeinde immer stärker herausforderte.	
	Um 70 wurden die Evangelien nach Markus, Matthäus und Lukas (Lk wohl etwas später) aufgeschrieben. Die ersten Christen waren Erzählgemeinschaften, die sich in diesen schwierigen Zeiten an Jesu Wort und Beispiel aufrichteten.	
	Titus hatte 70 Jerusalem erobert und aus Stadt und Tempel einen schrecklichen Trümmerhaufen gemacht. Unter seiner	70 eroberte Titus Jerusalem und zerstörte den Tempel
73	Regie fielen auch die drei letzten jüdischen Festungen: das Herodeon, Machaerus und Massada. Massada, östlich vom Toten Meer, war das letzte Bollwerk des Widerstands. Eine Gruppe von 960 Personen hatte sich hier vor dem Ansturm der Römer retten wollen. Im kritischen Moment der Einnahme begingen sie Selbstmord – bis auf zwei Frauen und fünf Kinder. Massada gilt heute in Israel als Symbol der Freiheit.	
	Mit der Zerstörung des Tempels hatten die Juden ihr religiöses Zentrum verloren. Jamnia, eine Stadt 20 Kilometer südlich von Tel Aviv, wurde zum geistigen Mittelpunkt der Juden aller Welt.	79 Ausbruch des Vesuv, Pompeji u. Herkulanum wurden vernichtet Um 90 Flavius Josephus veröffentlichte „Die jüdischen Altertümer“
um 80 90 – 100	Etwa um 80 entstand die Apostelgeschichte; ca. 90 – 100 das Johannesevangelium; die Geheime Offenbarung, das Trostbuch für die Verfolgten, um 94/95.	81 – 96 Domitian, röm. Kaiser um 90 Bau des Limes in Germanien
117 – 138	Von 117–138 regierte Kaiser Hadrian. Um 130 hielt er sich vorwiegend in Judäa auf. Er ließ die Stadt Jerusalem wieder aufbauen.	117 – 138 Kaiser Hadrian
	Allerdings errichtete er anstelle des Tempels ein Jupiter-Heiligtum. Das ärgerte	

Zeit n. Chr.	Geschichte des Gottesvolkes	Zeit- und Kulturgeschichte
	die Juden. Diese Schändung des Tempelberges durch eine heidnische Kultstätte und die allgemeine Unterdrückung durch die Römer führte zum zweiten jüdischen Krieg, dem Bar-Kochba-Aufstand.	132 Zweiter jüdischer Krieg
	Von Jerusalem aus befreiten die aufständischen Gruppen ganz Judäa.	
	Fortan nannten sie Judäa Israel. Sie prägten eigene Münzen mit hebräischer Aufschrift und führten eine neue Zeitrechnung ein. Kaiser Hadrian besiegte diesen jüdischen Aufstand mit tückischen Methoden des Einschließens und Aus-	
135	hungerns. Um 135 fiel der letzte Stützpunkt der Juden bei Betlehem: Battir. Simon Bar Kochba wurde getötet – und Israel war wieder einmal verwüstet.	
	Israel blieb unter dem Namen Palästina eine römische Provinz.	
	Die Christen siedelten sich in dieser Zeit vorwiegend im Mittelmeerraum an.	
313	Erst ab 313 gab es für sie durch Kaiser Konstantin Glaubensfreiheit. 391 erhob Theodosius das Christentum zur Staatsreligion.	313 Toleranzedikt von Mailand 306–327 Kaiser Konstantin

Worte und Namen

Abraham	siehe Seite 23
Ahab	siehe Seite 139
Amen	„So sei es." Aus dem Hebräischen stammender Begriff, verwandt mit dem Wort für „fest-sein" bzw. „fest-bleiben". Das hebräische Wort wurde unverändert ins Griechische, Lateinische und Deutsche übernommen. Im AT: Zustimmung zur Übernahme einer Verpflichtung. Im NT: Jesus unterstreicht mit ihm die Wichtigkeit einer Rede.
Ammoniter	Aramäischer Volksstamm, ab 12. Jh. v. Chr. am oberen Jabbok (östl. Nebenfluß des Jordan) ansässig. Die A. führten wiederholt Kriege gegen Israel und wurden u. a. durch Saul, David und Judas Makkabäus besiegt.
Apostel	Von griech. „apostolos": „Gesandter, Bote". In der Urkirche Bezeichnung für die Zwölf (Petrus, Andreas, Jakobus, Johannes, Philippus, Bartholomäus, Thomas, Matthäus, Jakobus, der Sohn des Alphäus, Judas Thaddäus, Simon Kananäus und Judas Iskariot), später auch für andere führende Männer der Gemeinden (z. B. Paulus).
Araba	Wüstensenke zwischen Totem Meer und Schilfmeer, das ins Rote Meer übergeht, vgl. Karte. Im AT wird mit A. mitunter auch die Jordansenke bezeichnet.
Aramäer	Semitische Volksgruppe, ansässig im Gebiet zwischen Eufrat und Syrien, Heimat Abrahams. Ihre Sprache, das Aramäische, war lange Zeit die Sprache des Vorderen Orients.
Arche	Schiff, das nach Gen 6,14ff Noach auf Befehl Gottes baute. In ihr rettete er seine Familie und je ein Paar von jeder Tiergattung vor der Sintflut.
Areopag	Ein Felshügel in Athen, auf dem der Sitz der Stadtverwaltung lag. Paulus hielt hier seine Rede über die vielen Götter und den einen wahren Gott.
Artemis	Griechische jungfräuliche Göttin der Jugend und der Fruchtbarkeit. Sie wurde in Ephesus besonders verehrt.
Aschera	Kanaanäische Fruchtbarkeitsgöttin, Frau des Baal. Sie wurde zeitweise in Israel, in Jerusalem und in Samaria

	unter dem Zeichen eines heiligen Baumes oder Kultpfahles verehrt.
Assur	Stadt am oberen Tigris, Hauptstadt Assyriens.
Baal	siehe Seite 138 und 139
Babel	Hebräische Bezeichnung für Babylon, die am Eufrat gelegene Hauptstadt des Neubabylonischen Reiches. In der Offenbarung des Johannes Deckname für Rom.
Barjona	„Sohn des Jona". Beiname des Apostels Petrus, vom Namen seines Vaters Jona abgeleitet.
Bat	oder Efa, Flüssigkeitsmaß, ca. 22 l.
Beschneidung	Entfernung der männlichen Vorhaut. Außer bei den Philistern bei allen semitischen Völkern üblich. Im Judentum wurde die B. als Zeichen des Bundes mit Gott (vgl. Gen 17,9ff) zu einem Bekenntnissymbol.
Besessenheit	Inbesitznahme eines Menschen durch Geister oder Dämonen. Die Antike und das Mittelalter waren von der Möglichkeit der B. überzeugt. Oft wurden psychische Phänomene, die man sich nicht anders erklären konnte, als B. diagnostiziert.
Bundeslade	Kasten aus goldüberzogenem Zedernholz mit Tragestangen, in welchem die Tafeln des Dekalogs (10 Gebote) aufbewahrt wurden. Sie galt als sichtbares Zeichen der Gegenwart Gottes und wurde entsprechend verehrt. Sie wurde im Tempel des Salomo im Allerheiligsten aufbewahrt und bei dessen Zerstörung 587 v. Chr. mit zerstört. Heute oft bezeichnet als „Lade Gottes".
Chaldäer	Herrscher des Neubabylonischen oder Chaldäischen Reiches (ca. 625-540 v. Chr.). Der Chaldäer Nabopolassar eroberte 625 v. Chr. Babylon. Sein Sohn Nebukadnezzar eroberte 597 und 586 v. Chr. Jerusalem und führte die Juden ins Babylonische Exil.
Christus	Griechische Übersetzung des hebräischen Wortes Messias: „der Gesalbte". Könige und Priester wurden im AT mit Öl gesalbt zum Zeichen dafür, daß sie im besonderen Auftrag Gottes handeln.
Dagon	als Gott in Vorderasien (Assyrien, Babylonien, Palästina, Phönizien) verehrt. Im AT Gott der Philister, mit Tempel in Gaza und Aschdod. Ursprünglich wohl Wettergott, auch Fruchtbarkeitsgott und Fischgott. Dargestellt als halb Mensch, halb Tier.
Denar	lat.: „Zehner". Römische Silbermünze mit Bild und Aufschrift des Kaisers, ungefähr Tagelohn eines Arbeiters, entspricht der griechischen Drachme.
Drachme	siehe Denar.

Eden	Umzäunter Park, Garten, Ort des Heiles in der Urzeit. Hebräisch: „pardes" („Paradies").
Efa	siehe Bat.
Efod	Teil der Priestergewandung, eine Art verzierter Schärpe oder Schürze.
Efraim	Im AT Sohn des Josef. Er gilt als Vater des Stammes Efraim, des führenden Stammes im Nordreich Israel. Nach ihm wird das Nordreich insgesamt häufig E. genannt.
Elija	siehe Seite 139
Elle	Längenmaß, ca. 0,50 m.
Erstgeburtsrecht/-segen	Der erste männliche Nachkomme war nach dem israelitischen Gesetz rechtlich bevorzugt. Er erhielt das doppelte Erbteil und den besonderen Segen des Vaters. Er übernahm dessen Nachfolge in der Führung der Familie oder des Stammes.
Essener	Eine spätjüdische Gemeinschaft, die sich auf den „Lehrer der Gerechtigkeit" berief. Die E. verstanden sich als die Endzeitgemeinde, lebten zumeist in klosterähnlichen Gemeinschaften in der Wüste am Toten Meer, hielten streng das Gesetz (mit vielen Reinheitsriten und Waschungen) sowie Fasten und Gebet, lebten in Armut, in Gehorsam gegen selbstgewählte Obere und in Ehelosigkeit. Verheiratete E. lebten in einem losen Verband außerhalb der Klostergemeinschaft. Zur Zeit Jesu gab es gut 4000 E. Eine ihrer Klostergemeinschaften war die von Qumran.
Evangelium	griech.: „Frohe Botschaft". Ursprünglich die Siegesbotschaft nach einer Schlacht. Im NT Bezeichnung für die Botschaft Jesu. Auch Buchtitel von vier Sammlungen der Verkündigung über Leben, Sterben und Auferstehen Jesu: die Evangelien nach Matthäus, Markus, Lukas und Johannes.
Faden	Seemännisches Längen- bzw. Tiefenmaß: 1 F. = 1,829 m.
Galiläa	Landschaft im Norden von Palästina. Hier liegen der See Gennesaret, die Städte Nazaret, Tiberias, Kafarnaum. Vgl. Karte Seite 234
Götze	Abwertende Bezeichnung für bildliche Darstellungen von Göttern (Dämonen). Geschaffenes – Dinge, Tiere, Menschen, Geistwesen – wie Gott anzubeten, ist Götzendienst.
Halleluja	Hebr.: „Lobt Jahwe!" Preisung Gottes im Gebet; im AT besonders in Verbindung mit den Psalmen, in der christlichen Liturgie österlicher Jubelruf.
Haran	Alte Handelsstadt im Nordwesten Mesopotamiens.

	Hier trafen sich viele Handelsstraßen. Auf Gottes Befehl hin wanderte Abraham von H. aus.
Hebron	Alter Stadtstaat, ca. 35 km südlich Jerusalems. Von H. aus regierte David bis zur Eroberung Jerusalems.
Herodes	siehe Seite 248, 409
Herodes Antipas	siehe Seite 248, 410, 411
Himmel	Zunächst ein biblisches Bildwort für die Wohnung Gottes „über" dem Firmament. Vor allem aber Bildwort für das beglückende Leben bei Gott, das Jesus Christus den Menschen ermöglicht hat. Nicht gemeint ist mit H. der Himmelsraum über uns, den die Astronomen erforschen.
Himmelfahrt	Im Zeitalter der Weltraumfahrt leicht mißverständlich, weil man an eine Fortbewegung innerhalb des Raumes dieser Welt denkt. In der Sprache des Glaubens meint H., daß Jesus als erster Mensch in der endgültigen Gemeinschaft mit Gott lebt.
Hohepriester	Vorsitzender des Hohen Rates (Synedrium) im alten Israel. Er hatte die Aufsicht über den Tempel, den Kult und das Kultpersonal und übte die oberste Funktion beim Kult aus. Er galt als der Mittler zwischen Jahwe und dem Volk. Am Versöhnungstag (Jom Kippur) vollzog er die Sühneliturgie.
Hoher Rat	siehe Seite 254, 301
Hölle	Biblisches Wort für den Ort der ewigen Verdammnis (auch Scheol oder Gehenna); greift die Vorstellung einer Unterwelt auf, wie sie dem alten orientalischen Weltbild entsprach. Gott will die Hölle nicht. Der Mensch bereitet sie sich selbst, wenn er bewußt und ausdrücklich ablehnt, was Gott ihm schenken will.
Homer	Ein Hohlmaß, das in ntl. Zeit ca. 220 kg bzw. Liter entspricht.
Israel	„Streiter Gottes". Jakob, Isaaks zweiter Sohn, erhält von Gott den Namen Israel (vgl. Gen 32,29). Seine Nachkommen, die „Söhne Israels", Gottes erwähltes Volk, werden nach ihm „Volk Israel" genannt. Israel ist auch der Name des 1948 gegründeten Staates des jüdischen Volkes.
Jahwe	Nach Ex 3,14 ist das der Name, den Gott selbst dem Mose offenbart hat. Er bedeutet: „Ich bin da", „Ich bin da für euch". Falsch gelesen – in der hebräischen Schrift wurden die Vokale nicht mitgeschrieben – wird der Name mitunter als „Jehova" wiedergegeben. Aus Ehrfurcht sprechen die Juden den Namen Gottes nicht aus, sondern sagen an seiner Stelle „Adonai" (Herr).

Jeremia	siehe Seite 158
Jericho	Älteste bekannte Stadt (seit 8000 v. Chr.), gelegen im Jordangraben, 250 m unter dem Meeresspiegel, im 13. Jh. v. Chr. von den Israeliten erobert.
Jerusalem	Heilige Stadt für Juden, Christen und Muslime. David eroberte um 1000 v. Chr. die Stadt, eine Jebusiterfestung, und baute sie zur Hauptstadt Israels aus. Die Babylonier zerstörten J. 587 v. Chr., Wiederaufbau um 520. Die von Herodes prachtvoll ausgebaute Stadt wurde 70 n. Chr. von den Römern zerstört, nur die „Klagemauer" blieb bis heute erhalten. J. ist der Ort des Leidens, des Todes und der Auferstehung Jesu. Der Legende nach fuhr Mohammed 632 vom Tempelberg aus in den Himmel auf. J. ist heute die Hauptstadt des Staates Israel.
Jesaja	siehe Seite 147
Jesus	Griechische Form des hebräischen Namens Joschua: „Jahwe ist Hilfe", ein im AT häufig vorkommender Name.
Juden	Volks- und Religionsgemeinschaft, Erben des Volkes Israel. Der Name „Jude" ist abgeleitet vom Namen des Stammes Juda.
Kanaan	Im AT Bezeichnung des den Israeliten verheißenen Landes, welches nach dem Auszug aus Ägypten erobert wurde. Es umfaßt territorial ungefähr den heutigen Staat Israel und das Land beiderseits des Jordan.
Kandake	Titel der Königin von Äthiopien.
Kerubim	Wahrscheinlich von akkadisch karabu: „beten, segnen". Engelwesen, die zum himmlischen Hofstaat gerechnet werden. Auf der Bundeslade wurden sie als Flügelwesen dargestellt zum Zeichen der Gegenwart Gottes.
Klippdachs	Gesellig lebendes Säugetier, Pflanzenfresser, äußerlich an Hase oder Murmeltier erinnern, verwandt mit den Dickhäutern. Heimisch in den Felsengebieten Syriens, Palästinas, am Roten Meer.
Italische Kohorte	Römische Truppeneinheit von ca. 500 Soldaten. Die Italische Kohorte war vermutlich eine aus römischen Bürgern Italiens gebildete Truppe.
Korban	Weihegabe oder Opfer für eine Gottheit oder den Tempel. Zur Zeit Jesu auch Bezeichnung für den Tempelschatz.
Kult	Bedeutet allgemein Verehrung, Pflege, im religiösen Bereich die fest geordnete Form des Umgangs mit dem Heiligen und Göttlichen. Der K. im engeren Sinn

wird von den Kultdienern (Priestern) vollzogen. Er ist als Gottesdienst an feste Zeiten oder Orte (zumeist an den Tempel) gebunden. Der K. galt im AT als von Gott eingesetzt und war genau geregelt. Die religiöse Gemeinde ehrt Gott im Kult durch Opfer, Gebet, Lesung aus den heiligen Schriften (Gesetz), beschwichtigt seinen gegen sie entbrannten Zorn (Sühne) und bittet um Hilfe und Schutz.

Kuschiter Hebräische Bezeichnung für Äthiopier.

Kyrus Begründer des Persischen Weltreiches. Er besiegte 539 v. Chr. die Babylonier und gestattete 538 v. Chr. den Juden die Rückkehr aus dem Exil und den Wiederaufbau des Tempels in Jerusalem.

Leviathan Im AT ein großes Seeungeheuer, eine Art Meeresdrache.

Levit Bezeichnung für die Angehörigen des atl. Priesterstammes, der sich von Levi, dem Sohn des Jakob, herleitet. Die L.en erhielten bei der Landverteilung kein Land, sondern das Recht auf den Zehnten und wurden in Levitenstädten angesiedelt. Ihre Aufgabe war der Kultdienst. Sie verloren später an Bedeutung, wurden zu Tempeldienern.

Makkabäer siehe Seite 186, 407

Manna Von hebr. „man hu"… „Was ist das?" Sekret der M.-Tamariske, einer Pflanze auf der Sinai-Halbinsel. Aufgrund von Stichen der Schildläuse sondert diese Manna ab, das zu Boden tropft. Es gerinnt und dient als Nahrung.

Meile Längenmaß, ca. 1,5 km.

Midianiter Kamelnomaden, ihr Hauptweidegebiet war am Golf von Akaba. In der Frühzeit gute Verbindungen zu Israel (Mose wohnte nach seiner Flucht aus Ägypten bei ihnen), später kam es zu kriegerischen Auseinandersetzungen.

Mose Neben den Stammvätern Israels, den Patriarchen, einer der bedeutendsten Männer des AT. Von Gott berufen, führte er die Israeliten aus der ägyptischen Sklaverei nach Kanaan (um 1200 v. Chr.).

Myrrhe Wohlriechendes, bitter schmeckendes Harz des Balsambaums (Arabien). Es wurde zur Parfümherstellung, als berauschendes Betäubungsmittel und – des Geruches wegen – bei Beerdigungen verwendet.

Nardenöl Ein aus der Wurzel der Narde, eines indischen Baldriangewächses, hergestelltes wohlriechendes, kostbares Öl, das als Parfüm verwendet wurde.

Negeb Hebr.: „trockenes Land". Südlicher, wüstenhafter Teil

	Israels, reicht bis zum Golf von Akaba und geht in die Halbinsel Sinai über. Heute: Negev.
Nehemia	Hebr.: „Jahwe tröstet". Unter dem Perserkönig Artaxerxes I. (465-424 v. Chr.) als frommer Jude persischer Statthalter in Jerusalem. Er sorgt gegen viel Widerstand für den Wiederaufbau der Stadtmauer, für die Besiedelung, für Sicherheit im Land und für die Armen. Das Buch N. schildert den Wiederaufbau Jerusalems unter seiner Leitung.
Ninive	Hauptstadt Assyriens. Blieb für Israel auch nach ihrer Zerstörung 612 v. Chr. durch Meder und Babylonier Symbol einer feindlichen Macht.
Pascha	Jüdisches Fest zum Gedenken an die Befreiung aus der Knechtschaft in Ägypten. Termin: Frühlingsvollmond. Die Grundbedeutung „Verschonen" rührt wohl von einem alten Nomadenfest her, das man im Frühling beim Aufbruch zu neuen Weideplätzen beging. Dabei wurde Blut an die Zeltpfosten gestrichen, damit der Dämon an diesen Behausungen „vorübergehe", sie „verschone". An diesen Ritus knüpfte Israel in seiner Gedächtnisfeier für die Heilstat Jahwes beim Auszug aus Ägypten an.
Pfingsten	(Griech. pentekoste: „fünfzig"). Am 50. Tag schließt der Osterfestkreis mit dem Pfingstfest, dem Gedenken an das Kommen und das Wirken des Heiligen Geistes, ab. Im AT wurde es als Dankfest am Ende der Ernte begangen.
Pharao	Biblische Bezeichnung für die ägyptischen Könige, abgeleitet von der hebräischen Umschreibung des ägyptischen Begriffes „großes Haus" = „Palast". Dieser Begriff wurde auf den dort Regierenden übertragen.
Pharisäer	siehe Seite 253
Philister	Teil der Seevölker, die um 1200 v. Chr. Teile des Küstengebietes des heutigen Israel und Libanons besetzten. Sie konnten mehrmals die Israeliten unterwerfen, wurden aber von König David besiegt. Palästina heißt eigentlich „Philisterland" (Philistäa).
Prophet	Im AT Verkünder einer Gottesbotschaft. Der P. weiß sich von Gott dazu berufen. P.en traten vor allem in der Zeit zwischen dem 8. und 5. Jh. v. Chr. auf. Es gab P.en, die nur predigten, z. B. Elija, andere verfaßten auch Schriften. Nach deren Umfang unterscheidet man vier „große" (Jesaja, Jeremia, Ezechiel, Daniel) und zwölf „kleine" P.en.
Psalmen	siehe Seite 196

Purpur	Rotviolette Farbe, die früher aus dem Sekret der Purpurschnecke, einer Stachelschnecke in wärmeren Meeren, gewonnen wurde. Purpurfarbene Stoffe wurden für den Kult verwendet und von reichen Leuten getragen.
Puteoli	Italienische Hafenstadt westl. von Neapel. Paulus landete hier auf seiner Fahrt als Gefangener nach Rom und fand bereits eine christliche Gemeinde vor. Heute: Pozzuoli.
Qumran	Die Ruinen von Q. am Nordufer des Toten Meeres wurden 1952-1956 ausgegraben und erforscht. Zuvor waren dort in Höhlen von Beduinen biblische Handschriften und andere Schriften aus biblischer Zeit gefunden worden. Die Gebäude waren ca. 150 v. Chr. errichtet und 68 n. Chr. beim Aufstand gegen die Römer zerstört worden. Ihre Bewohner standen den Essenern nahe (siehe dort). Die biblischen Schriftfunde von Q. sind fast 1000 Jahre älter als die bis dahin bekannten und haben so eine hohe Bedeutung. Sie zeigen, wie wortgenau der Text überliefert wurde.
Rabbi	siehe Seite 248
Reich Gottes	Das griechische Wort, das in der deutschen Übersetzung meist mit „Reich" wiedergegeben wird, bedeutet „Königsherrschaft". An manchen Stellen (vor allem bei Matthäus) wird dafür auch „Himmelreich" oder „Reich der Himmel" gesagt.
Rein/unrein	Im AT geht es vor allem um die kultische Reinheit. Nur in ihrem Besitz darf der Mensch vor Gott treten und am Leben des Gottesvolkes teilnehmen. Sie wurde in Israel durch die Reinheitsgesetze umschrieben und gefordert. Unrein wurde man durch dämonische Einflüsse oder Praktiken, Berührung eines Toten, einige Krankheiten, durch Zeugung, Geburt, Menstruation sowie das Essen „unreiner" Tiere. Reinigungsriten, z. B. Opfer im Tempel, Waschungen, waren dann vorzunehmen. Die Propheten und später Jesus kämpften gegen eine Veräußerlichung: Die nur äußerliche Reinheit ist wertlos ohne die Reinheit des Herzens. Diese zeigt sich im Halten der göttlichen Gebote, in Erbarmen, Recht und Treue.
Reue	Die eigene Schuld als Sünde gegen Gott erkennen und sich von ihr abwenden.
Rüsttag	Im Judentum der Tag vor dem Sabbat, also unser Freitag, an dem man sich für die Feier des Sabbats oder eines Festes „rüstete".
Sabbat	Der 7. Wochentag (Samstag) im jüdischen Kalender,

ein Ruhetag für Mensch und Vieh. Er erinnert an die Befreiung Israels aus Ägypten und wird gleichzeitig mit der Ruhe Gottes am 7. Schöpfungstag begründet. Er ist ein Tag der Ruhe, der Freude und des Gottesdienstes. Im Spätjudentum wurde er durch viele Verbote abgesichert, die Jesus als Menschensatzung ablehnte: „Der Sabbat ist für den Menschen da und nicht der Mensch für den Sabbat" (Mk 2,17).

Sadduzäer — siehe Seite 254

Salbung — Von alters her ist die Salbung mit Öl ein Zeichen der Würde. Sie besagt bei Personen, z. B. bei Königen, eine bes. Bindung an Gott. Wer den Gesalbten angreift, greift Gott an. Sie ist zugleich mit einer bes. Geistesausstattung verbunden. Die S. von Gegenständen sondert diese für den gottesdienstlichen Gebrauch aus.

Samariter — siehe Seite 254

Sanballat — Statthalter von Samaria und erbitterter Feind des Nehemia. Er suchte den Wiederaufbau Jerusalems mit allen Mitteln zu verhindern.

Satrap — Altpersische Bezeichnung für Statthalter.

Schaubrote — eigentlich „Brote des Angesichts". 12 Brote, die im Heiligtum des Tempels auf einem Tisch lagen. Sie wurden jede Woche erneuert und durften nur von Priestern gegessen werden.

Schekel — Eine Silbermünze von 14,4 g.

Schriftgelehrter — siehe Seite 253

Seleukiden — Mazedonische Dynastie, gegründet von Seleukus I. (321-281 v. Chr.), einem Feldherrn Alexanders d. Gr. Die S. beherrschten einen großen Teil Syriens, Israel, zeitweise Babylonien. Sie traten mit Gewalt für die Einführung des Hellenismus ein. Antiochus IV. Epiphanes (175-163 v. Chr.) errichtete in Jerusalem ein Zeusheiligtum im Tempel und löste damit den Makkabäeraufstand aus.

Semiten — Eine vorderasiatische Völkergruppe, die einer gemeinsamen Sprachfamilie angehört. Sie zerfällt in 3 Sprachgruppen: die ostsemitische oder akkadische in Assyrien und Babylonien, die nordwestsemitische (mit Aramäisch und Hebräisch) in Syrien und Palästina, die südwestsemitische in Arabien und Äthiopien.

Serafim — (hebr.: „brennen"). So werden in einer Vision des Jesaja (Jes 6,1-13) die himmlischen Wesen genannt, die den Thron Gottes umstehen.

Sikarier — (von lat. sica: „Dolch"). Zur Zeit Jesu eine den Zeloten nahestehende fanatische jüdische Gruppe, die gegen

	die römische Besatzung und ihre jüdischen Helfer kämpfte. Apg 21,38 berichtet von einem Aufstand von 400 S. Sie wurden hingerichtet.
Sinai	Halbinsel zwischen dem Golf von Suez und dem Golf von Akaba, gleichzeitig Name für ein Bergmassiv auf dieser Halbinsel. Hier empfing Mose die 10 Gebote und schloß Gott mit dem Volk Israel einen Bund.
Sintflut	(von mittelhochdeutsch sintvluot: „große Flut"). In Gen 6-9 wird von einer gewaltigen Flutkatastrophe berichtet, durch welche die Menschheit vernichtet wurde. Der Katastrophe entrann nur Noach mit seiner Familie, indem er auf Weisung Gottes eine Arche baute, in welcher er auch ein Paar jeder Tierart rettete. Im Gegensatz zur altorientalischen Überlieferung, die mehrere Fluterzählungen kennt (z. B. das babylonische Gilgamesch-Epos, 17. Jh. v. Chr.), endet diese Erzählung optimistisch: Gott schloß mit Noach einen neuen Bund.
Sünde	Man bezeichnet damit die Schuld des Menschen, insofern sie das Verhältnis zu Gott stört. Im allgemeinen Sprachgebrauch werden die Begriffe Schuld und Sünde nicht streng getrennt.
Synagoge	Jüdisches Gotteshaus und Gemeinderaum, auch als Bezeichnung für die jüdische Gemeinde gebräuchlich.
Synedrion	siehe Hoher Rat S. 254, 301
Synoptiker	siehe Seite 376
Syrte	Zwei Meeresbusen der nordafrikanischen Küste. Die Große Syrte ist der heutige Golf von Sidra, die Kleine Syrte der Golf von Gabes. Sandbänke und Brandung gefährden dort die Schiffahrt. Apg 27,17 meint wohl den Golf von Sidra.
Tempel	Mittelpunkt des religiösen Kultes Israels. In ihm wurde die Bundeslade aufbewahrt, fanden die Kultfeiern (Opfer) statt. Der 1. Tempel, unter Salomo gegen 950 v. Chr. erbaut, wurde 587 v. Chr. durch die Babylonier zerstört. Der 2. Tempel, erbaut nach dem Exil 520-515, wurde mehrfach zerstört und wieder aufgerichtet, unter Herodes 20-10 v. Chr. prächtig aufgebaut, die letzten Ausbauten reichen bis in das Jahr 64 n. Chr., und im Jahr 70 von den Römern unter Titus endgültig zerstört.
Uz	Heimat des Ijob. Die geographische Lage ist unsicher, evtl. in Edom, südlich vom Toten Meer.
Weihrauch	duftende Rauchwolke, die aufsteigt, wenn geeignete Harze auf glühende (Holz-) Kohle gelegt werden.

	Wurde verwendet beim Totenkult (Vertreibung des Verwesungsgeruches, Schutz vor Ansteckung und Abwehr böser Geister), im Tempelkult, beim Hofzeremoniell und zur Ehrung hoher Beamter bei feierlichen Anlässen.
Ysop	Kleiner, an Mauern wachsender Lippenblütler; diente wegen seiner dichten Blätter zum Besprengen (Sprengwedel). Seine aromatischen Blätter eignen sich für Tee und Likör.
Zeder	Prächtiger Bergbaum, auf dem Libanon bis 30 m hoch. Er wächst langsam und erreicht ein hohes Alter. Sein Holz war in der Antike zum Bau von Palästen und Tempeln begehrt. Heute gibt es nur noch geringe Bestände.
Zehnter	Die Abgabe des zehnten Teiles aller Erträge zum Unterhalt des Tempels, der Priester und Leviten. Der Z. wurde in der Kirche übernommen und teilweise bis ins vorige Jahrhundert fortgeführt.
Zeloten	siehe Seite 254
Zimbel	Ein Schlaginstrument (Becken), das in der kultischen Musik verwandt wurde.
Zion	Tempelberg in Jerusalem. Er steht symbolisch für ganz Jerusalem, Israel, das Volk Gottes.
Zisterne	Gemauerte Speichergrube für Regenwasser.
Zöllner	siehe Seite 254
Zungenrede	oder Glossolalie (von griech. glossa: „Zunge") zählt nach 1 Kor 12,10f zu den Geistesgaben. Dabei handelt es sich meist um ein unverständliches Stammeln zum Lobpreis Gottes, bei dem der Mensch vom Geist Gottes ergriffen ist und in Ekstase gerät. Für den Zuhörer muß es gedeutet werden, um sinnvoll zu sein.
Zypresse	Immergrüner schlanker Baum im Gebiet am Mittelmeer, er wird bis 30 m hoch. Sein Holz ist als Bauholz sehr geschätzt.

Abbildungsnachweis

Siegfried Adler, Böhlitz-Ehrenberg:
Seite 121 150 241 288 292 356

Christoph Birkner, Freiberg:
Seite 70 71 75 112 252 314 315 318

Eberhard Grond, Pirna:
Seite 51 59 78 238 239 244 293 351

Sabine Hiersemann, Leipzig:
Seite 101 158

Gerhard Kroll, Leipzig:
Seite 299

Mauritius, Die Bildagentur, Stuttgart:
Dumroth: Seite 63
Otto: Seite 42
Pigneter: Seite 26 273 328
SDP: Seite 47
Superstock: Seite 210
Thonig: Seite 368
Vidler: Seite 360

Alfons Senfter, Gschnitz (Tirol):
Seite 267 277 Vorsatz vorn und hinten

Turmbau zu Babel:
Seite 178 180

Matthias Weis, Leipzig:
Seite 22 81 132 147 176 234 304 341

Ulrich Werbs, Rostock:
Seite 34 278 306 310

Werners/present, Essen:
Seite 307

Solomon Wija, Leipzig:
Seite 38 64 96 135 142 168 197 203 275